本当に大切なことが1冊でわかる

循環器

第2版

編著 新東京病院 看護部

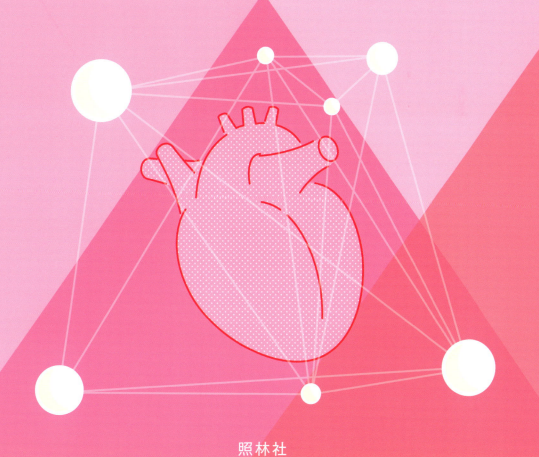

照林社

はじめに

　厚生労働省による2018年の調査では、日本人の死因の第1位は悪性新生物、そして第2位は心疾患です。2018年12月に「健康寿命の延伸等を図るための脳卒中、心臓病その他の循環器病に係る対策に関する基本法」が公布され、循環器医療はがん医療とともに、わが国が強化・推進する重要な分野となりました。また、近年「腫瘍循環器学」が発展してきたように、がん薬物療法が原因となる循環器関連の有害事象が話題になっており、がん看護においても循環器の知識は必須です。いえ、どの分野に携わる看護師にも循環器に関する知識はますます必要不可欠になっています。

　心疾患は時間との闘いです。発症時の救命・救急看護、意思決定支援、心理的ケアなどの看護が求められます。しかも、一度治療をすれば終わりというものではありません。患者さん・家族のセルフモニタリングによる早期異常の発見と対処、食事・運動・薬物療法などのセルフケアの継続が不可欠であり、これらを支援する看護師の役割は重要です。

　しかし、循環器医療の分野では略語が使われることが多く、瞬時の判断と対応が求められるため、初心者は苦手意識をもちやすいといえます。そこで、看護師になったばかりの人にはもとより、他の分野での看護経験者が循環器看護に携わることを意識して、『本当に大切なことが1冊でわかる循環器』を作成しました。

　新東京病院はわが国有数の循環器医療の実績をもち、50年の歴史があります。この本は、日々、循環器看護に携わっている看護師が執筆しました。特徴は、看護師が解剖・病態生理・治療について解説しているため、理解しやすいだけでなく、看護に活用できることです。コンパクトでわかりやすいことを念頭におき、この1冊で循環器看護に必要な知識を網羅しています。また、ケアのポイントをより具体的に記載し、予測に基づいて先取りしたケアができるように工夫しています。

　本書はどこから読み進めても理解できます。臨床でのケアに役立てていただけましたら幸いです。

　改訂版を出版するにあたり、多くの方々のご尽力をいただきました。ここに心から感謝申し上げます。

2020年2月

新東京病院
副院長・看護部長
濱口恵子

本書の特徴

本編 手元においてしっかり勉強する本

循環器看護に必要な解剖生理、疾患の病態・検査・治療・看護について、大事なところだけを1冊にまとめました

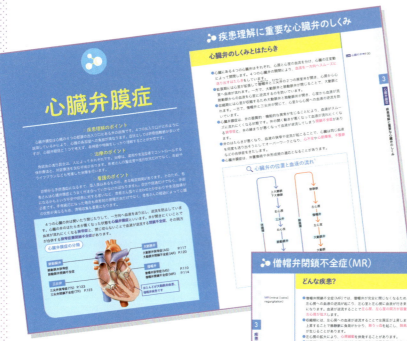

看護に必要なポイントに絞っているので大事なところをサッと理解できる

パッと見て大事なことが理解できるページ構成で検索もしやすい

経過別の視点で患者さんの全体がとらえられるようになり、必要な看護がわかる

別冊 病棟で必要な知識をまとめた持ち運ぶ本

病棟で必要な
症状のみかた、
疾患の検査・治療・看護、
よく使う薬や略語、
アセスメントスケールを
1冊にまとめました

病棟で必要な情報がコンパクトに掲載

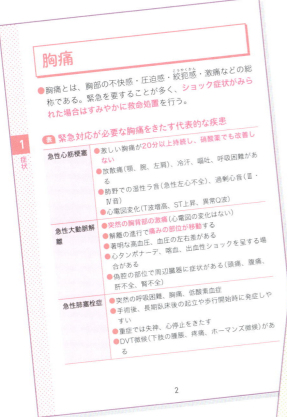

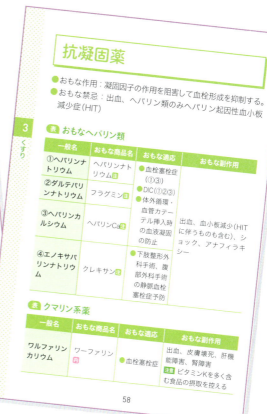

看護roo!（カンゴルー）とコラボ！

看護師向け人気サイト

看護師向けサイトの看護roo!といっしょに、ナース2,000人にヒアリングやアンケートを行い、看護師に必要な知識だけをまとめてできた1冊です

本書の有効な使い方

自宅などでは

わからないことが
あったら
本編で調べる

全体をつかんだら
別冊を持って
患者さんへの
看護を実践する

病棟などでは

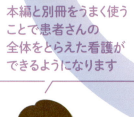

本編と別冊をうまく使う
ことで患者さんの
全体をとらえた看護が
できるようになります

本書の見方

虚血性心疾患（IHD）の分類

どうやって分類するの？

IHD(ischemic heart disease)

- 虚血性心疾患（IHD）は、発症時期や原因によって4つに分類されます。

表　虚血性心疾患の分類（IHD分類）

	慢性冠動脈疾患		急性冠症候群（ACS）	
	労作性（安定）狭心症 P.70	冠攣縮性狭心症（CSA）P.71	不安定狭心症（UAP）P.72	心筋梗塞（MI）P.73
病態	アテローム／動脈硬化などが原因で一過性に心筋虚血に陥る	冠動脈の攣縮によって一過性に心筋虚血に陥る（ST上昇を伴うものを異型狭心症という）	血栓／アテロームが破綻し、血栓が形成され狭窄が生じる　注意 心筋梗塞に移行しやすい	アテロームが破綻し、血栓による内腔の完全閉塞が生じる
症状の持続時間	3〜5分程度	数分〜15分程度	数分〜20分程度	20分以上〜数時間
特徴	●ニトログリセリンが有効 ●労作で誘発され、安静にすることで症状が消失する	●ニトログリセリンが有効 ●夜間から早朝に多い ●喫煙者や常習飲酒者に多い ●カルシウム拮抗薬が有効	●ニトログリセリンが有効（高リスクの場合は無効）●安静や労作時に関係なく症状が起こる	●ニトログリセリンは無効 ●激しい胸の痛み
心筋マーカー	上昇なし	上昇なし（重度なスパズムでは上昇することあり）	上昇なし、または軽微な上昇（心筋梗塞に移行していたら上昇あり）	上昇あり
心電図変化	●発作時にST↓	●発作時にST↑またはST↓	●ST↓（非ST上昇型急性冠症候群）	●ST・T波↑ ●異常Q波 ●冠性T波
検査	●心臓核医学検査（心筋血流シンチグラフィ）●運動負荷心電図 ●心臓・冠動脈CT検査 ●心臓カテーテル検査	●ホルター心電図 ●冠攣縮薬物誘発試験	●血液検査 ●心臓カテーテル検査 ●心臓・冠動脈CT検査	●血液検査 ●心臓カテーテル検査

3　関連ページを示しています

Link 動脈硬化➡P.201

用語の解説やワンポイント

非ST上昇型急性冠症候群（NSTE-ACS）
症状はあるが、12誘導心電図でSTの上昇はなく、低下や陰性T波がみられる。

Link 心筋マーカー➡P.76

空欄には自分で調べたことなどをメモして、自分だけの1冊にしましょう

CONTENTS

第1章 循環器看護で大切なこと　　1

循環器疾患をもつ患者さんってどんな人？	加瀬美樹	2
循環器看護で大切なことは？	加瀬美樹	3
循環器疾患の看護の経過	加瀬美樹	4
入院時から行う退院支援	加瀬美樹	6
循環器疾患の患者指導	加瀬美樹	11
慢性心不全のステージに合わせた看護支援	加瀬美樹	16
終末期ケアと意思決定支援	加瀬美樹	17
心臓リハビリテーション	勝見健一	19

第2章 循環器で必要な解剖生理　　23

循環器系のしくみとはたらき	中嶋ひとみ	24
心臓のしくみとはたらき	中嶋ひとみ	26
《循環器の理解に役立つ生理学》　心筋の興奮と収縮のしくみ	中嶋ひとみ	34
心臓のポンプ機能	中嶋ひとみ	40
循環調節	中嶋ひとみ	42
血管のしくみとはたらき	中嶋ひとみ	45
リンパ系のしくみとはたらき	中嶋ひとみ	48

第3章 循環器の疾患　　49

循環器疾患で重要なリスク因子　　井熊三奈子　50

高血圧症　　笹野香織　54

疾患理解に重要な血圧のしくみ	55
高血圧の基準	59
本態性高血圧	60
二次性高血圧	65

虚血性心疾患(IHD)　　木下智恵、橘 綾子　66

疾患理解に重要な冠動脈のしくみ	67

虚血性心疾患（IHD）の分類	68
狭心症（AP）	69
労作性（安定）狭心症	70
冠攣縮性狭心症（CSA）	71
不安定狭心症（UAP）	72
心筋梗塞（MI）	73
心筋梗塞の治療	77
心筋梗塞の合併症	81
虚血性心疾患の看護	82
虚血性心疾患の退院支援	85
心臓リハビリテーション	86
虚血性心疾患（急性心筋梗塞）の看護の経過	88

不整脈　　　　　　　　　　　　　　　　　　渡辺朋美　90

疾患理解に重要な心電図の読み方	91
不整脈の分類	92
洞不全症候群（SSS）	93
房室ブロック	94
心室期外収縮（PVC）	96
発作性上室性頻拍（PSVT）	97
心房細動（AF）／心房粗動（AFL）	99
心室頻拍（VT）	101
心室細動（VF）	102
脚ブロック（右脚ブロック、左脚ブロック）	103
不整脈の治療	104
不整脈の看護	105
不整脈の看護の経過	106

心臓弁膜症　　　　　　　　　　　　　　　　柳生阿希　108

疾患理解に重要な心臓弁のしくみ	豊田恵子	109
僧帽弁狭窄症（MS）	豊田恵子	110
僧帽弁閉鎖不全症（MR）	豊田恵子	114
大動脈弁狭窄症（AS）	豊島有紀	117
大動脈弁閉鎖不全症（AR）	豊島有紀	120
三尖弁疾患	豊島有紀	123

心臓弁膜症の退院支援	小久保美千代	125
心臓弁膜症の看護の経過	小久保美千代	126

心膜炎・心内膜炎　　笹野香織　128

疾患理解に重要な心膜のしくみ	129
急性心膜炎	130
慢性収縮性心膜炎	133
心タンポナーデ	135
感染性心内膜炎(IE)	137
急性心膜炎の看護の経過	140
慢性収縮性心膜炎の看護の経過	142
感染性心内膜炎(IE)の看護の経過	144

心筋疾患　　小野木 晃　146

心筋疾患の分類	147
肥大型心筋症(HCM)	148
拡張型心筋症(DCM)	152
心筋疾患の看護	155
心筋疾患(肥大型心筋症、拡張型心筋症)の看護の経過	156

成人の先天性心疾患　　小野木 晃　158

先天性心疾患の分類	159
心房中隔欠損症(ASD)	160
心室中隔欠損症(VSD)	162
先天性心疾患(心房中隔欠損症、心室中隔欠損症)の看護の経過	164

心不全　　中嶋ひとみ　166

疾患理解に重要な代償機転のしくみ	167
心不全の原因と分類	170
急性心不全・慢性心不全	171
収縮不全・拡張不全	172
左心不全・右心不全・両心不全	173
心不全の症状	174
心不全の病期	177
心不全の検査	179

心不全の治療	184
心不全の薬物療法と非薬物療法	190
心不全急性期（急性心不全・慢性急性増悪）の看護	193
心不全慢性期の看護	196
末期心不全の看護	197
心不全の看護の経過	198

動脈疾患　　　　　　　　　　　　　　　　　　大久保 愛、恩田香織　200

疾患理解に重要な動脈硬化のしくみ	201
疾患理解に重要な大動脈のしくみ	204
大動脈瘤（TAA、TAAA、AAA）	205
解離性大動脈瘤（DAA）	209
急性動脈閉塞症	213
閉塞性動脈硬化症（ASO）	215
大動脈瘤（TAA、TAAA、AAA）の看護の経過	218
解離性大動脈瘤（DAA）の看護の経過	220
急性動脈閉塞症の看護の経過	222
閉塞性動脈硬化症（ASO）の看護の経過	224

静脈疾患・リンパ系疾患　　　　南澤ひとみ（静脈疾患）、狩野周平（リンパ系疾患）　226

静脈疾患の理解に重要な筋ポンプ作用	227
深部静脈血栓症（DVT）	228
肺血栓塞栓症（PTE）	231
深部静脈血栓症（DVT）の看護の経過	234
リンパ系疾患の理解に重要なリンパ系のしくみ	236
リンパ浮腫	237

《循環器疾患と大きな関連のある疾患》　睡眠時無呼吸症候群（SAS）　　　　森田康昭　238

第4章 循環器のフィジカルアセスメント・検査　241

循環器のフィジカルアセスメント	井熊三奈子	242
心電図検査（ECG）	高橋鮎美	250
ホルター心電図	高橋鮎美	255
運動負荷心電図	大森昌子	256

心エコー検査	大森昌子 257
その他のエコー検査（下肢エコー検査、頸動脈エコー検査）	大森昌子 260
心筋シンチグラフィ	大森昌子 261
CT検査	大森昌子 263
MRI検査	大森昌子 264
血行動態モニタリング	高橋鮎美 265
動脈血ガス分析	荒井久美子 275

第5章 心臓カテーテル検査・治療　277

心臓カテーテル検査・治療の基本	湯浅 雪 278
看護師は何に注意する？	湯浅 雪 280
左心カテーテル（動脈系）	湯浅 雪 282
右心カテーテル（静脈系）	湯浅 雪 284
左心カテーテルの検査	湯浅 雪 285
冠動脈造影検査（CAG）	湯浅 雪 285
左室造影検査（LVG）	湯浅 雪 286
心筋血流予備量比（FFR）	湯浅 雪 287
冠攣縮薬物誘発試験	湯浅 雪 287
血管内イメージング	湯浅 雪 288
大動脈造影検査（AOG）	湯浅 雪 289
心筋生検	湯浅 雪 289
経皮的冠動脈インターベンション（PCI）	湯浅 雪 290
経皮的血管形成術（PTA）	湯浅 雪 296
経皮的中隔心筋焼灼術（PTSMA）	古梶有紀 297
経皮的心房中隔欠損閉鎖術（ASO）	古梶有紀 298
経皮的僧帽弁形成術	古梶有紀 300
経皮的大動脈弁形成術（PTAV）	古梶有紀 302
経カテーテル大動脈弁植込み術（TAVI）	加瀬美樹 304
カテーテルアブレーション	森田康昭 307
ペースメーカ治療	小野木 晃 309
ペースメーカ植込み術後の看護	小野木 晃 312
ペースメーカ植込み術の退院指導	小野木 晃 314
植込み型除細動器（ICD）	小野木 晃 318
心臓再同期療法（CRT）	小野木 晃 319

《低侵襲化が進む新たな治療法①》	リードレスペースメーカ	渡辺朋美 320
《低侵襲化が進む新たな治療法②》	皮下植込み型除細動器(S-ICD)	渡辺朋美 321
《知っておきたい治療法①》	大動脈内バルーンパンピング(IABP)	山川美穂 322
《知っておきたい治療法②》	経皮的心肺補助法(PCPS)	矢作由紀子 328
《知っておきたい治療法③》	V-V ECMO(V-V体外式膜型人工肺)	矢作由紀子 332

第6章 循環器の外科的治療　333

心臓手術		下徳 薫 334
心臓手術後の看護		柳生阿希 340
冠動脈バイパス術(CABG)		狩野周平 350
心臓弁膜症の外科的治療		早田真治 353
僧帽弁疾患の外科的治療		早田真治 354
大動脈弁疾患の外科的治療		早田真治 355
心臓弁膜症の外科的治療の看護		早田真治 356
大動脈疾患の外科的治療(人工血管置換術、ステントグラフト内挿術)		長谷川久美子 357
血栓塞栓除去術		荒井久美子 365

引用・参考文献　366
循環器でよく使う略語　374
索引　381

- 本書で紹介している治療・ケア方法などは、実践により得られた方法を普遍化すべく努力しておりますが、万が一本書の記載内容によって不測の事故等が起こった場合、著者、出版社はその責を負いかねることをご了承ください。
- 本書に記載している薬剤・器機等の選択・使用方法などの情報は、2020年1月現在のものです。薬剤等の使用にあたっては、個々の添付文書を参照し、適応・用量等は常にご確認ください。
- 本文中の製品の商標登録マークは省略しています。

[装丁・本文デザイン] ビーワークス
[　本文DTP　] 株式会社明昌堂
[　本文イラスト　] アタフタグラフィックス、今崎和広、日の友太

編集・執筆者一覧

[　　編集・執筆　　]　新東京病院　看護部
[　　編集代表　　]　濱口恵子　新東京病院 副院長・看護部長
[　看護師（五十音順）　]　荒井久美子
　　　　　　　　　　井熊三奈子
　　　　　　　　　　大久保 愛
　　　　　　　　　　大森昌子
　　　　　　　　　　小野木 晃
　　　　　　　　　　恩田香織
　　　　　　　　　　加瀬美樹　慢性心不全看護認定看護師
　　　　　　　　　　勝見健一
　　　　　　　　　　狩野周平
　　　　　　　　　　木下智恵
　　　　　　　　　　古梶有紀
　　　　　　　　　　小久保美千代
　　　　　　　　　　笹野香織
　　　　　　　　　　下徳 薫
　　　　　　　　　　高橋鮎美
　　　　　　　　　　橘 綾子
　　　　　　　　　　豊島有紀
　　　　　　　　　　豊田恵子
　　　　　　　　　　中嶋ひとみ　集中ケア認定看護師
　　　　　　　　　　長谷川久美子
　　　　　　　　　　早田真治
　　　　　　　　　　南澤ひとみ
　　　　　　　　　　森田康昭
　　　　　　　　　　柳生阿希　集中ケア認定看護師
　　　　　　　　　　矢作由紀子
　　　　　　　　　　山川美穂
　　　　　　　　　　湯浅 雪
　　　　　　　　　　渡辺朋美
[　　医学監修　　]　新東京病院　心臓内科・心臓血管外科
[　ミニBOOK 薬剤監修　]　新東京病院　薬剤部

第 1 章

循環器看護で大切なこと

- 循環器疾患をもつ患者さんってどんな人？ 2
- 循環器看護で大切なことは？ 3
- 循環器疾患の看護の経過 4
- 入院時から行う退院支援 6
- 循環器疾患の患者指導 11
- 慢性心不全のステージに合わせた看護支援 16
- 終末期ケアと意思決定支援 17
- 心臓リハビリテーション 19

循環器疾患をもつ患者さんってどんな人？

循環器疾患は命にかかわる病気

循環器の患者さんの特徴

- 循環器疾患をもつ患者さんは、**糖尿病や高血圧症など併存疾患**をもつことが多いです。患者さんの全体をとらえるには、まず、併存疾患と現疾患を把握することが大切です。

循環器疾患の患者さんの代表的な症状

- 循環器疾患でみられる代表的な症状は、次のとおりです。

🔍 循環器疾患の患者さんでよくみられる症状

呼吸困難　動悸　胸痛　浮腫　めまい　チアノーゼ

循環器の検査・治療

- 循環器でよく行う検査は、心電図、心エコー、X線撮影、血液検査、冠動脈造影法（CAG）などです。
- 循環器の治療は、心臓カテーテル治療や低侵襲の治療の普及に伴い、救命率が向上しています。

循環器疾患の患者さんの退院後

- 循環器疾患は再発を繰り返すこともあり、近年では、地域の関連施設で連携して患者さんをみる体制が推進されています。

---

1 循環器看護で大切なこと

Link 循環器でよくみる症状 ➡【別冊】P.1

Link 循環器のフィジカルアセスメント・検査 ➡ P.241

Link 心臓カテーテル検査・治療 ➡ P.277

循環器看護で大切なことは?

的確な状態把握と退院に向けた支援が重要

- 循環器疾患は、命にかかわる疾患のため、救命処置を行うことが最も重要です。状態変化の激しい患者さんの様子を的確に把握するため、フィジカルイグザミネーション（視診・聴診・触診）を用いての直接的観察力や、モニターなどのデータを読む観察力やアセスメント能力が求められます。
- 患者さんは死に直結する疾患になり、不安や恐怖心が生まれます。患者さんの思いを傾聴してかかわることが大切です。また、患者さん自身のケアに加えて、突然のできごとに戸惑う家族への精神的ケアも欠かさずに行いましょう。
- これからの循環器看護を行うにあたって、重要となるポイントは次のとおりです。

入院時から退院支援を考える→(P.6)

- 循環器疾患は、**生活習慣**が大きく影響します。退院後の生活では、生活習慣の改善が必要になる場合が多く、患者さんから入院前の生活についての情報収集を行うことが欠かせません。
- 入院直後から退院後をみすえて退院支援ができるよう、情報収集に努めましょう。

慢性心不全のステージに合わせて支援する→(P.16)

- 慢性心不全は、増悪を繰り返します。患者さんはいま、慢性心不全のステージのどこにいるかを把握して看護することが大切です。

心臓リハビリテーションを推進する→(P.19)

- 再発予防・再入院予防には、心臓リハビリテーションが欠かせません。心臓リハビリテーションは、急性期の入院中から開始し、継続していくことが重要です。
- 心臓リハビリテーションの内容は多岐にわたるため、実施には多職種の介入が必要です。看護師は多職種と連携して適切に実施できるようにかかわります。

循環器疾患の看護の経過

1 循環器看護で大切なこと

●まずは一般的な循環器疾患の看護の経過の全体像をつかみましょう。

	発症から入院・診断	入院直後
患者さんの症状	●胸部症状 ●呼吸困難感 ●めまい ●失神 ●冷汗 ●チアノーゼ ●易疲労感 ●浮腫	
検査	●問診・診察 ●会話中の息切れ、努力呼吸の有無 ●バイタルサインのチェック ●心音・呼吸音の聴取 ●X線検査 ●心エコー検査 ●血液検査（CK、CK-MB、トロポニンTなど）	
治療	●症状・検査結果から診断 ●持参薬の確認 ●薬の飲み間違いや、自己中断している薬はないかなどの確認 ●薬剤の投与（抗血栓薬、利尿薬、降圧薬、糖尿病薬など）	●薬剤の投与 ●心臓カテーテル治療 ●人工呼吸器管理 ●補助循環（IABP、PCPSなど） など
看護	**観察** ●上記症状について観察する **ケア** ●診断を受けた患者さん・家族の身体的・精神的ケアを行うとともに、すみやかに疾患に対する治療・検査の準備を行う ●持病をもつ家族が付き添っている場合もあるため、家族の体調も聴取する 救命処置が第一です。患者さんの全身管理とともに、家族へのケアも忘れないようにしましょう	**観察** ●痛み・苦痛の程度の確認 **ケア** ●薬剤・治療に対する反応を医師へ報告 ●医師の指示に従い薬剤投与 ●緊急で心臓カテーテルを行う場合は、カテーテル室看護師、臨床工学技士、放射線科など他部署と連携をとり、すみやかに患者さんをカテーテル室に搬送する ●呼吸・循環を保つことができない場合は、医師の指示のもと、呼吸器管理、IABP、PCPSなどの準備・管理を行う ●医療機器の装着によって安静度が制限されることで不安や痛みが出現する。患者さんの身体的・精神的苦痛の軽減に努める

急性期	一般病棟	自宅療養(外来)に向けて
●12誘導心電図 ●検査データの経時的観察		
●血管拡張薬、利尿薬、カテコールアミン系の薬剤などを使用する際、配合禁忌薬剤の表を確認し、間違えないように注意する ●心臓リハビリテーションの開始	●症状・バイタルサイン・検査データに合わせて点滴・内服の調整を行う	●治療の効果を評価する
観察 ●抗血小板薬・抗凝固薬による出血 ●心不全サインの観察 ●痛み・苦痛の程度の観察 ●うつ・せん妄などの症状の有無 **ケア** ●多種類の薬剤を投与しているため、確実に投与できているか確認する ●持続点滴は2時間ごとに流量と残量、ライントラブルがないか確認する ●症状の出現・持続・増悪による不安の程度を確認する ●呼吸器、補助循環装置を装着している場合は、それに対応した看護を行う ●患者さん・家族の反応と心理状況を確認する ●症状が落ち着いたら日常生活について聴取する ●患者−家族関係、介護力などを評価する	**観察** ●症状増悪の有無 ●治療薬(利尿薬、降圧薬など)の反応 ●身体的・精神的苦痛の有無と評価 **ケア** ●点滴から内服に切り替える時期は、症状の増悪・バイタルサイン・心電図・採血データなどの変化に注意する ●パンフレットなどの媒体を使用し、患者さん・家族へ生活指導の介入を行う ●セルフケアへの支援を行う ●退院後も入院前の生活を継続できるよう、医療の提供方法を検討する ●入院前の生活を聴取しながら振り返り、増悪因子を見つける。患者さんと一緒にどれなら改善できるかを話し合う 合併症などに気をつけながら、早期離床などをすすめて回復をサポートしましょう	**観察** ●症状の有無 ●不安や心配ごとはないか ●住環境、仕事などの活動量 ●セルフモニタリング、セルフケアが確立できているか **ケア** ●患者さん・家族に対し、症状の増悪時・緊急時(ショック状態、意識消失など)にどこに連絡すればよいか明確にしておく ●必要時は、患者さん・家族・多職種を交えた退院前カンファレンスを行い、継続支援に努める 社会復帰できるように、患者さんに合わせた退院指導を行います

1 循環器疾患の看護の経過

入院時から行う退院支援

1 循環器看護で大切なこと

なぜ入院時から退院支援を考えるの？

- 生活習慣病と呼ばれる循環器疾患は、食事、運動、喫煙などの生活習慣の是正によって症状の悪化予防ができることが多いため、患者教育・指導が重要となります。
- 患者教育・指導には、**患者さんが病気をどのように理解しているか、自己管理能力、患者さんのADL(日常生活動作)、家族構成と患者さんをサポートできる体制**が大きく影響してきます。
- 医療者は教育支援するだけでなく、指導内容が継続できているかの評価、できていないところの情報収集とアセスメントを行い、必要時は再指導を行っていく必要があります。そのため、入院時の早期から退院支援を進めていくためにも、情報収集を行います。

表 入院時の基本的な情報収集項目

項目	内容
症状の有無	●最後に症状を認めたのはいつか ●症状出現時の対処はどのようにしたか ●胸痛の問診についてはP.242参照
疾患に対する理解	●自分の病名を正確に言えるか ●今後、出現するであろう症状が予測できているか(P.68, 186参照)
患者さんの身体的・精神的状態	●病気を診断されたときの気持ちはどうだったか。今の気持ちはどうか ●病気を抱えながらの生活に対してどう思っているか
患者さんの自己管理能力	●通院・内服の自己中断はないか ●内服の飲み忘れがないか(飲み忘れがある場合、患者さんの生活スタイルに合わせて内服回数を減らしたり、一包化にしたり工夫する)
入院前の食生活	●濃い味が好き、外食が多い、コンビニ食が多いなど
患者さんの社会背景	●社会的役割 ●仕事は重労働か、デスクワークか、満員電車での通勤をしているかなど
家族構成と支援状況	●誰がキーパーソンか ●万が一、患者さんの意思を確認できない状況になった場合に、患者さんの代わりに治療の選択を決定してくれる人を確認しておく
既往歴や家族歴	●出生から現在に至るまでの患者さんの健康状態、罹患した疾患およびその経過 ●肉親の年齢と健康状態(心疾患、喘息などがある場合、遺伝的・環境的な原因疾患をスクリーニングする)

ポイント① 入院時の情報から増悪因子を見抜く

- 入院時の情報収集から、**増悪因子（冠危険因子）となっているものを見抜き**、正しくアセスメントを行う必要があります。
- 急性冠症候群（ACS）のリスクを評価するものに、TIMIリスクスコアがあります。複数のリスクファクターから評価し、リスクファクターの数が増加するほど、相乗的に予後が悪化するといわれています。

> **冠危険因子**
> 冠動脈疾患の家族歴、喫煙歴、高血圧、糖尿病、脂質異常症、慢性腎臓病

表 TIMIリスクスコア（各1点）

1. 年齢：65歳以上
2. 3つ以上の冠危険因子（家族歴、高血圧、脂質異常症、糖尿病、喫煙）
3. 既知の冠動脈有意（＞50％）狭窄
4. 心電図における0.5mm以上のST偏位の存在
5. 24時間以内に2回以上の狭心症状の存在
6. 7日間以内のアスピリンの服用
7. 心筋障害マーカーの上昇

表 TIMIリスクスコアと30日間の胸痛発作の発生率[1]

0点	1点	2点	3点	4点	5点	6点	7点
2.1%	5%	10.1%	19.5%	22.1%	39.2%	45%	100%

TIMIリスクスコアでは、「65歳以上」だけで1点あります。高齢者であれば、誰でもACS発症リスクを有していることに気をつけましょう。

ポイント② セルフケア・モニタリングの必要性の説明

- 心疾患の終末的な病態である心不全は、急性増悪し、再入院することが多い疾患です。急性増悪の原因として右のグラフに示した「**塩分、水分制限の不徹底**」「**感染症**」「**過労**」「**治療薬服用の不徹底**」は、患者さん自身が是正できるものが多くあります。
- そのため、心不全ガイドラインには、「患者の自己管理が重要な役割を果たし、自己管理能力を向上させることにより、予後は改善する」とあります。

図 急性増悪の原因

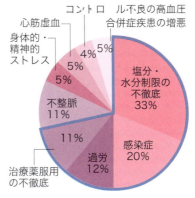

Tsuchihashi M et al. Clinical characteristics and prognosis of hospitalized patients with congestive heart failure－a study in Fukuoka, Japan. *Jpn Circ J* 2000；64(12)：953-959.

ポイント③ 患者教育のための教育資材の活用

- 高血圧手帳・糖尿病手帳・心不全手帳など、患者さんが記録できる患者手帳はたくさんあります。まずは、**院内で統一した教育媒体を使用する**ことが望ましいです。統一した教材を使用することで、**患者さんと医療者間の共通認識が、多職種間での共通認識につながります。**
- 患者手帳とは、患者さんもしくは家族や介護者が、患者さんの病状を記録する手帳で、入院中から毎日の血圧・脈拍・症状などを記録します。毎日の情報を受診時に医師へ提供できるだけでなく、患者さんや家族が異常を早期発見することができ、早期の受診行動につなげることができます。
- 患者手帳の活用方法には、以下のようなものがあります。

日本心不全学会『心不全手帳』(2018年10月第2版)

心身の状態に関する情報を共有する

- 入院中はもちろん、退院後に患者さんが毎日の測定値（血圧・脈拍・体温・体重など）や症状を記載した手帳は、**自宅で生活する患者さんの生活状況や症状、特徴に関する情報源**となります。例えば、患者さん・家族は毎日記録している数値から受診すべきかを判断し、理解できているのか、適切な対処行動がとれていたのかについて把握することができます。

セルフモニタリング能力を促進させる

- 医療者と患者さんが記録手帳を一緒に振り返り、**測定や記録ができたことを医療者がほめます**。できていない部分については把握し、継続できるように支援することで、自己管理が継続できているという自信（＝自己効力感）の強化が期待できます。

コミュニケーションツールとして活用する

- 退院後も患者手帳をとおして患者さんと医療者が情報を共有し振り返ることで、患者さんは医療者から「見守られている」という安心感をもつことができ、さらなる自己管理への意欲にもつながります。手帳をコミュニケーションツールとして活用することは、患者さんと医療者の関係を安定させることができます。

ポイント④ 行動変容ステージモデルに合わせた指導

- 退院支援は、患者さんが病気について、そして自己管理の必要性を理解できているかから始めます。簡単なことから複雑なことへと段階を経て進めていくと患者さんの学習意欲は高まります。
- 人が行動を変える場合、**行動変容ステージモデル**という「**無関心期**」「**関心期**」「**準備期**」「**実行期**」「**維持期**」を経ていきます。患者指導をするときは、今はどのステージにあるかを把握する必要があります。

図 行動変容ステージモデル

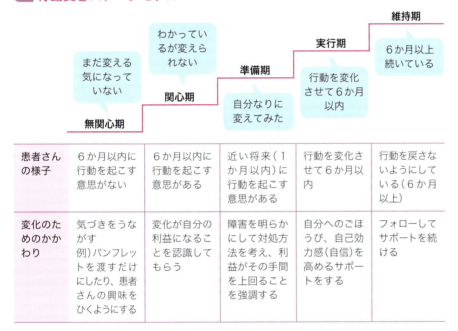

	無関心期	関心期	準備期	実行期	維持期
患者さんの様子	6か月以内に行動を起こす意思がない	6か月以内に行動を起こす意思がある	近い将来（1か月以内）に行動を起こす意思がある	行動を変化させて6か月以内	行動を戻さないようにしている（6か月以上）
変化のためのかかわり	気づきをうながす 例）パンフレットを渡すだけにしたり、患者さんの興味をひくようにする	変化が自分の利益になることを認識してもらう	障害を明らかにして対処方法を考え、利益がその手間を上回ることを強調する	自分へのごほうび、自己効力感（自信）を高めるサポートをする	フォローしてサポートを続ける

表 行動変容の時期に合わせた患者さんへの具体的な対応

無関心期	この時期の患者さんは**無理に情報提供すると逆効果**である。パンフレットを用いて、短時間でポイントをしぼって説明するなどの工夫が必要となる
関心期	「このまま行動が変わらなければよくない」というイメージをもたせ、さりげなく「行動変化」の内容と方法を提案する。患者さんの特徴としては**まだ行動には移せていないため、言い訳が多くなる**
準備期	患者さんが自分なりに動き始めている段階だが、その**行動を継続させていく自信がない**ことが特徴である。**決して失敗しない行動計画を立てる**ことが効果的である
実行期	患者さんががんばって行動を継続させている段階。**周囲のサポート体制**など、**行動を続けていける環境づくりも大切**となる
維持期	維持期に入ると、行動はすでに患者さんの生活の一部として取り込まれているので、ほとんど不安はなくなる。**これまで続けてきた努力を認め、励ましの言葉をかける**

退院支援に役立つ自己効力感を高める方法

- 人の行動は「その行為を行えばよい結果が得られる」という予測に加えて、「自分にもできる」という予測、つまり「**自信**」が伴い実行に移されます。したがって患者さんの行動変容を促すためには、自己効力感(できるという自信)を高めることが必要になります。
- 患者さんがすぐにできる小さな目標を設定し、小さな成功体験を積んでいくことが成功のカギとなります。また、何らかの理由で変化を妨げられた場合は、ステージを逆戻りすることもあるので注意が必要です。
- 以下の①~④に示した内容が自己効力を向上させるためには重要です。このなかで最も自己効力感を高めるのは**成功体験**です。

①成功体験

- 成功体験とは、**何かをやり遂げた、成功した実体験**のことです。
- **スモールステップ法**を用いて、できることからコツコツと、「できない」よりも**「できる」をたくさん体験すること**で患者さんのやる気を引き出すことがポイントになります。

図 スモールステップ法

②代理的経験

- 代理的経験とは、他者が達成している様子を観察することによって、「**自分にもできそうだ**」と感じることをいいます。「**あの人にできるなら自分にできないはずはない**」というわけです。

③言語的説得

- 言語的説得とは、**専門性をもった人から賞賛を受けたり、達成可能性を言語で繰り返し説得する**ことです。
- 言語的説得のみによる自己効力感は、容易に消失しやすいといわれています。

④高揚感と想像

- 「できる」と思える環境に身を置いたり、想像することです。

循環器疾患の患者指導

循環器疾患の患者指導のポイント

- 患者さんを再入院させないためには、患者さんに合わせた療養が行えるよう臨機応変に対応します。一度に多くの情報を与えても実践できません。患者さんの生活に必要な情報を伝え支援します。
- 患者さん一人ひとりに合わせたオーダーメイドの指導を可能にするためには、身体的・精神的・社会的側面や食事、服薬状況の情報収集をていねいに行います。入院前の生活を一緒に振り返り、どこに問題があるのかを知り、実際に指導を実践するときの優先順位を考えていきます。

指導前の心構え

- アドヒアランスが悪いと決めつけず、**療養行動がとれなかった**理由を患者さんと一緒に探し出します。
- 再入院を繰り返す患者さんには「あの人は病状理解ができていない」とレッテルを貼り一方的な指導となりがちですが、長年の生活習慣を変えることは簡単ではありません。患者さんが制限を守れないのは、医療者側が患者さんを理解し、個人に合わせた指導を行えていないことが要因である場合があることを忘れないようにしましょう。

共通の資材を使用する

- 再入院を防ぐためには、患者さんが**退院後も自分自身の体調をチェックできる**こと、**症状増悪時に適切な対処行動をとれる**よう教育していくことが重要となります。そのため、教育資材は誰が見てもポイントがわかるよう、各職種が共通して使用できるものを使用します。

入院中から「記録をつける」習慣を身につける

- 退院後に疾病管理ができるように、急性期を脱し症状が安定したら、早期から共通した媒体の記録用紙に、毎日のバイタルサイン、体重、胸部症状、浮腫などセルフモニタリング項目を患者さんと一緒にチェックし、記録していきます。退院後の生活をみすえて、**入院中から記録をつける習慣を身につけることが重要**です。

がんばりすぎない指導をする

- 指導したことをすべて守ってもらうのは無理に近いものです。「これだけは！」ということ、患者さんにとって最低限のことだけ理解してもらえるようにしましょう。

食事療法（目標体重の維持）

- 肥満は高血圧、高血糖、高中性脂肪血症などを引き起こし、心臓血管病の危険因子となります。
- 心疾患の患者さんは、体重増加によって心負荷が増大し、心不全の増悪をきたします。規則正しい食生活によって目標体重を維持することが、循環器疾患の再発や増悪の防止となり、患者さんのQOL向上が望めます。

表 目標体重維持の具体例

カロリー制限食	●朝食を多めにとり、夕食を少なめにする ●腹八分目を心がける ●果物は1日1個までとする ●動物性食物を避け、なるべく植物性食物を摂取する
規則正しい食生活	●食事記録をつける ●1日3食を規則正しく摂取する。間食・夜食はとらない ●よく噛んで摂取する。早食いは食べ過ぎてしまうので注意する

BMI

体重管理にはBMIを用いる。
BMI＝体重÷（身長×身長）

～18.5	やせ
18.5～24.9	普通
25.0～29.9	肥満1度
30.0～34.9	肥満2度
35.0～39.9	肥満3度
40.0～	肥満4度

塩分制限

- 心疾患の患者さんは、**1日6g以下の減塩**が目標となります。
- 塩分の過剰摂取は水分過多を引き起こし、循環血液量を増加させ、血圧の上昇と心負荷を増大させます。塩分1gを摂取すると、200mL程度の水分が血管内に引き込まれます。
- 食品の栄養表示は、食塩だけではなくナトリウム表示になっているため、食塩相当量を求める計算式も指導する必要があります。
- 食生活には個人・家族単位での習慣が大きくかかわっており、すぐにその習慣を変えることは困難です。できるだけ入院中に栄養指導を受けるよう提案します。栄養指導はなるべく調理者と一緒に受けてもらいましょう。

ナトリウム表示からの食塩相当量の求め方

食塩相当量（g）＝ナトリウム（mg）×2.54÷1000

表 減塩のポイント

薄味にする調理方法	●塩味の代わりに酢、レモン、かぼす、すだちなど酸味を利用する ●香味野菜や香辛料で味を引き締める ●出汁のうまみをきかせる（化学調味料は塩分が含まれているので天然のものを使用する） ●下味はつけず表面につける
食べ方	●味噌汁は多くても1日1杯にする ●醤油、ソースは食物に直接かけない。少量ずつつけて食べる ●そば、うどん、ラーメンの汁は飲まない ●生醤油より出汁醤油、ポン酢を使用する ●煮物は1食1品程度にする
外食時	●どんぶりものは避ける ●定食にして、漬物、味噌汁は残す

特に高齢者は減塩によって食事量が低下し、栄養状態の悪化をまねくことがあります。栄養士、患者さんと相談しながら調整しましょう

水分制限

- 水分過多は心負荷を増大させ、心不全症状の悪化を引き起こします。
- 患者さんによって水分制限の程度は異なるため、必ず医師へ確認します。

表 水分制限のポイント

- 1日の水分量を守る工夫として、ペットボトルや水筒を使用する
- 自宅で使用するコップの容量を確認し、何杯飲んだかで計算する
- 朝昼晩でどれだけ水分摂取するか、おおよその量を決める
- 氷をなめる、うがいをするなど工夫し、制限内で口渇を潤す

日常生活

- 心疾患をもつ患者さんにとって適度な運動は、再発予防効果やQOL向上にもつながります。
- 運動療法は個々で程度が異なるため、退院前に医師へ確認する必要があります。
- 二重負荷を回避するようにします。具体的には、食事、洗面、入浴、散歩、排泄など2つ以上の労作を同時、または立て続けに行わないようにします。最低でも20〜30分は休憩を入れながら行うようにします。

Link 二重負荷 ➡ P.83

表 日常生活での注意点

入浴	●湯の温度は38〜40℃にし、湯につかるのは10分程度にする ●湯につかるのは胸のあたりまでとする 　根拠 深くつかると静水圧によって静脈還流が増し、心内圧を上昇させるため
トイレと排便	●努責は血圧を上昇させ、心負荷増大をまねくため、排便コントロールが必要である ●なるべく洋式トイレを使用する 　根拠 和式トイレは腹圧がかかり心負荷を増大させるため ●便座は保温できるものにするか、カバーをかけ、温度差で血圧が上昇しないようにする
感染予防	●帰宅時のうがい・手洗いを徹底する ●食後の歯みがきを徹底する ●インフルエンザワクチンは禁忌の患者さん以外はなるべく接種する
自己検脈 血圧測定 体重測定	●血圧測定、検脈の方法を説明する ●血圧測定は、起床後、朝食前など、時間を決めて測定し記録する ●体重は起床時、排尿をすませてから測定する

Link 検脈指導 ➡ P.314

心肺蘇生方法の説明

- 患者さんと家族に心肺蘇生方法（AEDの使用方法を含める）を説明します。

薬物療法の患者指導

- 薬物療法の患者指導には、**患者さんの服薬アドヒアランスを向上**させることが大切です。患者さん自身が主体となって治療に取り組んでいく体制をつくっていくことが重要とされています。
- これまでは、ただ指示どおりに薬を飲むだけのコンプライアンス概念でしたが、今は**患者さん自身が自らの意思で積極的に治療へと向かっていくアドヒアランス**へと変わりつつあります。患者さんとのコミュニケーションのなかで、患者さんが自分の意思で薬を飲めるように導いていくことが医療者の役割といえます。

服薬アドヒアランスを向上させる方法

- 患者さんが、なぜ処方箋どおりに薬を飲んでくれないのかを考えてみましょう。

よくある例1　内服を忘れてしまう患者さん

- 内服を忘れる理由として考えられるのは、やはり**飲み忘れ**が一番大きいです。どれだけしっかりと服薬指導をしても、内服を忘れてしまう患者さんはいます。
- 1日3回の処方薬の場合、**昼の分を飲み忘れてしまうことが多い**とされています。特に会社員や学生は、昼の休憩時間を慌ただしく過ごし、忘れてしまいがちです。
- 例えば、1日3回の内服から2回の内服へ変更したり、患者さんの生活スタイルに合った処方にしてもらえるよう医師へ相談してみましょう。

よくある例2　薬を飲みたくない患者さん

- 薬を飲みたくない原因はさまざまです。「飲まなくても痛くもかゆくもないから飲まなかった」「たくさんの薬を飲むと副作用が怖いので飲まない」などと言う患者さんに、循環器でよく使うアンジオテンシン受容体拮抗薬（ARB）・アンジオテンシン変換酵素（ACE）阻害薬・β遮断薬の効能をいくら説明しても、処方箋どおりに内服してもらうことは難しいです。
- 例えば、頻脈に対してβ遮断薬でレートコントロールしている患者さんには、「人間は走ると脈拍が速くなります。安静時も脈拍が速くなっていると心臓は疲れて心不全になります。体調がよくても心不全にならないためには、内服することが大切ですよ」というように、**薬効だけではなく服用目的を伝える**とよいでしょう。
- 利尿薬は尿の回数が多くなるから、外出するときは飲まないという患者さんがいます。ラシックス40mgは半減期が35分、効果は1時間以内に発現し、6時間持続すると報告されています。体液貯留による浮腫、呼吸困難感の症状を防ぐための内服であることや効果持続時間も伝え、外出時には帰宅してからでもいいので、決められた回数を内服してもらえるよう説明します。

1　循環器看護で大切なこと

コンプライアンス（服薬順守）
服薬に関して、患者さんがきちんと薬を飲むかどうかについて使われる。「コンプライアンスがよい」とは、きちんと指示どおりに薬を飲んでいるという意味。

アドヒアランス
指示されたことに忠実に従うというより、患者さんが主体となって、「自分自身の医療に自分で責任をもって治療法を守る」という考え方。「服薬アドヒアランスがよい」とは、薬を飲む意義をよく理解し、その必要性を感じてきちんと薬を服用するという意味。

Link 循環器でよく使うくすり→【別冊】P.57

レートコントロール
心房細動調律のままで心拍数をコントロールし、速くなりすぎないようにする治療法。

心不全患者さんの集団指導

- 患者さんへの指導は各病棟で統一した内容を提供するために、当院では日本心不全学会から提供されている「心不全手帳」を使用しています。しかし、その手帳を活用して個別に指導するのは、病棟看護師の技量に左右されることや、指導時間にばらつきがあることがわかりました。
- 増加しつつある心不全の患者さんに効率よく、患者さんにとってわかりやすく退院後の生活に生かしてもらえるような指導を行うため、患者さん数人に対して慢性心不全看護認定看護師が中心となり、病棟看護師と一緒に集団指導を行っています。

Link 心不全手帳 ➡ P.8

🔍 心不全の集団指導の一例

集団指導で指導している内容の一部です。血圧測定や自覚症状などの記録は、心不全手帳を使用してできるように指導します

慢性心不全のステージに合わせた看護支援

Link 心不全慢性期の看護 ➡P.196

1 循環器看護で大切なこと

慢性心不全の患者さんの特徴

- 循環器看護で重要なことに、心不全の経過を把握してかかわるということがあります。
- 慢性心不全は、心不全の増悪によって再入院を繰り返すことがあるため、病期に合わせた支援が大切になります。

図 心不全とそのリスクの進展ステージ

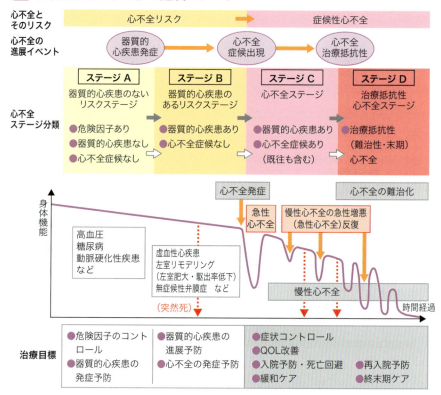

[引用]
1. 厚生労働省第4回心血管疾患に係るワーキンググループ：心血管疾患の医療提供体制のイメージ．https://www.mhlw.go.jp/file/05-Shingikai-10901000-Kenkoukyoku-Soumuka/0000165484.pdf（2020.01.10アクセス）
2. 日本循環器学会：急性・慢性心不全診療ガイドライン（2017年改訂版）．http://www.j-circ.or.jp/guideline/pdf/JCS2017_tsutsui_h.pdf（2020.01.10アクセス）

終末期ケアと意思決定支援

心不全における終末期ケア

心不全ガイドラインにおける緩和ケアと終末期ケア

- 心不全は、症状が出現した心不全ステージCの後に適切な治療を行うことで長期にわたり寛解し、その後、寛解と増悪を繰り返し、徐々に進行する時期を経て最終的に難治性・末期の心不全（ステージD）に至ります（P.16参照）。
- 2005年のAHA（米国心臓協会）心不全ガイドラインからステージDの患者さんに対しての治療選択にエンド・オブ・ライフケアが含まれ、2013年ACCF（米国心臓病学会財団）/AHA心不全ガイドラインでは心不全入院患者さんと、外来患者さんの診療手順を初回評価から緩和ケアに至るまで包括し、QOL改善に対して焦点が当てられています。

心不全における緩和ケアと終末期ケア

- ステージDに至るまでの時期に、今後たどると考えられる経過について医療者、患者さん・家族が共通認識をもち、患者主体の意思決定を支援することで、ステージDに至った際に症状緩和を含む終末期ケアを選択できるようになります。
- 現実的には、発症早期に心不全の経過を一般論として患者さんへ説明し、入退院を繰り返すようになった時期に、最期に向けた意思決定（準備）を退院前にしていきます。最期を迎えたい場所、最期までにしておきたいことなどを確認しておくことで円滑な意思決定ができるようになります。そして、緩和ケアの過程の最後に、人生最期の数日から数週間における終末期のケアを行うことができます。

経過見直しと意思決定支援のタイミング

- 1年ごとに心不全の経過を見直し（再評価）、医療者、患者さん、家族で病期を共有します。

表 再評価の契機となるできごと

- 症状の増悪
- QOLの低下
- 心不全での再入院
- 利尿薬の量が増え続ける
- 症候性低血圧
- 植込み型除細動器（ICD）の作動
- 静注強心薬の開始
- 腎代替療法の考慮
- 配偶者死亡などのライフイベント

緩和ケア
生命を脅かす疾患に直面している患者さんと家族に対して、疾患の早期より全人的に対処しQOLを改善するためのアプローチ。

終末期ケア
人生最期の数日から数週間におけるケア。

慢性心不全の意思決定支援のポイント

- 慢性心不全患者における意思決定支援の問題と課題として、病の軌跡は増悪、寛解を繰り返すため、最期まで寛解の可能性を信じ治療を続け、患者さんは苦痛とともに一生を終え、医療者、家族にも精神的苦痛が残ることも少なくありません。
- 心不全の患者さん、家族のほとんどは予後についての情報を知らず、最期の迎え方について家族と話し合っていない場合が多く、代理意思決定者が苦悩する場面が多くあります。医療者は患者さんの予後をみすえ、患者さんと家族が前もって意思決定できるよう支援していく必要があります。

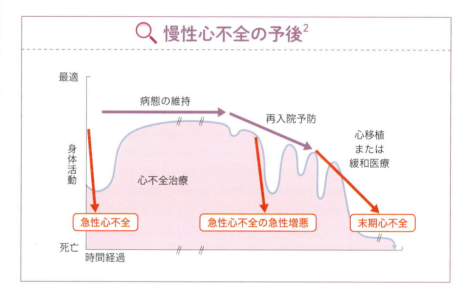

慢性心不全の予後[2]

アドバンス・ケア・プランニング（ACP）

- アドバンス・ケア・プランニング（ACP）とは、患者さんが将来や終末期について医療者と共に話し合うコミュニケーションプロセスです。患者さん自身が作成する人生設計を意味します。具体的には、**人生の最期をどのように過ごしたいか、どのような医療を受けたいかなどについて話し合い決定する過程**です。生命維持装置に関する希望について、患者さんが何に価値を置き、どう生きたいかを明確にし、経過のなかで可能な範囲で希望を満たしていく作業のことをいいます。
- 適切な治療を行うとともに、医療者・患者さん・家族を含めた周囲の人々の間でも経過を共有し、末期に至るまでの意思決定を支え、全人的苦痛に対処する過程が、心不全の終末期ケアに通じる心不全の緩和ケアなのです。

図 アドバンス・ケア・プランニング（ACP）

Advance	Care	Planning
前もって（意思決定能力が低下する前に）	医療やケアについて	話し合いを行うプロセス

心臓リハビリテーション

心臓リハビリテーションって何だろう？

- 心筋梗塞の治療で、心電図をとり、負荷をかけて前後の変化をみることは、ここでいう心臓リハビリテーションではありません。多くのみなさんが想像するのは、心臓リハビリテーションのなかの、心筋梗塞の離床プロトコール（段階的身体動作負荷）のことです。
- 心臓リハビリテーションとは、「医学的な評価、運動処方、冠危険因子の是正、教育およびカウンセリングからなる長期的で包括的なプログラムである。このプログラムは、個々の患者の心疾患に基づく身体的・精神的影響をできるだけ軽減し、突然死や再梗塞のリスクを是正し、症状を調整し、動脈硬化の過程を抑制あるいは逆転させ、心理社会的ならびに職業的な状況を改善することを目的とする」（米国公衆衛生局）と定義されています。
- これらをまとめると、心臓リハビリテーションとは、**精神面と身体面が悪くならないように（もしくはよくなるように）介入し、早期社会復帰ができるように**することです。

Link 急性心筋梗塞14日間クリニカルパス→ P.86

心臓リハビリテーションの構成要素

- 入院中の心臓リハビリテーションの構成要素は、**①運動療法**、**②患者教育**、**③カウンセリング**です。

①運動療法

- 運動療法は、医療者の監視のもと適切な運動を行うことで、**血流増加、心不全の改善、呼吸の換気量増加、血管内皮細胞の改善（血管の若返り）、末梢血管抵抗の改善（高血圧の是正）、ミトコンドリアの増加（エネルギーをつくる能力がアップ）、自律神経のはたらきを整える、死亡率の減少**などの効果があります。

②患者教育

- 患者教育の内容には、**内服薬の効果と必要性、食事指導、禁煙、行っている運動の効果と必要性、救急対処方法**などがあり、予防行動への動機づけが重要です。
- 教育は患者さん本人だけでなく、家族・パートナーにも行うことで、より効果を発揮します。

③カウンセリング

- カウンセリングはリラクゼーション教育を行うことで、不安やうつを和らげます。不安やうつは循環器の危険因子として扱われ、血圧上昇、睡眠不足、食欲低下、意欲の低下などの症状を引き起こします。実際のカウンセリングでは、医師・看護師・理学療法士・栄養士・薬剤師・臨床検査技師・ソーシャルワーカーなど多くの職種がかかわるため、職種間での連携や情報共有が大切です。

おもな心臓リハビリテーションの効果

- 疾患ごとに心臓リハビリテーションがもたらす効果が異なります。

虚血性心疾患

Link 虚血性心疾患➡P.66

- 虚血性心疾患では、過去には安静が必要とされることもありましたが、「急性心筋梗塞14日間クリニカルパス」(P.86)をみてもわかるとおり、**早くからの離床が必要**です。それにより、血流改善とADLの低下を防ぐ効果が期待できるからです。
- それだけではなく、心臓リハビリテーションは**血管の動脈硬化の進行を防ぐ**効果があるため、治療部位の再狭窄や新たな狭窄も防止する効果が期待できます。

心不全

Link 心不全➡P.166

- 心不全でも、安静が重要と考えられてきましたが、運動療法を行うことで**運動耐容能(運動に耐えうる心臓)と予後が改善**することが報告されています。
- 加えて、過度の安静がさらに心不全を悪化させていたことまで明らかになってきています。よって、安定した心不全では、運動療法を行うことは必要であるといえます。

末梢血管疾患

Link 閉塞性動脈硬化症➡P.215

- 閉塞性動脈硬化症(ASO)、急性下肢虚血(ALI)、末梢動脈疾患(PAD)などと呼ばれる末梢血管疾患では、下肢の痛みが強くなるにつれて活動範囲が狭くなっていきます。最終的にはベッド上での生活がおもになります。
- このような患者さんは、糖尿病、腎疾患、動脈硬化症、脂質異常症、高血圧症を併発していることが多いです。虚血性心疾患よりも予後が悪い場合もあります。痛みのコントロールと背景にある疾患の是正が必要となるため、心臓リハビリテーションが有効です。

術後

- 術後早期からの心臓リハビリテーションは非常に重要ですが、慎重を要します。
- 手術後は創痛や疲労感、点滴などのルート類の多さから介入が困難ですが、運動療法はバイパス手術後のグラフト開存や心臓弁膜症手術の血行動態の改善を認めるため、生命予後・QOLを改善するためにも有用です。

運動療法の進めかた

- 運動療法の実施にあたっては、**メディカルチェック**を行ったうえで、患者さんそれぞれの身体的・社会的状況に合わせて運動処方が作成されます。
- 運動療法の基本的な構成要素は、①ウォームアップ（10〜20分）→②持久性運動（20〜60分）→③クールダウン（5〜10分）です。これに、**レジスタンストレーニング**などを加えることがあります。
- 運動療法の実施には、適切な運動処方が大切ですが、合わせて下記にも注意しましょう。
  ▷ 気分がよいときにのみ実施する。
  ▷ 食後すぐに激しい運動をしない。
  ▷ 天候に合わせて実施する。
  ▷ 適切な服と靴を着用する。
  ▷ 自分の限界を把握しておく。
  ▷ 自覚症状に注意する。

> **メディカルチェック**
> バイタルサインや体重測定、心電図、X線、採血を指し、虚血や心不全徴候がないかを確認する。

> **レジスタンストレーニング**
> 有酸素運動とは異なる筋力トレーニングのこと。

運動時の息切れや上半身の不快感、失神、疲労感などがある場合は医師に連絡しましょう

表 心臓外科手術後リハビリテーション進行表の例（日本の複数の施設を参考）

ステージ	実施日	運動内容	病棟リハビリ	排泄	その他
0	/	手足の自他動運動・受動 座位・呼吸練習	手足の自動運動、呼吸練習	ベッド上	嚥下障害の確認
Ⅰ	/	端座位	端座位10分×__回	ベッド上	
Ⅱ	/	立位・足踏み（体重測定）	立位・足踏み×__回	ポータブル	
Ⅲ	/	室内歩行	室内歩行×__回	室内トイレ可	室内フリー
Ⅳ-1	/	病棟内歩行（100m）	100m歩行×__回	病棟内トイレ可	棟内フリー
Ⅳ-2	/	病棟内歩行（200〜500m）	200〜500m歩行×__回	院内トイレ可	院内フリー、運動負荷試験
Ⅴ	/	階段昇降（1階分）	運動療法室へ		有酸素運動を中心とした運動療法

日本循環器学会：心血管疾患におけるリハビリテーションに関するガイドライン（2012年改訂版）．
http://www.j-circ.or.jp/guideline/pdf/JCS2012_nohara_h.pdf（2020年1月閲覧）より転載

外来心臓リハビリテーション

- 心臓リハビリテーションは、入院のみで完結するものではありません。心臓リハビリテーションは、下記のように時期区分が分けられます。
- 入院中は心臓リハビリテーションをがんばっていた患者さんも、退院し、在宅での治療となると、体の調子がよくないからと自己判断で休んだり、仕事があったり、認知症があったり、家族のサポートが得られなかったりと、さまざまな理由で継続することが困難になってきます。
- そこで**外来心臓リハビリテーション**というものがあります。運動能力の維持、生活習慣や危険因子の是正を、生活背景に合わせてプログラムを組み立てて継続できるようにサポートします。「十分な外来心臓リハビリテーションを行える施設の数はまだ整っていない」との報告がありますが、これからの予防医学の発展のためには、今後重要となってくる可能性があります。

表 心臓リハビリテーションの時期区分

時期	場所	実施時期
急性期	CCU病棟	1週間以内
回復期(早期)	病棟	1か月程度
回復期(後期)	外来	半年程度
維持期	外来	半年以降

第2章

循環器で必要な解剖生理

循環器系のしくみとはたらき..................24
心臓のしくみとはたらき..................26
血管のしくみとはたらき..................45
リンパ系のしくみとはたらき..................48

循環器系のしくみとはたらき

循環器系って何だろう？

- 循環器系とは、血液やリンパ液を体内で循環させることで、**酸素や栄養素を運搬**したり、**老廃物の回収を行う**システムのことです。循環器系は外界から隔離された閉鎖回路となっています。
- 循環器系は、心臓、動脈、毛細血管、静脈、リンパ管で構成されています。
- 血液は成人では約5L（全体重の約8％）で、全血液は約1分間で体内を一巡します。よって心拍出量は約5L/分となります。

循環システム：体循環と肺循環

- 血液の循環には、**体循環**（**大循環**）と**肺循環**（**小循環**）があります。

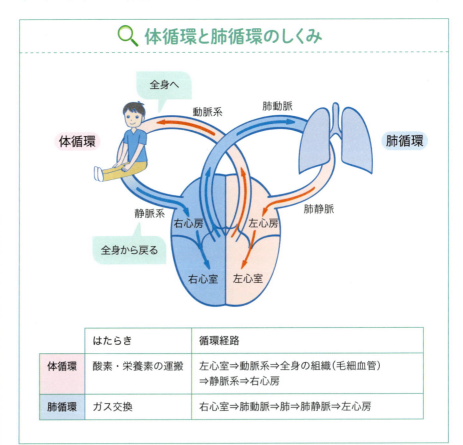

体循環と肺循環のしくみ

	はたらき	循環経路
体循環	酸素・栄養素の運搬	左心室⇒動脈系⇒全身の組織（毛細血管）⇒静脈系⇒右心房
肺循環	ガス交換	右心室⇒肺動脈⇒肺⇒肺静脈⇒左心房

Link 動脈・静脈のしくみ ➡ P.46

Link リンパ系のしくみとはたらき ➡ P.48

ガス交換
毛細血管内の血液と細胞との間で、酸素と二酸化炭素の交換を行うこと。

全身の血液分布

- 心臓が1分間送り出す血液量を心拍出量といい、安静時に約5L/分を送り出しています。
- 運動時は約25L/分と5倍近く増加し、おもに骨格筋の血流が増加します。
- 組織の必要量に応じて、送り出す血液量を調節しています。

🔍 循環器系の構成・はたらきと血液分布

- 脳 13～15％
- 酸素化したヘモグロビンを全身へ送り出す
- 心拍直後の流速は平均40cm/秒 最大120 最低はマイナス
- 上大静脈
- 肺動脈
- 肺循環 500mL
- 肺 100％
- 体循環 4,500mL
- 心臓 4～5％
- 下大静脈
- 大動脈
- 肝臓と消化器 20～25％
- 代謝産物を肝臓へ送る
- 門脈
- 代謝産物を腎臓へ送る
- 下大静脈（流速10cm/秒）
- 血流（血圧）で尿を生成
- 腎臓 20％
- 骨格筋 15～20％
- その他 10～15％
- 皮膚 3～6％
- 体温調節する

凡例：
- 循環器系のはたらき
- 体循環における血液の割合
- 肺循環における血液の割合

2 循環器系のしくみとはたらき

血液を循環させるしくみ
血液の循環は、心臓の収縮、動脈の弾力、静脈還流によって維持されている。動脈の弾力のおかげで、心室拡張期でも血圧が一定に保たれている。

血圧の呼び方
心室収縮期圧を最大血圧、心室拡張期圧を最小血圧と呼ぶ。

全血液量
全血液量は約4,500mLであり、その内訳は、約900mLが動脈血、約3,600mLが静脈血となっている。
約900（動脈血）mL＋約3,600（静脈血）mL＝約4,500mL（全血液量）。

ほかにも、アドレナリンやインスリンを標的細胞へ送ったり、Na^+、K^+、Cl^-を運びます

心臓のしくみとはたらき

心臓の位置とみため

- 心臓は、握りこぶし大の臓器で、重さは250〜300gです。
- 心耳は心房の一部をなす耳殻状の部分で、左心房に左心耳、右心房に右心耳があり、それぞれ肺動脈・大静脈の基部を両側から包む形となっています。
- 心臓は**第2〜5肋間**の高さで、縦隔の大半を占めています。
- 心基部は**第2肋間**の高さ、心臓の上端後部で肺動脈と大動脈が出る場所です。
- 心尖部は**第5肋間後方**、正中線から**7〜9cm**のところにあります。

正面から見た心臓

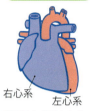
右心系　左心系
前面は右心房となる

側面から見た心臓
前　後
肋骨
心尖

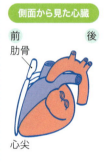

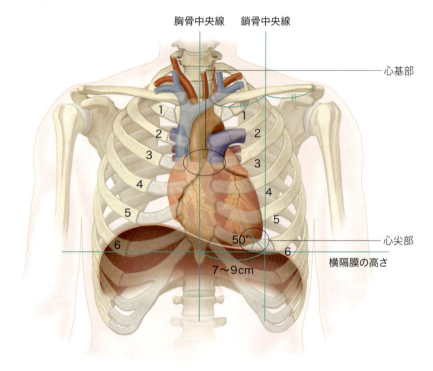

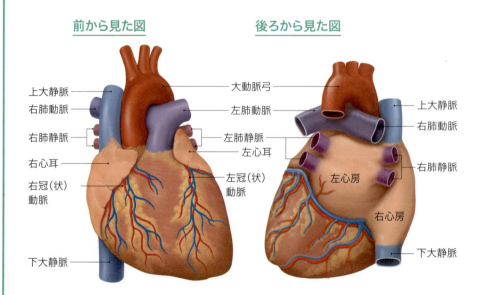

前から見た図：上大静脈、右肺動脈、右肺静脈、右心耳、右冠(状)動脈、下大静脈、大動脈弓、左肺動脈、左肺静脈、左心耳、左冠(状)動脈

後ろから見た図：大動脈弓、上大静脈、右肺動脈、右肺静脈、左心房、右心房、下大静脈

心膜と心膜腔

- 心臓は心膜という漿膜で覆われています。
- 心臓の心内腔⇒心内膜⇒心筋⇒心外膜(臓側心膜)⇒心膜腔⇒壁側心膜⇒線維性心膜の順に並んでいます。心膜腔には心膜液(漿液)があり、膜と膜の摩擦を防いでいます。
- 心嚢とは、心膜腔をつくる心膜の袋状構造です。

Link 心膜のしくみとはたらき ➡P.129

Link 心膜炎・心内膜炎 ➡P.128

心膜の構造としくみ

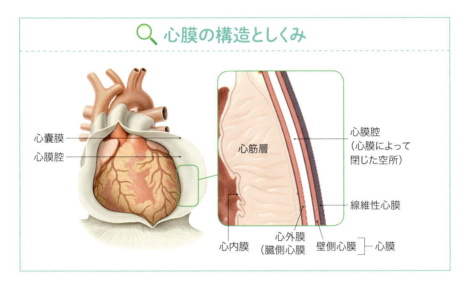

心臓の骨

- 心臓には、心臓骨格と呼ばれる輪状の線維性結合組織(線維輪)があります。
- 心臓骨格は弁の周囲にあり、弁と弁を付着させ、心房、心室のすべての心筋線維が固定されています。
- 心臓骨格には、心房と心室を電気的に絶縁する役割もあります。

心臓骨格の構造としくみ

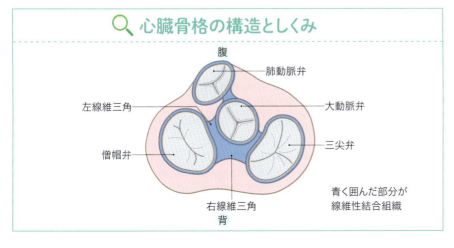

心臓の周辺臓器

- 心臓は左右に肺、下方を横隔膜、心膜に包まれ位置しています。
- 縦隔は心臓のほかにも、さまざまな構造物（気管、気管支、食道、リンパ節、神経など）が存在します。

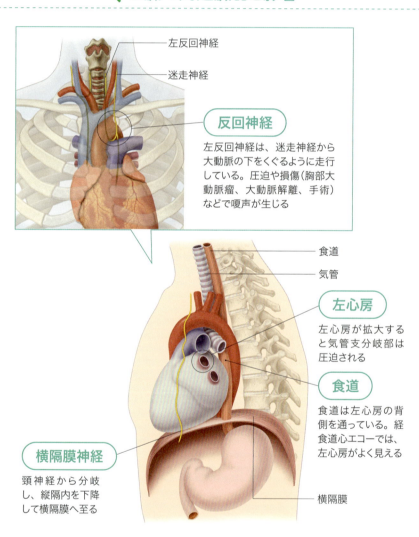

心臓の周辺臓器と影響

反回神経
左反回神経は、迷走神経から大動脈の下をくぐるように走行している。圧迫や損傷（胸部大動脈瘤、大動脈解離、手術）などで嗄声が生じる

左心房
左心房が拡大すると気管支分岐部は圧迫される

食道
食道は左心房の背側を通っている。経食道心エコーでは、左心房がよく見える

横隔膜神経
頸神経から分岐し、縦隔内を下降して横隔膜へ至る

Link 胸部大動脈瘤 → P.205

Link 経食道心エコー → P.257

心臓の断面図と各部の名称

- 心臓は、**右心房**、**右心室**、**左心房**、**左心室**という4つの部屋に分けられ、「右心房－右心室」の**右心系**と、「左心房－左心室」の**左心系**という2つの系列からできています。
- 心室の内部では乳頭筋が発達し、腱索によって**房室弁**（**三尖弁**、**僧帽弁**）と連絡し、血液を効率よく送り出すために機能しています。
- 右心系と左心系は直列でつながったポンプのようなしくみになっていますが、血液の流れは逆流せず一方向に流れるように**弁**があります。

心臓の各部の名称

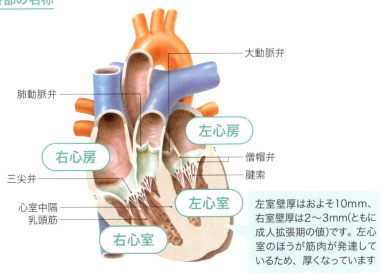

左室壁厚はおよそ10mm、右室壁厚は2～3mm（ともに成人拡張期の値）です。左心室のほうが筋肉が発達しているため、厚くなっています

心臓の中の血液の流れ

上行大動脈
O_2を多く含んだ血液を左心室から流す

上大静脈
上半身から集まったCO_2を多く含む血液を右心房に流す

肺静脈（肺より）
O_2を多く含む血液を、肺から左心房へ流す

下大静脈
下半身から集まったCO_2を多く含む血液を右心房へ流す

肺動脈（肺へ）
CO_2を多く含む血液を、右心室から肺へ流す

肺静脈（肺より）
O_2を多く含む血液を、肺から左心房へ流す

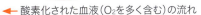

← 酸素化された血液（O_2を多く含む）の流れ
← 脱酸素化された血液の流れ（CO_2を多く含む）の流れ

心臓の弁

- 心臓には血液の流れを一方向に維持する(逆流を防ぐ)ために、4つの弁があります。
- 4つの弁は、右心房と右心室の間の三尖弁、右心室と肺動脈の間の肺動脈弁、左心房と左心室の間の僧帽弁、左心室と大動脈の間の大動脈弁です。心房と心室の間の弁(つまり三尖弁と僧帽弁)を房室弁、心室と動脈の間の弁(つまり肺動脈弁と大動脈弁)を半月弁とも呼びます。
- 肺動脈弁は大動脈弁よりも高い位置にあります。弁の位置を知っておくと、心音を聴くときに役立ちます。

Link 心音の聴取部位 → P.248

弁尖

僧帽弁のみ2つの弁尖から形成され、その他の弁はすべて3つの弁から形成される。動脈弁は袋状の3つの弁がくっついている構造をしている。

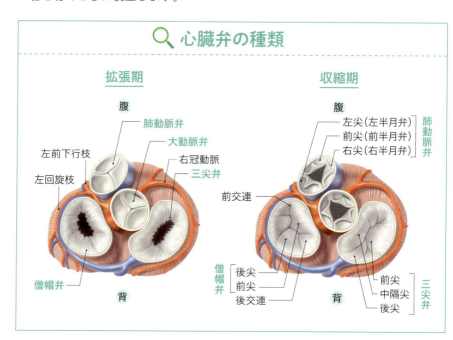

心臓弁の種類

弁のはたらき

- 弁は心筋には含まれません。弁は腱索により心筋(乳頭筋)と連結して、心収縮に連動した受動的な開閉を行います。

🔍 弁のはたらき

房室弁（三尖弁・僧帽弁）のはたらき

▷ 拡張期：心房内圧の上昇→弁が開く→乳頭筋・心筋が弛緩→心房から左心室の血液が流れ込む
▷ 収縮期：心室が収縮→弁が閉じる→乳頭筋が縮み、弁が反転しないように支える→心房に血液をためる

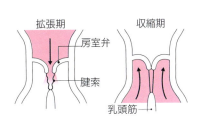

半月弁（大動脈弁・肺動脈弁）のはたらき

▷ 拡張期：心室が拡張し心室内圧が下がる→大動脈・肺動脈の血液が逆流の流れ→半月ポケットに血液が満たされる→弁が閉じる
▷ 収縮期：心室が収縮し、心室内圧が上がる→弁が開く

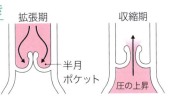

心臓を栄養する冠動脈

- 冠動脈（冠状動脈）は、**心臓を栄養する終動脈**（細動脈で吻合をもたない血管）です。
- 心臓自身を栄養するために、心拍出量の約1/20（250mL/分）の血液が冠動脈へ流れています。
- 心臓を養った大部分の血液は冠静脈洞に集まり、右心房に流入します。一部の血液は冠静脈洞を介さず、小心静脈（テベシウス静脈）を通って直接、右心房、右心室に流入します。

Link 冠動脈の構造 → P.67

🔍 おもな心臓の血管

前面／後下面

動脈／静脈

左心耳、右心耳、右冠動脈（RCA）、左前下行枝（LAD）、左冠動脈（LCA）、左回旋枝（LCX）、大心静脈、左心房、右心房、左心室、右心室、左後室静脈、中心静脈、冠静脈洞、小心静脈

心筋内での冠動脈

- 冠動脈は、心臓の内側に向かって根をはるように走っています。
- 心筋が発達した左心室に走行する左冠動脈は、心臓の拡張期に血流が増加します。右冠動脈は心筋があまり発達していないので、収縮期・拡張期ともに血流は保たれています。

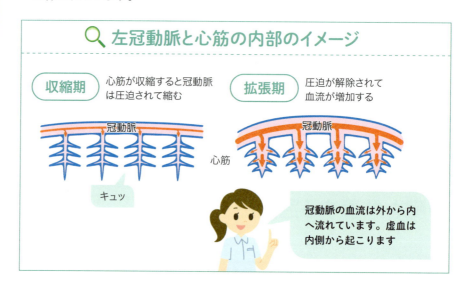

左冠動脈と心筋の内部のイメージ

収縮期：心筋が収縮すると冠動脈は圧迫されて縮む
拡張期：圧迫が解除されて血流が増加する

冠動脈の血流は外から内へ流れています。虚血は内側から起こります

心臓の溝

- 心臓の表面には、心房・心室の4つの部屋の境界に一致して溝があります。

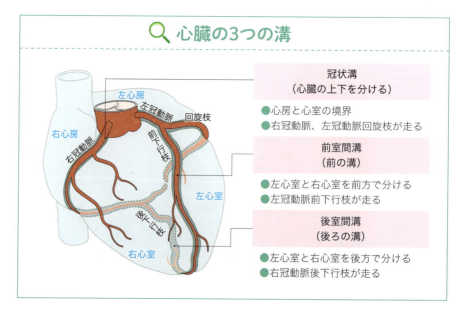

心臓の3つの溝

冠状溝（心臓の上下を分ける）
- 心房と心室の境界
- 右冠動脈、左冠動脈回旋枝が走る

前室間溝（前の溝）
- 左心室と右心室を前方で分ける
- 左冠動脈前下行枝が走る

後室間溝（後ろの溝）
- 左心室と右心室を後方で分ける
- 右冠動脈後下行枝が走る

刺激伝導系のしくみ

- 心臓には、刺激伝導系（特殊心筋）という、自ら活動電位を生みだす心筋が存在しています。
- この刺激伝導系により、自発的に電気を発生させる機能を自動能といいます。
- 心収縮は刺激伝導系の刺激を受け、固有心筋（作業心筋）が興奮することで起こります。固有心筋は刺激を受け、実際に収縮し、ポンプとしてはたらく心筋です。伝達速度は0.3〜1.0m/秒で、心臓はゆっくりと収縮してたくさんの血液を送り出すことができます。

Link 心電図検査 ➡ P.250

Link 心筋の興奮と収縮のしくみ ➡ P.34

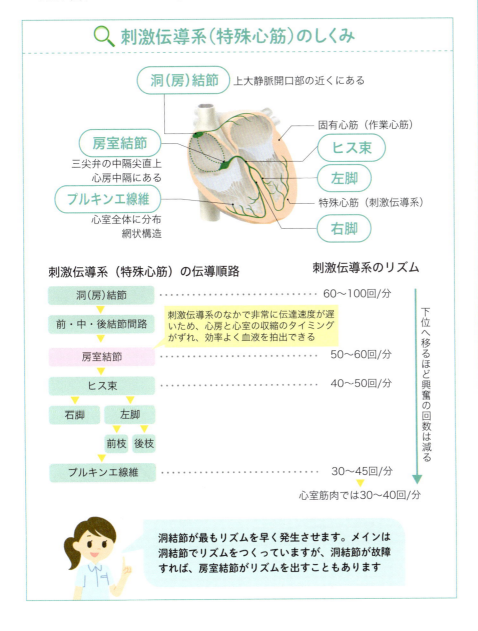

刺激伝導系（特殊心筋）のしくみ

- 洞(房)結節：上大静脈開口部の近くにある
- 房室結節：三尖弁の中隔尖直上 心房中隔にある
- プルキンエ線維：心室全体に分布 網状構造
- 固有心筋（作業心筋）
- ヒス束
- 左脚
- 右脚
- 特殊心筋（刺激伝導系）

刺激伝導系（特殊心筋）の伝導順路

洞(房)結節 → 前・中・後結節間路 → 房室結節 → ヒス束 → 右脚／左脚（前枝・後枝） → プルキンエ線維

刺激伝導系のなかで非常に伝達速度が遅いため、心房と心室の収縮のタイミングがずれ、効率よく血液を拍出できる

刺激伝導系のリズム

- 洞(房)結節 …… 60〜100回/分
- 房室結節 …… 50〜60回/分
- ヒス束 …… 40〜50回/分
- プルキンエ線維 …… 30〜45回/分
- 心室筋肉では30〜40回/分

下位へ移るほど興奮の回数は減る

洞結節が最もリズムを早く発生させます。メインは洞結節でリズムをつくっていますが、洞結節が故障すれば、房室結節がリズムを出すこともあります

循環器の理解に役立つ生理学

心筋の興奮と収縮のしくみ

- 心臓の生理学で大切なのは、**心臓の筋肉が細胞レベルでどのように動いているのか**を理解しておくことです。これらの知識は、循環変動のしくみ、不整脈、薬理作用の理解につながります。
- 心筋は固有心筋と特殊心筋に分けられ、固有心筋が心臓ポンプ、特殊心筋がペースメーカの役割を果たします。

Link 特殊心筋 ➡ P.33

心筋の組織構造

- 心筋は骨格筋と同様の横紋を有する**横紋筋**（おうもんきん）ですが、**不随意筋**です。骨格筋と異なり、筋線維どうしが枝分かれ・融合しています。

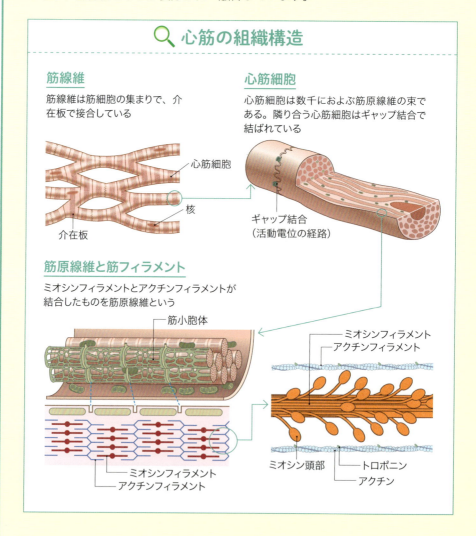

心筋の組織構造

筋線維
筋線維は筋細胞の集まりで、介在板で接合している

心筋細胞
心筋細胞は数千におよぶ筋原線維の束である。隣り合う心筋細胞はギャップ結合で結ばれている

筋原線維と筋フィラメント
ミオシンフィラメントとアクチンフィラメントが結合したものを筋原線維という

心筋細胞からみる興奮のしくみ

- 正常の心筋では、洞結節からの興奮（自動能：自発的な活動電位）発生⇒刺激伝導系⇒興奮⇒収縮が生じます。これらを**興奮収縮関連**といいます。
- 生体の細胞外にはナトリウムイオン（Na^+）が多く、細胞内にはカリウムイオン（K^+）が多くなっています。細胞内にあるK^+の一部は、カリウムチャネルを通って細胞外に出ていきます。プラスに帯電したK^+が細胞外に出ることにより、細胞膜の外側がプラス（＋）になり、細胞膜の内側がマイナス（－）となります。
- 細胞内と細胞外の電位差を**膜電位**といい、静止時の細胞膜内外の電位差を**静止電位**といいます。

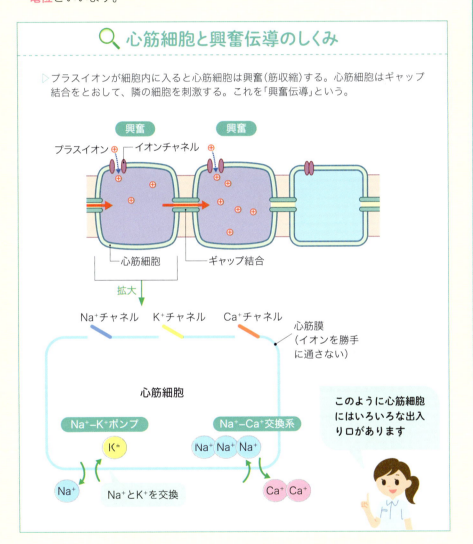

🔍 心筋細胞と興奮伝導のしくみ

▷ プラスイオンが細胞内に入ると心筋細胞は興奮（筋収縮）する。心筋細胞はギャップ結合をとおして、隣の細胞を刺激する。これを「興奮伝導」という。

このように心筋細胞にはいろいろな出入り口があります

固有心筋細胞の活動電位

- 固有心筋細胞では、隣接する細胞からのNa⁺の流入によって膜電位が**脱分極**し、**活動電位**が発生します。その後、**再分極**し、静止状態に戻ります。
- これらは0相から4相に分けられます。

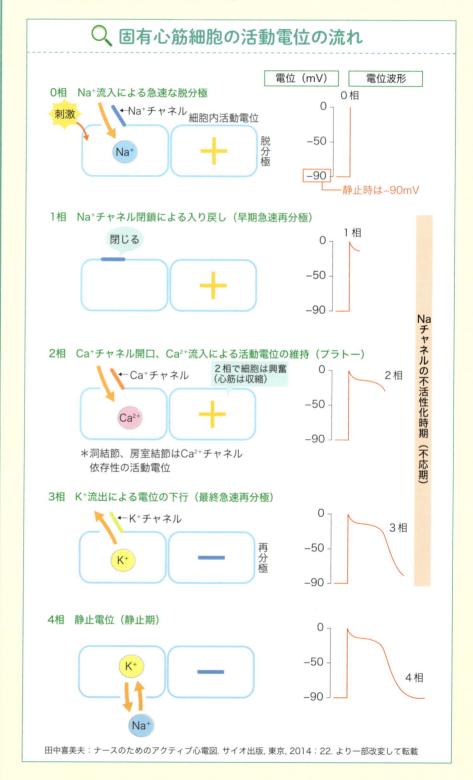

🔍 固有心筋細胞の活動電位の流れ

田中喜美夫：ナースのためのアクティブ心電図. サイオ出版, 東京, 2014：22. より一部改変して転載

心筋細胞内の組織でみる興奮と収縮

- 心筋細胞ではアクチンフィラメントにCa^{2+}がくっつくと、アクチンフィラメントがミオシンフィラメントに重なるようにスライドして細胞の長さを縮めます。これが(筋)収縮です。
- たくさんの筋細胞の収縮にはたくさんのCa^{2+}が必要です。そのため細胞外からの流入に加え、筋原線維の筋小胞体で貯蔵されているCa^{2+}を使用します。
- 細胞内のCa^{2+}濃度の上昇を合図に、筋小胞体からCa^{2+}が放出されます。

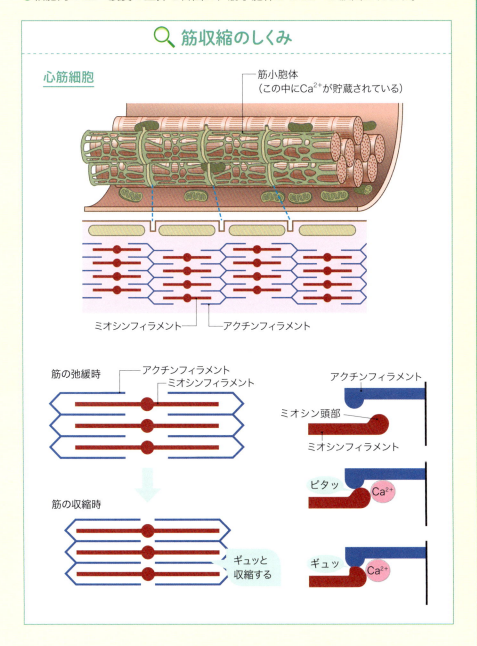

筋収縮のしくみ

心周期

Link 心電図検査 → P.250

- ●心臓が、収縮と拡張を周期的に行っていることを**心周期**といいます。
- ●心室が収縮しているときを**収縮期**、弛緩しているときを**拡張期**といいます。収縮期は**等容性収縮期**と**駆出期**、拡張期は**等容性弛緩期**と**充満期**に分けられます。

心周期の流れ

等容性収縮期（Ⅰ）
房室弁が閉じる
心室の収縮がはじまり、心室内圧は上昇し、すべての弁が閉じる（もともと動脈弁は閉じており、この段階では房室弁が閉じる）

収縮期
（心室が収縮しているとき）

駆出期（Ⅱ）
動脈弁が開く
心室内圧が動脈内圧を上回り、動脈弁が開き、心室内の血液は動脈へと流れる（心拍出がはじまる）。急速駆出期（Ⅱa）、緩徐駆出期（Ⅱb）に分けられる

等容性弛緩期（Ⅲ）
心室筋の弛緩がはじまる。血液が動脈へと流れ出た後、心室圧は低下する。心室圧が動脈圧を下回ると、すべての弁が閉じる

充満期（Ⅳ）
心室内圧が低下して房室弁が開き、心房の血液が心室に流れ込む。
急速充満期（Ⅳa）、緩徐充満期（Ⅳb）、心房収縮期（Ⅳc）に分けられる

拡張期
（心室が弛緩しているとき）

心周期と左心系内圧の変化

- 左心系圧とは、左房圧(LAP)、左室圧(LVP)、大動脈圧(AoP)のことをさします。
- 心音は弁尖と弁尖がぶつかり合って出る音です。

LAP (left atrial pressure)

LVP (left ventricular pressure)

AoP (aortic pressure)

図 心周期と左心系内圧の変化

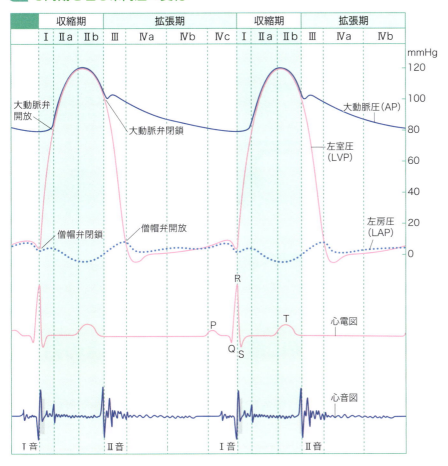

脈拍と心拍数の関係

- 脈拍は、心臓の規則的な運動によって動脈に周期的に起こる鼓動です。この脈拍は動脈を触知することで数えることができます。
- 心臓の拍動数(心拍数)と脈拍数は一致しないことがあります。不整脈などで心拍出量がバラバラの場合や、心臓から送られる血液量が少量の場合、心臓の拍動は聞こえても、脈拍が現れないことがあります。この脈拍が現れない状態を**結滞**(けったい)といいます。

心臓のポンプ機能

心拍出量規定因子

●心拍出量とは1分間に拍出する血液量で、心臓のポンプ機能の指標になります。下記のように表わされます。

心拍出量（L/分）＝1回拍出量×心拍数

●心拍出量の規定因子は、前負荷、後負荷、心収縮力です。

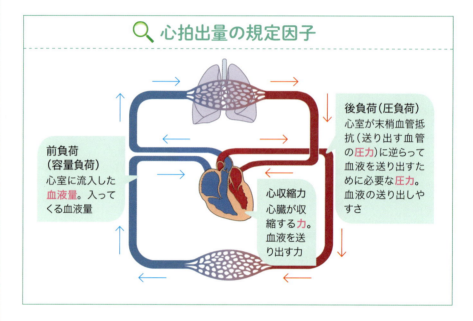

心拍出量の規定因子

前負荷（容量負荷）
心室に流入した血液量。入ってくる血液量

心収縮力
心臓が収縮する力。血液を送り出す力

後負荷（圧負荷）
心室が末梢血管抵抗（送り出す血管の圧力）に逆らって血液を送り出すために必要な圧力。血液の送り出しやすさ

前負荷・後負荷に変化が起こったときの対応

Link 代償機転のしくみ
➡P.167

●何かしらの要因で前負荷・後負荷に変化が生じたとき、代償機転がはたらきます。

表 前負荷・後負荷の代償機転

正常	前負荷が増大	後負荷が増大
〈拡張期〉 ●流入した血液によって心臓は拡大する 〈収縮期〉 ●心臓は末梢血管抵抗に負けない圧力を生み出す	〈拡張期〉 ●流入血液量が増加すると心臓は大きく拡張する 〈収縮期〉 ●拡張したぶん、大きく収縮する 〈前負荷増大が続くと…〉 ●心拡大して収縮力が低下する	〈拡張期〉 ●末梢血管抵抗が増加する 〈収縮期〉 ●心臓は心筋を太くして強く収縮する 〈後負荷増大が続くと…〉 ●心肥大して拡張性が低下する。心筋が増えて増加しにくくなる

Frank-Starlingの法則：容量の変化による循環の変化

- 心臓は、心室内に血液量（前負荷）が増大すると心室（心筋）が引き伸ばされ、その反動で心収縮力が強くなります。これをFrank-Starlingの法則といいます。
- 心室の収縮性が増加すると、同じ前負荷でも1回拍出量は増加します。

図 Frank-Starling の法則

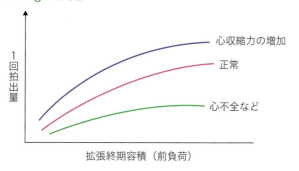

静脈還流：呼吸による循環の変化

- 静脈還流とは、**全身から心臓に返ってくる血液の流れ**のことをいいます。
- 静脈還流には、心臓の拡張による吸引、胸腔内圧の変化、下肢骨格筋のポンプ作用、静脈弁による逆流抑制が関与しています。
- 静脈還流は**吸気時**に増加します。

🔍 吸気時に静脈還流が増加するしくみ

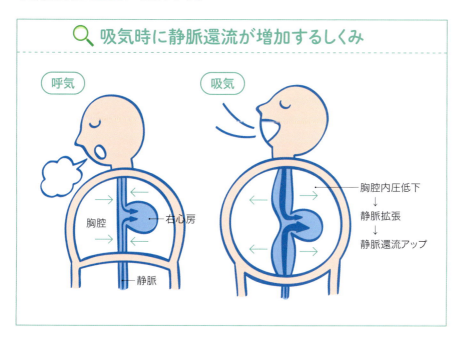

循環調節

循環調節って何だろう？

- 循環調節（循環調節機構）とは、身体活動や低酸素、出血など身体の需要に応じて血流量を正常に保つための調節機構です。
- 循環調節の役割は下記の２つです。
    ① 組織への血液量の維持と調節（運動時や低酸素時の血流配分）
    ② 血圧を正常範囲に保つ
- 循環調節は、受容器という血行動態をモニタリングする感知器で血行動態の変化をモニタリングして行います。
- 循環調節の中枢（司令塔）は延髄です。
- 調節機構からみた循環調節には、神経性調節、液性調節、局所調節があります。

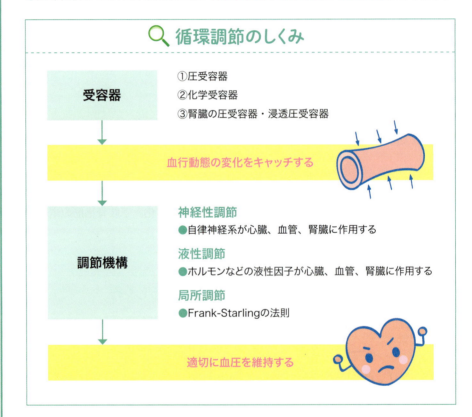

Link Frank-Starling
の法則 ➡ P.41

2 解剖生理

受容器からみた循環調節

● 受容器からみた循環調節のしくみには、①圧受容器、②化学受容器、③腎臓の圧受容器・浸透圧受容器があります。

表 受容器からみた循環調節のしくみ

感知部位	受容器	感知する情報
大脳皮質		精神的ストレス
視床下部	浸透圧受容器	血漿浸透圧の変化
延髄	化学受容器	血中CO_2、pHの変化を感知
頸動脈小体 大動脈小体		血中のO_2の変化を感知
頸動脈洞 大動脈弓	圧受容器	血圧の変化を感知
右房入口		心房圧の変化を感知
腎臓		血圧の変化を感知
	浸透圧受容器	血漿浸透圧の変化を感知

表 延髄からの指令が作用する部位と内容

作用する部位	調節の内容
下垂体後葉	バソプレシン(血管収縮作用)の分泌量の調節
副腎	アドレナリン・ノルアドレナリン分泌量の調節
心臓・血管	心拍数、心収縮力の調節 血管の収縮・拡張
腎臓	レニン分泌量の調節(RAA系)

上記2つの表は、医療情報科学研究所編:病気がみえるvol.2 循環器 第4版.メディックメディア,東京,2017:28. より一部改変して転載

調節機構からみた循環調節

神経性調節

● 神経性調節を担うのは自律神経で、**交感神経**と**副交感神経**です。
● 交感神経の興奮は心拍数を上昇、心収縮力を増加、血管を収縮させることで**血圧を上昇**させます。副交感神経系の興奮は心拍数を減少、心収縮力を低下させることで**血圧を低下**させます。

表 交感神経・副交感神経による調節

血管での作用	交感神経による作用	● 血管平滑筋の収縮 →動脈血管では末梢血管抵抗↑ →静脈血管では静脈内でプールされている血液が心臓に戻る(静脈還流↑)
心臓での作用	交感神経による作用	● 心拍数↑ ● 心収縮力↑
	副交感神経による作用	● 心拍数↓ ● 心収縮力↓

心臓の交感神経の分布
洞結節、房室結節、ヒス束、プルキンエ線維、心房筋、心室筋

心臓の副交感神経の分布
洞結節、房室結節、心房筋

液性調節

- ホルモンなど液性因子による循環調節を**液性調節**といいます。
- 血圧低下に対して腎臓ではレニンを分泌し、**レニン-アンジオテンシン系（RA系）・レニン-アンジオテンシン-アルドステロン系（RAA系）**と呼ばれる代償機転をはたらかせ、心拍出量を増加、血圧を上昇させます。
- 血圧を上昇させるホルモンには、アンジオテンシンⅡ、アルドステロン、バソプレシン、アドレナリン、ノルアドレナリンがあります。
- 血圧を低下させるホルモンには、心房ナトリウム利尿ペプチド（ANP）があります。

局所調節

- 平滑筋や心筋自体に備わった調節機構を**局所調節**といいます。
- 局所調節には、短期的な調節と長期的な調節があります。

表 局所調節の種類

短期的な調節 （1～2分で起こる）	●Frank-Starlingの法則 ●腎血管・脳血管・冠血管による血圧の自己調節 ●活動に伴う血管拡張物質産生による血管拡張
長期的な調節 （日～週かかる）	●高血圧が原因の心臓肥大 ●血管新生 ●腎臓-体液系

循環調節機構と作用発現時間

- それぞれの調節系は作用発現までの時間により、調節能力の差があります。

表 循環調節機構の作用発現時間

調節系 （作用発現までの時間）		はたらき
短期的調節 （秒）	圧受容器	●血圧の変化にすばやく反応し、血圧を調節する
	化学受容器	●血中O_2、CO_2、pHの変化に反応して血圧を調節する
中期的調節 （分～時間）	RA系	●アンジオテンシンⅡにより強力に血管収縮させる
	毛細血管内外での体液調節	●血圧の変化に合わせて体液を移動させる（血圧が高いとき→血管外へ、血圧が低いとき→血管内へ）
長期的調節 （数時間～）	腎臓-体液調節	●血圧の変化に合わせて尿量を調節する ●RAA系と共に作用し、調節能力が高い
	RAA系	●アルドステロンがNa^+と水の再吸収を促し、循環血漿量が増加する
	バソプレシン	●バソプレシンが水の再吸収を促し、循環血漿量が増加する

医療情報科学研究所編：病気がみえるvol.2 循環器 第4版．メディックメディア，東京，2017：29．を一部改変して転載

サイドノート

Link 代償機転→P.167
Link RAA系→P.58

RA系
レニン分泌からアンジオテンシンⅡ分泌まで。

RAA系
RA系後のアルドステロン分泌と飲水量の増加、血管の収縮まで。

Link Frank-Starlingの法則→P.41

自己調節
オートレギュレーションといい、血圧を一定に保とうとする調節のこと。

血管新生
必要に応じて新しい血管を新生すること。

腎臓-体液系による血圧調節
血圧の変化に対して尿量（循環血漿量）を調節すること。

血管のしくみとはたらき

全身の血管

- 血管には動脈、静脈、毛細血管があります。
- 動脈とは、心臓から出る血管で、心臓が拍出した血液が流れます。
- 静脈とは、心臓に入る血管で、各組織から心臓に戻る血液が流れます。
- 毛細血管は、動脈と静脈の間をつなぎ、細胞との間で酸素と栄養、二酸化炭素と老廃物を交換します。
- 心臓から拍出された血液は、動脈→毛細血管→静脈の順で流れます。

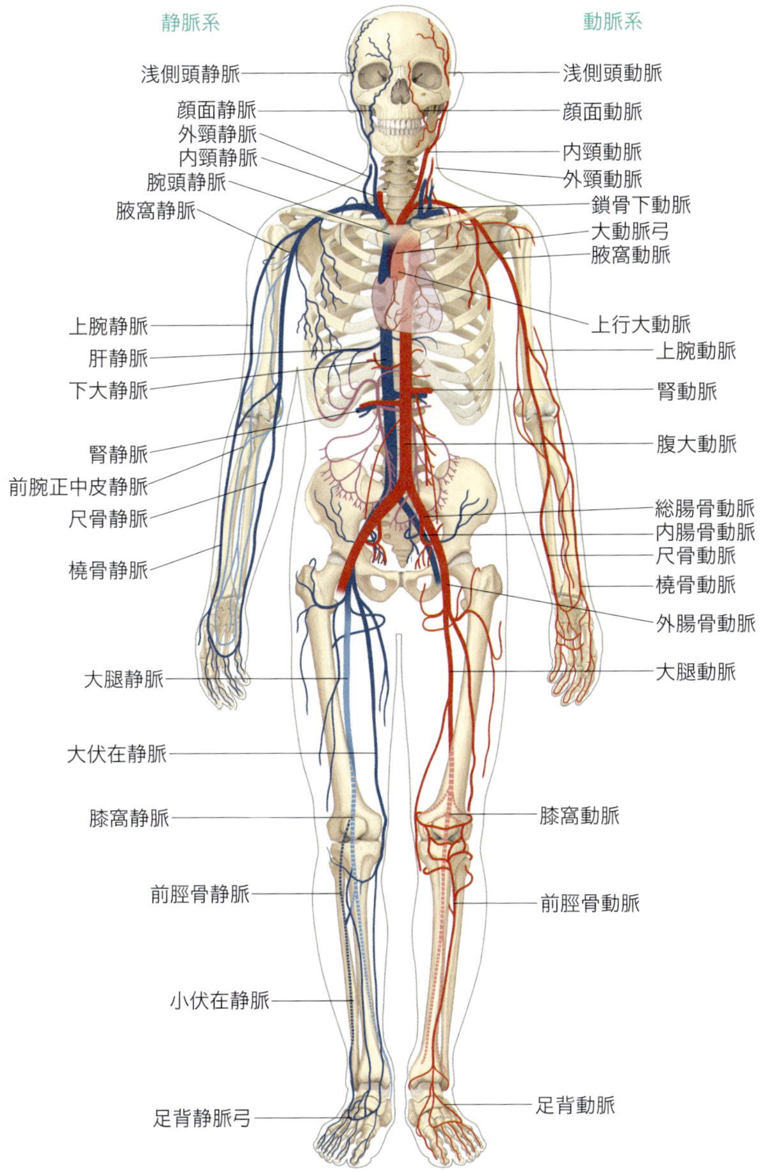

Link 大動脈の区分と灌流域 ➡ P.204

全身のおもな動脈と静脈

静脈系
- 浅側頭静脈
- 顔面静脈
- 外頸静脈
- 内頸静脈
- 腕頭静脈
- 腋窩静脈
- 上腕静脈
- 肝静脈
- 下大静脈
- 腎静脈
- 前腕正中皮静脈
- 尺骨静脈
- 橈骨静脈
- 大腿静脈
- 大伏在静脈
- 膝窩静脈
- 前脛骨静脈
- 小伏在静脈
- 足背静脈弓

動脈系
- 浅側頭動脈
- 顔面動脈
- 内頸動脈
- 外頸動脈
- 鎖骨下動脈
- 大動脈弓
- 腋窩動脈
- 上行大動脈
- 上腕動脈
- 腎動脈
- 腹大動脈
- 総腸骨動脈
- 内腸骨動脈
- 尺骨動脈
- 橈骨動脈
- 外腸骨動脈
- 大腿動脈
- 膝窩動脈
- 前脛骨動脈
- 足背動脈

2 循環調節／血管のしくみとはたらき

血管のしくみ

- 血管の壁は毛細血管を除き、**内膜**、**中膜**、**外膜**の３層構造になっています。それぞれの血管壁は内皮細胞で覆われています。

動脈のしくみ

- 動脈には多量の弾性線維があります。
- 大動脈や心臓に近い太い動脈を**弾性動脈**、末梢にある中型の動脈を**筋性動脈**、その先は細動脈、毛細血管といいます。
  - ▷弾性動脈：平滑筋より弾性線維のほうが多く、その豊富な弾性線維により、血管を伸展、収縮し血圧を調整します。
  - ▷筋性動脈：中膜はおもに平滑筋でできており、平滑筋の収縮・弛緩により、血管腔の広さを変えて血流を調節します。
  - ▷細動脈：細動脈は末梢血管抵抗の主体となるため**抵抗血管**と呼ばれ、交感神経が興奮すると伝達物質のノルアドレナリンが平滑筋に作用して血管を収縮させ、血管抵抗が増大（血圧が上昇）します。

静脈のしくみ

- 静脈は動脈に比べ、中膜が多く弾性線維も少ないです。そのため、やわらかく伸展しやすく、血液を貯留しやすいことから**容量血管**と呼ばれています。
- 内膜が折り返ってできた**静脈弁**があり、血液の逆流を防ぎ、骨格筋の収縮弛緩で血液が心臓へ向かって流れるのを助けます。

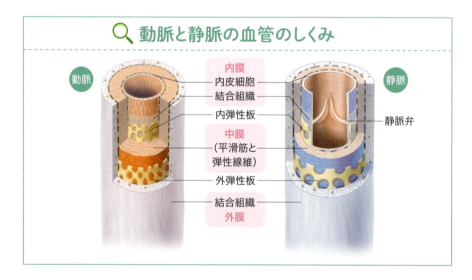

動脈と静脈の血管のしくみ

毛細血管のしくみ

- 毛細血管は、各臓器、組織内で網目状の血管系をはりめぐらせ、動脈系と静脈系をつないでいます。
- 毛細血管では、壁を通して血管と組織間の物質供給と老廃物の回収を行っています。

毛細血管のしくみ

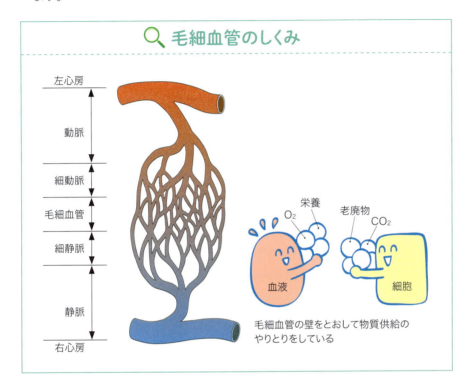

毛細血管の壁をとおして物質供給のやりとりをしている

血管吻合と終動脈

- 毛細血管に至る前の部分では、細動脈どうしの交通があります。これを **血管吻合（けっかんふんごう）** といいます。動脈では、吻合によって互いに交通連絡しているため、ある場所に閉塞が生じて循環障害が生じても、ほかの血管の吻合枝から血液を維持することができます。これらを **側副血行路** といいます。
- 毛細血管に至る前の細動脈に吻合をもたない動脈を、**終動脈** といいます。冠動脈などが代表で、終動脈が閉塞すると血行が遮断され、梗塞が生じます。これが心筋梗塞です。

図 **終動脈の閉塞**

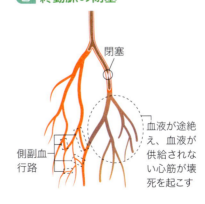

血液が途絶え、血液が供給されない心筋が壊死を起こす

リンパ系のしくみとはたらき

全身のリンパ系のしくみ

Link リンパ系のしくみとはたらき ➡P.236

- リンパ系は、**リンパ管**、**リンパ節**、**リンパ組織**からなります。
- 毛細血管間で回収できなかった血液の液体成分（間質液、タンパク質）をリンパ液といい、リンパ管が回収します。
- リンパ管は、動脈と静脈に沿って走行しており、体の中心に向かいます。
- リンパ管には、リンパ液の逆流を防止する弁があります。
- リンパ節には免疫細胞が集合しており、リンパ液を濾過して不要なものを除去しています。

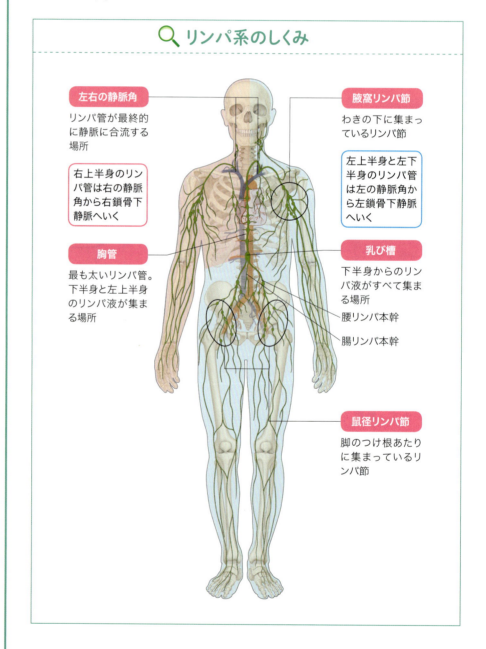

リンパ系のしくみ

左右の静脈角
リンパ管が最終的に静脈に合流する場所

右上半身のリンパ管は右の静脈角から右鎖骨下静脈へいく

胸管
最も太いリンパ管。下半身と左上半身のリンパ液が集まる場所

腋窩リンパ節
わきの下に集まっているリンパ節

左上半身と左下半身のリンパ管は左の静脈角から左鎖骨下静脈へいく

乳び槽
下半身からのリンパ液がすべて集まる場所

腰リンパ本幹
腸リンパ本幹

鼠径リンパ節
脚のつけ根あたりに集まっているリンパ節

第3章

循環器の疾患

循環器疾患で重要なリスク因子.........................50
高血圧症...54
虚血性心疾患（IHD）...................................66
不整脈...90
心臓弁膜症..108
心膜炎・心内膜炎....................................128
心筋疾患..146
成人の先天性心疾患.................................158
心不全...166
動脈疾患..200
静脈疾患・リンパ系疾患............................226

循環器疾患で重要なリスク因子

なぜリスク因子を知る必要があるの?

- 循環器疾患は、虚血性心疾患をはじめ、心臓弁膜症、動脈系疾患、心筋疾患、不整脈、心不全などさまざまな疾患がありますが、なぜそれらの疾患が起こりうるのでしょうか。これらは、突然に発症する場合もありますが、**ほとんどはさまざまな因子が相互的に結びつき、発症**します。
- 日本において循環器疾患は、悪性新生物、脳血管疾患とともに、3大死因の1つといえます。加えて、狭心症、心筋梗塞などの虚血性心疾患は近年増加傾向にあり、心臓に関する死亡の約半数を占めています。

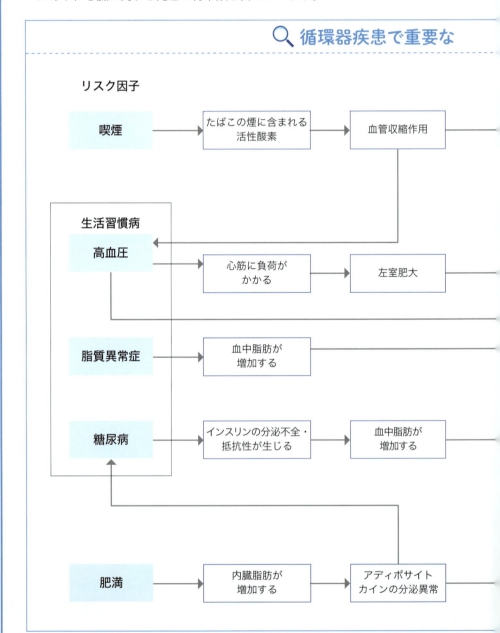

循環器疾患で重要な

アディポサイトカイン
脂肪細胞から分泌される生理活性タンパク質の総称。2型糖尿病、冠動脈疾患、脂質代謝異常などに関与する。身体によい影響を与えるもの（レプチン、アディポネクチンなど）、悪い影響を与えるもの（TNF-α、PAI-1など）がある。

- これほどまでに増加傾向がみられる背景には、**生活習慣病が増えていること**が起因になっていることが挙げられます。
- 厚生労働省は、循環器疾患の予防として、**高血圧、喫煙、耐糖能異常、多量飲酒、脂質異常症（高脂血症）**への対策が基本としています。
- 患者さんが罹患している疾患がどのようなリスク因子をもって発症したのか、また、循環器疾患の終末像である心不全を予防し、増悪を防ぐためにも、**リスク因子を知り、患者さんに合わせた教育指導を行うことが重要**といえます。

リスク因子とその影響

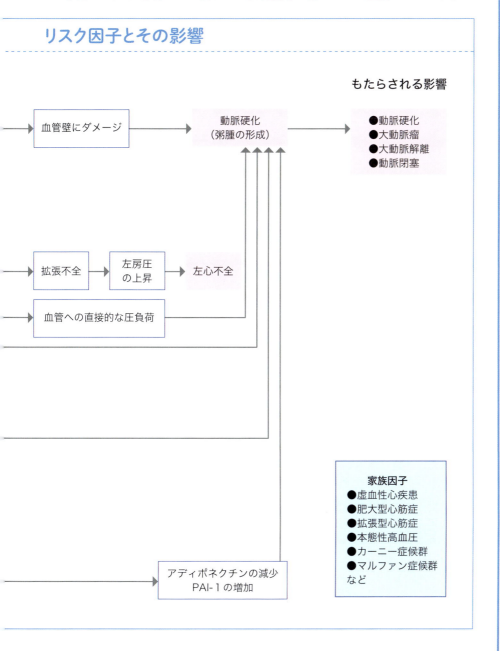

カーニー症候群
多発性腫瘍症候群の1つで指定難病。おもな症状は、粘液腫、皮膚色素斑、ホルモン分泌の過剰など。

マルファン症候群
遺伝子異常による疾患で、指定難病。特徴的な症状は、高身長、強い近視、動脈瘤の形成など。

リスク因子：高血圧

Link 高血圧症➡P.54

Link 動脈硬化➡P.201

- 高血圧は、脳卒中や冠動脈疾患に共通する最も重要なリスク因子の1つです。
- 高血圧は基本的には無症候性ですが、長年、高血圧であることにより、**動脈硬化**を引き起こします。
- 高血圧の影響を受けやすい臓器には、**心臓、脳、腎臓、眼**があります。症状としては、**頭痛、めまい、顔面紅潮、疲労**などが挙げられます。高血圧の期間が長ければ長いほど、臓器に対する影響は大きいため、適切に治療を受けることが必要です。
- 心臓への影響としては、末梢動脈の血管抵抗が増加し、それによって心臓の仕事量が増加します。硬くなった血管で、末梢まで血液を届けるためには、心臓は一生懸命に血液を全身に送り出そうとするため、いわば心臓が筋力トレーニングを行っているようなものです。それにより、心筋線維が肥大し、左心室の肥大、やがて心不全を引き起こします。
- 高血圧により、動脈硬化症、特に冠動脈硬化症を起こしやすく、狭心症や心筋梗塞を発症させてしまうのです。

リスク因子：喫煙

- 喫煙は、たばこに含まれる活性酸素が末梢血管を収縮させ、一時的に**血圧を上昇**させます。
- たばこに含まれるニコチンは、交感神経を刺激して**血圧と脈拍を上昇**させます。また、たばこに含まれる一酸化炭素は喫煙により、血中の酸素不足を引き起こします。それにより、脈拍を増加させるのです。
- さらに、交感神経の刺激によってアドレナリンが増加することより、血糖値が上昇します。ニコチンは、インスリン抵抗性を引き起こすといわれ、喫煙者は糖尿病になりやすいといわれています。
- 喫煙は、高血圧や動脈硬化を引き起こす要因の1つであり、早期に禁煙ができるよう介入が必要です。しかし、たばこに含まれるニコチンには中毒性があり、長年の喫煙歴がある患者さんには禁煙が難しい場面がみられます。**禁煙の必要性や本人の禁煙意思を尊重しながら指導**したり、近年は禁煙外来も増えているため、本人の意思によって禁煙ができるように介入しましょう。

リスク因子：脂質異常症

- 脂質異常症とは、リポタンパクの代謝異常の総称です。血液検査上では、**高LDLコレステロール血症**、**低HDLコレステロール血症**などとして同定されます。
- リポタンパクの異常により、血中脂肪が増加します。血中脂肪の増加により、血管のなかで粥状に変化し、動脈硬化を引き起こします。
- 脂質異常症は、飽和脂肪酸や炭水化物の過剰摂取で引き起こされる生活習慣病の1つです。食生活や運動量など、患者さんのライフスタイルを聴取し、改善することにより、危険因子を減少あるいは除くことができます。

リスク因子：糖尿病

- 近年、糖尿病は増加傾向にあります。増加の原因として、過剰な食物の摂取と運動不足などの生活習慣が起因しているといわれています。
- 糖尿病により、インスリンの分泌不全や抵抗性が生じます。それにより、中性脂肪が体内で利用されず、結果、血中脂肪が増加し、動脈硬化が引き起こされるのです。
- 糖尿病は、高血圧や脂質異常症の治療ガイドラインにおいて、**冠動脈疾患の既往と同等のハイリスク状態**とされています。

リスク因子：肥満

- 肥満とは、脂肪組織に脂肪が過剰に蓄積した状態です。
- 細胞内に多量のトリグリセリドを蓄える脂肪細胞には、体内であまったエネルギーを蓄えるはたらきがあります。また、アディポサイトカインと呼ばれる、体のさまざまな機能を調整する物質をつくり出すはたらきもあります。
- 内臓脂肪が過剰にたまると、アディポサイトカインの分泌に異常が起こり、脂質異常症や高血糖、高血圧が起こってしまい、結果として動脈硬化を引き起こしてしまいます。
- アディポサイトカインは、血管の弾力を保つインスリンを活性化するアディポネクチンのほかに、血栓をつくりやすくするPAI-1があります。しかし、脂肪細胞の増加に伴い、アディポサイトカインは減少し、PAI-1は増加するといわれています。
- メタボリックシンドロームは内臓脂肪の蓄積により、耐糖能異常（高血糖）、脂質異常、高血圧などの異常を合併することによって、さまざまな循環器疾患を発症させるといわれています。そのため、生活習慣病に対する治療、保健指導が重要といえます。

糖尿病の降圧目標
130/80mmHg
（高血圧治療ガイドライン）

糖尿病のLDLコレステロールの目標値
120mg/dL未満
（動脈硬化性疾患予防ガイドライン）

肥満の定義
体格指数（BMI＝体重[kg]÷身長[m]^2）が25kg/m^{2}以上
（肥満症診療ガイドライン2016）

メタボリックシンドロームの診断基準
以下の両方を満たす。
- 必須条件（内臓脂肪蓄積）：ウエスト周囲径が男性85cm以上、女性90cm以上
- 次の3項目のうち2項目以上：
① 高トリグリセライド血症（≧150mg/dL）かつ／または低HDLコレステロール血症（＜40mg/dL）
② 収縮期血圧≧130mmHgかつ／または拡張期血圧≧85mmHg
③ 空腹時血糖値≧100mg/dL

3 循環器疾患で重要なリスク因子

高血圧症

▷ **疾患理解のポイント**

高血圧症は、それ自体では自覚症状はありませんが、
慢性的に持続することで、動脈硬化や左室肥大を進行させ、
心疾患や脳卒中などの重篤な疾患を引き起こします。

▷ **治療のポイント**

高血圧症はまず、生活習慣を見直すことが大切です。
また、処方された薬を欠かさず飲んでもらうことも重要です。
降圧薬にはさまざまな種類があるため、
どんな薬がどのような作用で血圧を下げるのか、おさえておきましょう。

▷ **看護のポイント**

患者さんの生活スタイルを知り、
生活習慣の改善やアドヒアランスをよくするための指導を行います。

高血圧とは、血圧が140/90mmHg以上のことをいいます。高血圧が持続すると、血管障害や左室肥大を起こし、さまざまな臓器障害を引き起こすリスクが高くなります。
高血圧には2種類あり、原因不明の高血圧を**本態性高血圧**、原因が明らかな高血圧を**二次性高血圧**といいます。高血圧の90％以上が本態性高血圧で、二次性高血圧は10％未満です。

本態性高血圧と二次性高血圧の特徴

	本態性高血圧（P.60）	二次性高血圧（P.65）
原因	●明らかではない ●遺伝子や体質、生活習慣、加齢などが関与して発症すると考えられている	●はっきりしている ●原因疾患：腎実質性高血圧、腎血管性高血圧、内分泌性高血圧、中枢神経系高血圧、薬剤誘発性高血圧など
割合	●90％以上	●10％未満
症状・対応	●自覚症状に乏しい ●まずは生活習慣を見直し、それでも血圧が下がらなければ降圧薬の内服が開始となる	●重症また治療抵抗性を示す高血圧 ●急激な発症、若年での発症の場合は、可能性が高い ●原因を取り除けば血圧は下がることが多い

疾患理解に重要な血圧のしくみ

血圧って何だろう?

- 血圧とは、**血液が動脈壁に与える圧力**のことです。
- 血圧は、**心臓から送り出される血液量（＝心拍出量）**と、**末梢血管での血液の流れにくさ（＝全末梢血管抵抗）**で決まります。そのため、血圧は心拍出量と全末梢血管抵抗をかけ合わせたもので表されます。
- 全身の血液量が少なくなったり、血管が拡張して血液が流れやすくなれば血圧は下がり、逆に全身の血液量が多くなったり、血管収縮や動脈硬化によって血液が流れにくくなれば、血圧は上がります。

Link 心拍出量規定因子 ➡P.40

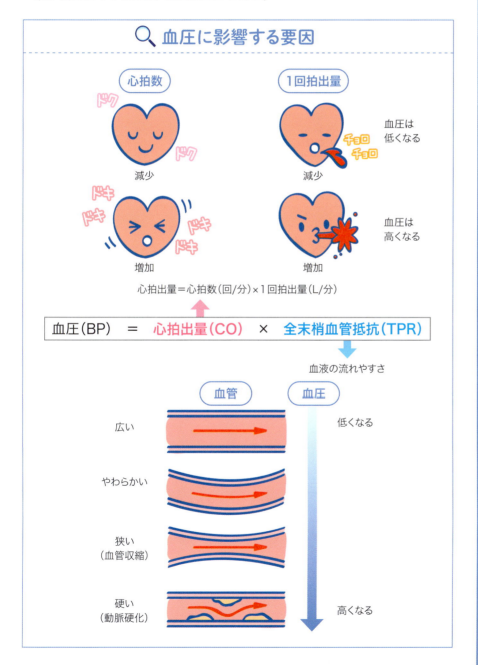

血圧に影響する要因

収縮期血圧と拡張期血圧

- 左心室が収縮して血液を押し出したときの血圧を**収縮期の血圧**といい、その際の最高の値を**収縮期血圧**(最高血圧)といいます。
- このとき拍出された血液の一部は、動脈を押し広げて大動脈に貯留します。大動脈に貯留した血液は左心室が拡張する際、大動脈の弾性復元力による収縮で末梢に押し流されます。この血流によってできた血圧を**拡張期の血圧**といい、このときの最低の値を**拡張期血圧**(最低血圧)といいます。
- 収縮期血圧と拡張期血圧の差を**脈圧**といいます。
- 心臓の1回の収縮・拡張を心周期といい、動脈圧の1周期全体をとおした平均値を**平均圧**といいます。

Link 心周期 ➡ P.38

表 血圧の種類

種類	内容	基準値(成人)
収縮期血圧(最高血圧)	収縮期の最も高い血圧	110～120mmHg
拡張期血圧(最低血圧)	拡張期の最も低い血圧	70～80mmHg
脈圧	収縮期血圧と拡張期血圧の差	40～60mmHg
平均血圧	拡張期血圧＋脈圧／3で求められる	―

🔍 血圧と心臓の動き

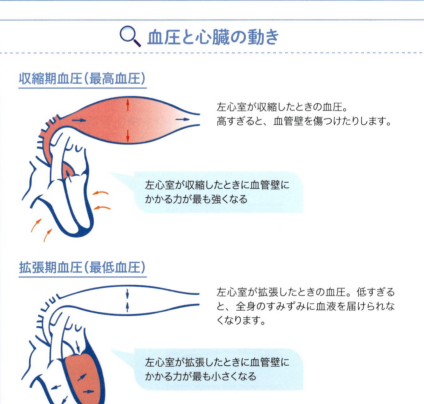

収縮期血圧(最高血圧)
左心室が収縮したときの血圧。高すぎると、血管壁を傷つけたりします。
左心室が収縮したときに血管壁にかかる力が最も強くなる

拡張期血圧(最低血圧)
左心室が拡張したときの血圧。低すぎると、全身のすみずみに血液を届けられなくなります。
左心室が拡張したときに血管壁にかかる力が最も小さくなる

血圧はどうやって調節されているの？

- 血圧の調節は、おもに**神経性因子（自律神経系）**と、**体液性因子（ホルモン）**が行っています。活動状態に応じて、これらの因子が心拍出量や末梢血管抵抗を調節し、適正な血圧が維持できるようにはたらいています。

🔗 循環調節→P.42

①神経性因子による調節

- 血圧が下がると**交感神経が興奮**し、神経終末からノルアドレナリンを放出します。それによって血管収縮、心拍数上昇、心収縮力増強が起こるため、**血圧は上昇**します。痛みや不安、怒りも交感神経を興奮させるため、血圧の上昇が起こります。
- 逆に血圧が上がると**副交感神経（迷走神経）が興奮**し、神経終末からアセチルコリンを放出します。それによって心拍数の低下、心収縮力の減弱が起こるため、**血圧は低下**します。血管には副交感神経の支配はありませんが、副交感神経が興奮すると相互作用により、交感神経の興奮が弱くなるため、血管は拡張します。
- 血圧の変動が起こった際、一番に反応して血圧調節するのが神経性因子です。数秒で反応し、血圧を元に戻すように調節しますが、この反応は3時間ほどで低下しはじめ、4日ほどで消失します。血圧が高い状態が1週間ほど続くと、血圧を調節している設定点が高いレベルに再設定され、高い血圧レベルで調節されるようになります。

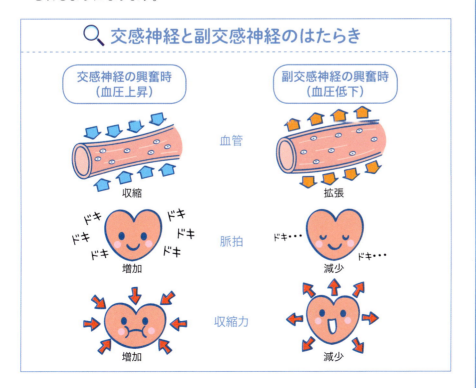

🔍 交感神経と副交感神経のはたらき

3 高血圧症 — 疾患理解に重要な血圧のしくみ

②体液性因子による調節

- 体液性因子（ホルモン）による調節は、次の3つがあります。

レニン-アンジオテンシン-アルドステロン系（RAA系）

- 血圧が下がると腎血流量が減るため、糸球体近接細胞から**レニン**の分泌が増えます。交感神経の興奮もレニンの分泌を増やします。
- レニンはアンジオテンシノーゲンを**アンジオテンシンⅠ**に変換します。アンジオテンシンⅠは**アンジオテンシン変換酵素（ACE）**により、**アンジオテンシンⅡ**に変換されます。
- アンジオテンシンⅡは、AT_1受容体を介して血管を収縮させて血圧を上昇させ、さらに近位尿細管でNa^+とHCO_3^-の再吸収量を増やします。また、口渇中枢を興奮させるため、水の摂取量が増えます。
- アンジオテンシンⅡは、副腎皮質を刺激して**アルドステロンを分泌**させ、遠位尿細管でのNa^+の再吸収とK^+、H^+の分泌を促進させます。
- これらにより、血中の浸透圧が上昇し、体液量が増えるため、血液量が増加します。この作用により、血圧を上昇させます。血圧が上がるとレニンの分泌量が減るため、血圧は下がります。

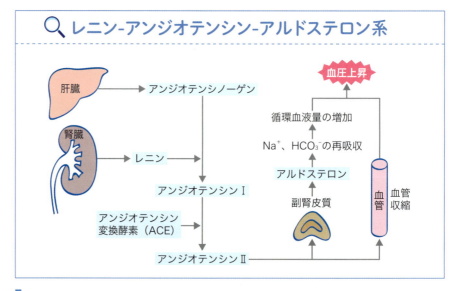

レニン-アンジオテンシン-アルドステロン系

バソプレシン（抗利尿ホルモン：ADH）

- 脳の視床下部で産生され、下垂体後葉から血中に分泌されるホルモンです。
- 腎臓の集合管のV_2受容体を介して水の再吸収を促進させるため、水の排泄量が減ります。また、V_1受容体を刺激し血管を収縮させます。

心房・脳性ナトリウム利尿ペプチド

- 心房・心室から分泌される循環調節ホルモンです。
- 利尿作用、血管拡張作用があり、血圧を下げるはたらきがあります。

高血圧の基準

成人における高血圧の基準

- 一般的には **140/90mmHg以上** を高血圧といいます。高血圧治療が必要となる値です。
- 表「成人における血圧値の分類」は診察室血圧の基準です。家庭で血圧測定した場合は、135/85mmHg以上が高血圧の基準となります。
- 75歳以上の後期高齢者は140/90mmHg以上を高血圧の基準とし、忍容性があれば130/80mmHg未満を降圧目標としています。
- 高血圧が慢性的に持続すると、さまざまな臓器障害を引き起こします。

表 成人における血圧値の分類

分類	診察室血圧（mmHg）			家庭血圧（mmHg）		
	収縮期血圧		拡張期血圧	収縮期血圧		拡張期血圧
正常血圧	<120	かつ	<80	<115	かつ	<75
正常高値血圧	120-129	かつ	<80	115-124	かつ	<75
高値血圧	130-139	かつ／または	80-89	125-134	かつ／または	75-84
Ⅰ度高血圧	140-159	かつ／または	90-99	135-144	かつ／または	85-89
Ⅱ度高血圧	160-179	かつ／または	100-109	145-159	かつ／または	90-99
Ⅲ度高血圧	≧180	かつ／または	≧110	≧160	かつ／または	≧100
（孤立性）収縮期高血圧	≧140	かつ	<90	≧135	かつ	<85

日本高血圧学会高血圧治療ガイドライン作成委員会編：高血圧治療ガイドライン2019．日本高血圧学会，東京，2019:18．より転載

診察室血圧
診察室（外来）で血圧計を用いて測定した値。

家庭血圧
朝・晩それぞれの測定値7日間（少なくとも5日間）の平均値。

白衣高血圧
診察室で測定した血圧が高血圧であっても、診察室外血圧では正常域血圧を示す状態。

仮面高血圧
診察室血圧が正常域血圧であっても、診察室外の血圧では高血圧を示す状態。

正常血圧以外は、今後高血圧へ移行する危険が高いので、注意が必要です

図 高血圧によって起こる臓器障害

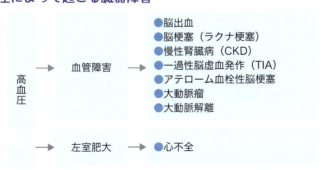

高血圧 → 血管障害 →
- 脳出血
- 脳梗塞（ラクナ梗塞）
- 慢性腎臓病（CKD）
- 一過性脳虚血発作（TIA）
- アテローム血栓性脳梗塞
- 大動脈瘤
- 大動脈解離

高血圧 → 左室肥大 → 心不全

本態性高血圧

どんな状態?

- **高血圧の約90%が本態性高血圧**です。遺伝的背景や生活習慣の乱れ、加齢などによって発症するといわれています。
- 高血圧が慢性的に持続すると、**動脈硬化や左室肥大を進行させ、脳卒中や心疾患などの重篤な疾患を引き起こすリスクが高く**なります。これらの発症を抑制するために、治療が必要になります。
- すでに糖尿病や腎疾患、脳・心血管疾患をもつ患者さんは、高血圧により、脳卒中や心疾患になるリスクがさらに高くなります。そのため、個々の患者さんで降圧目標が異なります。

表 高血圧管理計画のためのリスク層別化に用いる予後影響因子

A. 血圧レベル以外の脳心血管病の危険因子

高齢(65歳以上)	
男性	
喫煙	
脂質異常症[*1]	●低HDLコレステロール血症(＜40mg/dL) ●高LDLコレステロール血症(≧140mg/dL) ●高トリグリセライド血症(≧150mg/dL)
肥満(BMI≧25kg/m^2)(特に内臓脂肪型肥満)	
若年(50歳未満)発症の脳心血管病の家族歴	
糖尿病	●空腹時血糖≧126mg/dL ●負荷後血糖2時間値≧200mg/dL ●随時血糖≧200mg/dL ●HbA1c≧6.5%(NGSP)

B. 臓器障害／脳心血管病

脳	●脳出血、脳梗塞　●一過性脳虚血発作
心臓	●左室肥大(心電図、心エコー) ●狭心症、心筋梗塞、冠動脈再建術後 ●心不全 ●非弁膜症性心房細動[*2]
腎臓	●タンパク尿　●eGFR低値[*3](＜60mL/分/1.73m^2)　●慢性腎臓病(CKD)
血管	●大血管疾患 ●末梢動脈疾患(足関節上腕血圧比低値：ABI≦0.9) ●動脈硬化性プラーク ●脈波伝播速度上昇(baPWV≧18m/秒、cfPWV＞10m/秒) ●心臓足首血管指数(CAVI)上昇(≧9)
眼底	●高血圧性網膜症

青字：リスク層別化に用いる予後影響因子

*1 トリグリセライド400mg/dL以上や食後採血の場合にはnon HDLコレステロール(総コレステロール-HDLコレステロール)を使用し、その基準はLDLコレステロール＋30mg/dLとする。
*2 非弁膜症性心房細動は高血圧の臓器障害として取り上げている。
*3 eGFR(推算糸球体濾過量)は下記の血清クレアチニンを用いた推算式(eGFR$_{creat}$)で算出するが、筋肉量が極端に少ない場合は、血清シスタチンを用いた推算式(eGFR$_{cys}$)がより適切である。
　eGFR$_{creat}$(mL/分/1.73m^2) = 194×Cr$^{-1.094}$×年齢$^{-0.287}$(女性は×0.739)
　eGFR$_{cys}$(mL/分/1.73m^2) = (104×Cys$^{-1.019}$×0.996^{年齢}(女性は×0.929))－8

日本高血圧学会高血圧治療ガイドライン作成委員会編：高血圧治療ガイドライン2019．日本高血圧学会，東京，2019：49．より転載

表 診察室血圧に基づいた脳心血管病リスク層別化

リスク層 \ 血圧分類	高値血圧 130〜139/ 80〜89mmHg	I度高血圧 140〜159/ 90〜99mmHg	II度高血圧 160〜179/ 100〜109mmHg	III度高血圧 ≥180/ ≥110mmHg
リスク第一層 予後影響因子がない	低リスク	低リスク	中等リスク	高リスク
リスク第二層 年齢(65歳以上)、男性、脂質異常症、喫煙のいずれかがある	中等リスク	中等リスク	高リスク	高リスク
リスク第三層 脳心血管病既往、非弁膜症性心房細動、糖尿病、タンパク尿のあるCKDのいずれか、またはリスク第二層の危険因子が3つ以上ある	高リスク	高リスク	高リスク	高リスク

JALSスコアと久山スコアより得られる絶対リスクを参考に、予後影響因子の組合せによる脳心血管病リスク層別化を行った。
層別化で用いられている予後影響因子は、血圧、年齢(65歳以上)、男性、脂質異常症、脳心血管病(脳出血、脳梗塞、心筋梗塞)の既往、非弁膜症性心房細動、糖尿病、タンパク尿のあるCKDである。
日本高血圧学会高血圧治療ガイドライン作成委員会編：高血圧治療ガイドライン2019．日本高血圧学会，東京，2019：50．より転載

表 各患者の降圧目標

	診察室血圧 (mmHg)	家庭血圧 (mmHg)
75歳未満の成人[*1] 脳血管障害患者 (両側頸動脈狭窄や脳主幹動脈閉塞なし) 冠動脈疾患患者 CKD患者(タンパク尿陽性)[*2] 糖尿病患者 抗血栓薬服薬中	<130/80	<125/75
75歳以上の高齢者[*3] 脳血管障害患者 (両側頸動脈狭窄や脳主幹動脈閉塞あり、または未評価) CKD患者(タンパク尿陰性)[*2]	<140/90	<135/85

[*1] 未治療で診察室血圧130-139/80-89mmHgの場合は、低・中等リスク患者では生活習慣の修正を開始または強化し、高リスク患者ではおおむね1か月以上の生活習慣修正にて降圧しなければ、降圧薬治療の開始を含めて、最終的に130/80mmHg未満を目指す。すでに降圧薬治療中で130-139/80-89mmHgの場合は、低・中等リスク患者では生活習慣の修正を強化し、高リスク患者では降圧薬治療の強化を含めて、最終的に130/80mmHg未満を目指す。

[*2] 随時尿で0.15g/gCr以上をタンパク尿陽性とする。

[*3] 併合疾患などによって一般に降圧目標が130/80mmHg未満とされている場合、75歳以上でも忍容性があれば個別に判断して130/80mmHg未満を目指す。
降圧目標を達成する過程ならびに達成後も過降圧の危険性に注意する。過降圧は、到達血圧のレベルだけでなく、降圧幅や降圧速度、個人の病態によっても異なるので個別に判断する。

日本高血圧学会高血圧治療ガイドライン作成委員会編：高血圧治療ガイドライン2019．日本高血圧学会，東京，2019：53．より転載

どんな治療を行うの？

- まずは**生活習慣の改善**を行います。それでもコントロールがつかない場合、はじめて**降圧薬治療**を行います。降圧薬の内服が開始となっても、生活習慣の改善は継続することが必要です。

生活習慣の改善

- 日本の食塩摂取量は依然として多く、平成29（2017）年度の食塩摂取量の平均値は9.9g/日で、男性10.8g/日、女性9.1g/日となっています（平成29年「国民健康・栄養調査」）。過去10年間でみると男女ともに減少していますが、6g/日以下にはとうていおよばない値です。食塩摂取量を減らすことは国民の血圧水準を低下させるうえで重要です。
- 食の欧米化により、肥満に伴う高血圧が増加しています。

Link 塩分制限 ➡ P.12
Link 食事療法 ➡ P.12

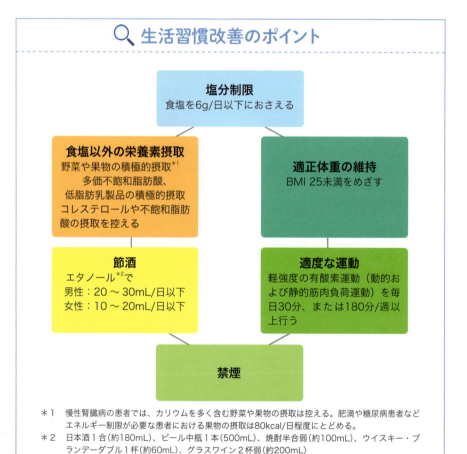

生活習慣改善のポイント

塩分制限
食塩を6g/日以下におさえる

食塩以外の栄養素摂取
野菜や果物の積極的摂取*1
多価不飽和脂肪酸、
低脂肪乳製品の積極的摂取
コレステロールや不飽和脂肪酸の摂取を控える

適正体重の維持
BMI 25未満をめざす

節酒
エタノール*2で
男性：20～30mL/日以下
女性：10～20mL/日以下

適度な運動
軽強度の有酸素運動（動的および静的筋肉負荷運動）を毎日30分、または180分/週以上行う

禁煙

*1 慢性腎臓病の患者では、カリウムを多く含む野菜や果物の摂取は控える。肥満や糖尿病患者などエネルギー制限が必要な患者における果物の摂取は80kcal/日程度にとどめる。
*2 日本酒1合（約180mL）、ビール中瓶1本（500mL）、焼酎半合弱（約100mL）、ウイスキー・ブランデーダブル1杯（約60mL）、グラスワイン2杯弱（約200mL）

日本高血圧学会高血圧治療ガイドライン作成委員会編：高血圧治療ガイドライン2019．日本高血圧学会，東京，2019；64．より一部改変して転載

降圧薬治療

- 降圧薬はおもに、**カルシウム(Ca)拮抗薬、アンジオテンシンⅡ受容体拮抗薬（ARB）、アンジオテンシン変換酵素（ACE）阻害薬、利尿薬、β遮断薬**の5つがあります。
- 目標血圧に向けて単剤投与（少量投与）から内服を開始し、降圧が不十分な場合は、2剤、3剤と併用して内服します。

表 おもな降圧薬

種類	特徴	一般名（おもな商品名）
カルシウム(Ca)拮抗薬	●血管平滑筋を弛緩させ、末梢血管抵抗を減らして降圧作用を発揮する ●最も降圧作用が強い、急速・強力降圧型である ●冠動脈および末梢血管拡張作用、心収縮力の抑制、刺激伝導系の抑制作用がある ●長時間作用のため1日1回投与の薬剤が主流である 注意 高度の徐脈には投与禁忌（非ジヒドロピリジン系のみ）	●ジルチアゼム塩酸塩（ヘルベッサー） ●ニフェジピン（アダラート） ●ニカルジピン塩酸塩（ペルジピン） ●マニジピン塩酸塩（カルスロット） ●アムロジピンベシル酸塩（ノルバスク、アムロジン） ●ベラパミル塩酸塩（ワソラン） など
アンジオテンシンⅡ受容体拮抗薬（ARB）	●アンジオテンシンⅡによる強力な血管収縮・体液貯留、交感神経活性を抑制することによって降圧作用を発揮する ●心保護効果や腎保護効果もある ●心臓・腎臓・脳の臓器合併症や糖尿病を有する患者さんの第一選択薬となる 注意 妊婦や授乳婦への投与は禁忌	●カンデサルタン シレキセチル（ブロプレス） ●ロサルタンカリウム（ニューロタン） ●バルサルタン（ディオバン） ●テルミサルタン（ミカルディス） ●オルメサルタン メドキソミル（オルメテックOD） ●アジルサルタン（アジルバ） など
アンジオテンシン変換酵素（ACE）阻害薬	●血管拡張作用により、アルドステロンの分泌を抑制し、Na^+・水の排出を増加させることで降圧作用を発揮する ●心筋梗塞後の心血管合併症を減少させ、生命予後を改善する効果がある 注意 副作用に空咳、高カリウム血症がある 注意 妊婦や授乳婦への投与は禁忌	●エナラプリルマレイン酸塩（レニベース） ●リシノプリル水和物（ゼストリル） ●イミダプリル塩酸塩（タナトリル） ●カプトプリル（カプトリル） など
利尿薬	●降圧薬として多く利用されるのはサイアザイド系利尿薬である ●Na^+・水の排出を増加させることで循環血液量が減り、降圧作用を発揮する 注意 副作用である低カリウム血症時には、カリウム保持性利尿薬（スピロノラクトン）を併用する。低ナトリウム血症、脱水、腎不全に注意する	●トリクロルメチアジド（フルイトラン） ●インダパミド（ナトリックス） など
β遮断薬	●心拍出量の低下、レニン産生の抑制、中枢での交換神経制作用によって降圧する ●心筋梗塞後の再発予防や心不全の予後改善効果がある 注意 気管支喘息、高度徐脈、Ⅱ度以上の房室ブロック、レイノー症状に対しては禁忌	●カルベジロール（アーチスト） ●アテノロール（テノーミン） ●ビソプロロールフマル酸塩（メインテート） ●メトプロロール酒石酸塩（セロケン） など

本態性高血圧の看護

生活指導

- 高血圧では、患者さんに生活習慣を改善してもらうことが大切です。自宅での生活状態を聴取し、高血圧の原因となることは控えるように指導します。
- 患者さんの嗜好を知り、食事指導を行います。食事をつくっている人が誰なのか把握し、その人も一緒に食事指導に参加してもらえるように調整しましょう。
- 自宅でも血圧測定を行ってもらい、降圧薬の内服を開始してからの血圧推移を把握できるようにします。**血圧が下がってきたからといって、内服を中断しないように説明することも大切**です。「血圧が〇〇くらいまで下がったら外来を受診する」もしくは「病院に電話して薬をどのように飲めばよいか問い合わせる」などの説明をしておくことも大切です。

服薬指導

- 入院中の場合は、心疾患による血圧の低下や活動量の低下、病院食を摂取することによるナトリウム摂取量の低下などにより、入院前に内服していた降圧薬を飲み続けると血圧が下がることがあります。その際は、医師へ降圧薬を減量もしくは中止するか確認しましょう。
- 高血圧は軽視されやすい疾患です。そのため、処方された薬をしっかり内服している人は約40％前後ともいわれ、アドヒアランスが非常に悪いとされています。治療を受け、至適血圧を保つことは、心疾患や脳卒中のリスクを下げる、または再発予防につながります。そのことを患者さんに説明し、**治療の重要性を理解してもらう**ことが大切です。
- 患者さんがしっかりと内服を継続できるように、薬を一包化したり、薬が朝昼夕と内服回数が多くなっている人には、医師へ薬の内服を再検討してもらい、**飲み忘れがなくなるように調整する**ことも看護師の役割になります。
- 高血圧の患者さんが、入院または外来に受診した際には、しっかり内服ができているのかを確認することも大切です。内服できていない患者さんには、なぜできなかったのかも一緒に聴取しましょう。このときに気をつけなくてはいけないことは、「患者さんを責めない」ことです。さまざまな環境にいる患者さんが、どうしたら内服治療が継続できるのか、一緒に考えましょう。

二次性高血圧

どんな状態?

- **原因が明らかな高血圧**を二次性高血圧といいます。高血圧の90％以上が本態性高血圧で、二次性高血圧は**10％未満**です。
- 原因を取り除けば血圧が下がることが多いです。重症または治療抵抗性を示す高血圧で、急激な発症や若年での発症の場合は、二次性高血圧の可能性が高いといわれています。

表 二次性高血圧の種類

腎実質性高血圧	●糖尿病腎症、慢性腎炎症候群、腎硬化症などの腎実質の病変によって高血圧が生じる ●高血圧全体の約2〜5％で、二次性高血圧のなかで最も多い
腎血管性高血圧	●腎動脈の狭窄・閉塞によって腎血流量が低下することで、レニンの産生・分泌が亢進し、高血圧が生じる ●高血圧全体の約1％とされる
内分泌性高血圧	●原発性アルドステロン症、クッシング症候群、褐色細胞腫などによって高血圧が生じる
血管性高血圧	●高安動脈炎（大動脈炎症候群）、大動脈狭窄などが原因で高血圧が生じる
中枢神経系高血圧	●脳腫瘍、脳・脊髄炎、脳外傷による頭蓋内圧の亢進や脳幹部血管圧迫によって高血圧が生じる
薬剤誘発性高血圧	●非ステロイド性抗炎症薬（NSAIDs）、甘草、グリチルリチン（これらを含む薬剤、漢方薬など）などによって高血圧が生じる

🔍 高血圧緊急症

▷高血圧緊急症は、血圧が非常に高くなり（多くは180/120mmHg以上）、すぐに降圧治療を行わないと、脳・心臓・腎臓・大動脈などに重篤な障害が起こり、致命的となりうる病態です。入院し、ただちに降圧薬の静注を開始する必要があります。

高血圧緊急症の標的臓器障害
▷高血圧性脳症
▷妊娠高血圧腎症および子癇
▷肺水腫を伴う急性左心不全
▷心筋虚血
▷急性大動脈解離
▷腎不全

高血圧緊急症で静注する降圧薬
▷ニカルジピン
▷ジルチアゼム
▷ニトログリセリン
▷ヒドララジン
▷フェントラミン
▷プロプラノロール

虚血性心疾患（IHD）

▷ **疾患理解のポイント**
冠動脈の走行や支配領域を理解しましょう。

▷ **治療のポイント**
迅速な検査・診断を行い、早期治療につなげることが、
患者さんの予後を左右します。

▷ **看護のポイント**
早期に日常生活の情報を収集し、
再発予防の指導へとつなげましょう。

虚血性心疾患（IHD）とは、**動脈硬化**などが原因で引き起こされる**冠動脈の狭窄や閉塞**により、**心筋の血液供給が減少したり、停止したりする病態**です。発症時期や原因によって４つに分けられます。

虚血性心疾患の分類

慢性冠動脈疾患		急性冠症候群（ACS）	
労作性（安定）狭心症 P.70	冠攣縮性狭心症（CSA） P.71	不安定狭心症（UAP） P.72	心筋梗塞（MI） P.73
動脈硬化などが原因で一過性に心筋虚血に陥る	**冠動脈の攣縮**によって一過性に心筋虚血に陥る（ST上昇を伴うものを異型狭心症という）	アテロームが破綻し、血栓が形成され狭窄が生じる（**心筋梗塞に移行しやすい**）	アテロームが破綻し、**血栓による内腔の完全閉塞**が生じる

疾患理解に重要な冠動脈のしくみ

冠動脈のしくみ

- 冠動脈は心臓を栄養する終動脈です。
- 冠動脈は、大動脈起始部の膨大部（バルサルバ洞）から**右冠動脈（RCA）**、**左冠動脈（LCA）**が起始し、左冠動脈は**左前下行枝（LAD）**と**左回旋枝（LCX）**の2本に分岐しています。
- アメリカ心臓協会（AHA）では冠動脈を15の区分に分類しており、**検査時の病変部位**の特定に用いられます。

Link 冠動脈→P.31

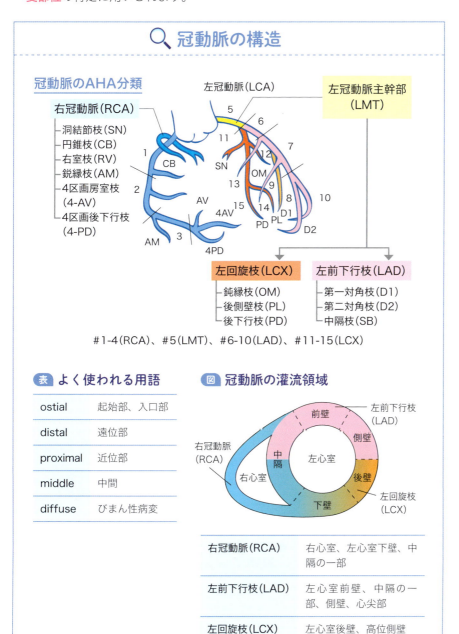

冠動脈の構造

冠動脈のAHA分類

右冠動脈（RCA）
- 洞結節枝（SN）
- 円錐枝（CB）
- 右室枝（RV）
- 鋭縁枝（AM）
- 4区画房室枝（4-AV）
- 4区画後下行枝（4-PD）

左冠動脈主幹部（LMT）

左回旋枝（LCX）
- 鈍縁枝（OM）
- 後側壁枝（PL）
- 後下行枝（PD）

左前下行枝（LAD）
- 第一対角枝（D1）
- 第二対角枝（D2）
- 中隔枝（SB）

#1-4（RCA）、#5（LMT）、#6-10（LAD）、#11-15（LCX）

表 よく使われる用語

ostial	起始部、入口部
distal	遠位部
proximal	近位部
middle	中間
diffuse	びまん性病変

図 冠動脈の灌流領域

右冠動脈（RCA）	右心室、左心室下壁、中隔の一部
左前下行枝（LAD）	左心室前壁、中隔の一部、側壁、心尖部
左回旋枝（LCX）	左心室後壁、高位側壁

虚血性心疾患（IHD）の分類

どうやって分類するの？

IHD (ischemic heart disease)

●虚血性心疾患（IHD）は、発症時期や原因によって4つに分類されます。

表 虚血性心疾患の分類（IHD分類）

	慢性冠動脈疾患		急性冠症候群（ACS）	
	労作性（安定）狭心症 P.70	冠攣縮性狭心症（CSA）P.71	不安定狭心症（UAP）P.72	心筋梗塞（MI）P.73
病態	動脈硬化などが原因で一過性に心筋虚血に陥る	冠動脈の攣縮によって一過性に心筋虚血に陥る（ST上昇を伴うものを異型狭心症という）	アテロームが破綻し、血栓が形成され狭窄が生じる 注意 心筋梗塞に移行しやすい	アテロームが破綻し、血栓による内腔の完全閉塞が生じる
症状の持続時間	3〜5分程度	数分〜15分程度	数分〜20分程度	20分以上〜数時間
特徴	●ニトログリセリンが有効 ●労作で誘発され、安静にすることで症状が消失する	●ニトログリセリンが有効 ●夜間から早朝に多い ●喫煙者や常習飲酒者に多い ●カルシウム拮抗薬が有効	●ニトログリセリンが有効（高リスクの場合は無効） ●安静や労作時に関係なく症状が起こる	●ニトログリセリンは無効 ●激しい胸の痛み
心筋マーカー	上昇なし	上昇なし（重度なスパズムでは上昇することあり）	上昇なし、または軽微な上昇（心筋梗塞に移行していたら上昇あり）	上昇あり
心電図変化	●発作時にST↓	●発作時にST↑またはST↓	●ST↓（非ST上昇型急性冠症候群）	●ST・T波↑ ●異常Q波 ●冠性T波
検査	●心臓核医学検査（心筋血流シンチグラフィ） ●運動負荷心電図 ●心臓・冠動脈CT検査 ●心臓カテーテル検査	●ホルター心電図 ●冠攣縮薬物誘発試験	●血液検査 ●心臓カテーテル検査 ●心臓・冠動脈CT検査	●血液検査 ●心臓カテーテル検査

Link 動脈硬化→P.201

非ST上昇型急性冠症候群（NSTE-ACS）
症状はあるが、12誘導心電図でSTの上昇はなく、低下や陰性T波がみられる。

Link 心筋マーカー→P.76

採血と12誘導心電図は必須です！

狭心症（AP）

どんな疾患？

- 狭心症（AP）とは、心筋に酸素を供給している冠動脈が**動脈硬化や攣縮**によって**狭窄し、一時的に虚血発作を起こす**ことをいいます。
- 発作の起こり方や原因により、**労作性（安定）狭心症、冠攣縮性狭心症、不安定狭心症**に分類されます。

AP（angina pectoris）

患者さんはどんな状態？

- 狭心症の症状としておもに**狭心痛**があり、心筋が虚血状態になると以下の図のような症状が現れます。
- 患者さんは狭心痛の部位をはっきりと指し示せないことが多く、高齢者や糖尿病の患者さんでは胸痛をまったく認めないこともあります（**無症候性心筋虚血**）。
- 心窩部痛が主症状の場合は、胃潰瘍などの消化器症状だと思い、判別が難しいことがあります。

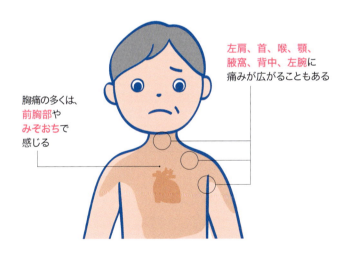

症状
- 狭心痛（胸の絞扼感・圧迫感・不快感）
- 放散痛（左肩から腕・顎・歯の痛み）
- 心窩部痛
- 呼吸困難感、めまい

訴え方の例
- 胸が締め付けられる
- 胃がムカムカする・痛い
- 胸（みぞおち）のあたりが気持ち悪い
- 変な感じがする
- 背中・肩がこる・しびれる

無症候性心筋虚血

狭心症や心筋梗塞は、冠動脈の狭窄や完全な閉塞による虚血により、狭心痛などの症状が現れる。しかし、高齢者や糖尿病患者さんの場合、痛みを感じる神経の障害が原因で、痛みを感じないことがある。

放散痛の原因

放散痛が生じる理由は、胸の痛みを脳に伝える感覚神経と、左肩や顎などの痛みを脳に伝える神経が近いためといわれている。

労作性（安定）狭心症

どんな疾患？

- 労作性（安定）狭心症は、動脈硬化によって徐々に冠動脈が狭窄し、**労作時の心筋酸素需要の増加をきっかけに一過性の心筋虚血**を起こします。
- 冠血管拡張（静脈＞動脈）作用のある**硝酸薬**（ニトログリセリン）を使用することで**前負荷および後負荷が軽減し、酸素需要量が低下**します。また、冠血管も拡張し、冠血流量が増加し、症状が消失します。

Link 硝酸薬➡P.78
【別冊】P.71

どんな検査をして診断する？

- 確定診断には心臓カテーテル検査が不可欠です。検査の結果、75％以上の狭窄があれば、狭窄部位、自覚症状、心筋負荷シンチグラフィの結果などを加味し、治療の適応を決定します。

表 労作性狭心症に特徴的な検査所見

検査	所見
運動負荷心電図検査	●運動負荷前後に心電図を記録し、ST・T変化、不整脈の有無を調べて診断する 注意 発作中は**ST低下、T波の陰転化** ●運動負荷によって症状を誘発する可能性が高いため、医師の立ち会いのもと行う
心臓・冠動脈CT検査	●静脈から造影剤を注入し、冠動脈の狭窄の有無を調べる
負荷心筋シンチグラフィ	●運動や薬剤によって心臓に負荷をかけることで負荷がかかった際の心筋血流の分布がみられる。放射性活性の心筋内分布が低下していれば、その分布の支配血管に狭窄を疑う
心臓カテーテル検査	●カテーテルを用いて冠動脈に選択的に造影剤を注入し、冠動脈の狭窄の有無を調べる

Link 運動負荷心電図➡P.256

Link 12誘導心電図➡P.252

どんな治療を行う？

- 薬物療法が中心となります。硝酸薬、β遮断薬、カルシウム拮抗薬、抗血小板薬などを使用します。
- 虚血が認められる場合は、経皮的冠動脈インターベンション（PCI）、冠動脈バイパス術（CABG）の適応となります。

Link 硝酸薬➡P.78【別冊】P.71
Link β遮断薬➡P.63, 80【別冊】P.69
Link カルシウム拮抗薬➡P.63, 80【別冊】P.63
Link 抗血小板薬➡P.79【別冊】P.60
Link 経皮的冠動脈インターベンション（PCI）➡P.290
Link 冠動脈バイパス術（CABG）➡P.350

冠攣縮性狭心症（CSA）

どんな疾患?

- 冠攣縮性狭心症（CSA）は、正常な冠動脈が**攣縮によって一過性に完全またはほぼ完全に閉塞**し、それによって心筋虚血が起こることをいいます。

CSA（coronary spastic angina）

夜間から早朝にかけて症状が出現することが多く、**喫煙者や常習飲酒者に好発**すると考えられています。発作時はニトログリセリンを使用しますが、カルシウム拮抗薬で誘発が抑制されるため、就寝前と起床時に内服することで症状誘発を予防します

どんな検査をして診断する?

- 冠動脈造影検査（CAG）下でアセチルコリンまたはエルゴノビンを投与し、冠攣縮発作が誘発されるかを確認します（**冠攣縮薬物誘発試験**）。誘発にて冠動脈の狭窄が確認されれば、確定診断に至ります。硝酸薬（ニトログリセリン）によって発作を抑えます。

Link 冠動脈造影検査（CAG）→P.285

どんな治療を行う?

- カルシウム拮抗薬などを使用して、狭心発作を予防します。

不安定狭心症（UAP）

UAP（unstable angina pectoris）

どんな疾患？

●不安定狭心症（UAP）は、**不安定なプラークが破綻することによって血栓が形成され、冠動脈が完全に閉塞または狭窄**し、それによって心筋虚血が起こります。

不安定なプラークが破綻すると心筋梗塞に移行します。狭心症のなかでもリスクが高く、緊急性のある疾患です

どんな検査をして診断する？

●12誘導心電図で、狭窄また閉塞によって**ST変化**がみられます。
●心臓CT・心臓カテーテル検査を行います。
●不安定狭心症の重症度の分類には下記を用います。

表 不安定狭心症の重症度分類（Braunwald分類）

重症度	Ⅰ	新規発症の重症または増悪型狭心症	●最近2か月以内に発症した狭心症 ●1日に3回以上発作が頻発するか、軽労作にても発作が起きる増悪型労作狭心症。安静狭心症は認めない
	Ⅱ	亜急性安静狭心症	●最近1か月以内に1回以上の安静狭心症があるが、48時間以内に発作を認めない
	Ⅲ	急性安静狭心症	●48時間以内に1回以上の安静時発作を認める
臨床状況	A	二次性不安定狭心症	●貧血、発熱、低血圧、頻脈などの心外因子により出現
	B	一次性不安定狭心症	●心外因子のないもの
	C	梗塞後不安定狭心症	●心筋梗塞発症後2週間以内の不安定狭心症
治療状況	1	未治療もしくは最小限の狭心症治療中	
	2	一般的な安定狭心症の治療中（通常量のβ遮断薬、長時間持続硝酸薬、Ca拮抗薬）	
	3	ニトログリセリン静注を含む最大限の抗狭心症薬による治療中	

どんな治療を行う？

Link 硝酸薬➡P.78【別冊】P.71
Link β遮断薬➡P.63, 80【別冊】P.69
Link 抗血小板薬➡P.79【別冊】P.60

●心筋梗塞への移行を防ぐ治療が行われます。
●薬物療法では、硝酸薬、β遮断薬、抗血小板薬、ヘパリンなどが使用されます。
●冠動脈造影（CAG）を行い、狭窄部位を確認したら経皮的冠動脈インターベンション（PCI）や冠動脈バイパス術（CABG）を行い、血行を再建します。

心筋梗塞（MI）

どんな疾患？

- 心筋梗塞（MI）とは、心臓の栄養血管である**冠動脈が閉塞し、閉塞部位から先の血流が途絶えてしまうことによって心筋が壊死**した状態をいいます。
- 冠動脈の内膜に形成されたアテローム性プラーク（粥腫）が破綻すると、血小板が活性化されて血栓ができ、血管内は閉塞されます。
- 血流途絶から20分以内であれば心筋の変化は可逆性であり、それ以上の虚血が続くと心筋の壊死がはじまり、心筋梗塞となります。

MI（myocardial infarction）

狭心症と心筋梗塞の違い

- 心筋の虚血が一過性であり、**可逆的な場合を狭心症**といいます。心筋虚血が長時間続き、心筋が壊死し、**不可逆的な場合を心筋梗塞**といいます。
- 狭心症発作の場合は**15分以内**で治まり、ニトログリセリンの舌下錠投与後、数分で症状が改善します。しかし、心筋梗塞の場合は狭心痛が**30分以上**続き、ニトログリセリンは無効です。

どうやって分類するの？

発症時期による分類

- 発症時期によって以下の3つに分類します。

表　発症時期による分類

急性心筋梗塞 Acute MI（AMI）	亜急性心筋梗塞 Recent MI（RMI）	陳旧性心筋梗塞 Old MI（OMI）
発症から72時間まで	発症後72時間から1か月まで	発症後1か月以上

壊死部位による分類

- 20分以上の虚血が続くと心筋壊死が起こり、心筋梗塞となります。心筋障害は心内膜からはじまって心外膜側へと広がっていきます。この間、血流再開が起こると心筋壊死が心内膜側で止まり、心電図では**ST低下**がみられます（**非貫壁性梗塞**）。
- 心内膜側から心外膜側まで心筋壊死が進むと**貫壁性梗塞**となり、心電図では**ST上昇**がみられます。

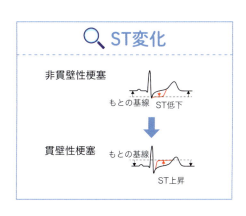

ST変化
非貫壁性梗塞　もとの基線　ST低下
貫壁性梗塞　もとの基線　ST上昇

患者さんはどんな状態?

- 心筋梗塞では**症状の聴取(聞き取り、問診)**が重要になります。
- 「胸痛」といっても、人によっては、放散痛や胸部周囲の圧迫感や違和感、例えようのない気持ち悪さなどと表現することもあります。そのため、「胸痛」という言葉ではなくても、心筋梗塞になるであろうというリスクを加味したうえで、症状を聞きましょう。

胸痛

- 心筋の虚血性壊死は、神経を刺激して**心窩部の絞扼感や痛み**として出現します。**突然の激しい胸痛**が起こり、安静では消失せず、**20分以上から、ときには数時間持続**します。
- 狭心症でも述べたように、胸痛ではなく放散痛が症状として出ることもあります。
- **ニトログリセリンは効かず**、狭心症によるものより著しく症状が強く、それにより強い不安感や恐怖を伴います。

Link 放散痛→P.69

呼吸困難、チアノーゼ

- 急性心筋梗塞では、急激な心筋の壊死によって左室機能不全が起こり、心拍出量が高度に低下すると**左心不全**となります。それによって呼吸困難が出現します。
- 心拍出量低下により、末梢まで十分に血液が供給されず、チアノーゼが出現します。

悪心・嘔吐

- 胸痛や心筋の虚血によって**交感神経の緊張**を起こし、悪心・嘔吐などの消化器症状を誘発します。心臓の下壁と消化器の神経は隣接しており、下壁梗塞の場合は、消化器症状が現れやすくなります。

ショック時には顔面蒼白、脈が触れにくく、呼吸困難がみられます。心不全を合併した場合は心音の聴診でラ音が聴取されます

どんな検査をして診断する？

- 心筋梗塞で心筋が壊死した場合、血流が改善されても、壊死した心筋は戻ることがありません。そのため、早期治療が大切になります。特に、**12誘導心電図でのSTの変化**、心エコーでの壁運動低下、血液検査での**心筋マーカー**が診断するうえで重要になります。

Link 心電図検査 ➡ P.250

Link 心筋マーカー ➡ P.76

心筋梗塞のその他の検査

- 造影CT：静脈に造影剤を注入し造影をすることで、狭窄している部分を把握する。しかし、急性心筋梗塞では実施しない。
- 心臓カテーテル検査：狭窄や病変の程度を調べる。血管内エコーなど特別なカテーテルを使用することで、今後の治療方針を決める指標になる。

心電図検査

- 心筋梗塞の特徴的な心電図変化は、**T波増高、ST上昇または低下、異常Q波、冠性T波**です。貫壁性梗塞では、梗塞直後にT波が増高しST上昇がみられます。

心筋梗塞の心電図変化

心筋梗塞の経時的な心電図変化

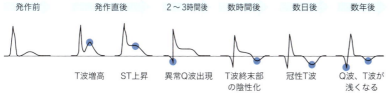

発作前 / 発作直後（T波増高、ST上昇） / 2～3時間後（異常Q波出現） / 数時間後（T波終末部の陰性化） / 数日後（冠性T波） / 数年後（Q波、T波が浅くなる）

▷ 発症2～3時間後から異常Q波の形成、その後はST上昇が徐々に軽減され、T波が逆転化していきます。数日～数週間でSTは基線に戻り、冠性T波へと経時的変化がみられます。

梗塞部位による心電図変化

梗塞部位		Ⅰ	Ⅱ	Ⅲ	V_R	V_L	V_F	V_1	V_2	V_3	V_4	V_5	V_6	おもな閉塞枝	
前壁中隔								○	○	○	○				左前下行枝（LAD）
広範前壁		○				○		○	○	○	○	○	△		左前下行枝（近位）
側壁		○				○						○	○		対角枝 / 鈍縁枝
純後壁								＊	＊						左回旋枝
高位側壁		○				○									左回旋枝
下壁			○	○			○								右冠動脈

○ 梗塞波形がみられる
△ ときにみられる
＊ mirror imageによるST下降、R波増高、T波増高

医療情報科学研究所編：病気がみえる vol.2 循環器 第4版, メディックメディア, 東京, 2017：85. より一部改変して転載

血液検査

- 心筋が壊死することにより、心筋細胞から特有の酵素やタンパクが血液中に流出するため、血液検査によって心筋壊死の発生や程度を知ることができます。
- 心筋マーカーの値が大きいと**梗塞巣が大きい**ことを表します。

表 心筋梗塞に特徴的な心筋マーカー

CK（クレアチンキナーゼ）/CK-MB	● CKは筋細胞に多く含まれる酵素である。MM（骨格筋型）、BB（脳型）、MB（心筋型）という3つのアイソザム（同一の反応を触媒する分子構造の異なる酵素群）がある ● 心筋に多くみられるCK-MBは、代表的な心筋マーカーとして心筋梗塞の診断に広く用いられている
トロポニンT	● 心筋細胞に特徴的に存在する収縮タンパクで、ほかの心筋マーカーよりも特異性が高いため、**早期心筋傷害**が疑われるケースでは第一選択として用いられることが多くなっている

心筋梗塞のその他の血液検査の特徴

- CPK：発作後5時間で上昇しはじめ24時間で最高値に達し、3日目ごろから正常値に戻る。
- GOT：発作後6時間で上昇しはじめ2日目で最高値に達し、4日目ごろから正常値に戻る。
- LDH：発作後12時間で上昇しはじめ2～4日目の間に最高値となり、1週間ごろから正常値に戻る。

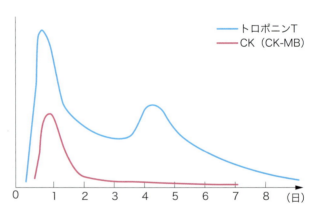

🔍 心筋マーカーの経時的変化

▷ CKは心筋細胞膜の障害により、血中に遊出します。心筋梗塞発症後**4～8時間**で上昇します。
▷ トロポニンTは心筋梗塞発症後**3～6時間**で上昇し、約4日目で第2のピークが認められます。約2週間は検出可能なため、発症後数日後でも急性心筋梗塞の診断が可能です。

心エコー検査

[Link] 心エコー検査 → P.257

- 左心室の大きさ・形状・動き、左室内血栓・心室中隔穿孔の有無、乳頭筋不全や断裂による僧房弁の逆流、エコーフリースペース（心膜液貯留）の有無を観察します。梗塞部位の左室壁の運動異常（asynergy）や運動減弱を確認し、壁運動異常部位の範囲から虚血範囲や責任冠動脈を推測することができます。
- 左室駆出率（EF）で心臓の収縮力を把握します。

心筋梗塞の治療

どんな治療を行う？

- 急性心筋梗塞の治療は、**梗塞拡大の防止**、**再梗塞の防止**、**合併症の予防と治療**です。

胸痛の軽減（鎮痛・鎮静）

- 胸痛は交感神経を刺激し、心拍数・血圧の上昇や心筋酸素消費量を増加させ、その結果、梗塞拡大へとつながります。心筋梗塞時の胸痛に硝酸薬は無効なため、**モルヒネ塩酸塩水和物**、**ブプレノルフィン塩酸塩**、**ペンタゾシン**などを使用します。

薬物療法

- 心筋梗塞に用いる薬剤は、硝酸薬、カルシウム（Ca）拮抗薬、抗血栓薬、アンジオテンシン変換酵素（ACE）阻害薬、アンジオテンシンⅡ受容体拮抗薬（ARB）、脂質異常症治療薬などです（次ページ参照）。

酸素投与

- 心筋梗塞によって心拍出量が減少し、冠血流量が減少すると、心筋は低酸素状態となり、梗塞部位が拡大しやすくなります。そのため、虚血心筋傷害を軽減させるために酸素投与を行います。
- 高度の肺うっ血や肺水腫、**機械的合併症**によって低酸素血症が高度な場合は、気管挿管を行い、人工呼吸管理とします。

再灌流療法

- 早急な治療を行い、総虚血時間を短くし、梗塞拡大予防に努めます。緊急カテーテルで冠動脈造影検査（CAG）を行い、病変部位確定後に血栓溶解療法、経皮的冠動脈インターベンション（PCI）を行います。

外科的治療

- PCIが禁忌や不適応の場合には、冠動脈バイパス術（CABG）を行います。

機械的合併症

急性心筋梗塞の急性期に発症する機械的合併症として、心室中隔穿孔、僧帽弁乳頭筋断裂、左室自由壁破裂がある。いずれも突然発症し、血行動態の急激な破綻に至る。

Link 冠動脈造影検査（CAG）➡P.285

Link 経皮的冠動脈インターベンション（PCI）➡P.290

Link 冠動脈バイパス術（CABG）➡P.350

虚血性心疾患の薬物療法

● 虚血性心疾患の薬物療法で使用される薬剤には、硝酸薬、カルシウム(Ca)拮抗薬、β遮断薬、アンジオテンシン変換酵素(ACE)阻害薬、アンジオテンシンⅡ受容体拮抗薬(ARB)、脂質異常症(高脂血症)治療薬があります。よく使用するものの特徴をおさえておきましょう。

Link 硝酸薬➡【別冊】P.71

硝酸薬

● 硝酸薬は、一酸化窒素(NO)に代謝されます。血管平滑筋を弛緩させ、**血管を拡張させる**作用をもちます。平滑筋弛緩作用は、動脈よりも静脈のほうでより強く作用します。

表 硝酸薬の作用

①前負荷軽減	②後負荷軽減	③冠血流量
●静脈が拡張することで心臓に戻る血液量↓ ●左室拡張末期圧↓で心ポンプ機能改善 （心不全治療にも有効）	●細かな動脈が拡張し、心筋酸素需要↓	●冠動脈血管も拡張し、冠血流量↑

表 おもな硝酸薬の特徴

	ニトログリセリン	硝酸イソソルビド(ISDN) 一硝酸イソソルビド(ISMN)
持続時間	短い	長い
降圧作用	強い	弱い

表 代表的な硝酸薬

	一般名	おもな商品名
点滴	ニトログリセリン	●ミリスロール　●バソレーター(後発品)
内服	硝酸イソソルビド	●ニトロール
	一硝酸イソソルビド	●アイトロール
	硝酸イソソルビド徐放剤	●フランドル
貼付薬	ニトログリセリン貼付剤	●ミリステープ　●ニトロダームTTS 注意 ニトロダームはAED時に剥がすことを忘れずに
舌下錠	ニトログリセリン	●ニトロペン

ニトログリセリン

- ニトログリセリン使用時は、降圧作用が強いため、**使用時は座位または臥位**にしましょう。口腔内が乾燥している場合や舌下が困難な場合は、舌下錠ではなくスプレーが適しています。
- 硝酸イソソルビド（例：ニトロール）は耐性を生じるため、長時間作用型テープ・軟膏類は休薬時間（8〜12時間）を置くことを忘れないようにしましょう。

抗血栓薬

- 抗血栓薬には、血栓をつくりにくくする作用があります。
- 抗血栓薬には、抗血小板薬、抗凝固薬、血栓溶解薬があります。虚血性心疾患で用いるのは、**抗血小板薬**と**抗凝固薬**です。

> **Link** 抗血小板薬➡【別冊】P.60
> **Link** 抗凝固薬➡【別冊】P.58

抗血小板薬

- 心筋梗塞・狭心症の治療でステント留置をする場合は、**DAPT（抗血小板薬2剤併用療法）** を行うことで、ステント内血栓症を予防します。
- 初回投与時は、ローディング（急速飽和）することが必要です。抗血小板薬は通常、投与してもすぐに効果は発揮されず、一般的に1週間程度かかるといわれています。待機的に**経皮的冠動脈インターベンション（PCI）** を施行する場合は、1週間前から内服することで問題はないですが、心筋梗塞や不安定狭心症といった急性冠症候群（ACS）では、緊急でのPCIとなるため、抗血小板薬の効果を待ってのPCIは不可能となります。そこで、一度に通常量の2〜5倍を投与することにより、早期に効果を発揮させる使用方法が認められています。

表 代表的な抗血小板薬

一般名	おもな商品名	特徴
アスピリン	バイアスピリン（後発品）	●PCI初回投与時は200mg ●急な場合はすり潰すか噛むことで、4時間ほどで作用され、10時間で効果は最大となる ●胃潰瘍や十二指腸潰瘍が起こる可能性があるため、消化性潰瘍治療薬を一緒に内服する
クロピドグレル硫酸塩	プラビックス	●PCI初回投与時は300mg ●効果は遅く、肝臓で代謝されてから効果が出る。ローディングすることで服用後2時間で効果がある
プラスグレル塩酸塩	エフィエント	●PCI初回投与時は20mg ●クロピドグレル硫酸塩よりも効果発現が早い

抗凝固薬

- 急性期の心筋梗塞は、病変部に血栓が存在するため、ヘパリンが用いられます。

カルシウム（Ca）拮抗薬

Link カルシウム（Ca）拮抗薬➡【別冊】P.63

- 血管の平滑筋は、カルシウム（Ca）で収縮するため、その作用を遮断し、血管を拡張させます。
- 静脈よりも末梢動脈におもに作用します（高血圧に適応）。後負荷を軽減します。
- 血管拡張作用は冠動脈にも作用します。冠攣縮（スパズム）も抑制します（冠攣縮性狭心症に適応）。
- 降圧薬のなかで最も降圧効果が強力で、副作用が少ないといわれています。
- 冠攣縮性狭心症に対しては、夜間や起床時に症状が出現することが多いため、眠前に内服することが多いです。

表 代表的な Ca 拮抗薬（内服）

一般名	おもな商品名
ジルチアゼム塩酸塩	●ヘルベッサー
ニフェジピン	●アダラート＊
アムロジピンベシル酸塩	●ノルバスク＊　●アムロジン＊
アゼルニジピン	●カルブロック＊

＊おもに降圧薬として用いられる。

β遮断薬

Link β遮断薬➡【別冊】P.69

- β受容体は、心筋や刺激伝導系に存在します。ノルアドレナリンにより、β受容体が刺激されると、心収縮力・心拍数・心拍出量・血圧が上昇します。これらを遮断するため、心収縮力・心拍数・心拍出量・血圧を低下させます。
- **心筋リモデリングの抑制の効果**（**心保護作用**）もあり心不全にも適応されます。
- 冠攣縮を誘発する恐れがあるため、異形狭心症には禁忌です。
- 気管支喘息、徐脈、Ⅱ度以上の房室ブロックには禁忌です。
- ベラパミル塩酸塩（ワソラン）、ジルチアゼム塩酸塩（ヘルベッサー）との併用では、**心不全や徐脈に注意**しましょう。

代表的な脂質異常症治療薬
- アトルバスタチンカルシウム水和物（リピトール）
- ピタバスタチンカルシウム水和物（リバロ）
- ロスバスタチンカルシウム（クレストール）
- エゼチミブ（ゼチーア）

脂質異常症（高脂血症）治療薬

- 動脈硬化の原因となる脂質異常症（高脂血症）に対して服薬します。

心筋梗塞の合併症

合併症には何がある？

- 急性心筋梗塞にはさまざまな合併症があります。

表 注意が必要な合併症

心不全 心原性ショック	●左室心筋の20％以上が梗塞に陥ると心不全徴候が出現し、40％を超えると心原性ショックに陥るといわれている
不整脈	●心原性ショックや重症心不全症状を伴わないで出現する心室細動（VF）は、一次性VF（primary VF）と呼ばれ、急性心筋梗塞発症4時間以内に生じることが多い ●洞性徐脈は、ST上昇型急性心筋梗塞（STEMI）に関連する不整脈の30～40％を占め、洞性徐脈は特に急性下壁梗塞発症後1時間以内、あるいは右冠動脈の再灌流後に認められることが多い
心破裂 心室中隔穿孔	●壊死を起こした心筋は、炎症によって組織崩壊が進む1週間目が最も脆弱になる。この間に心筋の一部に断裂が生じると心破裂、心室中隔穿孔を起こす
心室瘤	●心筋梗塞発症1週間を過ぎると、梗塞部位は徐々に線維化し、貫壁性梗塞の場合、薄い瘢痕組織となり、左室収縮時にも収縮せず、逆に圧を受けて引き伸ばされ心室瘤が形成される。左心室のはたらきが弱くなるため心拍出力が低下し、心不全の状態へ移行しやすくなる

Link 心不全➡P.166
Link 心原性ショック➡P.171

心筋の状態と合併症

時間経過	発症直後～24時間	24時間～3日	4～10日
梗塞巣の修復過程		炎症期	炎症消退～線維化の開始
	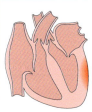	特に24～36時間は炎症の極期である。梗塞巣には白血球やマクロファージが浸潤し、壊死を起こした組織は分解され、組織崩壊がはじまる	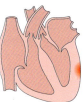　4～8日目には炎症は消退し、梗塞巣周囲の組織から新生血管、線維芽細胞の増殖がはじまる 3週目ごろには壊死組織は、ほとんど吸収され、梗塞巣は線維化が進み、瘢痕化（治癒）していく

合併症の出現時期
- 不整脈（3～5日以内、特に24時間まで）
- 心原性ショック（3日以内、特に24時間まで）
- 心不全（回復期まで）
- 心破裂・心室中隔穿孔（1～2週間以内）
- 心室瘤（6日～3週間）
- 血栓・塞栓（6日～3週間）

藤野彰子：ナーシングレクチャー 心疾患をもつ人への看護．中央法規，東京，1997：137．より引用

虚血性心疾患の看護

狭心症の看護

- 狭心症の発作の形態はさまざまですが、発作が起こったときは、まずは発作のコントロールと適切な治療を受けられるような看護が大切です。そのためには、患者さんの全身状態の観察を行いましょう。
- 狭心症では心筋梗塞への移行を防ぐことが重要なため、発作時の症状やその変化に注意しましょう。
- 狭心症の症状が消失した後は、狭心症発作の誘因となる生活習慣を除去できるように指導しましょう。

心筋梗塞の看護

狭心痛に関する病歴聴取

- 狭心痛では、**自覚症状の狭心痛に関する詳細な病歴聴取**が重要となります。

表 狭心痛に関する病歴聴取のポイント

胸痛	● 胸痛の性質（胸の圧迫感、しめつけられるような絞扼感、不快感など） ● 胸痛の程度と時間的推移 ● 放散痛の有無 ● 胸痛の持続時間 ● 胸痛の起こり方と誘因：激しい痛み、徐々に痛むなど ● 時間帯：夜間や早朝に多いか、時間帯関係なく出現するか ● 反復性：持続する痛み、痛みが出てきたり落ち着いたりする ● 狭心痛の軽減因子：安静など ● 発作の悪化因子：発作前に運動していた、飲酒・喫煙など ● 随伴症状：胸痛に伴う嘔吐など
その他	● 既存の心血管疾患の有無 ● 冠動脈リスクファクターの有無

冠動脈リスクファクター
脂質異常症、高血圧、喫煙、糖尿病、高尿酸血症、肥満、運動不足、ストレス、家族歴

Link 胸痛時の初期対応
➡ P.84

急性期の看護

- 心筋壊死により、生命に危険な合併症を発症する可能性があります。急変時の迅速な対応・合併症の予防・身の回りの世話を看護師が行います。
- 心筋酸素消費量の増大に伴う、合併症出現の有無の観察（心不全、不整脈、心破裂、狭心症）を行います。心筋梗塞を起こした患者さんは、心臓への二重負荷を避け、再発作予防に努めます。

表 急性期の看護のポイント

- 厳重なモニタリングによる異常の早期発見・早期対応
- 残存心筋を保つため、緊急カテーテルへの迅速な対応
- 絶対安静に伴う身体の活動制限および苦痛への対応

急性期の精神的ケア

- 虚血性心疾患の急性期看護では、身体的苦痛の緩和だけでなく、死の恐怖や不安などの精神的苦痛の緩和が重要です。
- 今までに感じたことのない激しい胸の痛みに、「このまま死んでしまうのではないか」「これからどうなってしまうのだろう」などの不安感が現れます。この不安感は、今後の予後に大きく影響するといわれています。
- その姿を見ている家族も同時に不安感を覚えるため、家族へのケアも必要です。
- 胸痛出現時は患者さんから離れず、適宜声かけをします。処置などを行う際は本人・家族に説明し、家族には別室で医師からの説明を受けることがあります。そのときも別の看護師が付き添い、家族の表情や受けとめ方を観察し、説明後の家族の思いや不安などを傾聴します。
- 急性期を脱すると、死への恐怖感よりも退院後の生活についての不安感が出てきます。精神的ストレスは動脈硬化進行の因子となるため、退院指導の介入が不可欠です。

二重負荷の回避

- 再発作を防ぐために、心臓への二重負荷を避けるよう、1つの動作を介助した後は、いったん休息を入れ次の動作を行うよう援助していきます。
- 入院後は、安静や水分制限、環境の変化によって便秘になりやすい状況となります。排便時の努責は血圧を上昇させ、再発作を誘発させます。あまりいきまないで排便できるよう、制限内で水分摂取を促し、緩下薬を使用し、排便コントロールを行います。
- 便秘時の排便は、排泄中にモニター観察を頻回に行い、症状出現はないか訪室し、観察を行います。

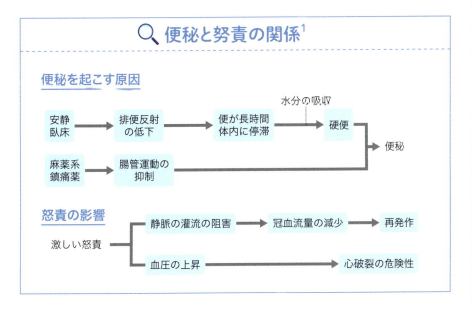

便秘と努責の関係[1]

胸痛時の初期対応

●胸痛時には**バイタルサイン測定、胸痛の程度の確認、12誘導心電図**をとります。

初期対応のポイント

●酸素が低下している場合、心筋に酸素を供給するため酸素投与を開始します。
●ニトログリセリン舌下指示がある場合、投与後にバイタルサイン・12誘導心電図を再度とります。再検査の心電図に関しては、何分後にとるのかを医師に指示を仰ぎます。
●ニトログリセリンの投与の際には、血圧が下がり、めまいや気分不快を訴える場合があるため、臥位またはすぐ横になれる**座位**で投与します。
●血液検査などの指示がある場合、**心筋マーカー**や**炎症マーカー**に注目します。
●突然の発作の出現は、患者さんの不安を増強させるため**声かけ**をし、不安の軽減に努めます。また、家族が付き添っている場合は、本人へのケアだけではなく、家族への声かけも重要になります。

バイタルサインの測定

●心筋梗塞の場合、ショックバイタルを引き起こすことや、急激な心不全症状の出現の可能性もあるため、意識レベルや血圧の変動、呼吸状態を観察し、急変に備えておきます。

胸痛の程度の確認

●胸痛の程度は、「いちばん痛いときを10に例えると、今の痛みはどれくらいですか？」と問い、記録に「chest pain(胸痛)：CP＝○/10」と表します。持続時間も観察しましょう。

12誘導心電図

●特に**STの変化**に注意し、医師に報告します。
●安静時(無症状時)の心電図があれば比較します。
●心電図上、ST変化や症状の改善がみられない場合、緊急カテーテルや点滴投与が開始される場合があるため、末梢ラインを確保しておきます。

> **ニトログリセリン投与時のチェックポイント**
>
> 大動脈弁狭窄症(AS)や閉塞性肥大型心筋症(HOCM)には使用禁止なので、投与前は病歴を確認する。
> **根拠** 圧較差が増強し、症状を悪化させるため。

症状出現時は急変のリスクが考えられるため、全身状態の観察が必要です。できるだけ患者さんのそばから離れず、変化がみられるようであれば、すぐに医師やほかのスタッフの応援を呼びましょう

虚血性心疾患の退院支援

虚血性心疾患の退院支援で大切なこと

- 虚血性心疾患は、生命に危険を及ぼす疾患であり、緊急入院となる場合が多く、ほとんどの患者さんは自分の置かれている状況がどういうものなのか把握できないまま治療が進み、状態が安定してくると早々に退院へと向かいます。
- 入院期間中に疾患の把握から退院後の注意点まで指導を行うためにも、**入院と同時に患者さんの情報収集を行うことが退院指導への大事な一歩**となります。その結果、患者さんが自身の病気の特徴を理解して、今後の対策を考えられるように援助していきます。
- 虚血性心疾患の退院支援では、**生活習慣の見直し（喫煙、飲酒、食事）、糖尿病・脂質異常症の是正、血圧・体重管理、ストレス軽減、継続的な内服、症状出現の初期対応**が大切になります。

情報収集のポイント

❶既往歴（糖尿病、心不全）
❷食生活（塩分・カロリーの摂取状況）
❸性格
❹生活パターン（睡眠、排便、嗜好、職業）
❺家族歴

表 虚血性心疾患の退院支援のポイント

突然の入院に対する受け止めや心配ごとを把握し、軽減に向けて支援する	● 気になることを確認する 　例：入院前の仕事の予定、家族やペットの世話、旅行や行事など ● 問題を調整できるキーパーソン（家族背景）を確認する ● 患者さん自身は虚血性心疾患の発症によって生命の危機的状況にあり、自分で対応できる状況ではないため、キーパーソンに協力してもらい、調整できるようにはたらきかける ● 患者さん・家族が病状の受け入れができない場合、必要に応じて面談を設定する
患者さん自身が罹患した疾患を理解し、入院加療の必要性を受容する	● 疾患の理解に向けて介入する 　［説明する内容の例］ 　▷ 心臓のはたらき 　▷ 狭心症・心筋梗塞という病気 　▷ 心筋梗塞における急性期リハビリテーションの目的 緊急入院したときに医師から患者さん・家族へ病状説明をしていても、患者さんは細かいことまでは覚えていません。状態が安定し、一般病棟へ転棟した時期に患者さん自身が病状を把握する時間が必要になります
患者さん自身が罹患した疾患を理解し、今後の生活の見とおしを立てることができる	● 患者さんは、「これからどうなるだろっ？　病気は完治するのかな？　趣味とかやめないといけないのかな？　仕事は復帰できるかな？」などと今後の生活に不安を抱く。今後の生活をどれくらい取り戻せるか、見とおしを立てていくために介入する 　［説明する内容の例］ 　▷ 心臓のはたらき（全身に血液を運ぶポンプの役割） 　▷ 狭心症、心筋梗塞という病気 　▷「どのくらいの生活を取り戻せるか」の見とおしについて、医師へ相談する 　▷ 発病後の生活の注意点 心筋梗塞後の患者さんが不安に思うことは、今までの生活を取り戻せるか、退院後はどのくらい動いてもいいのかということです。退院に向けて今までどのような生活を送ってきたのか情報収集を行い、生活の再獲得に向けて指導を計画していきます

退院後の生活の注意点

心臓に負担のかからない、ストレスをためない生活を心がけてもらう。

① 血圧が変動する動作を避ける
- 排便コントロール
- 頭を下げない（物をとるときは膝を曲げてしゃがむ）
- 入浴する際は脱衣所を温め、湯の温度は38～40℃で10分ほどにし、長湯は避ける

② 適度な運動をする
- 有酸素運動をすることによって体重減少や血糖値、脂質の改善が期待でき、リスク低減につながる

③ 食生活を見直す
- バランスよく規則正しく摂る
- 減塩食にする
- カロリー、コレステロールの摂りすぎに注意する
- 必要であれば栄養指導を受けてもらう

心臓リハビリテーション

心筋梗塞後のリハビリテーション

Link 心臓リハビリテーション ➡P.19

- 近年、医療技術の向上に伴い、心筋梗塞治療も低侵襲で行えるカテーテル治療が普及しています。そのため、入院期間の短縮化が進み、患者さんが病識を得ないまま退院になってしまうケースや、日常生活でどこまで活動していいのか、激しい胸の痛みが再発するのではなどの不安があり、運動に対して消極的になるケースがあります。
- 心筋梗塞後の心臓は壊死組織があり、心機能低下が考えられるため、心臓リハビリテーションを行うことで**心機能向上**と**体力を戻す**ことや、**退院後の不安を取り除き、社会復帰に向けて支援**するという目的があります。
- 医師からの指示で心臓リハビリテーションを行う場合は、安静度に準じて看護していきます。
- 医師の指示にもよりますが、一連のリハビリテーションを必ず行うということではなく、心筋壊死の程度などでリハビリテーションのメニューが変わります。心臓リハビリテーションを開始する基準は、血液検査で心筋マーカーが上昇しきって(ピークアウト)、状態が安定したら、医師の指示のもと開始となります。

表 急性心筋梗塞14日間クリニカルパス(国立循環器病研究センター)

病日	PCI後1日目	2日目	3日目	4日目
達成目標	●急性心筋梗塞およびカテーテル検査に伴う合併症を防ぐ		●急性心筋梗塞に伴う合併症を防ぐ	●心筋虚血が起きない
負荷検査・リハビリテーション	●圧迫帯除去、創部消毒 ●室内排便負荷	●尿カテーテル抜去	●末梢ライン抜去 ●トイレ排泄負荷	●200m歩行負荷試験:合格後200m歩行練習1日3回 ●栄養指導依頼
安静度	●圧迫帯除去後床上自由	●室内自由	●負荷後トイレまで歩行可	●200m病棟内自由
食事	●循環器疾患普通食(1,600kcal、塩分6g) ●飲水量指示			●循環器疾患普通食(1,600kcal、塩分6g) ●飲水制限無し
排泄	●尿留置カテーテル ●排便:ポータブル便器		●排尿・排便:トイレ使用	
清潔	●洗面ベッド上 ●全身清拭、背・足介助	●洗面:洗面台使用 ●全身清拭、背・足介助		●洗面:洗面台使用 ●清拭:背部のみ介助

日本循環器学会:心血管疾患におけるリハビリテーションに関するガイドライン(2012年改訂版). http://www.j-circ.or.jp/guideline/pdf/JCS2012_nohara_h.pdf(2020年1月閲覧)より転載

表 急性心筋梗塞に対する急性期リハビリテーション負荷試験の判定基準

1. 胸痛、呼吸困難、動悸などの自覚症状が出現しないこと
2. 心拍数が120回/分以上にならないこと、または40回/分以上増加しないこと
3. 危険な不整脈が出現しないこと
4. 心電図上1mm以上の虚血性ST低下、または著明なST上昇がないこと
5. 室内便器使用時までは20mmHg以上の収縮期血圧上昇・低下がないこと
（ただし2週間以上経過した場合は血圧に関する基準は設けない）

※負荷試験に不合格の場合は、薬物追加などの対策を実施したのち、翌日に再度同じ負荷試験を行う
日本循環器学会：心血管疾患におけるリハビリテーションに関するガイドライン（2012年改訂版）．
http://www.j-circ.or.jp/guideline/pdf/JCS2012_nohara_h.pdf（2020年1月閲覧）より転載

表 心筋梗塞後のリハビリテーションのポイント

入院・疾患・治療の受容ができる	●突然の緊急入院により仕事や社会生活で生じている諸問題・気がかりなことを整理し、治療に専念できるように援助する ●患者さん自身が病気をよく理解して、現在および今後の見とおしや対策を考えられるように援助する
退院後の生活の送り方について理解できる	●退院支援についてはP.6を参照
再発予防のための生活の送り方を理解し、生活習慣についても理解できる	●再発予防に必要なポイントを患者さんの日常生活習慣からピックアップし、それをもとに個々に合った退院指導を進める（詳しくは虚血性心疾患の退院支援のポイント[P.85]を参照）

CCUから一般病棟へ転棟してきた時点で情報収集を行い、同時に指導を開始しましょう

	5日目	6日目	7日目	8日目	9日目	10日目	11日目	12日目	13日目	14日目
	●心筋虚血が起きない ●服薬自己管理ができる ●退院後の日常生活の注意点について知ることができる			●心筋虚血が起きない ●退院後の日常生活の注意点について理解ができる			●亜最大負荷で虚血がない ●退院後の日常生活の注意点について言える			退院
	●心臓リハビリ依頼 ●心臓リハビリ開始日の確認	●心臓リハビリ室でエントリーテスト ●心リハ非エントリー例では500m歩行負荷試験	●心臓リハビリ室で運動療法 （心臓リハビリ非エントリー例では、マスターシングル試験または入浴負荷試験）							
		●亜最大負荷試験合格後は入浴可および院内自由								
		●洗面：洗面台使用 ●患者さんの希望に合わせて清拭	●洗面：洗面台使用 ●患者さんの希望に合わせて入浴							

3 虚血性心疾患（IHD） 心臓リハビリテーション

虚血性心疾患（急性心筋梗塞）の看護の

	発症から入院・診断	入院直後
患者さんの症状	●胸痛（絞扼感、重苦しさ） ●放散痛（左肩〜左上肢、歯、顎） ●心窩部痛 ●呼吸困難感 ●悪心・嘔吐 ●胃部不快感 ●動悸 ●意識混濁、冷汗	
検査	●血液検査 ●胸部X線 ●12誘導心電図、ホルター心電図 ●心音の聴診 ●心エコー ●心臓カテーテル検査 ●心臓核医学検査 ●冠動脈造影CT	●血液検査 ●胸部X線 ●12誘導心電図 ●心エコー
治療	●酸素投与 ●薬剤投与（硝酸薬、抗血小板薬など）	●緊急カテーテル治療（PCI） ●大動脈内バルーンパンピング（IABP） ●経皮的心肺補助装置（PCPS）
看護	観察 ●意識レベルの確認 ●胸痛の程度（CP＝○/10） ●バイタルサイン（体温、血圧、SpO₂など） ●呼吸の状態（音、左右差、患者さんの体位） ●ポンプ失調に伴う心不全・心原性ショックの症状 ●頸静脈怒張の有無 ●尿量（利尿薬に対する反応） ケア ●安楽な体位の工夫 ●症状軽減に努める ●患者さん・家族の不安軽減 ●食事摂取・飲水制限についての説明 ●治療により安静が必要な場合、食事がとれないことがあります。また、心不全を合併している場合、医師より飲水制限の指示を受けることがあります。	観察 ●心不全症状の有無（体重増加、浮腫、呼吸困難など） ●不整脈症状の有無 ●デバイス挿入した際はデバイス挿入時の看護に準ずる ケア ●入院前の生活について聴取する ▷職業 ▷家族背景 ▷食生活 ▷病気に対する思い ▷治療中の苦痛、不安の受容、傾聴

3 疾患

経過

急性期	一般病棟	自宅療養（外来）に向けて
		退院後まで症状は続きます
	●内服コントロール ●安静度の拡大（リハビリテーション）	●内服、食事療法の調整
	観察 ●リハビリテーションや食事などの心負荷時の症状 ●心電図変化の有無 **ケア** ●病気に対する受け入れ状況の確認 ●退院指導 　▷病識の確認 　▷セルフモニタリング（血圧、体重）のため心不全（血圧）手帳配布 　▷バイタルサイン・体重の記録を本人に記載してもらう 　▷食事療法（塩分・カロリー制限） 　▷内服薬の必要性 ●症状増悪時の対処行動について説明（このとき病院の電話番号も患者さんへ知らせておく）	**観察** ●バイタルサイン ●浮腫 ●尿量 ●体重（目標体重を医師へ確認） **ケア** ●セルフモニタリングが退院後継続してできるか確認（必要時は家族へ協力依頼） ●バイタルサイン・体重の数値を解釈できているか確認 ●身体状況、ADLに合わせた退院支援開始（介護サービスの利用） **外来** ●患者さんの身体所見の評価 ●入院中に指導介入した点ができているか確認し、必要時、再度指導介入

3 虚血性心疾患（IHD）虚血性心疾患（急性心筋梗塞）の看護の経過

不整脈

▷ **疾患理解のポイント**

不整脈が生じることで、直接的に血行動態の悪化をもたらすこともあれば、虚血などを誘発することで間接的に循環動態を不安定にすることもあります。どのような状態か観察することが大切です。

▷ **治療のポイント**

薬剤療法、疾患によってカテーテルアブレーション、ペースメーカ、植込み型除細動器(ICD)、心臓再同期療法などのデバイス植込み術があります。また、不整脈に随伴する心不全、心筋虚血、腎不全、あるいは電解質・血液ガスの異常などの疾患の治療を行います。

▷ **看護のポイント**

不整脈がただちに処置が必要か、必要でないかの判断と、それぞれの不整脈に応じた処置の流れを把握し、適切な対処を行いましょう。患者さんが、最善の状態で検査・治療を受けることができるようにケアを行います。

正常な状態では、洞結節から発生した電気的興奮はすみやかに心房内を伝導し、ヒス束→右脚・左脚→プルキンエ線維を通り、心室全体に興奮が伝播します。

この正常な刺激伝導系とは別の部位で刺激が発生し、心臓での電気的興奮の発生や伝播に異常が生じているのが、不整脈です。不整脈は、心室の興奮頻度から徐脈性と頻脈性に大別され、さらに主たる異常が存在する解剖学的部位によって大別されます。

不整脈のしくみ

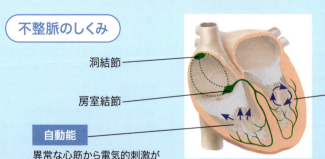

- 洞結節
- 房室結節
- **自動能**: 異常な心筋から電気的刺激が発生する
- **リエントリー**: 心筋内の特別な回路を電気刺激が旋回し続ける

疾患理解に重要な心電図の読み方

不整脈をみきわめる心電図の読み方

●不整脈を考えるには、まず、患者さんの心電図が正常か異常かを判断します。

Link 心電図検査 → P.250

図 心電図の読み方の基本的な順番

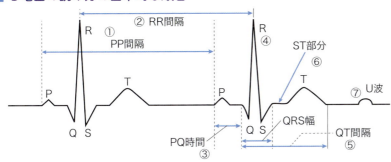

不整脈をよむ順番	心電図のみかた
①PP間隔は一定か？（心房の興奮の状態）	●一定→心房のリズムは規則的 ●変動→心房のリズムが不規則
②RR間隔は一定か？	●一定→心室のリズムは規則的 ●変動→心室のリズムが不規則
③PQ時間(PR時間)の長さは？(心房から心室への興奮の伝導時間)	●正常なPQ時間は0.12〜0.20秒 ●短縮→刺激が洞結節よりも下から発生している 　原因 上室性期外収縮など ●延長→房室結節の伝導が遅れている 　原因 薬剤、心筋炎、虚血性心疾患など
④QRS波の形は？	●横幅が広い→興奮の瞬間に時間がかかっている 　原因 脚ブロック、心室性期外収縮など ●振れ幅が大きい→起動力が強い 　原因 左室肥大、肥大型心筋症など ●振れ幅が小さい→心筋障害がある、心臓の周囲に電気を伝えにくいもの（脂肪や水など）がある
⑤QT間隔の長さは？（電気的な収縮時間）	●短縮→原因 高カルシウム血症 ●延長→原因 低カルシウム血症
⑥ST部分、T部分の変化は？	●ST低下→原因 狭心症 ●ST上昇→原因 心筋梗塞、心膜炎など ●T波の陰転（陰性T波）→原因 心筋梗塞、心肥大、心筋症など ●T波の増高→原因 心筋梗塞の初期、高カリウム血症など ●T波平低化→原因 低カリウム血症、心筋虚血など
⑦U波が出現しているか？	●U波が出現→原因 高カルシウム血症、低カルシウム血症、ジゴキシン中毒など

不整脈の分類

不整脈はどうやって分類するの？

- 不整脈を心拍数によって分類すると、次のようになります。ほかに、必ずしも心拍異常を伴わない不整脈として、早期興奮症候群（WPW症候群、P.97）と脚ブロック（P.103）があります。

表 心拍数によるおもな不整脈の分類

徐脈性不整脈 （60回/分未満）		頻脈性不整脈 （100回/分以上）	
●洞不全症候群（SSS）	P.93	●発作性上室性頻拍（PSVT）	P.97
●房室接合部調律		●早期収縮（期外収縮）	
●房室ブロック	P.94	●心房細動（AF）	P.99
		●心房粗動（AFL）	P.99
		●心室頻拍（VT）	P.101
		●心室細動（VF）	P.102

徐脈性不整脈

- 洞結節での電気的興奮が必要な回数を下回る、あるいは発生しても伝導経路のいずれかの部位で途絶してしまうために、心拍数が必要な回数に満たない場合、徐脈性不整脈と呼ばれます。

頻脈性不整脈

- 異常な興奮が心筋から発生することで、頻脈性不整脈になります。

表 おもな頻脈性不整脈の鑑別

	P波	QRS波	RR間隔
発作性上室性頻拍（PSVT）	心房由来	幅は狭い	整
心房細動（AF）	f波（不規則な基線の揺れ、P波がはっきりしない）	幅は狭い	不整
心房粗動（AFL）	F波（鋸歯状）	幅は狭い	整or不整
心室頻拍（VT）	不明瞭（QRS波に重なるときがある）	幅は広い	整
心室細動（VF）	幅・形ともまったく不定		

洞不全症候群（SSS）

どんな疾患？

- 洞不全症候群（SSS）は、**洞結節における自動能の低下または洞房伝導の障害によって生じる徐脈性不整脈**です。Ⅰ型、Ⅱ型、Ⅲ型に分けられます。
- 若年者や運動選手、夜間睡眠中は、迷走神経活動が優位なため、徐脈を起こすことが多いのですが、このような機能的徐脈は洞不全症候群とは呼びません。

SSS（sick sinus syndrome）

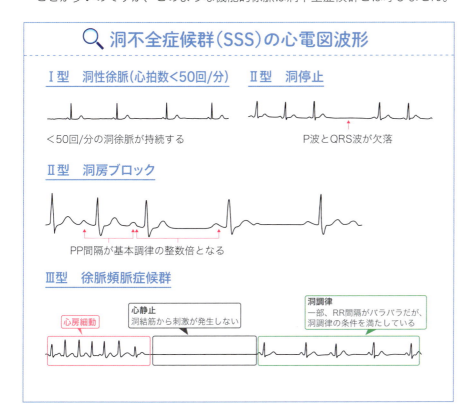

洞不全症候群（SSS）の心電図波形

Ⅰ型　洞性徐脈（心拍数<50回/分）
＜50回/分の洞徐脈が持続する

Ⅱ型　洞停止
P波とQRS波が欠落

Ⅱ型　洞房ブロック
PP間隔が基本調律の整数倍となる

Ⅲ型　徐脈頻脈症候群
心房細動
心静止：洞結筋から刺激が発生しない
洞調律：一部、RR間隔がバラバラだが、洞調律の条件を満たしている

患者さんはどんな状態？

- 一般的に、心停止時間が3〜5秒前後であればめまいの症状が現れ、5〜10秒前後になると失神、けいれんが現れるといわれています。
- 徐脈性不整脈の治療の要・不要は、自覚症状の有無によって決定されるので、症状の確認が重要です。

どんな治療を行う？

- 無症状の洞不全症候群は治療不要です。症状のある洞不全症候群はペースメーカ植込みの適応となります。

房室ブロック

どんな疾患？

- 房室ブロックとは、**心房－心室間の興奮伝導障害**のことをいいます。
- 房室ブロックには、Ⅰ度房室ブロック、Ⅱ度房室ブロック、高度房室ブロック、Ⅲ度房室ブロックがあります。

Ⅰ度房室ブロック

- Ⅰ度房室ブロックは、PQ時間が0.20秒以上に延長するものです。正常よりも**心房－心室の興奮伝導に時間がかかります**。

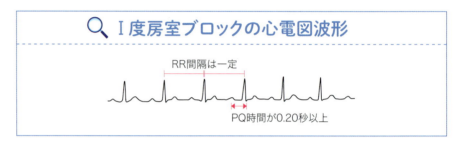

Ⅰ度房室ブロックの心電図波形
RR間隔は一定
PQ時間が0.20秒以上

Ⅱ度房室ブロック

- Ⅱ度房室ブロックは、**心房－興奮の一部が心室へ伝わらない状態**です。
- Ⅱ度房室ブロックには2種類あり、心房から心室までの伝導時間が徐々に延長したあと伝導が途絶えてしまう**Wenckebach型**（ウェンケバッハ）と、伝導時間は一定のまま突然伝導が消失してしまう**MobitzⅡ型**（モビッツ）に分類されます。
- モビッツⅡ型は、ヒス束以下に病的な伝導能障害があり、場合によってはペースメーカ適応となります。

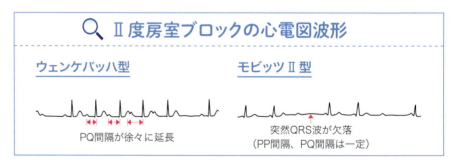

Ⅱ度房室ブロックの心電図波形
ウェンケバッハ型　PQ間隔が徐々に延長
モビッツⅡ型　突然QRS波が欠落（PP間隔、PQ間隔は一定）

高度房室ブロック

- 高度房室ブロックは、**心房の興奮が2回以上連続で心室に伝導しない**状態をいいます。このタイプも、ヒス束以下に伝導能障害があり、完全房室ブロックの一歩手前でありペースメーカ適応となります。

Ⅲ度房室ブロック（完全房室ブロック）

- 完全房室ブロックは、**PP間隔一定、RR間隔一定**ですが、**PR間隔は不規則**です。ペースメーカ適応となります。

Link ペースメーカ治療 ➡P.309

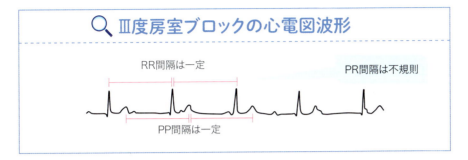

Ⅲ度房室ブロックの心電図波形

RR間隔は一定　　PR間隔は不規則　　PP間隔は一定

患者さんはどんな状態？

- 注意しなければいけない症状は、徐脈による血行動態の悪化、一過性の心停止による脳虚血で、めまい、眼前暗黒感、失神、けいれんが出現します（**Adams-Stokes症候群**）。
- 著明な徐脈の場合、代償性に1回拍出量が増加するため、収縮期高血圧、脈圧の増大が現れます。

どんな治療を行う？

- 失神発作やめまいなどの症状があれば、まずアトロピン硫酸塩水和物、非選択式β受容体刺激薬（イソプレナリン塩酸塩）を使用します。
- Ⅰ度およびウェンケバッハ型のⅡ度房室ブロックは治療を必要としないことが多いですが、原因となるものがあればその治療を行います。
- 高度房室ブロック、Ⅲ度房室ブロックは原則として一時的ペースメーカを挿入し、根治療法として恒久的ペースメーカ植込み術を考慮することがあります。

心室期外収縮(PVC)

PVC(premature ventricular contraction)

どんな疾患?

- 心室期外収縮(PVC)とは、心室筋からの独自の興奮が起こり、洞結節からの予定された伝導よりも先に心室が収縮してしまうことです。
- 心室期外収縮の数や種類によって重症度を分類するものとして、Lown(ラウン)分類があります。

表 Lown 分類

グレード		心室期外収縮出現の種類
0		なし
I		散発性(単発で30個/時未満)
II		多発性(単発で30個/時以上)
III		多形性
IV	a	2連発
	b	3連発以上
V		R on T(T波の上にQRS波がのっている)

心室期外収縮(PVC)の心電図波形

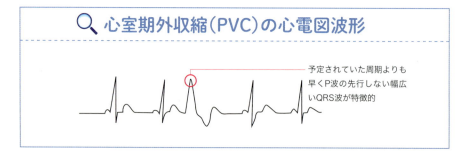

予定されていた周期よりも早くP波の先行しない幅広いQRS波が特徴的

患者さんはどんな状態?

- 自覚症状がないことが多いですが、結滞か動悸を自覚することがあります。

どんな治療を行う?

- 基礎疾患(例:虚血性心疾患、心臓弁膜症、拡張型心筋症、肥大型心筋症など)がある場合は、基礎疾患の治療を行います。
- 心室期外収縮の出現頻度が多くなると、致死性不整脈につながりやすいため、抗不整脈薬を投与します。

発作性上室性頻拍(PSVT)

どんな疾患?

- 発作性上室性頻拍(PSVT)は、**心房ないし房室結合部に興奮発生部位を有する頻拍**です(100回/分以上)。動悸を起こす代表的な疾患です。
- ほとんどの上室性頻拍は、興奮旋回(リエントリー)によって生じます。刺激伝導系以外に、心臓内で異常な興奮伝導回路が形成され、その回路内を興奮が回り続けて頻拍が発生します。興奮旋回は突然はじまり、突然終わります。
- 発作性上室性頻拍の代表的なものとして、**房室回帰性頻拍(AVRT)** と **房室結節回帰性頻拍(AVNRT)** の2つがあり、これらで発作性上室性頻拍の約90%を占めます。

> PSVT
> (paroxysmal supraventricular tachycardia)

上室性頻拍(SVT)
心房が頻拍の維持に関与しているもの。発作性上室性頻拍(房室結節回帰性頻拍、WPW症候群に伴う房室回帰性頻拍)、心房頻拍に分けられる。

心房頻拍
心房内から異常な興奮が発生するもの。器質的心疾患に合併することが多い。

🔍 AVRTとAVNRTの心電図波形

房室回帰性頻拍(AVRT)

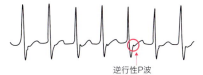
逆行性P波

▷ 逆行性P波が特徴的です。

房室結節回帰性頻拍(AVNRT)

▷ RR間隔は規則正しく、QRS波は幅が狭くなるのが特徴的です。

WPW症候群

- WPW(ウォルフ・パーキンソン・ホワイト)症候群は、心房と心室を直接に連結する副伝導路(Kent束)によって早期興奮が生じる病態です。**房室回帰性頻拍**の原因となります。

🔍 WPW症候群の心電図波形

デルタ(Δ)波

▷ PQ間隔が短く、QRS幅が長くなり、QRS波の起始部がゆっくり斜めに上昇する三角形状のデルタ波を認めます。

患者さんはどんな状態?

- 心拍数が極端に増加すると、血圧低下をきたし、眼前暗黒感や失神が起こることがあります。
- 頻拍が長時間持続すると、心不全を発症することもあります。
- 発作性上室性頻拍は、発作性心房細動や心房粗動との鑑別が必要になりますが、自覚症状からはそれを特定することはできません。そのため、**発作時の心電図の記録**がその後の治療に重要な役割を果たします。まず、バイタルサインの確認を行い、心電図の記録を行います。モニター心電図だけでなく、**12誘導心電図**の記録が必要です。

どんな治療を行う?

- 房室回帰性頻拍がない場合は経過観察とし、合併している場合（全体の約80％）は、動悸や胸痛を生じるため、迷走神経刺激（息をこらえてもらったり、冷水を飲んでもらうなど）、ATPまたはカルシウム拮抗薬を静注します。
- 発作性心房細動の合併（約20％）ではⅠa抗不整脈薬を静注し、無効の場合は電気的除細動を行います。発作性心房細動を合併すると、通常よりも速いwide QRSの頻拍となり、血行動態が破綻する恐れがあります。
- 再発予防として、高周波カテーテルアブレーションを行います。

Link カテーテルアブレーション➡P.307

心房細動（AF）／心房粗動（AFL）

どんな疾患？

心房細動（AF）

- 心房細動とは、**心房の各部分の無秩序な電気的興奮により、心房の細かな興奮が心室へ不規則に伝導するため、心室のリズムも不規則になる**不整脈です。
- 心房細動があると、心耳など心房内に血栓を形成しやすく、脳など全身に塞栓症を起こすこともあります。

AF（atrial fibrillation）

心房粗動（AFL）

- 心房細動と似たような病名に**心房粗動**があります。どちらも心房の運動が活発になっている状態ですが、両者には明確な違いがあります。
- 心房細動では、**心房と心室が不規則に活動**していますが、心房粗動では、**規則的に活動**をします。
- 両者の治療方法は類似していますが、脳梗塞の発生リスクや動悸などの症状は心房細動でより多くみられる傾向にあります。

AFL（atrial flutter）

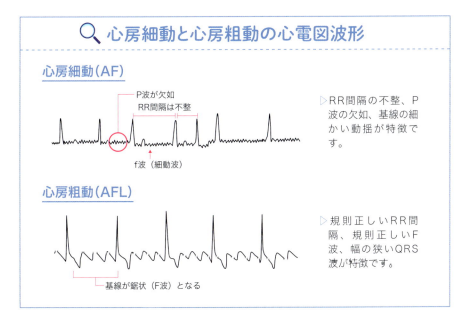

心房細動と心房粗動の心電図波形

心房細動（AF）
- P波が欠如
- RR間隔は不整
- f波（細動波）
▷RR間隔の不整、P波の欠如、基線の細かい動揺が特徴です。

心房粗動（AFL）
- 基線が鋸状（F波）となる
▷規則正しいRR間隔、規則正しいF波、幅の狭いQRS波が特徴です。

患者さんはどんな状態？

- 動悸や心拍不整がみられます。

どんな治療を行う?

- 頻拍のため、血行動態が悪化している場合は、電気的除細動を行って洞調律に回復させます。この場合は、心内に血栓がないか事前に経食道心エコーで確認する必要があります。
- 血行動態が安定している場合は、心拍をコントロールするためにカルシウム拮抗薬、β遮断薬、ジギタリスを投与します。
- 塞栓症の予防のために、抗凝固療法を行います。
- 薬物治療で不整脈が停止しない場合は、**高周波カテーテルアブレーション**を検討します。カテーテル治療は、すべての心房細動に有効なわけではないので、一度心房細動が治まっても、再発して2度、3度と治療が必要となる場合もあります。
- 心臓弁膜症と合併して開胸手術が必要な場合は、**メイズ手術**という、高周波電流で電気的な隔離線を引き、心房細動を治療する方法もあります。
- 心房細動が停止し、洞調律に戻る際に長い心停止を起こす危険性もあるので注意が必要です。

Link カテーテルアブレーション➡P.307

心室頻拍（VT）

どんな疾患？

- 心室頻拍（VT）では、心室で連続かつ速いレートで刺激が発生し、心室のみの空打ちとなるため、有効な血液の駆出ができなくなります。そのため、血圧の著しい低下、脳および全身の血流が低下し、生命を維持できなくなる可能性があります。
- 一定波形がある程度の時間持続するものから、刻々とQRS波形が変化する多形成のものがあります。

VT（ventricular tachycardia）

心室頻拍（VT）の心電図波形

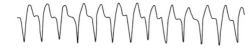

▷ 心室起源の興奮が100回/分以上のレートで3つ以上連続して出現します。幅の広いQRS波がほぼ規則的に出現します。

患者さんはどんな状態？

- 症状は多様で、失神やショック状態をきたすもの、動悸や胸部不快感を生じるもの、まったく無症状のこともあります。

どんな治療を行う？

- 症状の軽度な非持続性頻拍は治療を必要としませんが、心筋梗塞急性期にみられる非持続性心室頻拍は心室細動の予兆である可能性が高く、抗不整脈薬の静注などを行います。
- 侵襲的治療として、高周波カテーテルアブレーション、植込み型除細動器（ICD）なども考慮します。

Link カテーテルアブレーション ➡P.307

Link 植込み型除細動器（ICD）➡P.318

心室細動（VF）

VF（ventricular fibrillation）

どんな疾患？

● 心室細動（VF）は、**心室の各所が無秩序に興奮し、心臓がポンプとしての機能を失ってしまった状態**です。

🔍 心室細動（VF）の心電図波形

▷ P-QRS-T波は区別できなくなり、基線が不規則に揺れるのみとなります。

患者さんはどんな状態？

● 心室細動は心停止の1つで、細動開始直後に意識は失われ、5分以上持続すると脳に不可逆的変化を生じます。

どんな治療を行う？

● 心室細動は、治療しなければ数分で死亡するので、迅速な対応が重要です。

表 心室細動への対応

①ただちに心肺蘇生法（CPR）を行う。
②電気的除細動を行う。
③CPRと並行して電解質などの是正を図り、原因となった基礎状態の治療を行う。

脚ブロック（右脚ブロック、左脚ブロック）

どんな疾患？

- 脚ブロックは、**心室内の伝導障害**です。刺激伝導系の右脚・左脚以降で障害が生じます。
- 右脚ブロック（RBBB）とは、右脚の伝導障害によって右心室が左心室に比べて遅れて興奮する状態です。もともと右脚は切れやすいため、よくみられます。
- 左脚ブロック（LBBB）とは、左脚の伝導障害によって左心室が右心室に比べて遅れて興奮する状態です。冠動脈疾患や心筋疾患などでみられます。

🔍 脚ブロックの心電図波形

右脚ブロック

▷ QRS波が0.12秒以上になります（幅広くなる）。
　V₁誘導でrsR'パターンとなります。

左脚ブロック

▷ QRS波が0.12秒以上になります（幅広くなる）。
　V₁誘導ではR波は下向きとなります。

患者さんはどんな状態？

- 右脚ブロックでは症状がありません。健康診断などで指摘されることがあります。
- 左脚ブロックに右脚ブロックがつづくと**完全房室ブロック**になります。完全房室ブロックは突然死の危険性があるため注意が必要です。

どんな治療を行う？

- 右脚ブロックでは基本的に治療は必要ありません。
- 心不全で左脚ブロックがある場合は、両室ペースメーカの適応になる場合があります。

不整脈の治療

薬物療法

- 薬物療法は不整脈に対する基本的な治療で、不整脈の種類によって選択される薬剤は異なります。
- 不整脈に使用する治療薬を、抗不整脈薬といいます。抗不整脈薬は、ボーンウィリアムズ分類によって分けられます。これ以外の抗不整脈薬には、ジギタリスやATPがあります。

表 抗不整脈薬の分類（ボーンウィリアムズ分類）

クラス	作用機序			一般名	おもな商品名
I	ナトリウムチャネル抑制	Ia	●活動電位持続●時間延長	プロカインアミド塩酸塩	アミサリン
				ジソピラミド	リスモダン
				ジベンゾリンコハク酸塩	シベノール
		Ib	●活動電位持続●時間短縮	リドカイン塩酸塩	キシロカイン オリベス
				メキシレチン塩酸塩	メキシチール
				アプリンジン塩酸塩	アスペノン
		Ic	●活動電位持続●時間不変	フレカイニド酢酸塩	タンボコール
				ピルシカイニド塩酸塩水和物	サンリズム
				プロパフェノン塩酸塩	プロノン
II	β遮断（交感神経β遮断作用）			プロプロノロール塩酸塩	インデラル
				メトプロロール酒石酸塩	ロプレソール セロケン
				ビソプロロールフマル酸塩	メインテート
III	カリウムチャネル遮断（活動電位持続時間延長）			アミオダロン塩酸塩	アンカロン
				ソタロール塩酸塩	ソタコール
				ニフェカラント塩酸塩	シンビット
IV	カルシウムチャネル遮断			ベラパミル塩酸塩	ワソラン
				ベプリジル塩酸塩水和物	ベプリコール

非薬物療法

- 不整脈の非薬物療法の代表は、高周波カテーテルアブレーションや植込み型除細動器（ICD）です。詳細は各項目を参考にしてください。

不整脈の看護

看護師は何に注意する?

- 心室頻拍や心室細動などの致死性不整脈に対しては、CPRが大切になります。まずは、意識レベルの確認、脈拍触知の有無、呼吸の有無を確認し、即時CPRを開始します。
- 発見者は患者さんから離れず、医師・スタッフの応援を呼び、救急カート、除細動器の要請を行います。また、いつ、どのように変化したのか経時的に記録を行います。
- 心室頻拍や心室細動の発生は、生命の危機的状態であり、患者さんや家族への精神的な援助も行います。

不整脈の退院指導のポイント

- 不整脈の患者さんは、おもに薬物治療が中心となります。患者さんには、定期的な外来受診の必要性の説明と、服薬指導が必要です。薬剤師と情報共有しながら、正しい服用方法や注意事項とともに、継続して患者さんが内服できるような方法をアセスメントしましょう。
- 特に、心房細動や心房粗動の患者さんは、脳梗塞などの全身性塞栓症の二次的なリスクが高くなってくるので、抗凝固薬の飲み忘れのないよう指導が必要です。
- 一見自覚症状に乏しい患者さんも少なくありません。「階段をのぼると息が切れたり、きついと感じる」「疲れやすい」「1週間で2kg以上体重が増える」などの問題が生じていないか、細かい病歴聴取が重要です。
- 症状はなくても、1日1回は自分の脈拍を確認する(検脈)習慣をつけてもらいましょう。
- 心不全徴候の確認のため、家庭でできることは体重測定です。毎日体重を測定するように指導しましょう。

Link 検脈指導 ➡ P.314

Link 心不全 ➡ P.166

不整脈の看護の経過

	発症から入院・診断	入院直後
患者さんの症状	●動悸→不安 ●頻脈による心不全症状 【特に注意が必要な症状】 ●アダムス・ストークス症候群 　▷めまい 　▷眼前暗黒感 　▷失神 　▷けいれん ●心停止時間のめやす：3～5秒前後でめまい、5～10秒前後で失神、けいれんが現れるといわれている	徐脈で一時的ペースメーカが挿入されていない場合、頻脈停止直後
検査	●血液検査 ●心電図 ●ホルター心電図 ●胸部X線 ●心エコー など	●致死性不整脈、高度な徐脈の場合は蘇生後、原因検索として冠動脈造影（CAG）の実施
治療	●致死性不整脈に対してはCPR ●高度な徐脈に対しては一時的ペースメーカを挿入 ●発作性心房細動（PAF）にはDCを使用する場合もある ●薬剤投与	●薬物療法 ●ペースメーカ挿入術 ●アブレーション治療 ●CAGの結果、虚血性心疾患が原因の場合は経皮的冠動脈インターベンション（PCI）など など
看護	観察 ●意識レベル ●脈拍触知の有無 ●呼吸の有無 ●バイタルサイン ●症状 ●精神状態 など ケア ●致死性不整脈に対してはCPR ●患者さん・家族への精神的援助	観察 ●バイタルサイン ●心電図モニターの確認 など ケア ●検査・治療に対するオリエンテーションを行い、患者さんの不安軽減に努める

3　疾患

急性期	一般病棟	自宅療養(外来)に向けて
【ペースメーカ挿入術】 ●術後、定期的に採血、胸部X線撮影、心電図検査を行う 【カテーテルアブレーション】 ●心電図モニターの装着 ●経食道エコーを行う場合もある	退院までモニター管理	
観察 ●バイタルサイン ●心電図モニターの確認など ●創部・刺入部の観察 **ケア** ●ペースメーカを挿入した場合はP.312参照 ●カテーテルアブレーションの場合はP.307参照。アブレーション治療は鎮静をかける場合もあるため、術後の鎮静状態の確認が必要	**ケア** ●ペースメーカ挿入側の腕は、肩より上に挙上させないように伝える	**ケア** ●定期的に外来受診が必要となる ●退院指導 ▷検脈を習慣づけるように指導する ▷バランスのとれた食生活を送るように指導する ▷服薬指導 ▷ペースメーカを挿入した場合はP.313参照 ▷心不全の場合はP.189、P.196参照 ▷虚血性心疾患の場合はP.85

3 不整脈 不整脈の看護の経過

心房細動や心房粗動の場合は、脳梗塞などの全身性塞栓症の二次的なリスクが高くなるので退院指導が大切です

心臓弁膜症

▷ **疾患理解のポイント**

　心臓弁膜症は心臓の4つの部屋の出入り口にある弁の故障です。4つの出入り口がどのように故障しているかにより、心臓の各部屋への負担が異なります。症状としては呼吸困難感が多いですが、心臓弁膜症と1つで考えず、各病態や特徴をしっかり理解することが大切です。

▷ **治療のポイント**

　発症後の進行具合は、人によってそれぞれです。治療は、薬剤や生活指導でコントロールする保存療法と、対症療法を含む手術があります。患者さんの重症度や進行状況だけでなく、年齢やライフプランなども考慮した治療を行います。

▷ **看護のポイント**

　診断から手術適応になるまで、個人差はあるものの、ある程度期間があります。そのため、患者さんは心臓弁膜症とうまく付き合っていかなければなりません。症状や経過だけでなく、手術になるかもという不安や疾患に対する思いなど、患者さん個々に合わせたかかわりや生活指導が必要です。手術適応になった場合も疾患別の管理方法だけでなく、患者さんの経過によって心臓の状態が異なるため、情報収集も重要になります。

　4つの心臓の弁は開いたり閉じたりして、一方向へ血液を送り出し、逆流を防止しています。心臓の弁のはたらきが悪くなった状態を**心臓弁膜症**といいます。弁が開きにくいことで血液が流れにくくなる**狭窄症**と、閉じ切らないことで血液が逆流する**閉鎖不全症**、その両方が合併する**狭窄症兼閉鎖不全症**があります。

心臓弁膜症の分類

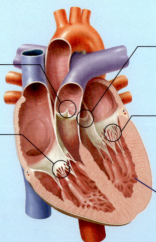

肺動脈弁
肺動脈弁狭窄症
肺動脈弁閉鎖不全症

三尖弁
三尖弁狭窄症（TS）　P.123
三尖弁閉鎖不全症（TR）　P.123

大動脈弁
大動脈弁狭窄症（AS）　P.117
大動脈弁閉鎖不全症（AR）　P.120

僧帽弁
僧帽弁狭窄症（MS）　P.110
僧帽弁閉鎖不全症（MR）　P.114

ほとんどが大動脈弁疾患、僧帽弁疾患です

疾患理解に重要な心臓弁のしくみ

心臓弁のしくみとはたらき

Link 心臓の弁→P.30

- 心臓にある4つの心臓弁はそれぞれ、心房と心室の血流を分け、心臓の圧変動によって開閉します。4つの心臓弁の開閉により、血流を一方向へスムーズに送り出すはたらきをしています。
- 拡張期には心室が拡張して僧帽弁と三尖弁の2つの房室弁が開き、心房から心室へ血液が流れます。一方で、大動脈弁と肺動脈弁が閉じることで、大動脈と肺動脈からの血液を心室に逆流するのを防いでいます。
- 収縮期には心室が収縮するため大動脈弁と肺動脈弁が開き、心室から血液が流れます。一方で、僧帽弁と三尖弁が閉じて、心室から心房への血液の逆流を防いでいます。
- 心臓弁膜症は、弁の器質的・機能的な異常が生じることにより、血液がスムーズに流れにくくなる状態です。弁の開く動きが悪くなって血液が流れにくくなる狭窄症と、弁の締まりが悪くなって血液が逆流してしまう閉鎖不全症があります。
- 弁のはたらきが悪くなり、血液の狭窄や逆流が起こることで、心臓は同じ血液を何度も送り出そうとしてオーバーワークとなり、心不全や心筋障害、不整脈などの合併症をきたします。
- 心臓弁膜症は、弁置換術や弁形成術の適応となることがあります。

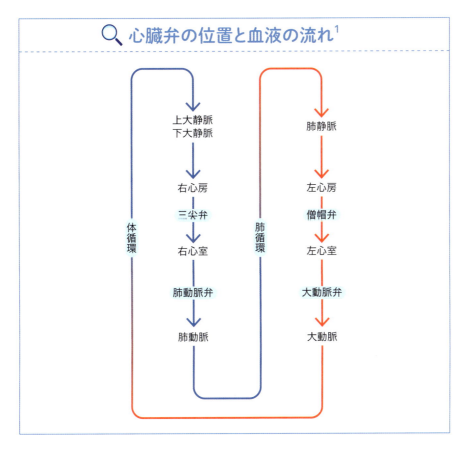

心臓弁の位置と血液の流れ[1]

僧帽弁狭窄症（MS）

MS（mitral [valve] stenosis）

肺高血圧症
肺動脈平均圧が25mmHg以上の病態。心肺疾患から肺高血圧状態をきたす二次性と、明らかな原因がなく、肺血管抵抗が増大する一次性（原発性）がある。

Link 三尖弁閉鎖不全症（TR）➡P.123

Link 心房細動（AF）➡P.99

どんな疾患？

- 僧帽弁狭窄症（MS）では、僧帽弁の開口部が狭くなることにより、**左心房から左心室に血液が流れにくく**なります。そのため、左心房内に血液がうっ滞して圧が上昇し、左心房は拡大します。
- 左房圧の上昇により、肺静脈圧が上昇して**二次性肺高血圧症**を引き起こします。肺高血圧症になると、右心室に負荷がかかるため**右心不全（肝腫大、全身浮腫）**を起こし、**労作時の呼吸困難**などが生じます。また、三尖弁閉鎖不全症を合併しやすくなります。
- 左心房の拡大により、**心房細動**をきたしやすくなります。また、拡大した左心房内では、血液がうっ滞して血栓を生じることがあります。そのため、僧帽弁狭窄症では、**血栓による脳梗塞や心筋梗塞**を引き起こすこともあります。
- 原因は、リウマチ熱によるものが大部分でしたが、近年では硬化性病変が原因となる症例も増加しています。

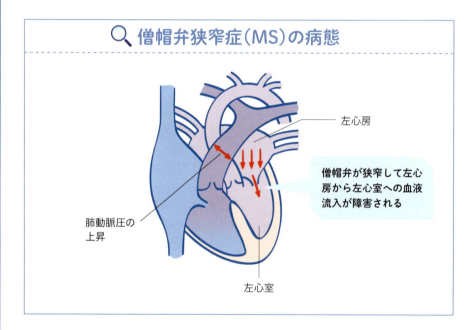

僧帽弁狭窄症（MS）の病態

患者さんはどんな状態?

- **労作時に呼吸困難**を起こしたり、**動悸**や**不整脈**がみられることがあります。
- 心不全症状がみられたり、血栓塞栓症を起こすことがあります。

どんな検査をして診断する?

- 僧帽弁狭窄症の確定診断や、重症度の評価には心エコーが用いられます。
- 理学的所見や心音聴取、X線撮影、心電図検査、必要時は心臓カテーテル検査などが行われます。

表 僧帽弁狭窄症に特徴的な検査所見

聴診(心音)	● Ⅰ音の僧帽弁の開放音の亢進 ● 僧帽弁の狭窄による心尖部拡張期ランブル音や心尖部前収縮雑音
心エコー	● 僧帽弁の狭窄 ● 弁口面積 ● 心房細動のある場合は左房内血栓や左心耳血栓の有無 ● 僧帽弁の石灰化や肥厚、腱索や乳頭部の癒着・短縮 ● 左房拡大の程度
胸部X線	● 肺うっ血 ● 左2・3号の突出や気管分岐部の角度の拡大
心電図	● 心房細動 ● 左房負荷 ● 右軸偏位

表 僧帽弁狭窄症の重症度分類[2]

	軽度	中等度	高度
平均圧較差	＜5mmHg	5〜10mmHg	＞10mmHg
収縮期肺動脈圧	＜30mmHg	30〜50mmHg	＞50mmHg
弁口面積	＞1.5cm^2	1.0〜1.5cm^2	＜1.0cm^2

どんな治療を行う?

- 症状の出現の有無や程度、心エコーでの評価、運動負荷時の肺高血圧症状の出現、左房内血栓の有無などをもとに手術が検討されますが、カテーテル治療が行われることもあります。

内科的治療

薬物療法

- **心不全と心房細動出現時の合併症の予防**を行います。
- 心房細動を発症すると左房内血栓のリスクがあるため、抗凝固療法としてワルファリンを内服して血栓を予防します。
- 心房細動を併発して頻脈になると、心拍出量が維持できなくなるため、左室機能の状態に応じて強心薬を使用します。
- 心不全症状に対して、肺うっ血や浮腫などに利尿薬を使用します。

カテーテル治療

経皮的経静脈的僧帽弁交連切開術(PTMC)

- カテーテルによって専用バルーンを経静脈的に挿入し、僧帽弁口でバルーンを拡張させる方法です。

外科的治療

直視下僧帽弁交連切開術(OMC)

- 人工心肺を使用して体外循環を行い、左心房を切開して弁の交連を切開して弁の動きを改善させます。

僧帽弁置換術(MVR)

- 耐久性、年齢、心房細動を併発しているかなどさまざまな条件を考慮し、機械弁・生体弁を選択します。
- 状態によっては、低侵襲心臓外科手術(MICS)を選択することもあります。
- 心房細動を認めるときには、Maze手術や左心耳切除手術を行うことがあります。

PTMC (percutaneous transluminal transvenous mitral commissurotomy)

Link 心臓弁膜症の外科的治療➡P.353

OMC (open mitral commissurotomy)

MVR (mitral valve replacement)

看護師は何に注意する?

保存的治療中の看護のポイント

- 初期では無症状のことが多く、病状の進行により、**労作時の呼吸困難**などが出現します。徐々に症状が悪化してくると、心拍出量の低下や肺高血圧により、**水分管理**や**活動制限**などが必要になります。今後予測される経過などについ

て、事前に説明しておく必要があります。
- 心房細動を起こす可能性があるため、**自宅での検脈**を指導します。また、右心不全に陥りやすいため、右心不全の症状を説明し、水分・塩分管理、定期的な体重測定、内服指導などに加え、増悪時は受診するなどの生活指導が必要です。
- すでに心房細動を合併している場合は、抗凝固療法を行うため出血しやすいことや、医療機関受診時は抗凝固薬を服用していることを必ず伝えるなどの薬剤指導を徹底します。

術前の看護のポイント

- 心音を聴取し、Ⅰ音の増強や心尖部の拡張期ランブルを観察します。自宅療養中と同様、右心不全症状の出現や増悪に注意します。

術後管理のポイント

血圧と循環の維持

- 術後は左心室への血流障害が解消されることにより、左心室に前負荷がかかりますが、心臓のポンプ機能は保たれていることが多いので心機能の低下はあまり問題になりません。ただし、前負荷の増大で**血圧が上昇しやすく**なります。
- 血流障害の解消により、左心室内に高い圧がかかることで、修復部の損傷や弁破壊を起こすことがあるため、血圧が上昇しすぎないよう管理します。
- 左心室の前負荷が急激に増大することで心仕事量が増加した結果、**低心拍出量症候群（LOS）**をきたす場合があります。そのため、術後は適度な水分管理が必要となります。
- 術前に肺高血圧症や右心不全を起こしている場合では、術後、右心不全が増悪することがあるため、左房圧や肺動脈圧に注意が必要です。
- Maze手術後は、洞機能回復までに徐脈性の不整脈を起こしやすいため、一時的ペースメーカを使用して脈拍のサポートを行うことがあります。モニターを監視し、一時的ペースメーカの管理に注意します。

ドレーン管理

- 手術操作や人工心肺の使用により、術後は**出血傾向**にあります。ドレーンからの排液量や性状、血液検査データで貧血の進行や凝固異常に注意します。

神経学的所見

- 鎮痛薬を使用することで疼痛コントロールを図り、早期離床の促進や咳嗽力抑制の予防ができます。
- 痰を自己喀出してもらい、無気肺を予防・改善します。

疼痛管理

- 咳嗽や早期離床の妨げとなるため、**術後の疼痛管理は必須**になります。
- 術後は、積極的に喀痰喀出を促し、**無気肺の予防**を行う必要があるため、疼痛の部位や程度、鎮痛薬の効果を観察し、疼痛コントロールを行います。

Link 術後の循環動態の管理→P.346

Link 低心拍出量症候群（LOS）→P.116, 340

Link 術後のドレーン管理→P.348

Link 術後の疼痛管理→P.349

3 心臓弁膜症 僧帽弁狭窄症（MS）

僧帽弁閉鎖不全症（MR）

MR（mitral [valve] regurgitation）

どんな疾患？

- 僧帽弁閉鎖不全症（MR）では、僧帽弁が完全に閉じなくなるため、左心室から左心房への血液の逆流が起こり、左心室と左心房に血液が行き来している状態になります。血液が逆流することで**左心房、左心室の両方が容量負荷となり、左心房が拡大**します。
- 収縮期には、左心房への血液が逆流することで左房圧が上昇します。左房圧が上昇することで肺静脈に負荷がかかり、**肺うっ血**を起こし、**肺高血圧**や**肺水腫**が生じることがあります。
- 左心房の拡大により、**心房細動**を併発することがあります。
- 拡張期には、逆流した血液が左心室に流入し容量負荷がかかり、左心室が拡大します（**遠心性肥大**）。
- 急性に僧帽弁閉鎖不全を発症すると、左心房に一気に血液が逆流し、代償することができず**急性心不全**の状態となり、肺高血圧症、肺水腫、心拍出量低下を起こし、ショック状態となり、致命的になることがあります。
- 慢性の僧帽弁閉鎖不全症では、左心室・左心房が拡大することによって代償され、**病状が進行するまで無症状**であることが多いですが、代償機構が破綻すると肺うっ血や肺高血圧症などの症状が出現します。

遠心性肥大
心臓壁の肥大とともに容積が増大して心臓の拡張を伴う状態。

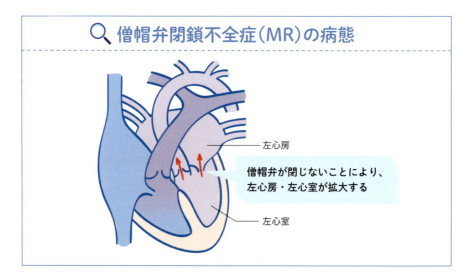

僧帽弁閉鎖不全症（MR）の病態

僧帽弁が閉じないことにより、左心房・左心室が拡大する

左心房
左心室

患者さんはどんな状態？

- 僧帽弁閉鎖不全症による逆流が軽症から中等度の場合、無症状で経過することが多いです。逆流が進行し、高度になると、**心房細動の出現**や**肺うっ血**が生じることがあります。そのため、**労作時の息切れや呼吸困難**、**左室機能低下によって易疲労感**が出現します。
- 急性で重症化している僧帽弁閉鎖不全症では、強い息切れや呼吸困難を生じたり、ショック状態に陥ることがあります。

どんな検査をして診断する?

- 確定診断や重症度の評価には、心エコーが用いられます。
- 理学的所見や心音聴取、X線撮影、心電図検査、心臓カテーテル検査など行います。
- 僧帽弁閉鎖不全症の患者さんは**感染性心内膜炎**を起こすことが多いため、歯科受診をして口腔内の清潔を保つことができるようにすることが大切です。

Link 感染性心内膜炎（IE）➡P.137

表 僧帽弁閉鎖不全症の重症度分類[2]

		軽度	中等度	高度
定性評価法	左室造影グレード分類	1＋	2＋	3～4＋
	カラードプラジェット面積	＜4cm^{2}または左房面積の20％未満	ー	左房面積の40％以上
	Vena contracta width	＜0.3cm	0.3～0.69cm	≧0.7cm
定量評価法	逆流量(/beat)	＜30mL	30～59mL	≧60mL
	逆流率	＜30％	30～49％	≧50％
	有効逆流弁口面積	＜0.2cm^2	0.2～0.39cm^2	≧0.4cm^2
その他の要素	左房サイズ	ー	ー	拡大
	左室サイズ	ー	ー	拡大

どんな治療を行う?

- 急性の僧帽弁閉鎖不全症では、心不全症状に対して血管拡張薬や強心薬などで治療しますが、血行動態の維持が困難な場合は緊急手術となることもあります。
- 慢性の僧帽弁閉鎖不全症では、保存的治療を実施しながら、症状の進行に合わせてカテーテル治療や外科手術も考慮します。
- 外科手術には、弁形成術と弁置換術があります。
  ▷ 弁形成術：弁を形成する僧帽弁形成術（MVP）と弁輪形成術（MAP）
  ▷ 僧帽弁置換術（MVR）：機械弁と生体弁があり、選択には耐久性、年齢、抗凝固療法などを考慮します。
- 巨大心房に対して左房縫縮術を追加で行うことがあります。
- 心房細動に対してはMaze手術や左心耳切除術を考慮します。
- 近年では、経皮的に行うMitraClip®（経皮的僧帽弁接合不全修復術）があります。

Link 経皮的僧帽弁形成術（MitraClip®）での治療 ➡P.300

看護師は何に注意する?

保存的治療中の看護のポイント

- 急性発症で重症の場合、自覚症状として大部分に**強い息切れ**や**呼吸困難**が出現します。慢性の場合は、**初期では無症状**のことが多く、病状が進行すると徐々に**呼吸困難感**、**倦怠感**、**めまい**、**易疲労感**などが出現します。
- 左心不全、右心不全とも出現しますが僧帽弁狭窄症と同様、生活指導、内服指導を行う必要があります。

術前の看護のポイント

- 心音の聴取で、心尖部に収縮期雑音が聴取されます。急性発症の場合、ショックに陥る可能性があるため、それを念頭において観察します。
- 保存的治療中と同様、症状の増悪に注意します。

術後管理のポイント

- ドレーン管理、神経学的所見、疼痛管理は僧帽弁狭窄症と同様です(P.113)。

血圧と循環の維持

- 術後は左心房への逆流が解除されることで、大動脈方向への血流のみとなります。抵抗の大きい大動脈へ血流を送り出そうと、心収縮を増大させ血圧が上昇します。
- 血圧の上昇は、形成部分や置換した組織周囲に負担がかかるため、適正な血圧を保つように管理します。
- 術後の水分管理は、術前の左室拡大の有無で異なります。モニタリングを行い体液バランスが不均衡にならないよう管理します。
- 左室駆出率(EF)が低下していると、**低心拍出量症候群(LOS)** に陥るリスクがあり、注意を要します。
- 急性の僧帽弁閉鎖不全症では、左心機能は維持できているため、心不全症状の治療を継続し、前負荷を軽減させる管理を行います。
- 慢性の僧帽弁閉鎖不全症では、左心房と左心室が拡大しているため、適度な前負荷がないと心拍出量が維持できません。また、術後すぐには心機能が回復していないため心不全が悪化したり、低心拍出量症候群に陥る可能性があります。

Link 低心拍出量症候群(LOS)➡P.113, 340

大動脈弁狭窄症（AS）

どんな疾患？

- 大動脈弁狭窄症（AS）では、大動脈弁が開きにくくなり、血液が通過しにくい状態になります。その結果、左心室から大動脈へ血液がスムーズに流れにくくなるため、血液をむりやり押し出すようになり、左心室に圧負荷がかかります。そのため、**左心室の心筋壁が厚く、内腔も狭くなり、求心性に肥大**した状態になります。
- 左心室が求心性肥大を起こすと、内腔が狭くなるため、1回拍出量が低下します。また、肥大した分、心筋の弾力性も低下するため、収縮力も弱まります。
- 大動脈弁狭窄症が進行すると、狭心痛やめまい、失神、心不全を起こし、突然死のリスクもあります。

AS（aortic[valve] stenosis）

求心性肥大
心臓の内腔は大きくならずに心臓壁が厚くなる状態。

表 大動脈弁狭窄症の病因

先天性（二尖弁）		●若年成人の大動脈弁狭窄症の最も多い原因 注意 大動脈拡大、大動脈瘤、大動脈解離の合併に注意する
後天性	リウマチ性	●リウマチ罹患患者の長期炎症性変化によるもの
	退行性変性（加齢）	●動脈硬化症により弁の石灰化が起こり、弁の動きが障害される ●以前はリウマチ罹患による発症が多かったが、近年の高齢化に伴い、後退変化による発症が増えている

大動脈弁狭窄症（AS）の病態

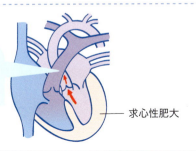

大動脈弁が狭窄し、左心室に圧負荷がかかる ／ 求心性肥大

患者さんはどんな状態？

- **病状が進行するまで自覚症状が乏しい**のが特徴で、動くと息が切れる、疲れるなど、労作時の易疲労感や活動性の低下を生じて、疾患に気づく場合があります。
- 症状が進行すると、**狭心痛、失神、心不全症状**などを生じます。
- 狭心痛、失神、左心不全の出現は、突然死のリスクが高くなり、予後不良とされています。
- 近年、加齢に伴う退行性変化による大動脈弁狭窄症が増えています。高齢者は、日常生活自立度や活動性が低いなど、症状を自覚しにくい傾向にあるため、悪化の発見が遅れることがあります。患者さん本人だけでなく、家族にも聴取を行うなどして、早期発見に努めます。

どんな検査をして診断する?

- 大動脈弁狭窄症の確定診断には心エコー検査が必須です。

表 大動脈弁狭窄症に特徴的な検査所見

聴診(心音)	● 重症例でⅣ音を認める　● 駆出性収縮期雑音
心エコー	● 大動脈弁の狭窄　● 左室肥大　● 収縮機能障害 ● 弁の枚数や石灰化の有無など、狭窄を起こす可能性のある原因を同定 ● 狭窄の重症度の判定(下表)
胸部X線	● 左室肥大に伴う第4弓の拡大
心電図	● 左室肥大

表 大動脈弁狭窄症の重症度分類[2]

	軽度	中等度	高度
連続波ドプラ法による最高血流速度[*1] (m/s)	<3.0	3.0〜4.0	≧4.0
簡易ベルヌイ式による収縮期平均圧較差[*2] (mmHg)	<25	25〜40	≧40
弁口面積 (cm^2)	>1.5	1.0〜1.5	≦1.0
弁口面積係数[*3] (cm^2/m^2)	−	−	<0.6

*1 連続波ドプラ法による最高血流速度＝大動脈弁通過最大血流速度
*2 簡易ベルヌイ式による収縮期平均圧較差＝左心室−大動脈平均圧較差
*3 弁口面積は体格によって重症度が異なるため、弁口面積÷体表面積＝弁口面積係数として0.6cm^2/m^2以下を重症としている。

どんな治療を行う?

- 狭心痛、失神、心不全を認めた場合は、手術の絶対的適応となります。
- 自覚症状がない中等度までは、症状の出現に注意しながら、定期的に心エコー検査などを行い、薬物療法を実施します。

内科的治療

表 大動脈弁狭窄症の内科的治療

保存的治療(薬物療法)	● 心不全の予防として利尿薬や降圧薬を投与する ● 軽症のうちは効果が期待できるが、症状が進行すると、手術やカテーテル治療を行う判断が必要になる
カテーテル治療	● 経皮的大動脈弁形成術(PTAV)：心原性ショックなどで開心術が困難な場合の救命処置として行う ● 経カテーテル大動脈弁植込み術(TAVI)：開心術よりも低侵襲で行えるため、年齢や合併症のリスクが高い場合にも行うことができる

Link 経皮的大動脈弁形成術(PTAV) ➡P.302

Link 経カテーテル大動脈弁植込み術(TAVI) ➡P.304

外科的治療

- 一般的な手術は大動脈弁置換術(AVR)です。一般的には胸骨正中切開が選択されますが、状態によっては低侵襲心臓外科手術(MICS)を選択する場合もあります。

看護師は何に注意する?

保存的治療時から術前の看護のポイント

- 重症でも自覚症状がない人もいますが、狭心痛、心不全、失神の症状があると心臓突然死のリスクが高まります。患者さんや家族に、急激な症状の出現の可能性があること、出現時の本人や家族の希望、症状が出現した際の対応方法を指導しておく必要があります。
- 左心室の心筋壁が厚く、内腔が狭くなっているため、少しの前負荷でうっ血をきたしやすく、心不全症状に利尿薬を投与すると前負荷の低下をまねくため、水分管理を指導する必要があります。
- 大動脈弁狭窄症の狭心痛は、心筋の酸素消費量が増大することで出現します。冠動脈の狭窄や閉塞による症状と鑑別する必要があるため、狭心痛の出現時はバイタルサイン測定や十二誘導心電図の検査などを行います。
- 心エコー所見では、狭窄した弁から無理やり血液を押し出している状態のため、左室駆出率(EF)は正常に保たれています。そのため、1回拍出量は少ない状態であることを考えアセスメントすることが大切です。

術後管理のポイント

- 術後はドレーン管理、神経学的所見、疼痛管理に注意しましょう(P.113)。

大動脈弁置換術後の循環動態のポイント

- 術後、大動脈弁は正常にはたらくようになりますが、求心性肥大した心筋はすぐには戻りません。つまり、術後も左心室の内腔は分厚く、心筋の弾力性も低下したままです。また、大動脈弁の機能が正常な状態になったことに心筋が慣れていないため、血圧が上昇し、心筋は疲労します。このことを理解して、観察や看護にあたることが重要です。
- 低心拍出量症候群(LOS)への移行を考慮し、**脱水**や**心拍数の低下**に注意が必要です。大動脈弁狭窄症の場合、求心性肥大であるため、十分な前負荷が必要となります。そのため、肺動脈楔入圧(PAWP)や中心静脈圧(CVP)、脈拍数、血圧などのモニタリングや、水分出納バランスの管理が重要となります。
- 前負荷のわずかな増加でも、血圧が急上昇することがあるため、輸液量を増やした際には**血圧の上昇**に注意します。
- 術後出血や心筋疲労のリスクを考慮し、**高血圧**に注意します。

どの治療法を選択する場合でも、十分な検査や臨床判断を行ったうえで、治療を受ける患者さんと家族を含めた検討が必要です。看護師は、患者さんが最良の治療を受けられるように、意思決定を支援します

Link 低心拍出量症候群(LOS)→P.113, 340

大動脈弁閉鎖不全症(AR)

AR（aortic [valve] regurgitation）

どんな疾患？

- 大動脈弁閉鎖不全症（AR）とは、**大動脈弁がしっかり閉じないため、左心室に血液が戻ってしまう状態**です。そのため、左心室が血液でいっぱいになり容量負荷がかかります。

急性大動脈弁閉鎖不全症

- 感染性心内膜炎や大動脈解離がおもな原因で、急激な容量負荷によって左心室の圧も急激に高まるため、**急性左心不全**や**肺水腫**、**心原性ショック**などに移行します。大動脈弁閉鎖不全症が長期的に及んでいるわけではないので、左室拡大や左室機能の低下が生じていることはあまりありません。
- 急激に大動脈拡張期圧の低下をきたすため、冠血流量が減少し、不整脈や急性冠症候群（ACS）を起こすことがあります。

慢性大動脈弁閉鎖不全症

- 長期間の容量負荷によって心筋が外側に引き伸ばされ、遠心性に肥大します。そのため心機能は低下し、**心拍出量が低下**します。長期間無症状で経過する場合があり、自覚症状が出現したときは重症であることがあります。

表 大動脈弁閉鎖不全症の病因

器質的病変	●先天性（二尖弁・四尖弁）　●粘液腫瘍変性 ●リウマチ性　●炎症性変化（大動脈炎症候群、ベーチェット病） ●動脈硬化症 ●感染性心内膜炎　●外傷
大動脈基部の異常	●上行大動脈瘤　●大動脈弁輪拡張　●マルファン症候群
その他	●大動脈解離が大動脈弁輪部に及んだ場合

大動脈弁閉鎖不全症(AR)の病態

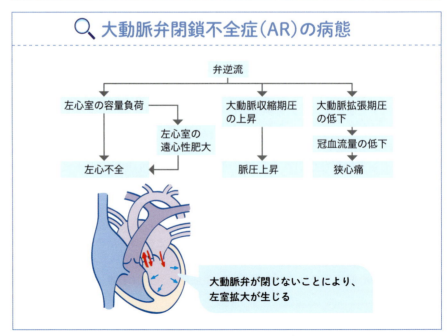

大動脈弁が閉じないことにより、左室拡大が生じる

患者さんはどんな状態?

- 慢性の場合は、**長期間無症状**で進行します。
- 進行すると**労作時の呼吸困難**や**胸痛**などを生じます。さらに進行すると、夜間の呼吸困難など、心不全症状が悪化します。
- 急性の場合は、**左心不全症状**、**肺水腫症状**、**心筋虚血症状**がみられます。

Link 心不全 ➡ P.166

どんな検査をして診断する?

- 弁の機能不全以外にも、さまざまな発症理由があることをふまえて検査を進めます。

表 大動脈弁閉鎖不全症に特徴的な検査所見

聴診(心音)	● 脈圧の増大 ● 拡張期の心雑音
胸部X線	● 左室左側下方への拡大 ● 大動脈陰影の拡張蛇行
心電図	● 左軸偏位 ● 左側胸部誘導の高電位
心エコー	● 重症度の判定に重要 ● 左室駆出率(EF)が手術適応の判断に重要

どんな治療を行う?

内科的治療(薬物療法)

- 慢性の大動脈弁閉鎖不全症では、血液の逆流による冠血流量の低下による狭心痛や心不全、肺うっ血をきたす可能性があります。症状に応じた与薬を行います。
- 高血圧を伴う場合は、降圧薬で血圧を管理します。
- うっ血性心不全を併発している場合には、利尿薬を投与します。

外科的治療

- 弁逆流量を1〜4度の4段階に分け、重症度や手術適応の判断基準とします。大動脈弁置換術(AVR)を行います。大動脈基部病変(上行大動脈拡大、バルサルバ洞拡大)を認める場合は、大動脈基部置換術が必要です。
- 大動脈基部置換術には、Bentall法(機械弁を使用)とBio Bentall法(生体弁を使用)があります。
- 大動脈弁狭窄症と同様、生体弁と人工弁、胸骨正中切開と低侵襲心臓外科手術(MICS)などを十分に検討し、患者さんにとって最良の治療が受けられるように、意思決定を支援します。

看護師は何に注意する?

保存的治療時から術前の看護のポイント

- 発症時期によって注意点が異なります。急性の大動脈弁閉鎖不全症は急激に左室内に血液が逆流することにより、**左心不全**や**肺水腫**が出現します。酸素化の維持もできなくなるため、陽圧換気の必要性を検討し、**急変に対応できるように準備**をしておく必要があります。
- 慢性の大動脈弁閉鎖不全症では、血液の逆流による冠血流量の低下から**狭心痛**が出現したり、肺うっ血による**呼吸状態の悪化**をきたす可能性があります。
- 高血圧を伴う場合は、血管拡張薬を使用し、血圧管理を行う必要があります。
- 重症の大動脈弁閉鎖不全症に対して大動脈内バルーンパンピング(IABP)を挿入すると、**逆流が増加して大動脈弁閉鎖不全症が悪化するため禁忌**です。

術後管理のポイント

- 大動脈弁狭窄症と基本的には同じです。循環動態の管理、ドレーン管理、神経学的所見、疼痛管理に注意しましょう(P.113参照)。

大動弁置換術後の循環動態のポイント

- 慢性の場合、左心室の遠心性肥大と左室駆出率(EF)が低下します。術後、大動脈弁が正常に戻ると逆流がなくなるため、拡張期の容量不足になってしまうことを理解して、観察や看護にあたります。
- 術後は**十分に前負荷を保つ**ことが重要です。前負荷、後負荷のバランスを整えるために、注意深くモニター管理を行います。
- 急性発症の場合や、EFの低下がなかった慢性病変の場合、ポンプ機能や拡張機能は比較的正常に保たれているため、**弁逆流がなくなると一気に血圧が上昇する可能性がある**ため注意が必要です。

三尖弁疾患

どんな疾患?

- 三尖弁疾患には、**三尖弁狭窄症(TS)** と **三尖弁閉鎖不全症(TR)** があります。

三尖弁狭窄症(TS)

- 尖弁の弁口が狭くなることで、右心房から右心室への血流障害を起こすため、右房圧・静脈圧が上昇します。
- 病因の多くが小児期のリウマチ熱であり、女性に多いのが特徴です。
- 三尖弁狭窄症を単独発症することはまれで、多くの場合、三尖弁閉鎖不全症を併発しています。

三尖弁閉鎖不全症(TR)

- ほとんどが僧帽弁疾患や大動脈弁疾患の進行によって起こります。
- **高齢者の心房細動の患者さんの多くが、三尖弁閉鎖不全症を併発**しています。

TS(tricuspid[valve] stenosis)

TR(tricuspid[valve] regurgitation)

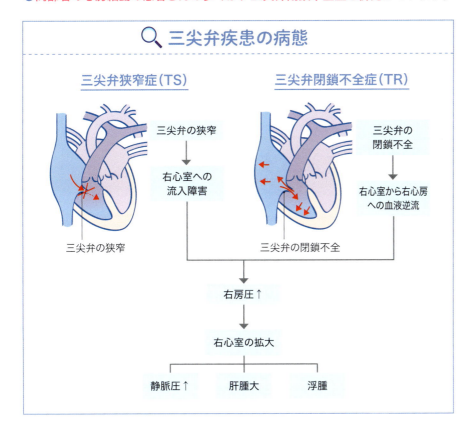

三尖弁疾患の病態

患者さんはどんな状態?

- 長期間無症状で経過することが多く、ほかの心疾患の検査でたまたま発見されることもあります。
- 重症化すると、右心房が拡大して右房圧が上昇し、**右心不全症状**を生じ、下肢の浮腫やうっ血肝、腹水貯留、頸静脈の怒張などが出現します。

どんな検査をして診断する?

- 大動脈弁疾患や僧帽弁疾患と同様、心エコー検査で確定診断、重症度判定を行います。

どんな治療を行う?

- 三尖弁の単独による手術はほとんど行いません。
- 術式には、**三尖弁輪縫縮術（TAP）**と**三尖弁置換術（TVR）**がありますが、おもに三尖弁輪縫縮術が行われます。

看護師は何に注意する?

保存的治療時から術前の看護のポイント

- 三尖弁疾患を単独発症することは少なく、僧帽弁・大動脈弁疾患に併発することが多いため、僧帽弁や大動脈も合わせた管理が必要になります。
- 三尖弁疾患は右房圧が上昇し、肺高血圧をきたしやすいため、**呼吸状態に注意**します。
- 症状が進むと右心不全が出現するため、肝うっ血やそれに伴う凝固異常、出血傾向に注意が必要になります。肝障害が出現している患者さんには、出血傾向があることや血が止まりにくいなどのけがの対応を含めた指導をします。
- 自宅では検脈で不整の有無を確認してもらうことも必要です。

術後管理のポイント

- 僧帽弁や大動脈弁との同時手術が多く、左心不全症状を併発していることがあるため、合併する心臓弁膜症の手術の術後管理に準じます。
- 三尖弁付近には房室結節やヒス束があるため、手術操作によって刺激伝導系の破損が生じ、**房室ブロック**が出現することがあります。

心臓弁膜症の退院支援

退院支援のポイント

- 心臓弁膜症の治療法は、薬物療法、カテーテル治療、外科的治療と3つに分かれます。どの治療を行うかによって退院支援は異なってきます。
- 薬物療法による保存的治療の場合は、病気を抱えての生活のため、**服薬や塩分・水分の管理**と**心臓に負担がかからないような日常生活**を送ることが重要です。疲労や息切れ、動悸などの症状は一見、加齢によるものと思い込んでしまいがちです。セルフチェックやそのような症状をキャッチする家族のサポートも重要です。
- 外科的治療の場合は、手術後の身体機能の回復に時間がかかる場合もあり、患者さんや家族にとっては、心臓手術後の自宅での生活は不安が大きいものです。また、手術による胸骨の接合には3か月かかるといわれており、自宅で療養生活を送りながら回復していくことになります。
- 最近では、開心術と比較して低侵襲で行えるカテーテル治療もありますが、どちらにしても、退院後の生活を見据えた支援が必要です。そのためには、入院前の暮らしぶりを知っておくことが大事です。要介護認定を受けている患者さんは、担当の介護支援専門員と連携をとり、退院後の生活を支援するため介護サービスの再編など検討するとよいでしょう。

表　心臓弁膜症の退院支援のポイント

疾患や治療の理解	●心臓弁膜症とはどのような病気か、治療方法、増悪の要因など、指導用パンフレットを用いて知識を提供する ●歯科やほかの病院を受診する際は、抗血小板薬を服用していることや、人工弁を装着していることを伝える
セルフケア行動に関する指導	●不整脈があったり、生体弁や機械弁置換後は抗血小板薬が必要になる。飲み忘れがなく服用することが大切である。また、出血には注意する ●血圧、体重測定、排尿の回数や量、疲労や息切れなどのセルフチェックを行う ●栄養士から退院後の栄養管理（塩分制限など）を指導する ●心臓手術後の胸骨接合する期間は、ハートハガーを装着し、重い物を持つことやリュックサックの使用は避ける ●手術による創部はやさしく洗って清潔を保つ。感染徴候についても説明する ●身体活動の必要性や留意点を患者さんの状態に合わせて具体的に説明する

自宅で訪問看護や介護がすでに導入されている患者さんは、退院前カンファレンスを開き、退院準備を行います。また、在宅チームのスタッフ向けに退院時に看護サマリーを用意します

心臓弁膜症の看護の経過

	発症から入院・診断	入院直後
患者さんの症状	●疲労 ●息切れ・呼吸困難 ●動悸・不整脈 ●胸痛 ●下肢の浮腫 ●めまい・失神	→
検査	●聴診 ●胸部X線 ●心電図 ●心エコー、経食道心エコー ●血液検査	●冠動脈CT ●冠動脈造影 ●負荷心筋シンチグラフィ ●呼吸機能 ●CT
治療	●酸素療法 ●薬物療法 　（利尿薬、強心薬、β遮断薬） ●食事・水分制限	●酸素療法 ●薬物療法 ●手術（抗血小板薬を中止しヘパリン化） ●自己血採血 ●カテーテル治療
看護	**観察** ●バイタルサイン（血圧、体温、脈拍数・リズム、SpO₂、意識レベル） ●息切れ、呼吸状態 　（呼吸音、左右差の聴診） ●胸部症状の有無 ●浮腫の有無 ●身長・体重 ●水分摂取量、尿量 ●頸静脈怒張の有無 **ケア** ●安楽な体位の工夫 ●患者さん・家族の不安への援助 ●意思決定支援	**観察** ●手術リスクの有無 ●既往歴、喫煙歴 ●皮膚状態 ●手術への不安・言動 ●生活背景の情報収集 ●バーセルインデックスなどの総合機能評価 **ケア** ●術前オリエンテーション ●シャワー浴、全身の清潔 ●下剤の服用 ●不安への援助（睡眠薬の服用）

急性期	一般病棟	自宅療養(外来)に向けて
●悪寒 ●悪心・嘔吐 ●疼痛(労作時、咳嗽時) ●不整脈	●疼痛 ●呼吸困難(肺うっ血や無気肺による) ●倦怠感、食欲不振(LOSによる) ●動悸、不整脈 ●不眠	
●胸部X線 ●血液検査 ●動脈血液ガス分析 ●心電図 ●血行動態モニタリング	●胸部X線 ●心電図 ●血液検査 ●心エコー	●胸部X線 ●心電図 ●血液検査
●輸液・輸血 ●血行動態補助薬 ●末梢血管拡張薬 ●人工呼吸器管理、酸素療法 ●一時ペーシング ●ドレナージ ●電解質補正、血糖管理 ●創部処置	●酸素療法 ●薬物療法、服薬移行 ●心臓リハビリテーション ●食事療法 ●創部処置	●栄養指導 ●薬物指導
観察 ●バイタルサイン 　(血圧、体温、脈拍数・リズム、SpO₂、意識レベル) ●出血量、性状 ●尿量 ●呼吸状態 ●覚醒状態、神経学的所見 ●疼痛スケール ●その他、苦痛の有無 ●創部の感染徴候の有無 **ケア** ●体位変換 ●皮膚保護 ●疼痛管理、安楽な体位 ●気管挿管下でのコミュニケーション ●喀痰排出の援助 ●早期離床、活動、休息 ●せん妄へのケア ●家族の不安への援助	**観察** ●バイタルサイン 　(血圧、体温、脈拍数・リズム、SpO₂、意識レベル) ●尿量、体重(術前体重と比較) ●食事・水分摂取量 ●浮腫 ●疼痛スケール ●創部の感染徴候の有無 ●リハビリテーションの進行状況 ●睡眠状態 **ケア** ●疼痛管理とADL拡大 ●喀痰排出の援助 ●食事形態の工夫 ●活動と休息 ●内服の自己管理や一包化	**ケア** ●医師から退院前の説明 ●治療に対するアドヒアランスの評価 ●退院指導(P.125参照) 　▷セルフモニタリングの内容 　▷増悪時の対応 　▷どの程度運動してよいのかなど運動の内容 ●退院前カンファレンス ●在宅チームとの連携

「体重が○日で△kg増加したら受診しましょう」など、患者さんに合わせた数値を伝えることが大事です

心膜炎
心内膜炎

▷ **疾患理解のポイント**

心膜炎はおもに、急性発症した急性心膜炎と慢性化した収縮性心膜炎があります。
急性心膜炎では急性心筋梗塞などとの胸痛の鑑別が大切になります。
それぞれの特徴をおさえておきましょう。

▷ **治療のポイント**

症状緩和に対する治療や、
それぞれの原因に対する治療を行います。

▷ **看護のポイント**

急性心膜炎では胸痛の軽減に努めます。
また、重症化すると心タンポナーデが生じるため、
全身状態の観察が重要です。
収縮性心膜炎では外科的治療や心不全症状に対するケアが必要です。

心膜炎

心膜炎とは、**心膜に炎症が生じる疾患**です。心膜炎の代表は、急性心膜炎、慢性収縮性心膜炎、心タンポナーデです。

心内膜炎

心内膜炎とは、**弁膜や心内膜、大血管内膜などに細菌や真菌が感染して生じる炎症性疾患**です。心臓弁膜症や先天性心疾患などを基礎疾患にもつことが多いです。感染性心内膜炎（IE）が代表的です。

疾患理解に重要な心膜のしくみ

心膜のしくみとはたらき

Link 心膜のしくみ➡ P.27

- 心膜とは、心臓の外側を覆う膜です。
- 心膜は2層構造の、漿液性心膜と線維性心膜の2つからなっています。
- 心筋の内表面に密着している膜を、心内膜といいます。

漿液性心膜と線維性心膜

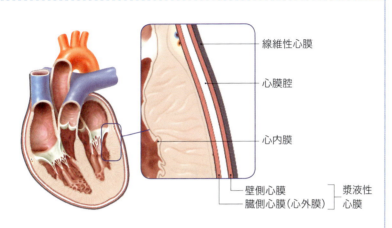

漿液性心膜
- 漿液性心膜は、心臓の表面に密着している臓側心膜（心外膜）と、大血管基部で反転して再び心臓を包む壁側心膜の2層からなっています。この2層の間にある腔を心膜腔といいます。
- 心膜腔には、正常でも15〜50mLの心膜液（心嚢液）があり、心臓が収縮するときの摩擦をなくす潤滑液の役割をしています。

線維性心膜
- 線維性心膜は、壁側心膜の外側を覆う厚く強靭な膜で、大血管の外膜や横隔膜に付着しています。
- 壁側心膜と線維性心膜でできた袋を心嚢といいます。

心膜には、心臓に外部からの細菌などが入ることを防ぐ作用もあります

急性心膜炎

どんな疾患?

- 急性心膜炎は、**心膜に急に炎症を起こしている状態**です。
- 急性心膜炎の**90%は原因不明**であり、**特発性心膜炎**と呼ばれます。しかし、その多くは**ウイルス**によるものと考えられています。
- 特発性心膜炎患者の15〜25%は、症状が数か月または数年にわたって間欠的に再発します。

表 急性心膜炎のおもな原因（ウイルス以外）

- 感染（細菌、真菌、結核菌など）
- 心筋梗塞後（心筋梗塞後2〜4日、2週間から数か月後に発症）
- 尿毒症
- 開心術後
- 自己免疫疾患（全身性エリテマトーデス、関節リウマチ、強皮症など）
- 縦隔への放射線照射後　など

患者さんはどんな状態?

- 急性心膜炎では、風邪に似た症状に胸痛を伴います。

表 急性心膜炎のおもな症状

胸痛	●胸骨を中心とした刺すような痛みや鈍痛、圧迫感が生じる 注意 心筋梗塞や狭心症との違いは、**呼吸や体位によって変化する**点である ●深呼吸や咳嗽、臥位によって胸痛が増強し、座位や前屈位によって胸痛が軽減する ●胸痛により呼吸が浅くなるため、呼吸困難を訴える患者さんもいる
発熱	●心膜に炎症を起こしているため、発熱する。それに伴い、悪寒や倦怠感もみられる
感冒症状	●特発性やウイルス性の急性心膜炎の場合には、1〜2週間前から感冒症状が出ることがある ●原因はさまざまだが、同じような症状が出る。2週間以内に自然治癒することが多く、特発性やウイルス性の予後は良好である
心膜摩擦音の聴取	●心膜に炎症が生じると、心膜表面がザラザラになり、心収縮によってこすれるため、シュッシュッという摩擦音を聴くことができる。この音は体位や呼吸によってこすれ方が変わるため、不規則に変化したり、時折聴こえなくなる場合もある ●摩擦音は患者さんを前屈にさせ、呼気時に胸骨左縁下部に聴診器の膜型をしっかり押し当てると、心膜が胸壁に近づくため、聴き取りやすくなる

どんな検査をして診断する?

- 胸痛や呼吸困難などを主訴に受診するため、心筋梗塞や狭心症との鑑別が必要です。12誘導心電図や心エコー検査を行い、診断します。

表 急性心膜炎に特徴的な検査所見

問診	● 胸痛がある
12誘導心電図	● ST変化(ST上昇) 　**根拠** 臓側心膜側の心筋が障害されるため、STの上昇がみられる 　**注意** 心筋梗塞との鑑別は、①**多誘導でSTが上昇**し、②**相対変化(reciprocal change)としてのST低下がみられない**という点が特徴である ● STの上昇は冠動脈支配域に一致しない 　**注意** 心筋梗塞後に発症した場合は、必ずしもこうではない
聴診	● 心膜摩擦音の聴取
血液検査	● 炎症所見の上昇(WBC、CRP) ● 心筋逸脱酵素は上昇しない(CPK、CK-MB) 　**注意** 心筋まで炎症が波及した場合、上昇する
心エコー	● 心囊液を認めることもある

どんな治療を行う?

- ウイルスに対する根本的な治療はないため、基本的に**入院して安静を保つ**ことが治療となります。
- 胸痛や発熱に対しては、鎮痛薬や解熱薬の投与を行い、症状を緩和します。
- 心タンポナーデを合併した場合は、心囊ドレナージを行う必要があります。
- 原因がわかるものには、それぞれの対症療法を行います。

Link 心タンポナーデ➡ P.135

表 急性心膜炎のおもな治療

細菌感染に起因する場合	● 抗菌薬の投与
尿毒症に起因する場合	● 血液透析の実施
自己免疫疾患や腫瘍に起因する場合	● その疾患の治療

看護師は何に注意する?

- 安静ができるように環境を整えたり、胸痛や発熱に対して投薬を行います。
- 心嚢液が急激にたまると**心タンポナーデ**になるため、バイタルサインに注意します。**血圧低下や頻脈がみられたらすぐに医師へ報告**します。
- 患者さんが胸痛を訴えたときに、その胸痛が心膜炎によるものなのか、心筋梗塞や狭心症によるものなのかを判断し、医師へ報告することも大切です。どちらによる胸痛かによって、緊急性が違ってくるためです。

表 急性心膜炎の看護のポイント

安静の保持	● 安静を保つことができるようなかかわりが大切となる
胸痛	● **鎮痛薬の投与**や座位や前屈位を提案し、**安楽な体位の工夫**を行う ● 心筋梗塞後の胸痛は12誘導心電図検査を行い、ST上昇がある場合は、再閉塞なのか心膜炎なのか判断し、医師へ報告する(P.131参照)
発熱時	● **冷罨法**や**解熱薬の投与**、**環境調整**などを行う
精神的支援	● 精神的に不安になりやすいため、患者さんの話を傾聴したり、今はどのような状態なのかを患者さんに説明するなど精神的支援を行う
合併症	● **心タンポナーデ症状(血圧低下、頻脈)**が出ていないか観察する

図 安楽な体位の例

慢性収縮性心膜炎

どんな疾患?

- 慢性収縮性心膜炎とは、**壁側心膜・臓壁心膜に線維性肥厚や石灰化が起こり、心膜が硬化・収縮することで心臓の拡張障害を起こしている状態**です。
- 通常は、急性心膜炎発症の数か月〜数年後に発症します。また、腎不全などの慢性疾患によって線維化変化が促進されて起こります。
- かつては結核患者に発症することが多かったのですが、抗結核薬の発達により、結核の罹患率が低下してきているため、現在では減少傾向にあります。
- 現在では、開胸術後の慢性収縮性心膜炎も多くみられる病態です。

図 心膜の石灰化（CT画像）

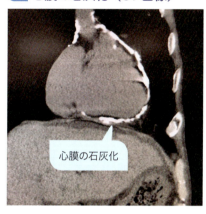

心膜の石灰化

患者さんはどんな状態?

- 心室の拡張障害が起こるため、おもに**右心不全症状**がみられます。労作時の呼吸困難や易疲労感、頸静脈怒張や浮腫、腹水貯留、肝うっ血を認めます。

表 慢性収縮性心膜炎のおもな症状

クスマウル徴候→吸気時の頸静脈怒張	●正常では、吸気時に呼気時よりも胸腔内圧が下がるため、多量の血液が右心房に返ってくる。しかし、慢性収縮性心膜炎では心臓が拡張できないため、血液が右心房・右心室に返りきれず、右心房・右心室圧が上昇するとともに静脈圧も上がり、頸静脈も大きく怒張する。この吸気時に頸静脈が大きく怒張することを、**クスマウル徴候**という
浮腫、腹水	●静脈圧が上昇すると、リンパが静脈角に流入できず、リンパ還流ができないため、浮腫が出現する ●頸静脈が怒張し、肝動脈うっ血するため、腹水が貯留する
心膜ノック音の聴取	●心尖部から第4肋間にかけて、拡張期に高調な心音が聴かれる。吸気時によく聴取される 根拠 拡張しようとする心室が、硬化した心膜に妨げられるために生じる
奇脈	●吸気時に収縮期血圧が10mmHg以上下がる
血圧の低下	●左心室も広がらないため、心拍出量が低下し、収縮期血圧が低下する

どんな検査をして診断する？

● 胸部X線撮影やCT、心エコー検査を行い、石灰化や肥厚の有無を観察します。

表 慢性収縮性心膜炎に特徴的な検査所見

聴診	● ノック音の聴取
胸部X線検査	● 胸膜の石灰化
心エコー	● 心膜の肥厚　● 左室後壁拡張障害
心電図	● 低電位　● 非特異的ST-T変化
CT、MRI	● 心膜の肥厚・石灰化
心臓カテーテル検査	● dip and plateau pattern：拡張早期に右室圧の急激な低下がみられた後、右室圧は上昇するものの硬い心膜に拘束されて内圧が上昇しなくなる

図 dip and plateau pattern

心電図
心室内圧（mmHg）
40
20
0
右室圧
dip
plateau

どんな治療を行う？

● 外科的治療（**心膜剥離術**）が唯一の治療法です。心膜剥離術により、90％程度で症状の改善が認められています。ただし再発することが多いといわれています。
● 症状が進行するほど手術は困難になり、術後の経過も不良となるため、早期に心膜剥離術を行う必要があります。軽度の心不全症状が出ているときには、利尿薬の投与や塩分制限などを指導します。

看護師は何に注意する？

● 術前の血圧、脈拍、不整脈の有無、呼吸症状などの観察を行い、異常時には医師へ報告します。
● 心不全症状が出ているときには、呼吸困難や胸部不快感を緩和します。
● 精神的不安があるため、患者さんの訴えを傾聴します。

Link 心不全急性期の看護 ➡ P.193〜195

心タンポナーデ

どんな状態?

- 心タンポナーデとは、**何らかの原因で心膜腔に心嚢液や血液がたまり、心膜腔内圧が上昇して心室の拡張が妨げられている状態**のことです。
- 拡張期に血液をため込めないため、心拍出量が低下し、低血圧ショックや死に至る場合もあります。
- 心嚢液が緩徐に貯留した場合は、1,500〜2,000mLまではタンポナーデ症状が出ないことがあります。
- 急速に心嚢液が貯留した場合には少量(例:150mL)であっても、心膜がそれに適応できるだけ伸展することができないため、心タンポナーデを起こします。
- 心嚢液が貯留するスピードが重要であり、心嚢液の量で重症度は決まりません。
- 心タンポナーデを起こす原因はさまざまです。

表 心タンポナーデのおもな原因と例

心膜腔への出血をきたすもの	心膜腔への出血をきたす心筋梗塞、PCIの合併症(ワイヤーパーフォレーション:血管操作によるもの)心破裂、大動脈解離、心膜切開後や外傷(医療行為によるものも含む)
悪性腫瘍の心膜転移	原発巣として肺がん、白血病、リンパ腫、乳がんが多い
急性心膜炎きたす疾患	感染症　尿毒症　膠原病　甲状腺機能低下　など

心タンポナーデのしくみ

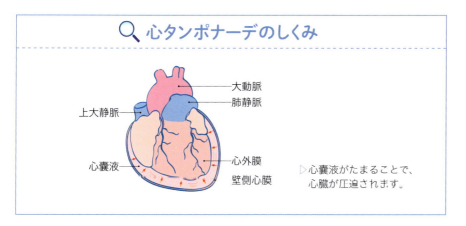

▷心嚢液がたまることで、心臓が圧迫されます。

患者さんはどんな状態?

- 心嚢液で心臓の拡張が障害されるため、**血圧の低下**が起こります。また、血圧の低下を補うために**頻脈**となります。
- 心電図では**低電位**がみられます。QRS波が1拍ごとに大小の波形になる**電気的交互脈**がみられます。
- 心嚢液があるため、**心音は減弱**します。
- 症状が急激に進むと循環動態が保てず**ショック状態**に陥ります。

どんな検査をして診断する?

- 心エコー検査で心嚢液の貯留の有無を検査します。

表 心タンポナーデに特徴的な検査所見

心エコー	●心嚢液の貯留がある
胸部X線検査	●心陰影が左右対称に拡大
心電図	●低電位 ●電気的交互脈

どんな治療を行う?

- 血圧低下やショック症状がある場合は、ただちに**心嚢穿刺**や**外科的ドレナージ（心嚢ドレナージ）**を行い、減圧することが必要です。心嚢液を除去できれば血圧は上昇します。

心嚢ドレナージ

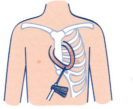
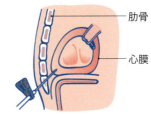

▷心膜を穿刺することで排液します。
▷合併症には右室穿刺、冠動脈穿刺があります。

▷管理では、ドレーンが抜けていないか長さもしっかり確認しましょう。

肋骨
心膜

看護師は何に注意する?

- 心嚢液貯留で入院した患者さんでは、バイタルサインの変動に注意します。血圧の低下や頻脈が出現したら、ただちに医師へ報告します。
- 心嚢穿刺を行った後でも、心嚢液が再度たまってきたら血圧低下や頻脈が生じるため、**バイタルサインに注意**します。
- 心嚢ドレーンが挿入されている場合、**排液量**や**性状**を観察します。また、ドレーンの挿入の**長さがずれていないか**、**刺入部の感染徴候**や**出血・浸出液の有無**の観察をします。
- ドレーンを抜去する前にはドレーンをクランプし、心嚢液がたまらないか確認します。そのため、**クランプ中の血圧の低下に注意**します。医師が心エコーで心嚢液の貯留がないことを確認し、心嚢ドレーン抜去となります。

感染性心内膜炎（IE）

どんな疾患？

- 感染性心内膜炎（IE）とは、**弁膜や心内膜、大血管内膜に細菌集落を含む疣腫（vegetation）を形成し、菌血症、血管閉塞、心障害などの多彩な臨床症状を呈する全身性敗血症性疾患**です。
- 疣腫はフィブリンと血小板が固まったなかに菌が定着したもので、一部が心内膜から剥がれ、各臓器に流れている血管に詰まると塞栓症を起こすことがあるといわれます。
- 加療しても入院中の死亡率は15〜30％と高いことが知られています。
- 合併症として最も多くみられるのが**心不全**です。左心系自己弁感染性心内膜炎の約半数に合併症として生じます。
- 脳塞栓を合併するケースは、感染性心内膜炎において20〜40％といわれています。
- 冠動脈塞栓症による急性心筋梗塞や脾梗塞、腎梗塞、腸管動脈への塞栓で発症する虚血性腸炎など、さまざまな合併症があります。
- 血栓が末梢血管を塞栓させると、さまざまな皮膚症状が出現します（P.138図「特徴的な皮膚症状」参照）。

IE（infectious endocarditis）

感染性心内膜炎のしくみ

大動脈弁を上から見た図 / **弁の表面**

- 傷
- 疣贅
- 閉鎖不全

もともと軽症でも心臓弁膜症があると弁の表面が傷ついたような状態となるので、菌が付着しやすくなる

傷に細菌が付着して増殖し、疣贅が形成される

弁の組織が破壊され、閉鎖不全を引き起こす

▷ 歯科治療や心臓カテーテル、開胸手術、感染症などによって血液内に細菌や真菌が入り、心内膜や弁膜に菌を有する血栓が付着することで起こります。
▷ 静注薬物中毒患者さんにも多くみられます。

※IEでの心内膜とは弁膜や心室、心房内膜、大血管内膜のことをいう。

患者さんはどんな状態?

- 感染をきたしているため、**38℃以上の発熱**、それに伴う**悪寒**、**シバリング**や**倦怠感**、**食欲不振**が生じます。
- 80〜85%で**心雑音**が聴取されます。
- 眼瞼結膜、峡部粘膜、四肢に点状出血がみられます。
- 血液検査では**炎症反応が上昇**します。
- 症状が悪化すると**敗血症**になり**血圧低下**や**頻脈**、**意識レベルの低下**などの症状が出てきます。
- 疣腫により弁破壊を起こしているときには**心不全症状**が出てきます。
- 疣腫により、脳塞栓症を起こしているときには、麻痺や意識レベルの低下がみられます。

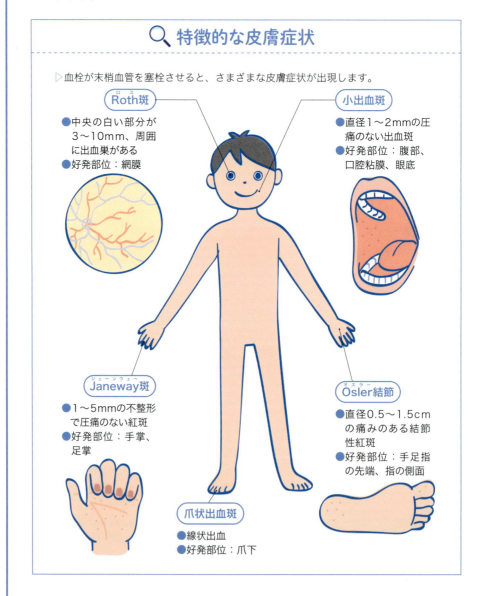

特徴的な皮膚症状

▷血栓が末梢血管を塞栓させると、さまざまな皮膚症状が出現します。

Roth斑(ロス)
- 中央の白い部分が3〜10mm、周囲に出血巣がある
- 好発部位：網膜

小出血斑
- 直径1〜2mmの圧痛のない出血斑
- 好発部位：腹部、口腔粘膜、眼底

Janeway斑(ジェーンウェー)
- 1〜5mmの不整形で圧痛のない紅斑
- 好発部位：手掌、足掌

Osler結節(オスラー)
- 直径0.5〜1.5cmの痛みのある結節性紅斑
- 好発部位：手足指の先端、指の側面

爪状出血斑
- 線状出血
- 好発部位：爪下

どんな検査をして診断する?

- 修正Duke（デューク）診断基準を使って診断することが多いです。血液培養検査で持続的に菌の検出があり、心エコーで、以下のいずれかを認めれば大基準を1つ満たしたことになります。
  ① 弁あるいはその支持組織の上、逆流ジェット通路、または人工物に付着する可動性腫瘤（疣腫）
  ② 弁周囲膿瘍
  ③ 人工弁の新たな部分的裂開
  ④ 新規の弁閉鎖不全
- 経食道エコー検査を行うと、心エコー検査よりも精密に疣腫がみられるため、診断がより正確になります。

どんな治療を行う?

- 血液培養の結果から、検出された原因菌に効果のある**抗菌薬の投与**を長期間行います。抗菌薬を投与して48～72時間後と1週間後に効果判定を行います。
- 可能な薬剤に対しては血中濃度を測定し、適切な量の投与を行います。
- 定期的に心エコーやCTをとり、疣腫の有無や弁破壊が起こっていないかを評価します。内科的治療が有効でない場合は手術を考慮します。
- コントロール困難な感染、うっ血性心不全、塞栓症の大きな可能性またはその既往が手術の対象となります。

看護師は何に注意する?

- 心不全や敗血症の症状が出ていないかの注意深い観察が必要です。
- 発熱に対し、解熱剤の投与やクーリングを行います。
- 発熱に伴い、食欲不振があれば食べやすいものへ食事内容を変更することや、点滴の投与も医師へ検討してもらいます。
- ゆっくり安静にできるように、環境の調整も大切です。
- 脳梗塞症状（麻痺、意識レベル低下、ろれつ障害など）の有無や虚血性腸炎の症状（腹痛、血便など）の有無も観察が必要です。

急性心膜炎の看護の経過

	発症から入院・診断	入院直後
患者さんの症状	●胸痛 ●発熱、風邪に似た症状 ●呼吸困難 ●易疲労感	心筋梗塞や狭心症との鑑別は、呼吸や体位によって胸痛の変化があるかどうかです。急性心膜炎では、座位や前屈位で胸痛は軽減されます
検査	●血液検査 　▷炎症所見の上昇（WBC、CRP） ●12誘導心電図 　▷ST低下 ●心エコー検査 　▷心囊液の有無	
治療		●ウイルス性による場合 　→安静 ●細菌性や尿毒症、その他の原因がわかる場合 　→それぞれの治療 ●心囊液がある場合 　→ドレナージ
看護	**観察** ●バイタルサイン ●自宅での症状などの問診 ●心タンポナーデ症状の有無 ●胸痛の有無 **ケア** ●苦痛の緩和（鎮痛薬、酸素投与など） ●各検査の説明 ●入院の説明	**観察** ●バイタルサイン ●心タンポナーデ症状 　▷血圧低下 　▷頻脈 ●胸痛の有無（胸痛時は心筋梗塞との鑑別） **ケア** ●解熱薬や鎮痛薬の投与 ●安楽な体位の工夫 ●訴えの傾聴 ●環境調整

急性期	一般病棟	自宅療養(外来)に向けて

3 心膜炎・心内膜炎 急性心膜炎の看護の経過

ケア
●退院指導
　▷再発のリスクがあるため、同じような症状が出たときには、受診するように指導する

心タンポナーデ症状を見抜くためにも、バイタルサインの観察が大切です。血圧低下や頻脈がみられたら、すぐに医師に報告しましょう

再発を繰り返し、慢性化すると、心膜の線維化や肥厚が起こり、収縮性心膜炎に移行する可能性があります

慢性収縮性心膜炎の看護の経過

	発症から入院・診断	入院直後
患者さんの症状	●労作時の呼吸困難 ●易疲労感 ●浮腫 ●腹水 ●奇脈 ●血圧低下	
検査	●胸部X線 　▷胸膜の石灰化 ●心エコー 　▷心膜の肥厚 ●心電図 　▷低電位 　▷非特異的ST-T変化 ●CT、MRI	●心臓カテーテル検査
治療		●酸素投与
看護	[観察] ●バイタルサイン ●自宅での症状などの問診 [ケア] ●スムーズに検査が行えるよう説明 ●入院の説明 ●苦痛の緩和(酸素投与など)	[観察] ●バイタルサイン [ケア] ●手術の準備・説明 ●精神的ケア ●環境調整 ●心不全急性期の看護(P.193参照)

急性期	一般病棟	自宅療養（外来）に向けて
●手術による疼痛など		
●血液検査 ●心エコー ●心電図		
●手術 ●軽度の心不全症状の場合は利尿薬の投与など		

> 症状が進行するほど、治療が困難になります

観察 ●術後の看護 　▷創の観察 ●バイタルサイン ●呼吸症状		**ケア** ●退院指導 　▷再発のリスクがあることを説明する 　▷心不全症状が出てきたら、受診するように説明する

> 術後でも再発するリスクがあるため、労作時の呼吸困難や浮腫などの症状が出てきたら受診するように説明しましょう

3 心膜炎・心内膜炎　慢性収縮性心膜炎の看護の経過

感染性心内膜炎(IE)の看護の経過

	発症から入院・診断	入院直後
患者さんの症状	●発熱(38℃以上) ●悪寒 ●シバリング ●点状出血 ●倦怠感 ●食欲不振	症状が悪化すると、敗血症となり、血圧低下や頻脈、意識レベルの低下などがみられるため、注意しましょう
検査	●血液検査 　▷炎症反応の上昇 ●血液培養 ●心エコー ●CT ●X線	●血液検査 ●経食道エコー
治療		●抗菌薬の投与
看護	**観察** ●バイタルサイン ●脳梗塞や虚血性腸炎症状の有無 **ケア** ●スムーズに検査が行えるよう説明 ●苦痛の緩和 ●入院の説明	**観察** ●バイタルサイン ●脳梗塞症状の有無 ●虚血性腸炎の症状の有無 **ケア** ●解熱薬の投与 ●食事内容の調整 ●環境調整

心不全や敗血症の症状に注意しましょう

急性期	一般病棟	自宅療養(外来)に向けて
●血液検査 ●血液培養 ●心エコー ●CT		
●抗菌薬の投与 ●必要に応じて手術		
観察 ●バイタルサイン **ケア** ●解熱薬の投与 ●食事内容の調整 ●環境調整 ●術後の場合は術後の看護		**ケア** ●退院指導 ▷再発の可能性の説明 ▷発熱がある場合は、安易に抗菌薬を投与せず、受診するように伝える ▷感染予防の指導：皮膚や口腔内を清潔に保つ

> 再発の頻度は2～6％とされています。自己弁IEに対して人工弁置換術を施行した患者さんの再発率は、術後15年で約20％とされています

3 心膜炎・心内膜炎

感染性心内膜炎（IE）の看護の経過

心筋疾患

▷ **疾患理解のポイント**

心筋の病気で、心筋が肥大したり線維化したりすることにより、
心機能障害が生じる疾患です。心臓のポンプ機能が低下しているため、
心不全に至ることを念頭におきましょう。

▷ **治療のポイント**

突然死を防ぐ治療が実施されます。
また、治療は一般的な心不全の治療と同じになります。

▷ **看護のポイント**

患者さんの心機能の状態に合わせた援助が必要になります。
心負荷がかからないような生活援助を考えましょう。
不整脈が出現しやすいため、注意が必要です。

心筋疾患とは、**心筋に構造的異常をきたし、心臓のポンプ機能の低下を認める疾患**の総称です。**突発性心筋症**と**特定心筋症**に分類することができます。
心筋疾患の代表的なものに、肥大型心筋症（HCM）、拡張型心筋症（DCM）があります。

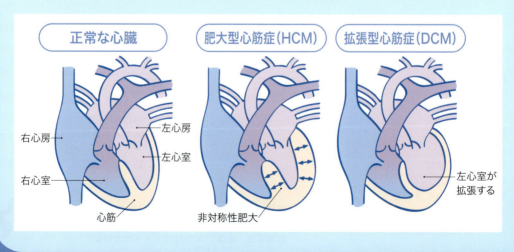

心筋疾患の分類

どうやって分類するの？

- 心筋症は**特発性心筋症**と**特定心筋症**に分類することができます。
- 特発性心筋症とは、高血圧や冠動脈疾患など**明らかな原因がない心筋疾患の総称**です。いわゆる原因不明の心筋疾患です。しかし、近年の遺伝学進歩により、次々と心筋症の病因遺伝子異常が同定されてきています。
- 特定心筋症とは、**原因または全身疾患との関連が明らかな心筋疾患の総称**です。
- ヨーロッパ心臓病学会（ESC）の分類（2008年）では、すべての病型を、形態的・機能的特徴によって5つに分け、それぞれを遺伝性・非遺伝性に分類しています。

表 特発性心筋症と特定心筋症の分類

特発性心筋症 （原因不明の心疾患）	●肥大型心筋症（HCM）P.148 ●拡張型心筋症（DCM）P.152 ●拘束型心筋症（RCM） ●不整脈原性右室心筋症（ARVC） ●分類不能の心筋症
特定心筋症 （原因や全身との関連が明らかな心疾患）	●虚血性 ●弁膜症性 ●高血圧性 ●炎症性 ●代謝性 ●筋ジストロフィー ●神経・筋 ●中毒性 ●アルコール性 ●産褥性

図 ヨーロッパ心臓病学会（ESC）の分類（2008年）

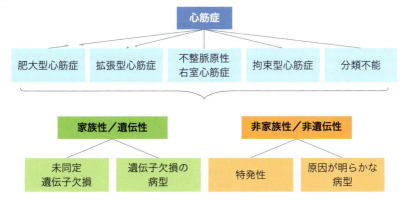

拘束型心筋症（RCM）
左室心筋が線維化して硬化、左心室の拡張機能障害が生じる疾患。心肥大は伴わず、収縮機能は正常である。

不整脈原性右室心筋症（ARVC）
右心室の拡大と機能低下、右室起源の心室不整脈が生じる疾患。若年者の突然死の原因となる。

肥大型心筋症（HCM）

HCM（hypertrophic cardiomyopathy）

どんな疾患？

- 肥大型心筋症（HCM）とは、**高血圧や大動脈弁狭窄症といった原因がなく、心筋に異常な肥大をきたす**疾患です。
- 原因は、常染色体優性遺伝形式をとる家族内発症が約半数にみられます。
- 肥大型心筋症は通常、**心室中隔の非対称性肥大（ASH）**であることが多く、それによって二次的にもたらされた循環動態の異常が基本的な病態となります。

肥大型心筋症の病態

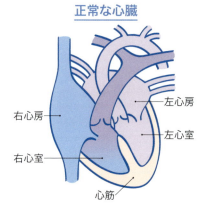

心筋が厚くなり血液のスペースを圧迫している

特徴
▷ 左室流出路の狭窄・閉塞
▷ 心筋拡張障害
▷ 心筋虚血
▷ 不整脈、突然死

左室流出路の狭窄を伴わないものを「非閉塞性」と分ける

肥大型心筋症の場合、心筋細胞の肥大による心筋の不均一な肥大が特徴です。拡張障害を起こし、進行すれば、肺うっ血をきたして労作時の息切れや呼吸困難の原因になります

どうやって分類するの?

- 肥大型心筋症は、①**閉塞性肥大型心筋症(HOCM)**、②**非閉塞性肥大型心筋症(HNCM)**、③**心尖部肥大型心筋症(APH)**、④**拡張相肥大型心筋症(D-HCM)** に分類されます。
- 閉塞性肥大型心筋症(HOCM)は、肥大型心筋症全体の約25%とされています。

HOCM
(hypertrophic obstructive cardiomyopathy)

HNCM
(hypertrophic nonobstructive cardiomyopathy)

APH
(apical hypertrophic cardiomyopathy)

D-HCM
(dilated phase hypertrophic cardiomyopathy)

肥大型心筋症の分類(心室の形による)

正常
- 心室中隔
- 右心室
- 左心室
- 大動脈弁
- 左心房
- 僧帽弁
- 大動脈

①閉塞性肥大型心筋症(HOCM)
- 非対称性心室中隔肥厚
- 左室流出路が狭窄している
- 左室流出路に狭窄が生じる場合
- HOCMは閉塞の部位により、心室中部閉塞性心筋症(MVO)に分類される場合もある

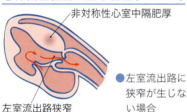

②非閉塞性肥大型心筋症(HNCM)
- 非対称性心室中隔肥厚
- 左室流出路狭窄はない
- 左室流出路に狭窄が生じない場合

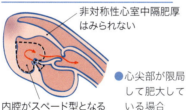

③心尖部肥大型心筋症(APH)
- 非対称性心室中隔肥厚はみられない
- 内腔がスペード型となる
- 心尖部が限局して肥大している場合

④拡張相肥大型心筋症(D-HCM)
- 肥大型心筋症の経過中に、肥大した心室壁厚が減少し菲薄化し、心室内腔の拡大を伴う左室収縮力低下をきたし、拡張型心筋症様病態を呈した場合

患者さんはどんな状態?

- 非閉塞性肥大型心筋症や心尖部肥大型心筋症では自覚症状を伴わないことが多く、閉塞性肥大型心筋症、拡張相肥大型心筋症では胸部症状・脳症状を自覚することがあります。

表 肥大型心筋症のおもな症状

胸部症状	● 胸痛 ● 息切れ・呼吸困難 ● 動悸
脳症状	● たちくらみ ● 失神発作

どんな検査をして診断する?

- 最も有用な検査は、①**心エコーなどの画像診断**による所見です。①の検査結果に加えて、②高血圧性心疾患などとの鑑別診断を行うことが必須です。また、③心筋生検による所見、④家族性発生の確認、⑤遺伝子診断が確定診断に有用です。

表 肥大型心筋症に特徴的な検査所見

胸部X線検査		●軽度の心拡大を認めることがある ●左房拡大を認めることがある ●心胸比(CTR)が増大し、肺うっ血所見が認められることがある
心電図		●以下の所見がみられることがある 　▷STの異常 　▷左室肥大 　▷異常Q波 　▷中隔Q波の消失
心エコー		●心室壁の肥厚は**非対称性**となる ●閉塞性のものでは高率に大動脈弁の収縮中期閉鎖、僧帽弁エコーの収縮期前方運動(SAM)を認める
心臓カテーテル検査	左室造影(LVG)	●左心室の肥厚、内腔の狭小化を認める ●閉鎖性のものでは、左室流出路の逆円錐状狭窄を認める ●心尖部肥大では、心尖部がスペード型狭窄を示す
	冠動脈造影(CAG)	●心筋が収縮期に心筋内を貫通する冠動脈を絞るように収縮させる画像がみられることがある
	圧測定	●左室拡張末期圧(LVEDP)の上昇 ●肺動脈楔入圧(PAWP)の上昇
	心筋生検	●心臓カテーテル検査により、心臓の細胞を採取することも可能である。心筋細胞の肥大、心筋細胞の錯綜配列を認める
核医学検査やその他の画像検査(筋の血流や心筋のダメージの程度を評価する)	心筋血流イメージング	●肥大部は高集積として描出されるので、形態的な非対称性肥大の診断が可能である
	心筋脂肪酸代謝イメージング	●心室中隔の前壁側および孔壁側の右室自由壁付着部に好発し、その程度は心筋細胞障害の程度を反映する
	心筋交感神経イメージング	●心筋に対する神経分布密度と交感神経機能を評価できる。欠損部位は肥大部位と一致し、欠損が強いほど心筋症障害が強い

※核医学検査では、使用する放射性同位元素により前処置が異なる。おもに食事や薬剤の制限があるので放射線科スタッフに確認すること。

Link 心筋生検→P.289

Link 心胸比(CTR)→P.180

Link 左室造影検査(LVG)→P.286

Link 冠動脈造影検査(CAG)→P.285

Link 肺動脈楔入圧(PAWP)の異常→P.268

錯綜配列
心筋細胞の配列が、通常とは異なり乱れていること。

どんな治療を行う？

- 薬物療法の目的は、①**生命予後の改善**、②**症状の軽減**、③**合併症の予防**となります。症状の有無やその程度、左室流出路狭窄の有無によって適切な治療法の選択が必要となります。
- 閉塞性肥大型心筋症（HOCM）の非薬物療法には、①外科治療、②DDDペースメーカ、③経皮的中隔心筋焼灼術（PTSMA）があります。

表　肥大型心筋症の治療フローチャート

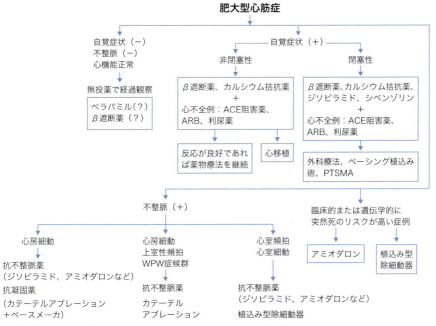

日本循環器学会：肥大型心筋症の診療に関するガイドライン（2012年改訂版）．http://www.j-circ.or.jp/guideline/pdf/JCS2012_doi_h.pdf（2018年12月閲覧）より転載

表　肥大型心筋症のおもな治療

	薬物療法など	非薬物療法
心不全に対する治療	●安静 ●塩分・水分制限 ●利尿薬・強心薬の投与	●左室流出路を軽減するために、僧帽弁置換術（MVR）や心室中隔肥大部の切除 ●不整脈に対してはICD、CRT、CRT-D ●内科的治療の限界に達したとき、心臓移植までのつなぎとして補助人工心臓の装着術を行う ●経皮的中隔心筋焼灼術（PTSMA）
心室拡張機能の改善と流出路狭窄の緩和	●利尿薬、ACE阻害薬、Ca拮抗薬、β遮断薬	
不整脈に対する治療	●致死性不整脈にはアミオダロン塩酸塩を使用 ●心房細動にはジゴキシンやアミオダロン塩酸塩を使用	
血栓塞栓症の予防	●ワルファリンカリウム、ヘパリン、アスピリンなどによる抗凝固療法、抗血小板療法を行う	

Link DDDペースメーカ➡P.311

Link 経皮的中隔心筋焼灼術（PTSMA）➡P.297

Link 僧帽弁置換術➡P.354

Link ICD➡P.318

Link CRT➡P.319

Link CRT-D➡P.319

Link 経皮的中隔心筋焼灼術（PTSMA）➡P.297

拡張型心筋症（DCM）

DCM（dilated cardiomyopathy）

どんな疾患？

- 拡張型心筋症（DCM）とは、**左心室あるいは両心室のびまん性の収縮機能低下、心室の拡大**を呈する疾患です。さまざまな原因による心筋細胞障害の終末像です。
- 原因は、ウイルス感染、免疫異常、高血圧、遺伝子異常などの要因が考えられています。

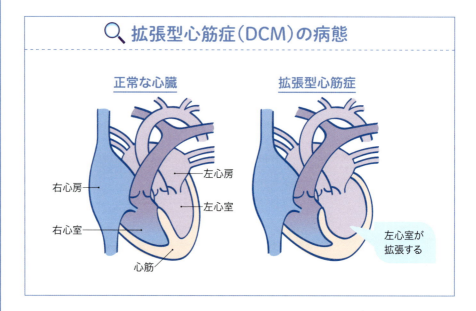

拡張型心筋症（DCM）の病態

患者さんはどんな状態？

- 病態の進行に伴いさまざまな症状が出現します。
- おもな症状は、**心臓のポンプ機能の低下による心不全症状**です。

表 拡張型心筋症のおもな症状

うっ血による症状	●呼吸困難 ●咳嗽 ●浮腫 ●消化器症状（食欲不振、下痢、嘔吐）
心拍出量低下による症状	●全身倦怠感 ●易疲労感
不整脈	●心房細動 ●心室性不整脈

どんな検査をして診断する?

- 確定診断のために、心エコー検査、心臓カテーテル検査、心筋生検による特定心筋症の除外診断が必要になります。

図 拡張型心筋症および臨床的に類似する心筋症の診断手順

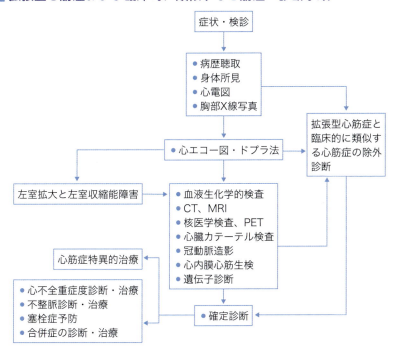

日本循環器学会：拡張型心筋症ならびに関連する二次性心筋症の診療に関するガイドライン．
http://www.j-circ.or.jp/guideline/pdf/JCS2011_tomoike_h.pdf（2018年12月閲覧）より転載

表 拡張型心筋症に特徴的な検査所見

胸部X線検査	●多くの患者さんで心拡大を認める
12誘導心電図	●特異的な心電図所見はないが、心筋の線維化、心房・心室の拡張、刺激伝導系の障害、心不全などに由来する波形変化、不整脈が認められる
心エコー	●重症度の評価を行ううえで最も重要な検査である ●特徴的所見は、左室拡張末期径の拡大とびまん性壁運動低下である

どんな治療を行う?

Link 心不全➡P.166

● 原因不明の疾患のため、根本的治療は心臓移植のみです。心不全や不整脈などに対する対症療法を行っていきます。拡張型心筋症は、慢性心不全症状を特徴とし、急性増悪を繰り返す予後不良の疾患です。そのため、心不全症状の予防・生活指導を行います。

表 拡張型心筋症のおもな治療

	薬物療法など	非薬物療法
心不全に対する治療	●安静、塩分・水分の制限、利尿薬の投与 ●強心薬の投与	●左室部分切除術 ●心臓移植 ●不整脈に対してはICD
不整脈に対する治療	●致死性不整脈にはアミオダロン塩酸塩を使用する ●心房細動にはジゴキシンやアミオダロン塩酸塩を使用する	
血栓塞栓症の予防	●ワルファリンカリウム、ヘパリン、アスピリンなどによる抗凝固療法、抗血小板療法を行う	

Link ICD➡P.318

🔍 その他の心筋疾患(たこつぼ心筋症)

▷ たこつぼ心筋症は、冠動脈に閉塞がみられないものの、左心室の先端部分の壁の動きが悪くなる疾患です。閉塞がないことが急性心筋梗塞との大きな違いです。
▷ 通常、2〜3週間で心臓の機能は回復し、正常に戻ります。
▷ 明確な原因はまだわかっていませんが、ストレスが誘因となるといわれています。
▷ たこつぼ心筋症と診断されれば、対症療法を行い、経過を観察します。
▷ 心不全や心原性ショック、脳梗塞、出血などの合併症に注意しましょう。

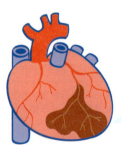

冠動脈は閉塞していないのに左心室の先端部分の壁の動きが悪くなる

心筋疾患の看護

看護師は何に注意する?

- **心不全症状の予防と軽減**が重要です。また、**不整脈や血栓症状の予防と軽減**も大切になります。
- 心負荷を軽減するため、安静度に合わせた日常生活の援助を行います。
- 体位の工夫、苦痛増強因子の排除、薬剤投与などによって苦痛を軽減します。
- 酸素や薬剤投与の治療を確実に実施できるようにします。
- 精神的サポートも必要となります。患者さんの訴えを受容・傾聴したり、検査の説明をていねいに行ったり、医療者の使用する言語を統一したりして、患者さん・家族の支援にあたります。

表 **おもな観察ポイント**[1]

心不全症状	●呼吸困難感、起座呼吸、夜間呼吸困難、悪心・嘔吐、食欲不振 ●血圧、脈拍、心拍数、頸静脈怒張、尿量、体重、浮腫、肝腫大、腹水
不整脈症状	●動悸、めまい、ふらつき、胸部不快感 ●血圧、脈拍、心拍数、心電図調律
血栓・塞栓症状	●手足のしびれ、冷感、麻痺、言語障害 ●意識レベル、麻痺、瞳孔、四肢冷感、チアノーゼ

表 **急性期の看護のポイント**[1]

血栓塞栓症状の観察	●心房細動がある場合、抗凝固の調整がつくまで出血傾向、血栓塞栓症状に注意する
出血傾向に注意	●心房細動がある場合、抗凝固療法が開始される。初期はヘパリンの持続投与を併用するため、出血傾向に注意する
確実なライン確保ができているか	●重症の場合、強心薬や血管拡張薬などの持続投与が行われるため、確実なラインの確保が必要となる。訪室時はライン刺入部を観察する

表 **慢性期の看護のポイント**[1]

生活指導	●内服・塩分制限・水分制限の必要性を説明する
血栓塞栓症状に注意	●心腔内に形成された血栓が剥離することがある
転倒・転落による出血に注意	●血圧の変動などにより、起立時の転倒・転落のリスクが高くなる
心負荷の軽減	●医師による安静度の指示を説明する ●安静度内で療養できるよう環境整備を行う
リハビリテーション	●長期臥床によるADL低下予防のため、リハビリテーション科と相談し、看護師が行えるリハビリテーションを確認する ●リハビリテーション実施時には、心負荷・循環動態に注意する

心筋疾患（肥大型心筋症、拡張型心筋

	発症から入院・診断	入院直後
患者さんの症状	●呼吸困難 ●易疲労感 ●食欲不振 ●動悸 ●めまい ●失神	肥大型心筋症の場合、遺伝性の場合があるので、家族歴（血縁者の病歴など）も併せて聞きましょう
検査	●胸部X線 　▷HCM：心拡大、左房拡大、肺うっ血 　▷DCM：心拡大 ●心電図 　▷HCM：STの異常、左室肥大、異常Q波、中隔Q波の消失 ●心音 ●心エコー 　▷HCM：心室壁の非対称性肥厚、閉塞性の場合は大動脈弁の収縮中期閉鎖、僧帽弁エコーの収縮期前方運動（SAM） 　▷DCM：左室拡張末期径の拡大、びまん性壁運動低下 ●心筋生検	
治療	●酸素投与 ●薬剤投与 　▷利尿薬	●酸素投与 ●薬剤投与 　▷利尿薬 ●心不全がある場合は心不全治療薬 　▷カルペリチド
看護	観察 ●意識レベルの確認 ●脳梗塞などの塞栓症の合併症状 ●バイタルサイン（体温、血圧、SpO_2） ●胸部症状の有無 ●呼吸の状態（音、左右差、患者さんの体位） ●浮腫の有無 ●頸静脈怒張の有無 ●尿量（利尿薬に対する反応） ●体重 ケア ●安楽な体位の工夫 ●症状軽減に努める ●患者さん・家族の不安軽減 ●食事摂取、飲水制限についての説明	→

症）の看護の経過

急性期	一般病棟	自宅療養（外来）に向けて
●心臓カテーテル検査 ▷左室拡張末期圧（LVEDP） ▷肺動脈楔入圧（PAWP） ▷収縮能の低下 ▷冠動脈狭窄の有無	●胸部X線 ●12誘導心電図 ●血液検査	●胸部X線 ●血液検査 ●心エコー
●ICD植込み術 ●ペースメーカ植込み術	●内服コントロール ●安静度の拡大（リハビリテーション）	●内服、食事療法調整
観察 ●心不全症状の有無 ●不整脈症状の有無 ●デバイス挿入した際はデバイス挿入時の看護に準ずる **ケア** ●入院前の生活について聴取 ▷職業 ▷家族背景 ▷食生活 ▷病気に対する思い ▷治療中の苦痛緩和、不安の傾聴	**観察** ●リハビリテーションや食事などの心負荷時の症状 **ケア** ●病気に対する受け入れ状況の確認 ●心不全手帳を配布し、バイタルサイン、体重の記録を本人に記載してもらう ●症状増悪時の対処行動について説明	**観察** ●バイタルサイン ●浮腫 ●尿量 ●体重（目標体重を医師へ確認） **ケア** ●バイタイルサイン、体重の数値を解釈できているか確認 ●身体状況、ADLに合わせた退院支援の開始 ●必要時は家族も一緒に退院に向けた指導介入を実施 **外来** ●患者さんの身体所見評価 ●入院中に指導した点ができているか確認。必要時、再度指導

> 病状増悪時の対処行動について説明するときは、病院の連絡先も患者さんに知らせましょう

3 心筋疾患、心筋疾患（肥大型心筋症、拡張型心筋症）の看護の経過

成人の先天性心疾患

▷ **疾患理解のポイント**
先天的に生じている障害の部位による
心機能への影響を把握しましょう。

▷ **治療のポイント**
基本的には手術となりますが、
不整脈などの合併症への治療も必要となります。

▷ **看護のポイント**
手術に伴うケアとともに、先天性心疾患の患者さんが抱える
医療的・社会的問題にも目を向けましょう。

　先天性心疾患は、出生時に存在する心臓の奇形により、心機能に異常をきたすものです。先天性心疾患の発生頻度は、全生産児の約1％、毎年1万人程度とされています。成人の先天性心疾患の患者数は、小児の先天性心疾患の患者数と同程度となってきており、約50万人といわれています。

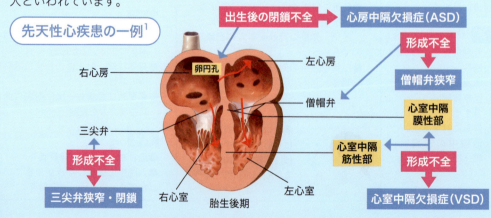

先天性心疾患の一例[1]

先天性心疾患の分類

どんな疾患?

- 先天性心疾患は、**出生時に存在する心臓の奇形により、心機能に異常をきたす**ものです。
- 先天性心疾患の多くは乳幼児期に診断され、小児期にかけて治療が行われますが、比較的予後がよいです。しかし、乳幼児期に見逃され、成人期に症状が発生してみつかる場合もあります。心臓の奇形の発生原因は、発育停止説、感染説、遺伝説など種々考えられていますが、まだ完全には究明されていません。
- 先天性心疾患を短絡の有無で分けると、次のようになります。

先天性心疾患の短絡の有無での分類方法

短絡
- 短絡がある
  - 右→左
    - ファロー四徴症（TOF）
    - 両大血管右室起始症
    - 総動脈幹症
  - 左→右
    - 心房中隔欠損症（ASD）P.160
    - 心室中隔欠損症（VSD）P.162
    - 房室中隔欠損症（AVSD）
    - 心内膜床欠損症（ECD）
    - 動脈管開存症（PDA）
    - 大動脈中隔欠損症
    - バルサルバ洞動脈瘤破裂
    - 左室右房交通症
    - 冠動静脈瘻
- 短絡がない
  - 肺動脈弁狭窄症（PS）
  - 大動脈弁狭窄症（AS）
  - 大動脈縮窄症（CoA）
  など

チアノーゼ疾患 / **非チアノーゼ疾患**

チアノーゼは「右→左シャント」でしか生じません。なぜなら、右心系の動脈血が左心系の動脈血と混ざることにより、酸素量の少ない血液が体循環に流れ、チアノーゼが生じるためです

短絡（シャント）
短絡血流のこと。血流は圧の高いほうから低いほうに短絡する。短絡血流を受けた側では血流量が増加し、負担が増す。

ファロー四徴症
肺動脈狭窄、心室中隔欠損、大動脈騎乗、右室肥大の4つが起こる先天性心疾患。

房室中隔欠損症（AVSD）
心房と心室の中隔のつなぎ目が欠損し、肺から返った血液の一部が再び肺に戻る疾患。

動脈管開存症（PDA）
胎児の大動脈と肺動脈をつなぐ動脈管が、出生後も閉じない先天性心疾患。

肺動脈弁狭窄症（PS）
肺動脈の弁あるいはその前後が狭くなっている先天性疾患。

心房中隔欠損症（ASD）

ASD（atrial septal defect）

どんな疾患？

- 心房中隔とは、**右心房と左心房を区切る筋肉の壁**のことです。心房中隔欠損とは、この壁に欠損（あな）ができている状態です。
- 正常では、出生後に心房中隔が閉鎖します。心房中隔欠損症（ASD）は、中隔の発達が不十分な場合に生じるもので、欠損部位により、卵円孔開存型、一次孔型、二次孔型、静脈洞型、冠静脈洞型があります。
- 心房中隔欠損症は、先天性心疾患の約7％を占めます。

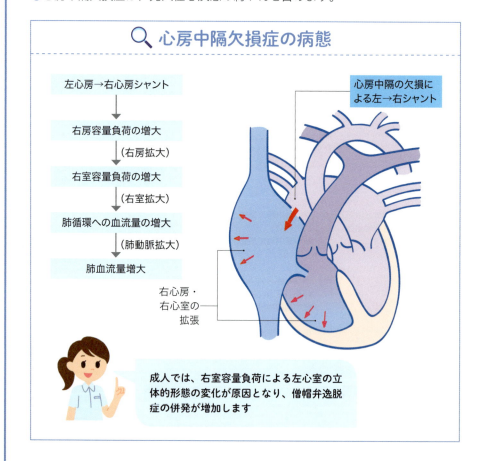

心房中隔欠損症の病態

左心房→右心房シャント
↓
右房容量負荷の増大
↓（右房拡大）
右室容量負荷の増大
↓（右室拡大）
肺循環への血流量の増大
↓（肺動脈拡大）
肺血流量増大

心房中隔の欠損による左→右シャント

右心房・右心室の拡張

成人では、右室容量負荷による左心室の立体的形態の変化が原因となり、僧帽弁逸脱症の併発が増加します

患者さんはどんな状態？

- 心房中隔欠損症の多くは、幼児期・小児期は無症状で経過します。思春期以降になり、労作時呼吸困難・易疲労性などの症状が出てくることがあります。

どんな検査をして診断する？

- 成人先天性心疾患の評価と管理に、心エコー検査は欠かせません。経胸壁心エコー法は断層法とドプラ法を用い、形態的診断、血行動態診断、心機能評価を行います。

表 **心房中隔欠損症に特徴的な検査所見**

聴診	●左第2・3肋間に駆出性の収縮期雑音 ●第Ⅱ音の固定分裂（左心房→右心房の血液が肺動脈弁を通過するときに発生する音）
心電図	●不完全右脚ブロック ●右軸変位
胸部X線検査	●右心房・右心室の拡大
心エコー	●欠損部の位置・大きさ、左心房→右心房へのシャント

どんな治療を行う？

- 外科的治療だけでなく、カテーテルによるASD閉鎖栓を用いた治療も行います。

表 **心房中隔欠損症のおもな治療法**

外科的治療	心房中隔欠損閉鎖術（アイゼンメンジャー症候群となると手術は禁忌）
カテーテル治療	経カテーテル的閉鎖術
右心不全	心不全治療に準ずる
不整脈の合併	抗不整脈薬
血栓症の予防	抗凝固薬

アイゼンメンジャー症候群
左→右シャントにより、肺血管抵抗が上昇して肺高血圧をきたし、右→左シャントが生じたもの。予後不良である。

Link 心不全の治療→P.184

Link 経皮的心房中隔欠損閉鎖術（ASO）→P.298

看護師は何に注意する？

- 心房細動がある場合、抗凝固療法を行うため、出血傾向に注意します。
- 咳・痰・喘鳴・労作時の呼吸困難感がないかを観察します。
- 食事は、原則として塩分制限が望ましいです。
- 外科的治療・心臓カテーテル治療を受ける患者さんへは、精神的サポートを欠かさないようにしましょう。
- 心房中隔欠損症は左→右短絡があり、肺静脈系と動脈系に交通があるため、脳梗塞（奇異性塞栓）になる危険性があります。そのため、**点滴を行う際は気泡の混入に注意**しましょう。
- 脳梗塞予防のためにも、深部静脈血栓症（DVT）への注意は必要です。

Link 深部静脈血栓症（DVT）→P.228

心室中隔欠損症（VSD）

VSD（ventricular septal defect）

どんな疾患？

- 心室中隔とは、**右心室と左心室を区切る筋肉の壁**のことです。心室中隔欠損とは、この壁に欠損（あな）ができている状態をいいます。
- 心室中隔は胎児の発達段階で、心室を左右の2つの部屋に分ける壁としてできてきますが、不十分だと欠損として残ってしまいます。
- 心室中隔欠損症（VSD）は、先天性心疾患の約20％を占め、最も多いです。

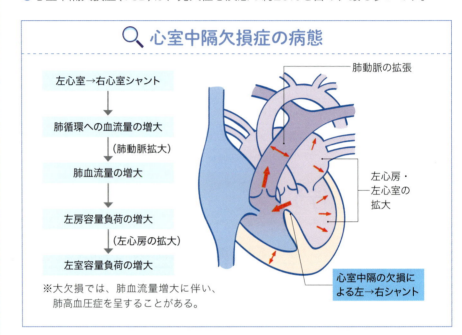

心室中隔欠損症の病態

左心室→右心室シャント
↓
肺循環への血流量の増大
（肺動脈拡大）
↓
肺血流量の増大
↓
左房容量負荷の増大
（左心房の拡大）
↓
左室容量負荷の増大

※大欠損では、肺血流量増大に伴い、肺高血圧症を呈することがある。

- 肺動脈の拡張
- 左心房・左心室の拡大
- 心室中隔の欠損による左→右シャント

患者さんはどんな状態？

- 心室中隔欠損の70〜75％が自然閉鎖するといわれており、多くは乳児期のうちに閉鎖し、2〜3歳以降、閉鎖率は極端に減少します。思春期以降の自然閉鎖率は6〜15％といわれています。

表 欠損孔による症状

小欠損	●自覚症状なし
中欠損	●自覚症状に乏しい ●中等度の肺高血圧を合併する場合は、大欠損と同様の心不全症状を呈する
大欠損	●乳児期早期から心不全症状を呈する ●乳児の心不全では多呼吸、呼吸障害、体重増加不良がみられる

どんな検査をして診断する?

- 非侵襲的な検査で診断することが可能ですが、臨床的評価で有意な負荷が認められれば、手術適応決定のために心臓カテーテル検査を行うこともあります。

表 心室中隔欠損症に特徴的な検査所見

小欠損	胸部X線検査	●所見なし
	心電図	●所見なし
	心エコー	●左室拡張末期径は正常 ●位置・大きさを診断
中欠損	聴診	●心尖部に低調の拡張期ランブルを聴取
	胸部X線検査	●肺血管陰影の増強や心拡大
	心電図	●左室肥大所見、両室肥大所見(肺高血圧合併)
	心エコー	●左室拡張末期径や肺動脈の血流速度は左右短絡量の指標
大欠損	聴診	●収縮期雑音は小さい ●胸骨左縁上部で亢進したⅡ音を聴取
	胸部X線検査	●中欠損よりも顕著
	心電図	●中欠損よりも顕著
	心エコー	●中欠損よりも顕著

拡張期ランブル
拡張期において心室急速充満期に生じる低調な雑音。ゴロゴロ・ガラガラと聴取される。輪転様雑音・遠雷様雑音とも呼ばれる。

どんな治療を行う?

- 肺高血圧を伴う心室中隔欠損の場合は、乳児期早期の外科治療が原則となります。

看護師は何に注意する?

- 外科治療の適応がない心室中隔欠損でも、患者さん・家族へは細菌性心内膜炎の予防の必要性を説明します。
- 気道感染を繰り返し起こしやすく、重症化しやすいため、感染予防に努めるよう説明します。

先天性心疾患（心房中隔欠損症、心室

発症から入院・診断

患者さんの症状

【ASD】
- 労作時呼吸困難
- 易疲労性

【VSD】
- 中欠損
  ▷ 中等度の肺高血圧を合併する場合は、大欠損と同様の心不全症状を呈する
- 大欠損
  ▷ 乳児期早期から心不全症状を呈する
  ▷ 乳児の心不全では多呼吸、呼吸障害、体重増加不良がみられる

検査

【ASD】
- 聴診
  ▷ 左第2・3肋間に駆出性の収縮期雑音
  ▷ 第Ⅱ音の固定分裂
- 心電図
  ▷ 不完全右脚ブロック、右軸変位
- 胸部X線
  ▷ 右心房・右心室の拡大
- 心エコー
  ▷ 欠損部の位置・大きさ、左心房→右心房へのシャント

【VSD】
- 胸部X線
- 心電図
- 心エコー

治療

看護

観察
- 心不全徴候の有無
  ▷ 浮腫、頸静脈怒張、呼吸困難など
- 体重
- 苦痛の有無

中隔欠損症)の看護の経過

入院直後	急性期	一般病棟	自宅療養(外来)に向けて
	●胸部X線 ●12誘導心電図 ●心エコー		
【ASD】 ●心房中隔欠損閉鎖術(アイゼンメンジャー症候群となると手術は禁忌) ●経カテーテル的閉鎖術 ●右心不全に対する治療 ●不整脈の合併に対する治療 　▷抗不整脈薬の投与 ●血栓症予防 　▷抗凝固薬の投与 【VSD】 ●肺高血圧を伴う心室中隔欠損の場合は、乳児期早期の外科治療が原則	●内服コントロール		
【ASD】 **観察** ●気泡混入のない確実なルート管理 ●抗凝固療法を行う場合、出血傾向 ●咳・痰・喘鳴・労作時の呼吸困難感 **ケア** ●精神的ケア ●食事は塩分制限とする 【VSD】 **観察** ●不整脈症状の有無 **ケア** ●感染予防	**観察** ●手術をした場合は術後の観察 ●VSD：不整脈症状の有無 **ケア** ●手術をした場合は術後のケア	**観察** ●VSD：不整脈症状の有無	**ケア** ●退院指導 　▷活用できる社会資源の説明

心不全

▷ 疾患理解のポイント

「心不全」には個人差があります。
患者さんの既往歴、現病歴、生活状況、
危険因子などの背景を焦らず時系列に整理し、
「心不全」になったプロセス(過程)を1つのストーリーにすると理解しやすいでしょう。

▷ 治療のポイント

心不全の治療法はさまざまです。
方向性が正反対の治療も混在し、とても難しいです。
患者さんの症状や心不全のステージ、合併症により治療法が決まるため、
「この患者さんの場合はどうだろう」と前置きをして考えましょう。

▷ 看護のポイント

心不全の患者さんの多くは予定入院ではなく、
症状を自覚し、緊急入院します。
心不全のステージに合わせた対応を把握しておきましょう。

心不全とは、**身体が必要とする酸素や栄養を含んだ血液を送り出せない状態**をいいます。心不全では、①心臓のポンプ機能が低下、②心拍出量が低下し心臓内に血液がうっ滞、③身体から返ってくる血液の受け入れが困難となり、心拍出量がさらに低下します。ほとんどの**心疾患**で心不全に至る可能性があります。原因疾患により、心機能に異常をきたします。

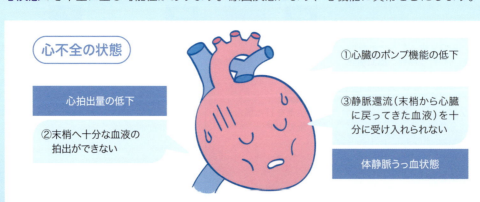

心不全の状態
- 心拍出量の低下
- ②末梢へ十分な血液の拍出ができない
- ①心臓のポンプ機能の低下
- ③静脈還流(末梢から心臓に戻ってきた血液)を十分に受け入れられない
- 体静脈うっ血状態

疾患理解に重要な代償機転のしくみ

心不全のとき心臓では何が起こっているの?

- 正常な心臓は、体が要求した分の血液(酸素・栄養)を全身へ送り出す力をもち、ポンプのような役割を果たしています。
- 心不全によって心臓のはたらきが衰えると、**心臓自体に血液が滞る** ⇒ **心拍出量の減少** ⇒ **臓器の血流・酸素不足** ⇒ **息切れ、尿の減少、むくみ(浮腫)、手足が冷たくなる**などの症状が出ます。
- これらの症状に対し、心臓が何とか血液を送り出そうとする調節機能を、**代償機転**といいます。代償機転は**心臓内**と**心臓外**で起こります。
- 心不全でも代償機転により、それなりに安定している状態を**代償性心不全(慢性心不全)**といいます。

Link 心臓のポンプ機能 ➡P.40

心臓内の代償機転って何?

- 「心拡大」「心肥大」といった心臓の形・壁厚の変化を、**心臓リモデリング(再構築)**といいます。
- 心臓リモデリングは、心不全の代償機転の長期化や、疾患(心筋梗塞、高血圧)による心負荷で心臓の収縮力・拡張力の低下、心臓筋肉の線維化によって起こります。
- 心拡大は**遠心性肥大**といい、血液量の増加によって**心臓の内腔、外腔ともに拡大**する状態です(Frank-Starlingの法則)。
- 心肥大は**求心性肥大**といい、心拍出時に過剰に圧力がかかる心負荷(高血圧、心臓弁膜症)によって心筋細胞が肥大し、**心臓の内腔は縮小し、外腔は拡大**する状態をいいます(Laplaceの法則)。
- 心臓リモデリングの抑制は、予後改善につながります。

Link Frank-Starlingの法則➡P.41

🔍 心臓内の代償機転のしくみ

心拡大
(容量負荷の持続で起こる)

▷心臓の内側を血液で充満させ、その反動(張力)で心臓を収縮させる(Frank-Starlingの法則)

心肥大
(圧負荷の持続で起こる)

▷心臓の壁を肥大(心筋を増やす)させ、心筋単位あたりにかかる負荷を軽減させる(Laplaceの法則)

心臓外の代償機転って何?

Link 液性調節→P.44

●心臓外の代償機転では、心拍出量減少に伴い、神経液性因子のはたらきが活性化され、心臓に作用し、**心拍出量を増加**させます。

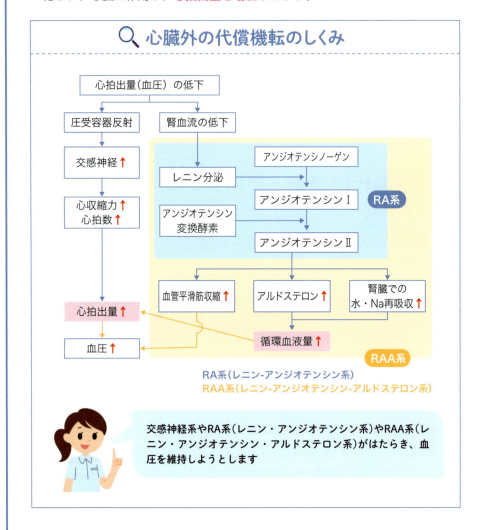

代償機転の破綻(非代償性心不全)

- 代償機転の状態が持続することは、心臓の負担となり、心不全の増悪へつながります。

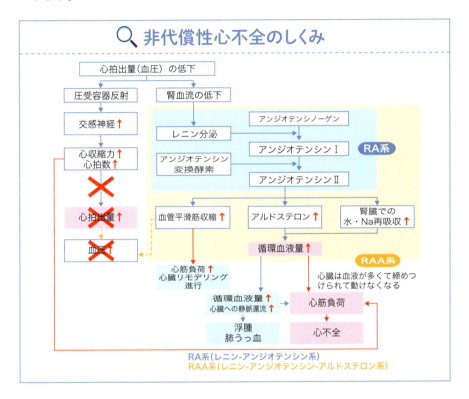

心臓リモデリングによる心不全への移行

- 心筋梗塞後や高血圧によって心臓へ負担がかかると、心筋は肥大・拡張します。肥大・拡張した心筋は、酸素消費量の増加と心臓収縮力・拡張力が低下し、心不全へ移行します。心臓の形、壁厚の変化を**リモデリング**(**再構築**)といいます。

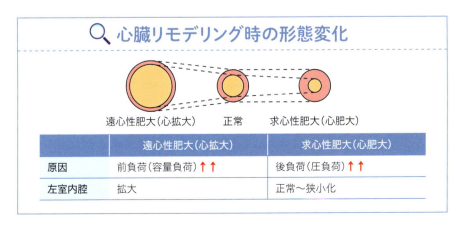

	遠心性肥大(心拡大)	求心性肥大(心肥大)
原因	前負荷(容量負荷)↑↑	後負荷(圧負荷)↑↑
左室内腔	拡大	正常〜狭小化

心不全の原因と分類

心不全の原因

- ほとんどの**心疾患**で心不全に至る可能性があります。
- 原因疾患により、心機能に異常をきたします。

表 **心不全の原因疾患**

多くを占める疾患	●虚血性心疾患(心筋梗塞、狭心症) ●高血圧 ●心臓弁膜症 ●心筋症 ●不整脈
その他の心疾患	●心筋炎 ●先天性心疾患 ●心タンポナーデ ●収縮性心膜炎
肺が原因の疾患	●原発性肺高血圧症 ●肺塞栓症 ●慢性閉塞性肺疾患(COPD)
その他の疾患など	●糖尿病　　●重症貧血 ●膠原病　　●甲状腺機能亢進症 ●アルコール中毒　●感染性心内膜炎 ●薬剤　　●中枢神経系疾患 ●腎不全

表 **悪化させる因子**

- ●心不全治療薬の服用中止・飲み忘れ
- ●外科手術の侵襲
- ●生活、食事などの不摂生
- ●風邪、気道感染、肺炎などの合併
- ●基礎心疾患の増悪
- ●治療薬の過剰投与
- ●不整脈(徐脈もしくは頻脈)

心不全を悪化させないためにも、日常生活の過ごし方が大切です。患者さんの日常生活支援には、看護師の介入が必要です。一方的な指導ではなく、患者さんの普段の生活を把握し、その患者さんに適した介入を行う看護の力が大切になります

心不全の分類

- 心不全は、発症の進行度・心機能・症状により、さまざまな心不全に分けられます。

表 **おもな心不全の分類**

進行度による分類	低下する心機能による分類	症状による分類
●急性心不全 ●慢性心不全	●収縮不全 ●拡張不全	●左心不全 ●右心不全 ●両心不全

急性心不全・慢性心不全

急性心不全ってどんな状態?

- 心筋梗塞などで**代償機転を上回る、急激に心臓ポンプ機能が低下**した状態です。
- 血行動態が急激に悪化をきたす状態で、急速な心臓ポンプ機能低下と代償機転の破綻が生じ、重症例では**心停止**や**心原性ショック**に至る状態になります。心原性ショックが考えられる場合、**ショックの5P**を参考に、すみやかに対応しましょう。
- 急性心不全は、心筋梗塞などの疾患を契機に新規に発症したり、慢性心不全の急性増悪が考えられます。

Link 代償機転➡P.167

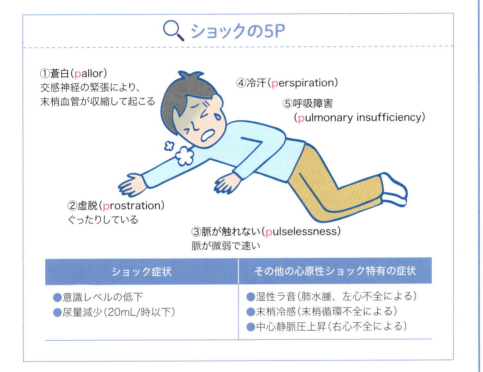

🔍 ショックの5P

① 蒼白（**p**allor）
交感神経の緊張により、末梢血管が収縮して起こる

② 虚脱（**p**rostration）
ぐったりしている

③ 脈が触れない（**p**ulselessness）
脈が微弱で速い

④ 冷汗（**p**erspiration）

⑤ 呼吸障害（**p**ulmonary insufficiency）

ショック症状	その他の心原性ショック特有の症状
●意識レベルの低下 ●尿量減少（20mL/時以下）	●湿性ラ音（肺水腫、左心不全による） ●末梢冷感（末梢循環不全による） ●中心静脈圧上昇（右心不全による）

慢性心不全ってどんな状態?

- 慢性疾患（高血圧、虚血性心疾患、心臓弁膜症など）による慢性的な心筋障害により、徐々に心臓に負担がかかった病態です。
- 血行動態の悪化が徐々に進行する状態で、代償機転が長期間はたらき、心機能低下がゆっくり生じる状態です。この期間が持続したあと破綻し、臓器の需要酸素量に見合う血液量を拍出できなくなった状態が慢性心不全の急性増悪です。
- 急性増悪すると、**うっ血症状**が出現し、日常生活に支障をきたします。

収縮不全・拡張不全

収縮不全ってどんな状態？

● 心筋障害（心筋梗塞などの要因）により、心臓筋肉の収縮力が低下した状態や、または心臓弁膜症によって十分に拍出できない状態です。

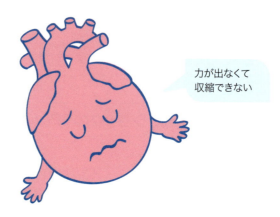

力が出なくて収縮できない

拡張不全ってどんな状態？

● 心筋障害による心室の壁弾性の増大や心室壁の弛緩能の低下、心室外の拘束（気胸、心タンポナーデ）が生じ、心臓が拡張しにくい状態です。

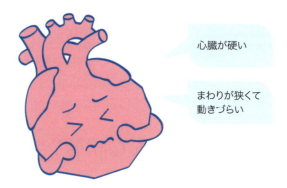

心臓が硬い

まわりが狭くて動きづらい

いろいろな心不全の名前があり、実際の患者さんはどの心不全なんだろうと悩むこともあると思います。心不全は「診断名」ではなく「病態（状態）」をさします。入院時の身体所見、自覚症状、各検査、既往歴・入院前の生活状況の確認を行い、「□□（疾患名）からくる○○心不全（の状態）」と考えれば、わかりやすいと思います。どれか1つの状態の心不全のときもあれば、複数の状態の心不全が存在する場合もあります

左心不全・右心不全・両心不全

左心不全ってどんな状態？

- 心拍出量の低下により、**肺循環（左心系）が障害**された状態です。
- 左心系の障害から心拍出量の低下が起こり、肺障害が起こります。

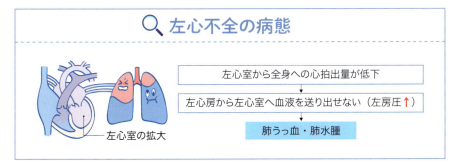

左心不全の病態
- 左心室の拡大
- 左心室から全身への心拍出量が低下
- 左心房から左心室へ血液を送り出せない（左房圧↑）
- 肺うっ血・肺水腫

右心不全ってどんな状態？

- 右心室の収縮力の低下により、**体循環（右心系）が障害**された状態です。
- 体循環がうっ滞することにより、浮腫や肝腫大などの症状が出ます。

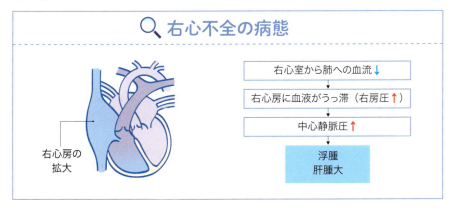

右心不全の病態
- 右心房の拡大
- 右心室から肺への血流↓
- 右心房に血液がうっ滞（右房圧↑）
- 中心静脈圧↑
- 浮腫・肝腫大

両心不全ってどんな状態？

- 両心不全は左心不全が続くと、肺うっ血に伴う肺高血圧が右心室への負荷となり、右心不全も併発して結果的に両心室で心不全が起こっている状態です。
- 右心不全は、左心不全に併発して発症することが多いです。しかし、肺の疾患（肺高血圧、肺塞栓）、肺動脈弁疾患、右室梗塞では右心不全が単独で起こります。

両心不全の病態
左心不全発症 → 肺動脈内の血液うっ滞 → 肺高血圧の合併 → 右心不全併発（両心不全）

心不全の症状

患者さんはどんな状態？

●心不全の代表的な症状は、息切れ、呼吸困難、むくみです。

左心不全の症状

●左心不全では、①肺うっ血に伴う呼吸器症状、②低心拍出量に伴う症状が主になります。
●おもに急性心不全で現れます。

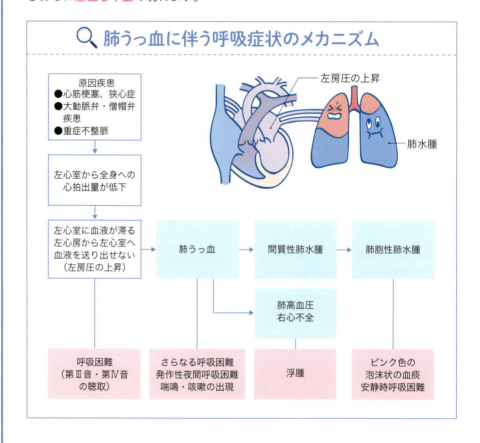

肺うっ血に伴う呼吸症状のメカニズム

低心拍出量に伴う症状のメカニズム

```
原因疾患
●心筋梗塞、狭心症
●大動脈弁・僧帽弁疾患
●重症不整脈
    ↓
左心室から全身への心拍出量が低下
    ↓
┌─────────────┬─────────────┐
交感神経系の      RAA系の亢進 → 代償機転の破綻 → さらなる心拍出量の低下 → 循環血液量の減少（脳、脊髄）
緊張亢進
    ↓              ↓                                                        ↓
  頻脈         末梢血管抵抗                                            心原性ショック
                 の上昇                                                 血圧低下
                 血圧上昇                                               尿量減少
    ↓              ↓                                                    （20mL/時以下）
  動悸          末梢冷感                                                意識レベルの低下
  倦怠感        チアノーゼ
  疲労感        冷汗
```

発作性夜間呼吸困難と起座呼吸

- 左心不全で特に注意したい症状に、**発作性夜間呼吸困難**と**起座呼吸**があります。
- 発作性夜間呼吸困難は、就寝してから**2〜3時間後**に症状が出てきます。
- 起座呼吸は、臥位で呼吸困難が生じたときに、座位になると**しばらくして**症状が軽減することです。
- 起座呼吸のほうが発作性夜間呼吸困難よりも早く症状が出るため、重症です。

発作性夜間呼吸困難が生じるしくみ

臥床すると体の血液が心臓に戻りやすくなる → 心不全の心臓ではその血液に対応できない → 肺に血液が滞る → 呼吸困難

右心不全の症状

●右心不全では、①**静脈系のうっ滞による症状**（慢性心不全でよくみられる）、②**呼吸困難**や**ショック症状**に至る場合、もあります。

🔍 静脈系うっ滞による症状のメカニズム

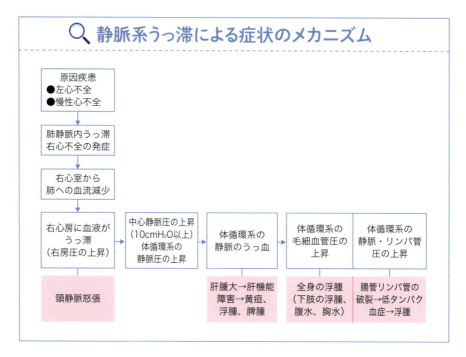

🔍 右心不全による呼吸困難、ショック症状のメカニズム

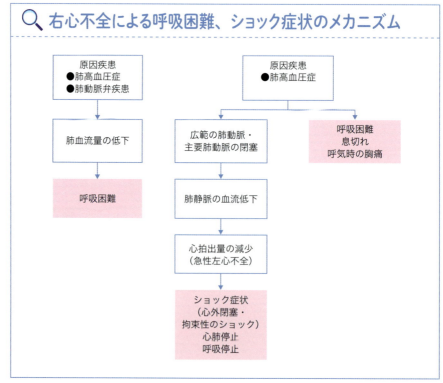

心不全の病期

心不全の病期分類

- 心不全は、治療でそのときの症状は改善しますが、基礎疾患、加齢、感染、自己管理の状況により、徐々に病態が進行します。
- まず、患者さんがどこのステージ(病期)なのかを把握することは、治療方針の決定や看護に必要です。
- 心不全は増悪と改善を繰り返しながらその病状は徐々に進み、最期は急激に悪化するため、終末期の判断は難しいといわれています。

Link 慢性心不全のステージに合わせた看護支援➡P.16

図 心不全とそのリスクと進展ステージ

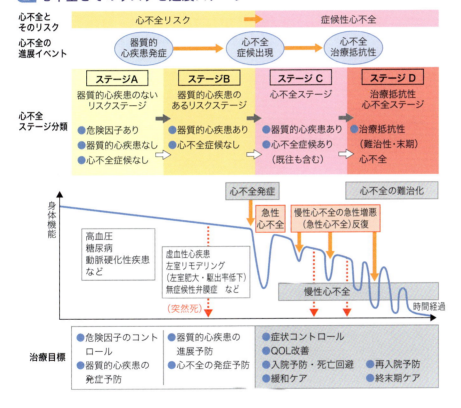

[引用]
1．厚生労働省第4回心血管疾患に係るワーキンググループ：心血管疾患の医療提供体制のイメージ．https://www.mhlw.go.jp/file/05-Shingikai-10901000-Kenkoukyoku-Soumuka/0000165484.pdf(2020.01.10アクセス)
2．日本循環器学会：急性・慢性心不全診療ガイドライン(2017年改訂版)．
http://www.j-circ.or.jp/guideline/pdf/JCS2017_tsutsui_h.pdf(2020年1月閲覧)

表 心不全ステージ分類とNYHA心機能分類の対比[1]

心不全ステージ分類	NYHA心機能分類
A 器質的心疾患のないリスクステージ	該当なし
B 器質的心疾患のあるリスクステージ	該当なし
C 心不全ステージ	Ⅰ 心疾患はあるが身体活動に制限はない。日常的な身体活動では著しい疲労、動悸、呼吸困難あるいは狭心痛を生じない
	Ⅱ 軽度ないし中等度の身体活動の制限がある。安静時には無症状。日常的な身体活動で疲労、動悸、呼吸困難あるいは狭心痛を生じる
	Ⅲ 高度な身体活動の制限がある。安静時には無症状。日常的な身体活動以下の労作で疲労、動悸、呼吸困難あるいは狭心痛を生じる
	Ⅳ 心疾患のためいかなる身体活動も制限される。心不全症状や狭心痛が安静時にも存在する。わずかな労作でこれらの症状は増悪する
D 治療抵抗性心不全ステージ	Ⅲ 高度な身体活動の制限がある。安静時には無症状。日常的な身体活動以下の労作で疲労、動悸、呼吸困難あるいは狭心痛を生じる
	Ⅳ 心疾患のためいかなる身体活動も制限される。心不全症状や狭心痛が安静時にも存在する。わずかな労作でこれらの症状は増悪する

表 NYHA心機能分類

Ⅰ	心疾患はあるが身体活動に制限はない。日常的な身体活動では著しい疲労、動悸、呼吸困難あるいは狭心痛を生じない
Ⅱ	軽度ないし中等度の身体活動の制限がある。安静時には無症状。日常的な身体活動で疲労、動悸、呼吸困難あるいは狭心痛を生じる
Ⅲ	高度な身体活動の制限がある。安静時には無症状。日常的な身体活動以下の労作で疲労、動悸、呼吸困難あるいは狭心痛を生じる
Ⅳ	心疾患のためいかなる身体活動も制限される。心不全症状や狭心痛が安静時にも存在する。わずかな労作でこれらの症状は増悪する

心不全が悪化すると、身体機能(心機能を含む)は治療しても悪化前の身体機能までは回復せず、徐々に低下します

心不全の検査

どんな検査をして診断する?

- 心不全では、**患者さんの心臓がどのような形をして、どのように機能しているか**を調べます。
- 検査時の状態と前回の状態を比較し、心臓のどの部分が悪化しているかを評価します。
- 継続して検査を行い、患者さんの経過をみて、退院に向けてリハビリテーション、薬剤調整、生活指導につなげます。

血液検査

- 血液検査では、脳性ナトリウム利尿ペプチドなどを調べます。
- 感染症が疑われる場合は、血液検査（白血球、CRP）、尿検査、培養検査（血液、尿、痰）を行います。感冒症状に引き続き心不全が発症した場合は心筋炎を疑うため、ウイルス抗体検査も行います。

Link 動脈血ガス分析 → P.275

表 心不全に特に関連した検査項目

項目	内容
心拍出量減少に伴う変動	● 心拍出量の減少とともに腎血流量が減少することで尿量が減少し、電解質やBUN、Crが**上昇**する
静脈うっ滞による肝機能の変動	● 右心不全で肝うっ滞が継続すると、肝障害を併発し、肝臓由来酵素が**上昇**する ● 肝障害が長期化すると、アルブミン（ALB）合成**低下**、凝固因子産生**低下**をきたす **図 肝機能の変動** 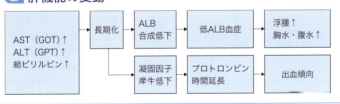
電解質の変動	● 利尿薬の作用（利尿効果）によって電解質（ナトリウム、カリウム）が変動する ● 重症心不全では、ナトリウム摂取制限、利尿の減少によって、体液が貯留し、**希釈性低ナトリウム血症**をきたす
BNP（脳性ナトリウム利尿ペプチド） ANP（心房ナトリウム利尿ペプチド）	● どちらも心臓に負荷がかかると分泌される利尿ホルモンである。BNPは心室、ANPは心房から分泌される ● 心房に比べ心室のほうが筋肉量が多いため、ホルモン分泌の変化が現れやすく、**心不全の診断**、**治療効果の判定**、**予後推定**に活用される
動脈血ガス分析	● 呼吸状態の評価、腎不全による代謝障害が起こっていないか確認する

BNPのめやす

- 40pg/mL以上：要観察
- 100pg/mL以上：心不全の治療の可能性がある
- 200pg/mL以上：心不全の可能性あり、専門医の治療が必要

胸部X線検査

- 心不全では**心拡大**を伴うことが多く、**心胸比**(CTR)で評価します。
- そのほかに心不全で重要な所見は、**肺うっ血**、**肺水腫**、**胸水**です。

表 心不全の特徴的な検査所見

心胸比(CTR)の求め方	肺うっ血
●心胸比＝**B(心臓の幅)**÷**A(胸郭の幅)** ●正常値：50％以下(座位・立位)、60％以下(仰臥位) **注意** 前回のX線写真と比較してどれくらい変化しているか観察する	●左心不全で肺静脈圧が上昇すると生じる（肺野部）

肺水腫	胸水
●肺小葉間隔壁の浮腫による肥厚が線状陰影としてみえる 【間質性浮腫】 ①Kerley's A line ②Kerley's B line(よくみられる) ③Kerley's C line ④気管支周囲浮腫 ●さらに左心不全が進行したとき、急性心不全時に肺水腫になる ●肺門から扇状に広がる陰影がみえる。蝶様の羽(butterfly shadow)という(⑤)	●右心不全による静脈圧の上昇、左心不全による肺静脈圧の上昇による露出性胸水 ●座位のほうが胸水がより下方に貯留するため、胸水が見やすい ●C-P angle(肋骨横隔膜角鈍化)がみられる

心エコー・ドプラ法検査

- 心不全の診断・治療において、心エコー検査は最も重要です。急性期にベッドサイドですみやかに実施できる検査です。患者さんへの負担が少なく、迅速、経時的に計測・評価できます。
- 心エコー検査では、①**心機能評価**、②**血行動態(ポンプ機能)の異常の評価**、③**原因疾患の検索**を行うことができます。

Link 心エコー検査 ➡ P.257

心機能・構造評価

- LVEF(左室駆出率)は左室収縮率を表し、心機能の指標として最も使用されます。
- LVEF(%)は、以下の計算式で求められます。

LVEF(%) = 1回拍出量(SV)÷左室拡張末期容積(LVEDV)

- 1回拍出量(SV)は、「左室拡張末期容積−左室収縮末期容積(LVESV)」で求められます。大動脈弁閉鎖不全や僧帽弁閉鎖不全のSVには、有効な前方拍出量に加え、逆流量も含まれるため、LVEFは過大評価されます。
- %FS(左室内短縮率)は、LVEFとともに左心機能評価の指標になります。

%FS = (LVDd[左室拡張末期経] − LVDs[左室収縮末期経])/LVDd×100(%)

- 心不全の経過、治療経過の評価にLVEF、%FS、LVDdがよく用いられます。
- 心室中隔壁厚/左室後壁厚が1.3以上を、非対称性(いびつな)中隔肥大(ASH)といいます。

Link 求心性肥大 ➡ P.169

Link 遠心性肥大 ➡ P.169

LVEFによる分類

- 心不全の分類では、LVEFによるものも多用されています。

表 LVEFによる心不全分類 [1,2]

定義	LVEF	説明
LVFEの低下した心不全（HFrEF）	40%未満	収縮不全が主体。標準的な治療下でのLVEFが低下している心不全
LVEFの保たれた心不全（HFpEF）	50%以上	拡張不全が主体。収縮能は問題ないが心不全の症状がある。心不全と同様の症状がある他疾患の除外が必要
LVEFが軽度低下した心不全（HFmrEF）	40%以上 50%未満	境界型心不全、境界型HFpEFと呼ぶ
LVEFが改善した心不全（HFpEF improved, HFrecEF）	40%以上	LVFEが40%未満だった患者さんが治療経過で改善した心不全

＊HFrEFを「ヘフレフ」、HFpEFを「ヘフペフ」という場合もある。

拡張機能の評価

- 拡張機能は、左心室に流れ込む血液の波形(左室流入血流速度波形)のパターンで評価します。拡張機能を評価することで**心臓の拡張しやすさ(ふくらみやすさ)**を評価します。心臓の硬さの指標になります。

表 拡張障害の重症度分類

	基準値	軽度	中等度	重度
E波とA波の比	1.0～2.0	<1.0	1.0～2.0	≧2.0
DT(msec)	150～250	>250	150～250	<150

※重度になるほど心臓がふくらみづらい。

E波 拡張早期波

A波 心房収縮期波

DT 減速時間 (deceleration time)

循環血液量の評価

- 下大静脈(IVC)径は、中心静脈圧、右心系をおおまかに推定でき、循環血液量の評価となります。

表 下大静脈径の基準値

	基準値	循環血液量増加 心拍出量低下 右心系うっ滞	循環血液量の減少(出血、脱水)
下大静脈径	10～20mm	21mm以上	●10mm以下 ●虚脱して測定できない
呼吸性変動	50%以上変動	消失または低下	50%以上変動

Link たこつぼ心筋症→ P.154

壁運動の評価

- 左心室は、収縮期に心臓の壁を厚く(**壁厚増加**)して均等に内側へ向かって収縮運動(**壁運動**)を行います。この壁運動を見ることで、たこつぼ心筋症、心筋炎、虚血部位など心不全の原因検索もできます。

その他原因疾患の検索

- 心エコーでは画像診断、ドプラ機能を用いて虚血性心疾患、心臓弁膜症、高血圧性心疾患、心筋症、心内膜炎など心不全の原因の検索と重症度評価を行います。
- また心エコーでは、弁尖または心膜に付着した可動性腫瘤、疣贅、弁周囲膿瘍、血栓をみつけることができます。

心不全の患者さんにとって、心エコー検査の姿勢は苦痛を伴う場合があります。検査中の患者さんの状況、バイタルサインの変化に注意が必要です。特に、**仰臥位での検査時**や**呼吸困難の出現**には注意しましょう

その他の検査

心電図検査

- 12誘導心電図のほかに、継続的にモニター心電図を装着し、不整脈や徐脈・頻脈の発生状況を確認します。
- 仰臥位での検査が困難な場合は、ファーラー位など患者さんに安楽な体位ですみやかに行います。

表 心不全の特徴的な心電図所見

ST-T変化	●虚血性変化 ●心肥大
QRS幅増大 脚ブロック	●刺激伝導系障害
発作性上室頻拍 頻脈性心房細動	●心不全の原因

心臓カテーテル検査

- 心臓カテーテル検査は侵襲的であり、合併症を伴うので、心不全症状が落ち着き、**仰臥位での検査が可能**になってから実施することが多いです。
- 冠動脈造影、左室造影、心内圧測定に加え、必要時、心筋生検を行います。
- スワンガンツカテーテルを挿入し、右房圧(RAP)、肺動脈圧(PAP)、肺動脈楔入圧(PAWP)、心係数(CI)、心拍出量(CO)、混合静脈血酸素飽和度(SvO₂)を測定します。

Link 右房圧(RAP)➡P.267

Link 肺動脈圧(PAP)➡P.267

Link 肺動脈楔入圧(PAWP)➡P.267

Link 心係数(CI)➡P.269

Link 心拍出量(CO)➡P.269

Link 混合静脈血酸素飽和度(SvO₂)➡P.270

核医学検査

- 核医学検査は心エコー検査よりも客観性にすぐれています。

表 心不全の核医学検査での検査内容

心機能評価	●左室駆出率：LVEF算出 ●左室拡張機能評価 ●交感神経の分布評価
冠動脈疾患の評価	●心筋内部の虚血・非虚血部分の評価

心肺運動負荷検査(CPX)

- 最大酸素摂取量(peak oxygen uptake：peak $\dot{V}O_2$)が有用とされています。
- エルゴメーターまたはトレッドミルを用いて測定します。
- 検査結果をもとに心臓リハビリテーションが処方されます。

CPX(cardiopulmonary exercise testing)

検査結果は異常の有無だけでなく、前回の結果(入院前の結果含む)と比較します。検査結果の経過、患者さんの状態から「患者さんにとってベストの状態(退院できる状態)」がどこなのかを検討しながら治療を行います。患者さんのバイタルサインの変化・体重・尿量などの経過と検査結果の変化をみることも重要です

心不全の治療

心不全治療の基本

- 心不全治療の基本は、①**心不全自体の治療**、②**心不全に影響のある疾患（原因疾患・併存疾患）の治療**の2本柱で行います。

心不全自体の治療

- 心不全自体の治療は、ステージごとに目標を立てて行います（P.177「心不全とそのリスクと進展ステージ」参照）。
- ステージA・Bは予防的治療が中心です。
- 多くの場合は、ステージCの状態で急性増悪と改善を繰り返し、ステージDへと進みます。

図 心不全のステージC・Dの治療内容

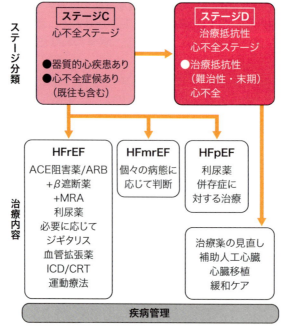

日本循環器学会：急性・慢性心不全診療ガイドライン（2017年改訂版）．http://www.j-circ.or.jp/guideline/pdf/JCS2017_tsutsui_h.pdf（2020年1月閲覧）より転載

心不全に影響のある疾患の治療

- 心不全は疾患名ではなく、症候群です。「心不全に影響のある疾患」とは、原因疾患でもあり、心不全によって併発した併存疾患でもあります。
- 心不全に影響のあるおもな疾患の病態と治療法を整理しておきましょう。

表　心不全に影響のある疾患とその治療

	疾患	治療
心房細動	●心臓弁膜症、心筋梗塞後、心臓手術後、高血圧による左室肥大で起こり、心不全で最も多く併発する疾患 ●心房細動の持続は血行動態を不安定にさせ、血栓発症のリスクがある ●脈拍が上昇し、心臓リモデリングや心収縮の低下などが生じる	●心拍を整え心拍出量を確保し(①②)、血栓を予防(③)する ①心拍数調節療法(レートコントロール) ▷頻脈性：薬物治療(β遮断薬、ジギタリス、カルシウム拮抗薬) ▷徐脈性：ペースメーカ ②洞調律維持療法(リズムコントロール)：除細動、アミオダロン投与、カテーテルアブレーション ③血栓予防：抗凝固療法
心筋梗塞	●心筋梗塞による急性ポンプ失調	●心筋梗塞の治療：PCI ●ポンプ失調の治療：カテコラミン、補助循環
心臓弁膜症	●僧帽弁閉鎖不全：虚血心筋による弁輪の拡大、僧帽弁からの血液の逆流により、血液が十分に拍出されない状態など ●三尖弁閉鎖不全：左心不全、肺高血圧による右室負荷 ●大動脈弁閉鎖不全：加齢(心疾患既往あり)	●手術療法 ●薬物療法
高血圧	●心不全の重要な危険因子 ●後負荷→左室肥大になる ●多くが生活習慣、加齢などが関与して発症する	●薬物治療：降圧薬、利尿薬、β遮断薬、ACE阻害薬
糖尿病	●高血糖により、高血圧、虚血性心疾患、腎不全を併発させる ●動脈硬化のリスク	●血糖コントロール(目標値はHbA1c 7％) ●食事療法 ●運動療法
腎不全	●腎機能低下よる体液貯留が生じる	●薬物治療：利尿薬、ACE阻害薬、ARB ●血液浄化療法：血液透析
慢性閉塞性肺疾患(COPD)	●長期間の低酸素血症→広範囲で低酸素性肺血管収縮→肺血管抵抗の増加→肺高血圧→肺性心(右心不全) ●細菌感染(肺炎)を契機に呼吸不全となり、心・呼吸仕事量の増加から心不全増悪になることが多い	●細菌感染→抗菌薬 ●呼吸障害→酸素療法(NPPV)、薬物治療(慎重にβ遮断薬、ACE阻害薬、ARB)
貧血	●体液貯留→血液希釈 ●腎機能障害→エリスロポエチン生成低下 ●組織への酸素運搬維持のため心拍出量、心拍数を増加させる→心負荷→心不全	●薬物治療：鉄剤投与 ●輸血：過度の貧血がある場合
睡眠呼吸障害	●主病態は睡眠時無呼吸(無呼吸10秒以上)、心不全に合併する場合はチェーンストークス呼吸となることが多い ●高血圧と関連して心不全のリスクとなる	●酸素療法：経鼻持続陽圧呼吸療法(CPAP) ●原因・増悪因子：おもに生活習慣の改善、肥満の治療

Link 心筋梗塞(MI)➡P.73

Link 心臓弁膜症➡P.108

Link 高血圧症➡P.54

Link 利尿薬➡P.63

Link アンジオテンシン変換酵素(ACE)阻害薬➡P.63

Link アンジオテンシンⅡ受容体拮抗薬(ARB)➡P.63

Link 睡眠時無呼吸症候群(SAS)➡P.238

心不全の多くは急性心不全状態からはじまる

- 実際に心不全で入院となる患者さんは、どのような様子でしょうか。息苦しい、ゼイゼイした呼吸をしている、手足が冷たい、チアノーゼがあるなど循環・呼吸に関連した症状があり、とても苦しい状態(急性心不全状態)です。
- 心不全で入院が必要となる患者さんの多くは、どの病期にあっても急性心不全症状があります。

急性心不全の初期対応

- 急性心不全では複雑な病態を考えるより、まず、血圧を参考として病態を分類し、初期対応をします。急性心不全の初期対応に**クリニカルシナリオ分類**があり、この分類によって早期治療を開始して、その後、病態を把握します。
- 循環の改善・維持と十分な酸素化が、予後の改善につながります。

表 急性心不全の初期対応におけるクリニカルシナリオ(CS)分類とおもな治療

分類	CS1	CS2	CS3	CS4	CS5
主病態	肺水腫	●全身浮腫 ●肺水腫は軽度(全身的体液貯留)	●低灌流(低心拍出) ●心原性ショック	急性冠症候群	右心機能不全
収縮期血圧	>140mmHg	100〜140mmHg	<100mmHg	―	―
特徴	●急激に発症する ●血管性要因が関与 ●全身浮腫は軽度 ●体液量は正常または低下している場合もある	●徐々に発症、体重増加を伴う ●臓器障害(低アルブミン血症、貧血)	●急激または徐々に発症 ●浮腫、肺水腫は軽度 ●低血圧/ショックの有無により、2つの病型がある	●急性心不全の症状の特徴 ●トロポニン単独の上昇ではCS4に分類しない	●急激または徐々に発症 ●肺水腫はない ●右室機能障害 ●全身的静脈うっ血徴候
治療	●血管拡張薬 ●利尿薬(体液過剰の時のみ) ●NPPV	●血管拡張薬 ●利尿薬、カルペリチド(ハンプ)	●体液貯留のない場合は容量負荷(補液) ●強心薬で改善しない→血行動態評価 ●低血圧・低灌流が持続→血管収縮薬 ●心原性ショック→薬物治療+補助循環	●ACS(急性冠症候群)管理を行う	●原因疾患(肺梗塞、右室梗塞)の治療

Mebazaa A, Gheorghiade M, Piña IL, et al. Practical recommendations for prehospital and early inhospital management of patients presenting with acute heart failure syndromes. *Crit Care Med* 2008; 36: S129-S139.

初期対応の後は病態把握〜治療へ

- 初期治療後の病態把握には、心不全の重症度分類であるNohria-Stevenson分類（ノーリアスティーブンソン）を使用し、治療方法を検討します。

Nohria-Stevenson分類

- スワンガンツカテーテルで測定するForrester分類（フォレスター）に準ずる分類で、触診（低灌流所見：末梢循環）と聴診（うっ血所見：呼吸音）、視診で評価するので、心不全の患者さんのリスクプロファイルにすぐれています。

図 Nohria-Stevenson 分類と治療方針

		うっ血所見	
		なし（dry）	あり（wet）
低灌流所見	なし（warm）	**dry-warm** うっ血なし 低灌流所見なし 経口心不全薬の調整	**wet-warm** うっ血あり血圧上昇型 血管拡張薬±利尿薬 うっ血あり血圧維持型 利尿薬＋血管拡張薬 利尿薬抵抗性は限外濾過（血液浄化治療）
	あり（cold）	**dry-cold** うっ血なし 低灌流所見あり 輸液 循環不全が遷延すれば強心薬	**wet-cold** うっ血あり低灌流所見あり 血管拡張薬±強心薬 血圧低下あり 強心薬（血管収縮薬） 血圧維持後に利尿薬 補助循環

※赤字は標準治療。

低灌流所見
- 小さい脈圧
- 四肢冷感
- 傾眠傾向
- 低ナトリウム血症
- 腎機能の悪化

うっ血所見
- 起座呼吸
- 頸静脈圧の上昇
- 浮腫
- 腹水
- 肝頸静脈の逆流

Forrester分類

- スワンガンツカテーテルを挿入し、心係数（CI）・肺動脈楔入圧（PAWP）を測定して評価します。病型が進行するにつれ、死亡率が上昇します。
- 末梢循環の維持にはCI 2.2 L/分/m^{2}が必要です。
- 肺うっ血は、PAWP 18mmHg以上で発症します。

	L/分/m^2	
心係数（CI）	**Subset I** ●末梢循環不全（−） ●肺うっ血（−） 死亡率3％	**Subset II** ●末梢循環不全（−） ●肺うっ血（＋） 死亡率9％
2.2	**Subset III** ●末梢循環不全（＋） ●肺うっ血（−） 死亡率23％	**Subset IV** ●末梢循環不全（＋） ●肺うっ血（＋） 死亡率51％
0		18　　mmHg

肺動脈楔入圧（PAWP）

初期対応から治療決定まで

- 急性心不全では急速に心原性ショックや心肺停止に移行する可能性があり、逼迫した状態といえます。そのため、臨床ガイダンスを参考に作成したフローチャートをもとに早期に治療を開始し、循環動態と呼吸状態の安定化を図る必要があります。

図 急性心不全に対する初期対応から急性期対応のフローチャート

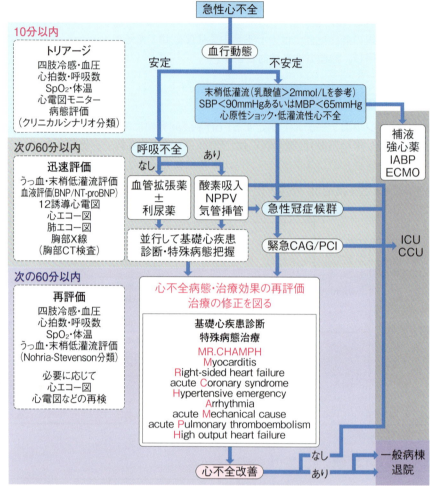

日本循環器学会：急性・慢性心不全診療ガイドライン（2017年改訂版）．
http://www.j-circ.or.jp/guideline/pdf/JCS2017_tsutsui_h.pdf（2020年1月閲覧）より転載

- 病院到着時に心肺停止状態である場合は、すみやかに二次救命処置（ACLS）を行います。
- 最初の10分以内で「トリアージ」の項目を中心に状態を把握し、心原性ショックの有無、呼吸不全の有無を見きわめます。強心薬に反応しないショック状態や血行動態が不安定な場合、重症呼吸不全が改善しない場合は、ICU/CCUへの入院、補助循環（IABP、PCPS）サポートを行います。
- 急性冠症候群、急性肺血栓塞栓症はそれぞれの診断がつき次第、その疾患の治療をすみやかに開始します（心不全に対する急性期フローチャート除外）。
- 次の60分以内では各種検査、病歴（心不全治療歴、既往歴、安定期のバイタルサイン、心機能）の把握、各種結果を評価し、治療を継続します。
- 心原性ショックでは動脈血ガス分析を行い、$SpO_2<90\%$またはPaO$_2$（動脈血酸素分圧）＜60mmHgの患者さんに対しては、酸素療法を行います。酸素投与後も呼吸困難の継続、$SpO_2<90\%$、呼吸数＞25回/分の場合は陽圧呼吸（NPPV）を開始し、それでも改善しない場合は気管挿管が推奨されています。
- 血行動態、呼吸状態の安定している心不全の場合は、血管拡張薬、利尿薬の投与を行います。
- 次の60分以内では初期治療の再評価を行い、治療の修正を図ります。
- 心不全が改善しない場合は、ICU/CCUへの入院、改善した場合は一般病棟への入院または帰宅となります。

Link 急性冠症候群（ACS）→P.68

急性期治療（集中治療室での治療）

- ICU／CCU入室後、心不全症状、体重変化を含むうっ血評価、体液バランス、病態の変化と各検査（血液検査［動脈血ガス分析］、X線撮影、心エコー）から治療効果を再評価しながら治療を進めます。
- モニタリング（心電図、動脈圧モニター、心機能モニター）を継続し、心不全の悪化に注意します。
- 安静度は、心不全症状、循環動態の変動、各検査データを評価しながら段階的に上げます。

急性心不全治療〜慢性期治療

- 状態が安定し、ICU/CCUから一般病棟へ転棟した後も、原因疾患の治療を行います。急性期から慢性期にかけての目標の治療を継続します。

表 急性心不全患者の慢性期に向けての治療

①心不全の原因と合併疾患の診断と治療
②心不全徴候および心機能改善を目的とした加療（利尿薬あるいは血管拡張薬など）
③HFrEF患者に対しては、RAA系抑制薬とβ遮断薬を開始し、目標用量に向けて増量。HFpEF患者に対しては、標準的薬物療法は確立されておらず、高血圧などのリスクに関する加療を強化
④適応があればICD、CRT/CRT-Dなどのデバイス治療を考慮

日本循環器学会：急性・慢性心不全診療ガイドライン（2017年改訂版）．
http://www.j-circ.or.jp/guideline/pdf/JCS2017_tsutsui_h.pdf（2020年1月閲覧）より転載

- 経口摂取開始後は塩分、飲水制限を行い、体重の変化に注意します。

減塩目標
- 6g/日
- ステージC・Dの場合：3g/日

退院へ向けての疾患管理

- 心不全の疾患管理は、心不全増悪の予防、生命予後やQOL改善に有用です。
- 疾患管理は、医療チーム（医師、看護師、薬剤師、理学療法士、栄養士、ソーシャルワーカー）で行います。疾患管理の内容は、アドヒアランスとセルフケアを重視した患者教育、塩分・水分管理、栄養管理、感染予防、身体活動（包括的心臓リハビリテーション）です。

Link 心臓リハビリテーション➡P.19

心不全の運動療法（包括的心臓リハビリテーション）

- 心不全の患者さんは、原因疾患や重症度がさまざまなため、運動療法は医師の運動処方に従って慎重に実施します。
- 開始時は心電図モニター監視下、ベッドサイドで行い、安全性が確認されたのちにリハビリテーション室、在宅運動療法へ移行します。

心不全の薬物療法と非薬物療法

薬物療法と非薬物療法の基本

- 心不全の悪化を最小限におさえ、予後をよくするために、症状の進行や程度に合わせて、薬物療法だけでなく非薬物療法を組み合わせて治療を行います。
- 急性期では循環動態の安定、酸素化を促すことが必要とされます。そのため、心不全治療薬のほかに、鎮痛・鎮静薬も使用します。

薬物療法

- 心不全の治療に用いる薬剤は、下表のようなものがあります。
- β遮断薬は心臓収縮を抑制しますが、リモデリングを改善し、生命予後を延長するため、近年は主要な心不全治療薬となっています。少量から開始し、患者さんの症状やバイタルサインに合わせて増量します。
- 鎮痛・鎮静には、麻薬性鎮痛薬、鎮静薬などが使用される場合があります。

表 心不全治療で用いられるおもな薬

分類／一般名			おもな商品名
強心薬	昇圧薬（カテコラミン）	ドパミン塩酸塩	イノバン
		ドブタミン塩酸塩	ドブトレックス
		アドレナリン	ボスミン
		ノルアドレナリン	ノルアドレナリン
	ジギタリス製剤	ジゴキシン	ジゴシン
	PDE-Ⅲ阻害薬	ミルリノン	ミルリーラ
利尿薬	ループ利尿薬	フロセミド	ラシックス
	カリウム保持性利尿薬	スピロノラクトン	アルダクトンA
	ANP製剤	カルペリチド	ハンプ
	アンジオテンシン変換酵素（ACE）阻害薬	カプトプリル	カプトリル
		エナラプリルマレイン酸塩	レニベース
		イミダプリル塩酸塩	タナトリル
	アンジオテンシンⅡ受容体拮抗薬（ARB）	ロサルタンカリウム	ニューロタン
		カンデサルタンシレキセチル	ブロプレス
αβ遮断薬		カルベジロール	アーチスト
β遮断薬		ビソプロロールフマル酸塩	メインテート
			ビソノテープ
硝酸薬		ニトログリセリン	ミリスロール
		硝酸イソソルビド	ニトロール

非薬物療法

酸素療法、人工呼吸管理（気管挿管、NPPV）

- 呼吸不全、呼吸困難は呼吸仕事量および心仕事量を増加させるため、酸素療法、人工呼吸管理が必要になります。
- 酸素療法、人工呼吸管理は以下のように段階的に行います。生命の危機的状況にある場合は、人工呼吸管理を行います。

図 心不全急性期の酸素療法から人工呼吸管理の流れ（例）

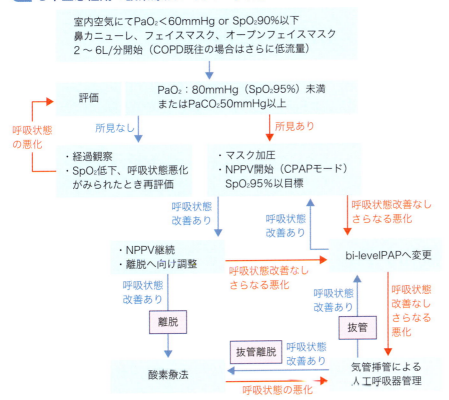

ペーシング（緊急一時ペーシング、CRT）

- 緊急一時ペーシング：高度徐脈、血行動態の悪化時でアトロピン硫酸塩水和物に無反応のときは、原因疾患の検索中でも一時ペーシングを行います。
- 心室再同期療法（CRT）：急性期治療後、慢性期に移行してからCRTを検討します。

Link 心臓再同期療法（CRT）→P.319

血液浄化治療

- 心不全急性期では、すみやかに体液過剰状態を改善しなければなりません。しかし、腎機能低下によって利尿が得られない場合は、急性血液浄化治療が適応になります。
- 急性血液浄化治療の適応は、①肺水腫の治療、②アシドーシスの改善、③電解質異常の補正、④補液スペースの確保、⑤体液性介在物質の除去です。
- 急性期では、血行動態への影響が少ない持続的静脈静脈血液濾過（CVVH）や持続的血液濾過透析（CHDF）を行います。

補助循環

大動脈内バルーンパンピング（IABP）

Link 大動脈内バルーンパンピング（IABP）➡ P.322

- 薬物治療に反応しない、または乏しい重症心不全が適応で、心拍出時の後負荷の軽減と冠動脈血流増加の効果があります。連続使用の限界は1～2週間です。あくまでも圧補助手段であり、著しい血圧低下や心肺停止時は無効です。

経皮的心肺補助法（PCPS）

Link 経皮的心肺補助法（PCPS）➡ P.328

- IABPを用いても循環補助が不十分、心原性ショックの緊急心肺蘇生が適応で呼吸と循環療法サポートができますが、短期的な補助デバイスです。
- 多臓器障害が改善した後、心臓移植、長期的デバイスの検討をします。

緩和ケア

- 心不全は急性増悪を繰り返し、徐々に病態は進行します。多くの場合は、治療によってすみやかに症状が改善するため、患者さん・医療者の病状に対する認識と現実が解離しています。そのため、意思決定能力が低下する前に、患者さんや家族が望む治療と生き方を医療者が共有し、事前に対話するプロセス（アドバンス・ケア・プランニング）を行うことが必要とされています。

Link アドバンス・ケア・プランニング➡ P.18

心不全末期の判断

- 心不全末期の患者さんは、薬物療法や非薬物療法を行っても治療困難な状態にあります。
- 心不全はがんとは異なり、急性増悪と改善を繰り返して病状は進行し、最期は急激に病状が進行します。そのため、終末期の判断が難しいといわれます。

緩和ケア・治療

- 終末心不全の主症状（呼吸困難、全身倦怠感、疼痛、食欲不振、抑うつ）に対して薬物治療、非薬物治療を行います。

心不全急性期(急性心不全・慢性急性増悪)の看護

心不全急性期の患者さんはどんな状態?

- 急性期の患者さんは、呼吸困難、胸部不快などをはじめとする症状、病状や死への不安、動作制限による苦痛など、さまざまなストレスにさらされています。そのような状態に配慮して患者さんへ介入しなければなりません。
- あらかじめ既往歴、現病歴の経過、家族背景、環境、今回入院した理由などを情報収集して、今どのような状態なのか予測を立てて、身体所見の観察、問診を行うことで、患者さんの心身の負担軽減を図ります。

身体所見の観察

- 情報収集後、ベッドサイドへ行き、身体所見の観察を行います。
- 患者さんに声をかけ、受け答えの様子、特に呼吸状態、疲労状態も合わせて観察します。
- 鎮静薬投与中の場合は鎮静レベル、意識レベルの変化に注意します。

表 身体所見の観察のポイント

視診(問診含む)	症状	●左心不全:呼吸困難、息切れ、頻呼吸、起座呼吸、咳嗽、排痰量の増加 ●右心不全:浮腫、倦怠感、腹部膨満、便秘、腸蠕動音の低下 ●低心拍出:脳血流減少による不穏・せん妄、四肢冷感、脈圧の低下
	排痰の色・性状	●肺水腫→ピンク色泡沫状の痰
	尿量	●利尿薬の反応の有無 ●循環不全では乏尿または無尿がみられる
	意識レベル	●JCS、GCS
	鎮静レベル(RASS)	●指示範囲か ●不穏や不安の様子はないか
	その他	●浮腫の有無・部位・程度 ●倦怠感の有無 ●体重増加の有無
聴診	呼吸音	●乾性ラ音→うっ血性心不全の気管支攣縮・浮腫時に聴取 ●湿性ラ音→肺うっ血で肺胞内に滲出した場合、下肺野や背部で聴取
	心音	●Ⅲ・Ⅳ音(ギャロップ音)
バイタルサインの測定	血圧	●変動の有無:目標血圧を維持しているか、薬剤(心不全治療薬、降圧薬など)投与後の血圧低下はないか
	脈拍	●不整脈・徐脈・頻脈の有無 ●薬剤投与後や体位によるの不整脈の変化の有無 ●不整脈による自覚症状や血圧の変化の有無
	SpO_2	●95%未満→呼吸不全 注意 高齢者はやや低めに出る 注意 COPD既往の場合はCO_2貯留を考慮し、目標値を医師に確認する
モニタリング	心電図モニター	●心拍数、不整脈の変化を経時的に観察 ●重症不整脈や発作性頻脈を確認したら、発生時の状況をリコール(レビュー)機能で確認をする

Link RASS→【別冊】P.111

安全・安楽のための看護

●患者さんが安全に治療を受け、少しでも安楽に日常生活を送れるように介入します。

表 看護のポイント

安全・確実な治療管理	指示薬投与管理	●指示薬投与 ▷点滴：組成や配合変化に注意する 注意 配合変化とは、2種類以上の薬剤を同時に投与したときに起こる物理的・化学的変化をいう。白濁や薬効の減弱が起こるため、注意が必要である
	酸素投与	●酸素デバイスの選択 ●デバイスによる皮膚損傷の予防
	吸引（口腔、鼻腔、気管）	●吸引圧に注意し、粘膜損傷や出血をさせない ●吸引中の脈拍や血圧変動に注意する
	挿管介助	●挿管チューブ挿入操作の介助 ●バイタルサインの変動（徐脈、血圧低下、SpO_2低下）に注意する
	人工呼吸患者管理	●挿管チューブによる皮膚損傷の予防、人工呼吸器関連肺炎（VAP）の予防 ●人工呼吸管理：設定値および実測値の観察、血液ガス分析の評価
苦痛の緩和	体位の工夫	●呼吸困難の緩和、同一姿勢による筋緊張、苦痛の緩和のために行う 注意 体位変換時の刺激や体の向きで循環変動するので、体位変換後はすぐにはベッドから離れず、バイタルサインの変化を観察する
	呼吸困難の緩和	●体位を工夫（できるだけ座位へ）する ●酸素マスクの閉塞感がある場合は、状態をみながら鼻カニューレへの変更やマスクの当て方の工夫をする
	気道クリアランス	●喀痰量が多い場合は排痰援助、吸引を行う 注意 吸引刺激による血圧・脈拍上昇または低下に注意
	褥瘡予防	●浮腫、低栄養によって皮膚は脆弱な状態のうえ、活動に制限があるため、褥瘡発生のリスクが高い ●シーツ、衣類のしわに注意し、体圧分散マット、クッション、枕を使用する
日常生活の援助	心負荷の軽減	●指示の安静度を守れるように環境を整え、患者さんへ説明する ●看護ケア自体が循環変動を生じさせることもあるので、モニターの変化、患者さんの状況に注意してケアを行う 注意 特に二重負荷、バルサルバ効果、等尺性負荷に注意
	身体デコンディショニング予防	●長期臥床による筋肉の収縮・萎縮・拘縮予防のため、体位変換、ベッド上での関節可動域運動を行う ●安静度に合わせて離床、リハビリテーションを実施する ●筋力の低下防止：安静度に合わせて離床、リハビリテーション実施 注意 リハビリテーション実施時は心負荷に注意する。安静度を上げる、負荷を加える前後で血圧・脈拍の変化、不整脈出現の有無を確認し、記録に残す。変化があった場合は安楽な体位へ戻し、医師へ報告する

Link 動脈血ガス分析→P.275

バルサルバ効果

いきむと胸腔内圧、腹腔内圧の上昇→静脈還流・心拍出量の低下（血圧低下）が起こる。いきみの後、呼吸を再開させたとき、急激に血圧が上がり、迷走神経反射が起こり、脈拍が低下する。

等尺性負荷

重い物を持ち上げるときに力がかかり、筋肉の収縮を持続する負荷。筋肉が収縮して太くなった状態で血管を圧迫し心負荷（後負荷）となる。
排便や歯みがき動作でもバルサルバ効果、等尺性負荷は起こる。

食事・栄養サポート	●心不全の患者さんの低栄養は生命予後を悪化させる。特に高齢の心不全の患者さんはエネルギー摂取不足、同化作用の障害で低栄養になりやすい状態である ●病院食が基本だが、食欲低下時は医師・栄養士と相談して食べられるものを検討する ●経口摂取が困難な場合は経腸栄養、補液を行う
水分管理	●水分バランス管理：体重測定（毎日）、尿量測定（急性期では２時間ごと）、水分バランス計算を行う 注意 水分バランス＝IN（経口水分量＋輸液量）－OUT（尿量＋嘔吐量＋胃チューブ・ドレーン排液量＋出血量） ●患者さんの状態に合わせて医師によって目標水分量が決まる。経過（利尿薬の反応、体重変化）によって変更する ●利尿薬投与時は口渇を訴えることが多いため、水分バランス、体重、経口摂取状況と点滴量を評価し医師と相談する ●食事自体の水分量（牛乳、汁物、おかゆの水分）を目標水分量に含む場合は計測する 注意 全粥食やトロミをつけた食事は、常食に比べて水分量が多いため注意する。必要時、飲水量で調節する
清潔の保持	●病態や疲労度に応じて全介助・部分介助を行う ●浮腫や低栄養から皮膚統合性障害を起こしやすいので、機械的刺激を最小限とし、保湿を行う。清潔援助は心負荷をかけないように短時間で行い、皮膚状態の観察も行う ●点滴や医療機器のライン類の固定テープ、刺入部の出血・滲出液がある場合は交換する。固定部位の皮膚状況の確認を行う。固定位置を変更し、皮膚障害を予防する
便秘予防	●カテコールアミン系薬剤、水分制限によって便秘に傾きやすいうえ、いきみによる循環変動予防のために排便コントロールが必要である
精神的ケア	●急性期の心不全の患者さんは、さまざまなストレスにさらされている。ストレスによる交感神経系の活性化は、心筋酸素消費量の増大、冠攣縮、血栓を形成させる。また抑うつは、心不全の予後を不良にする要因であるとともにQOL低下と関連するといわれている ●必要時、精神科へのコンサルトが大事となる
せん妄ケア	●特に高齢の患者さんにおいて循環不全の影響を受けせん妄を発症しやすい。認知症、抑うつと鑑別し早期介入が必要である ●妥当性のあるスクリーニング（ICDSC、CAM-ICU）での評価が推奨されている
急性期での患者教育	●急性期の患者教育は、①急性期においても患者さんが自ら治療に参加できるように病名・病態・行われる治療などへの理解を促すこと、②セルフモニタリングして自己管理へつなげることを目的に患者教育を行い、慢性期へつなげていくことが重要となる ●入院時の状況を振り返りやすい急性期の時期に、増悪時（入院時）の状態や増悪の契機になった事象を振り返ることは、再発防止に役立つ

せん妄

急性の脳機能不全。意識混濁、意識変容、認知の変化を呈する症候群。1日のなかで変動することが多い。注意力の障害を中心とする。不穏＝せん妄ではないことに注意しよう。

心不全慢性期の看護

一般病棟での看護

- 心不全は常に増悪のリスクがあるため、症状が落ち着き、急性期を脱した後も、**バイタルサインや症状・病態の変化を継続して観察**します。特に、体重増加、尿量減少、呼吸困難の訴えのあるときはすぐに医師へ報告し、症状の軽減に努めます。徐々に病状が進行する疾患のため、長期的視点での介入が必要です。

退院支援

Link 退院支援➡P.6

- 今までの介入(情報収集、患者さんとの関係構築)を経て、いよいよ退院へ向けて本格的に介入を行います。
- 継続して体重・血圧測定を行います。セルフモニタリングの習慣づけと外来受診時に自宅での状態を医療者へ伝える目的で心不全手帳を渡します。
- 退院指導(下表)は患者さん本人だけでなく、日常生活をサポートする家族(配偶者、子どもなど)とともに行います。

表 心不全の退院指導内容

症状	●心不全の自覚症状の自己チェック
服薬指導	●内服薬の薬効・副作用と確実に飲むことの必要性の説明
食事指導	●塩分制限とバランスのとれた食事(管理栄養士による指導)
嗜好品指導	●喫煙、飲酒の過剰摂取によるリスクの説明
体重管理	●毎日同じ時間に体重を測定し、目標体重を確認する
感染予防	●感染症(感冒、上気道感染) 根拠 心不全の増悪因子のため
その他	●外来通院の必要性、活動制限に合わせた運動の必要性の説明

経過の長い慢性心不全患者さんは、**自覚症状に乏しい**場合があります。頻脈や不整脈に慣れていることもあるため、患者さんの「だいじょうぶ」「いつもと変わりない」という言葉と身体所見が一致しているか注意が必要です

- 入院中に、セルフモニタリング・セルフケア能力の向上を図りましょう。そのために、まず看護師は、入院に至った要因(日常生活状況、通院状況、キーパーソンは誰かなど)を、患者さんや家族から話を聞いたり、記録から情報収集しながらアセスメントします。そのうえで下記のポイントを実施しましょう。

表 セルフケア能力を向上させるためのポイント

①心不全の知識についての再教育
②患者さんのベストな状態の把握(体重、血圧、脈拍)
　注意 自覚症状が軽度でも数値の大きな変化には注意する
③心不全増悪時の身体的変化(浮腫の増悪、咳嗽、尿量減少)の確認
④内服確認→内服内容、効果・副作用の確認、確実な内服の必要性の再確認
⑤飲水量・塩分摂取目標量の確認
　注意 キーパーソンとともに栄養指導を行う
⑥継続治療(医療、リハビリテーション)を受けられる環境の整備→キーパーソンの確認、社会的資源の手配を行い、環境を整える

末期心不全の看護

末期心不全の看護のポイント

- 心不全のような慢性疾患では、最大限の薬物治療を行っても入退院を繰り返す状態の場合(治療抵抗期)、予後に関する見通しや終末期について説明し、今後の治療について意思確認が必要となります。日ごろから患者さん・家族と向き合い、信頼関係を築くことが大切です。
- 末期心不全の治療方針は次のとおりです。
  ①苦痛の緩解とQOLの向上に努める。
  ②治療可能な範囲を的確に評価し介入する。
  ③薬物療法以外に、機械的補助療法が適応となりうる(血液浄化療法、CRT・ICD)。
  ④心臓移植を考慮する(移植へのブリッジ療法としての補助人工心臓(VAS)、移植を前提としないDestination療法としてのVASを検討)。
  ⑤積極的治療と緩和療法のバランスを考慮する。
  ⑥死亡後の家族に対するケアを行う。
- 終末期へ移行した患者さんの看護は、治療方針をもとに患者さん・家族へのケアを行います。

表　末期心不全の看護のポイント

- 患者さん・家族の希望を聞く
- 症状アセスメント
- 苦痛の緩和
- 心理面サポート
- 日常生活サポート
- 早期退院支援へ向け他職種での介入
- 家族ケア

看護ケアの介入は、十分に患者さん・家族の話を傾聴し、その患者さん・家族の希望に沿った看護ケアを導き出すことが必要とされます

Link 心不全の病期 →P.177

スピリチュアルペイン

末期心不全の患者さんは、罪悪感や死への恐怖などのスピリチュアルペインを抱えていることが少なくない。
【スピリチュアルペインの要因】
- 死を迎えようとすること
- 身体機能の低下がもたらす自律性の低下
- 生きる目的の喪失
- 孤独
- セルフイメージの低下

心不全の看護の経過

	発症から入院・診断	入院直後
患者さんの症状	●呼吸困難 ●泡沫状の痰 ●チアノーゼ ●尿量減少 ●喘鳴 ●胸水・腹水 ●意識混濁 ●体重増加 ●浮腫 ●呼吸困難 ●胸の苦しさ ●不安	入院時の症状は、治療が進むにつれて落ちつく
検査	●胸部X線 ●12誘導心電図 ●血液検査（BNP） ●血液ガス分析 ●心エコー	●心臓カテーテル検査
治療	●利尿薬投与 ●酸素投与 ●人工呼吸管理	左記治療に加えて ●心不全治療薬・カテコラミン投与 ●IABP/PCPS
看護	**観察** ●バイタルサイン（心拍数、血圧、SpO₂） ●フィジカルイグザミネーション⇒アセスメント 注意 特に呼吸状態に注意する（音、左右差、パターン、患者さんの姿勢） ●浮腫の有無、部位、程度 ●利尿薬の反応 ●意識レベル ●皮膚所見（冷汗、チアノーゼ） ●入院時の体重（前回入院時との比較） ●自覚症状（呼吸困難、胸の苦しさ）の有無・程度	**ケア** ●安楽な体位の施行 ●薬剤投与・管理 ●酸素投与・人工呼吸器管理 ●IABP/PCPS管理

急性期	一般病棟	自宅療養（外来）に向けて
●安静度制限による苦痛 ●リハビリテーション負荷時の息切れ	●呼吸困難・胸の苦しさの改善 ●体重減少（目標体重に近づく） ●浮腫の改善	
	心不全の症状は落ち着き、退院に向けての準備をします	
●胸部X線 ●12誘導心電図 ●血液検査（BNP） ●血液ガス分析 ●心エコー ●心臓カテーテル検査 ●心核医学検査	●胸部X線 ●12誘導心電図 ●血液検査	（外来にて） ●胸部X線 ●血液検査 ●心エコー など
●点滴の薬剤を内服へ変更 ●リハビリテーションの開始	●内服投与量の調節 ●リハビリテーションの拡大 ●食事療法 ●服薬指導	●内服調整・管理・指導 ●外来リハビリテーション
左記の看護に加え **観察** ●リハビリテーションや食事など心負荷時の症状・バイタルサインの変化の有無 ●ADLの拡大状況 ●尿量・体重の変化 **ケア** ●ADL低下の予防 ●皮膚損傷の予防 ●栄養管理 ●入院前の生活の振り返り	**観察** ●バイタルサイン ●体重 （退院後の目標体重のめやすを決める） **ケア** ●栄養指導、服薬指導 ●入院前の生活を振り返り、退院後の生活を患者さんと考える ●心不全手帳の配布 　（血圧、症状の観察について説明） ●外来通院の必要性を説明 ●症状増悪時の対処行動の説明	**観察** ●心不全症状の有無 **ケア** ●日常生活で心不全症状がないか ●服薬状況、栄養摂取状況、体重の変化の確認 ●心不全手帳の確認 ●自宅療養中困っていることはないか確認

動脈疾患

▷ 疾患理解のポイント
急性動脈疾患は有症候性(症状があること)、
慢性動脈疾患は無症候性(症状がないこと)が多いので注意しましょう。

▷ 治療のポイント
急性期の場合は死に直結する場合もあるため、
早急な治療が必要となります。

▷ 看護のポイント
動脈疾患では血圧管理が重要になります。
場合によっては安静も必要になります。
治療後は生活習慣の改善を行いましょう。

　動脈は大きく分けて、太い大動脈と細い末梢動脈に分けられます。動脈は、全身に血液を送り出すために高い圧がかかっているため、**血管壁に負担がかかったり、加齢や生活習慣に関連して血管壁が硬化したり脆弱化(ぜいじゃくか)すると、さまざまな疾患を起こします**。これらを動脈疾患といいます。動脈疾患は急性と慢性に分けられます。
　急性動脈閉塞症は動脈が急に詰まってしまう疾患です。
　慢性動脈閉塞症は、動脈硬化や炎症によって四肢の動脈が狭窄・閉塞するものの総称です。代表的な疾患として、閉塞性動脈硬化症(ASO)や閉塞性血栓血管炎(TAO)があります。

代表的な動脈疾患

- 大動脈瘤(P.205)
- 解離性大動脈瘤(P.209)
- 大動脈炎症候群
- 急性動脈閉塞症(P.213)
- 閉塞性動脈硬化症(P.215)
- 閉塞性血栓血管炎(バージャー病)(P.215)
- レイノー症候群

疾患理解に重要な動脈硬化のしくみ

動脈硬化のメカニズムと引き起こされる疾患

- 動脈硬化とは、加齢とともに血管壁が厚く・硬くなった血管内にコレステロールや脂肪が蓄積し、部分的に狭くなることで血管のポンプ機能がはたらかなくなる状態をいいます。
- 動脈は内側から、内膜、中膜、外膜の3層でできています。内膜は、内皮細胞という細胞に覆われており、血液が固まるのを防いだり、血管を拡げるなどのはたらきを担っています。動脈硬化は動脈に傷がつき、その部分に脂肪やコレステロールがたまることで起こります。

Link 動脈のしくみ → P.46

動脈硬化のメカニズム[1]

①血管の内皮細胞に傷がつく

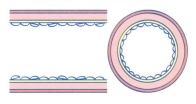

▷高血圧や糖尿病などによって血管に負担がかかると、血管の内皮細胞に傷がつき、細胞がもっているはたらきが失われます。

②酸化LDLとマクロファージができる

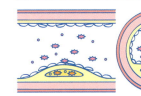

▷内皮細胞に傷がつくことで、血液中のLDL（悪玉コレステロール）が内膜に入り込み、酸化を受けて酸化LDLに変化します。そして、酸化LDLを処理するために、白血球の一種である単球がマクロファージに変わります。

内皮細胞
血管の内膜内に存在する。血管を拡げたり、血液凝固を防ぐはたらきがある。

③プラーク（粥腫）ができる

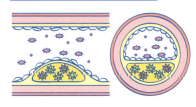

▷マクロファージは、酸化LDLを取り込んでやがて死滅します。その結果、内膜にLDLに含まれていたコレステロールや脂肪が、お粥のようなやわらかい沈着物となって蓄積されることで、内膜が肥厚していきます。このようにしてできた血管のこぶを**プラーク（粥腫）**といい、プラークができた状態を**粥状（アテローム）動脈硬化**といいます。

④血栓ができ、血流が途絶える

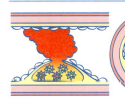

▷プラークができると、血流が滞り、血管が少し収縮しただけで血流が途絶え、酸素や栄養の供給が不十分となり、心臓や脳に症状を誘発します。また、プラークが破れると、そこに血の塊＝血栓ができ、完全閉塞することで**心筋梗塞、脳梗塞**を発症してしまいます。

Link 心筋梗塞（MI） → P.73

動脈硬化の分類

● 動脈硬化は発症部位などにより、大きく以下の3つに分けられます。

表 動脈硬化の分類

	粥状動脈硬化 （アテローム動脈硬化）	細動脈硬化	中膜石灰化動脈硬化 （メンケベルク型硬化）
特徴	内皮細胞に障害が起こることで、血管の内膜のLDLコレステロールや脂肪がドロドロした粥状物質となり、血管内が狭くなる	脳や腎臓の細い動脈が硬化して、血流が滞る	動脈の中膜にカルシウムがたまって石灰化することで、中膜が壊れたり、破れたりする
原因	●高血圧 ●糖尿病 ●生活習慣　など	●加齢 ●高血圧 ●生活習慣　など	●血管内のカルシウム沈着による石灰化
好発部位	●大動脈などの比較的太い動脈	●脳や腎臓の細い動脈	●大動脈や頸部・下肢の動脈
影響	●狭心症 ●心筋梗塞 ●脳梗塞	●血管が破裂→脳出血	●閉塞性動脈硬化症 ●内頸動脈閉塞→脳梗塞

動脈硬化の危険因子

- 動脈硬化の原因は1つではなく、いくつかの危険因子が重なると発症しやすくなるといわれています。
- おもに5つの危険因子があり、危険因子を多くもつ人ほど、動脈硬化の進行が早まります。なかでも、**高血圧**、**脂質異常症（高脂血症）**、**喫煙**は3大因子ともいわれています。

表 動脈硬化の危険因子

①高血圧	●	血管壁が障害を受けて硬くなり、血圧が上昇する
②脂質異常症	●	中性脂肪、悪玉コレステロールが増加して塊となり、血管壁が硬くなる
③喫煙	●	ニコチンは血管収縮を増強させるため、高血圧となる
④糖尿病	●	高血糖は10年早く血管年齢が進む
⑤肥満	●	内臓型肥満は高血圧、脂質異常症、糖尿病を合併しやすく、メタボリックシンドロームをまねく

Link メタボリックシンドローム ➡ P.53

🔍 生活習慣と動脈硬化の関係[2]

▷ 動脈硬化の危険因子は生活習慣にかかわるものがほとんどです。動脈硬化は自覚症状が現れにくいため、生活習慣を見直さないままに動脈硬化が進行している場合が多くあります。

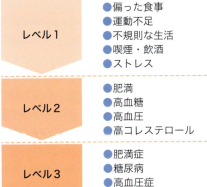

レベル1
- 偏った食事
- 運動不足
- 不規則な生活
- 喫煙・飲酒
- ストレス

レベル2
- 肥満
- 高血糖
- 高血圧
- 高コレステロール

レベル3
- 肥満症
- 糖尿病
- 高血圧症
- 脂質異常症

レベル4
- 心疾患
- 脳血管疾患
- 腎不全

レベル5
- 認知症
- 寝たきり

動脈硬化の進行 →

疾患理解に重要な大動脈のしくみ

大動脈のしくみとはたらき

- 大動脈は、心臓の左心室から出て大動脈弓部を通り、全身へ血液を送り出します。心臓から上に行く大動脈を**上行大動脈**、そこから頭や手に行く動脈として腕頭動脈、総頸動脈、鎖骨下動脈があります。
- 心臓から下に降りるようにして横隔膜まで行く動脈を**下行大動脈**と呼び、上行大動脈から大動脈弓部を経てここまでが、**胸部大動脈**となります。さらに、横隔膜の下から足のほうに伸びていく大動脈が、**腹部大動脈**になります。

🔍 おもな大動脈

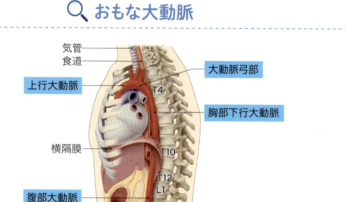

表 大動脈の区分と灌流域

区分	おもな技	分枝の高さ	灌流域
上行大動脈	左・右冠動脈	ー	心臓
大動脈弓	腕頭動脈	ー	右頭頸部、右上肢
	左総頸動脈		左頭頸部
	左鎖骨下動脈		左上肢
下行大動脈	肋間動脈 肋下動脈	Th3〜12	胸壁
	気管支動脈	Th4	気管支
	食道動脈	Th6	食道胸部
	心膜枝	ー	心膜
	上横隔動脈	Th8	横隔膜上面
腹部大動脈	下横隔膜脈	Th12	横隔膜下面
	腹腔動脈	Th12	食道腹部、胃、十二指腸、肝臓、膵臓、脾臓
	腰動脈	L1〜4	腹壁
	上腸間膜動脈	L1	空腸、回腸、上行結腸、横行結腸
	中副腎動脈	L1	副腎
	腎動脈	L2	腎臓
	精巣または卵巣動脈	L2	精巣または卵巣
	下腸間膜動脈	L3	下行結腸、S状結腸、直腸上部

大動脈瘤（TAA、TAAA、AAA）

どんな疾患？

- 大動脈瘤とは、**大動脈の一部の壁が、全周性または局所性に拡大または突出**した状態です。大動脈壁の一部が局所的に拡張して瘤を形成する場合、または直径が正常径の1.5倍（胸部で45mm、腹部で30mm）を超えて紡錘状に拡大した場合に、「**瘤**」と総称しています。
- 大動脈瘤は、瘤ができる位置によって**胸部大動脈瘤（TAA）**、**胸腹部大動脈瘤（TAAA）**、**腹部大動脈瘤（AAA）**と呼び名が変わります。
- 動脈瘤は、加齢や動脈硬化などにより、血管壁を構成する組織が弱くなって一部が飛び出すように膨らんだり、血管全体が膨らんだりするものです。瘤ができるだけでは痛みもありませんが、膨らんだ部分は血管壁も弱くなっているので破れてしまう可能性が高くなります。瘤が破れて大量出血を起こすと、ショック状態、死に至る危険性が非常に高くなります。
- 大半は症状がなく、健康診断で指摘されることが多い疾患です。
- 50歳以上の男性に好発し、**動脈硬化**が誘因となります。

TAA（thoracic aortic aneurysm）

TAAA（thoracoabdominal aortic aneurysm）

AAA（abdominal aortic aneurysm）

Link 動脈硬化のしくみ →P.201

瘤の発生部位による分類

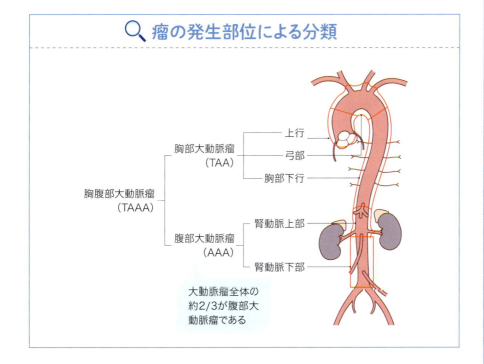

胸部大動脈瘤（TAA）
- 上行
- 弓部
- 胸部下行

胸腹部大動脈瘤（TAAA）

腹部大動脈瘤（AAA）
- 腎動脈上部
- 腎動脈下部

大動脈瘤全体の約2/3が腹部大動脈瘤である

大動脈瘤はどのように分類する?

- 大動脈瘤は、瘤の形、瘤の壁の構造、瘤の発生部位によって分類されます。瘤の発生部位による分類はP.205を参照してください。

🔍 大動脈瘤の分類

瘤の形による分類

紡錘状瘤

▷動脈壁の全周性に拡張し、正常径の1.5倍以上に拡張した場合

嚢状動脈瘤

▷動脈壁の一部分のみがこぶ状に突出した場合

瘤の壁の構造による分類

真性

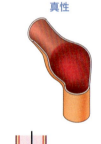

▷一般にいう大動脈瘤と同じ。仮性動脈瘤と明確に区別するときに用いる

仮性

▷大動脈の壁構造をもたない瘤。外傷性、感染性などに多い

解離性

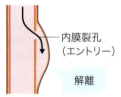

▷瘤形成をした大動脈解離

真性大動脈瘤

血管の壁は3層(内膜・中膜・外膜)からなる。真性大動脈瘤は、血管壁の3層が保たれた状態で瘤状に膨らみ、それが局所的に起こる。

患者さんはどんな状態?

- 大半は自覚症状がありません。
- 胸部大動脈瘤の場合、瘤の大きさによっては呼吸困難、胸部違和感、血痰、嗄声(かすれ声)が生じます。

どんな検査をして診断する?

- 大動脈瘤の多くは無症候性ですが、発見された場合は、まず胸部CT検査を行い、治療方針を決定します。

表 大動脈瘤に特徴的な検査所見

胸腹部単純X線検査	●上行大動脈瘤:上行大動脈の輪郭に連続して右方に突出する陰影 ●弓部大動脈瘤:左第1弓の部分に腫瘤状の陰影 ●下行大動脈瘤:大動脈の輪郭に連続する紡錘形ないし円形の陰影として認める
造影CT	●瘤の存在診断 ●大きさと進展範囲 ●瘤壁の状況(石灰化、炎症性、大動脈瘤など) ●残存血栓の量・状態 ●瘤と周辺臓器との関係 ●瘤と主要大動脈分岐との位置関係
MRI	●血管壁や内腔の評価 ●屈曲部や乱流部位の評価
心・腹部エコー検査	●大動脈径、瘤の形状、分岐血管との位置関係、内腔や壁の性状を観察

どんな治療を行う?

- 胸部大動脈瘤の場合、開胸手術の選択が多くなります。
- 開胸・開腹など外科的治療のリスクが高い場合は、ステントグラフトが選択されます。しかし、ステントグラフトには解剖学的な制約があり、CTで大動脈瘤の形をみてステントに合わない場合は、実施ができません。
- 破裂の危険性が高くないと判断される場合(直径5～6cmまで)には、内科的(保存的)治療で、経過観察となります。

表 大動脈瘤の治療

内科的治療	●降圧療法 ●安静療法
外科的治療 (開胸・開腹手術)	●人工血管置換術 ●オープンステント ●ステントグラフト+デブランチ
血管内治療	●ステントグラフト内挿術

Link ステントグラフト内挿術➡P.362

Link 人工血管置換術➡P.357

debranching TEVAR
大動脈瘤が、脳や腹部、下肢への血管分岐部に存在する場合に行われる特殊な手法。別の場所から血管のバイパス手術を行い、血流を保持させてからステントを留置する。

看護師は何に注意する?

Link 循環器疾患の患者指導 ➡ P.11〜15

Link 大動脈疾患の外科的治療 ➡ P.357

- 大動脈瘤の内科的治療を行う場合は、**服薬指導**や**生活指導**がポイントになります。薬をきちんと服薬するように、また、動脈硬化を進展させないように、食事指導、運動指導、禁煙指導を行います。
- 大動脈瘤の外科的治療を行う場合は、まず、**手術や術後の生活に対する不安**を解消します。術後は**合併症の出現に注意**するとともに、身体的・精神的苦痛を緩和します。手術が成功しても、動脈硬化や高血圧などの危険因子を是正するために、退院前には生活指導を行いましょう。

表 大動脈瘤の看護のポイント

血圧管理	●医師の指示に沿った薬剤管理
水分管理	●水分出納バランスの管理
疼痛管理	●痛みの場所・程度 ●医師の指示に沿った薬剤管理、医療用麻薬の使用
安静管理	●安静制限によるストレス緩和
精神面への配慮	●環境配慮 ●安静でのストレス ●睡眠状況

患者さんは、疼痛、安静による苦痛だけでなく、環境の変化、不安、睡眠障害などのさまざまなストレス因子が加わっています。年齢や社会的役割などの情報から、その患者さんに合わせた声かけ、対応がとても大切になります

解離性大動脈瘤（DAA）

DAA（dissecting aortic aneurysm）

どんな疾患？

- 大動脈瘤のように血管壁が弱くなり膨らむのではなく、裂けてしまうと**大動脈解離**となります。血管壁の内膜が傷ついてそこから中膜に流れた血液は、中膜が裂けてできた偽腔と呼ばれる中を通ります。
- 裂けたときに激痛が走り、上行大動脈で解離が起こると、裂けた血液が心臓の心嚢にたまり、心臓が圧迫されて拡張できなくなり、**心タンポナーデ**を発症します。
- 50〜70歳代に多くみられ、**本態性高血圧**が誘因となることが多いです。

Link 心タンポナーデ→ P.135

Link 本態性高血圧→ P.60

大動脈解離はどのように分類する？

- 大動脈解離の分類には、**Stanford分類**と**DeBakey分類**の2種類があります。
- 解離の場所が弓部に及べば、総頸動脈に血液がいかなくなり、頭部への血液が途絶えてしまいます。そのため、**緊急手術**が必要であり、上行大動脈にある大動脈解離は**Stanford A型**と呼ばれます。
- それ以外は**Stanford B型**と呼ばれ、緊急性は低くなります。ほかの臓器に向かう部分で起これば血液の流れが途絶えるため、解離した血管壁は非常に弱くなり、出血する危険性が高く、手術が必要となることもあります。

表 Stanford 分類と DeBakey 分類

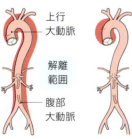
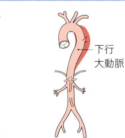

DeBakey分類 大動脈壁の亀裂（入口部）の位置と解離の範囲で分類	Ⅰ型	Ⅱ型	Ⅲa型	Ⅲb型
	入口部			
	上行大動脈	上行大動脈	左鎖骨下動脈直下	左鎖骨下動脈直下
	解離している部位			
	上行大動脈から腹部大動脈まで及ぶ	上行大動脈に限局している	下行大動脈に限局している	下行大動脈から腹部大動脈まで及ぶ
Stanford分類 解離の範囲のみで分類	A型		B型	
	上行大動脈に解離があるもの		上行大動脈に解離がないもの	
治療	外科的手術適応（人工血管置換術）		保存療法（降圧療法）	

患者さんはどんな状態?

- **突然現れる激しい痛み**が特徴的です。
- 解離部位により、痛みの部位も異なります。上行〜弓部部では**胸背部痛**や**咽頭痛**、下行部では**腰痛**や**腹痛**もみられます。

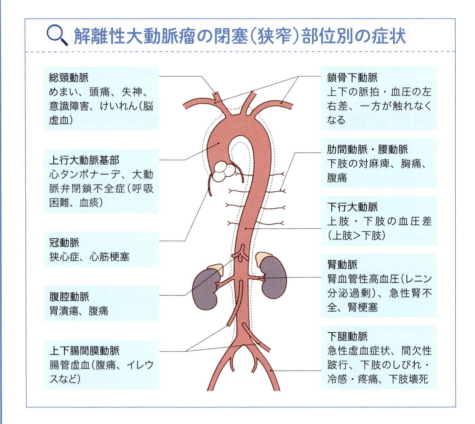

解離性大動脈瘤の閉塞(狭窄)部位別の症状

総頸動脈
めまい、頭痛、失神、意識障害、けいれん(脳虚血)

上行大動脈基部
心タンポナーデ、大動脈弁閉鎖不全症(呼吸困難、血痰)

冠動脈
狭心症、心筋梗塞

腹腔動脈
胃潰瘍、腹痛

上下腸間膜動脈
腸管虚血(腹痛、イレウスなど)

鎖骨下動脈
上下の脈拍・血圧の左右差、一方が触れなくなる

肋間動脈・腰動脈
下肢の対麻痺、胸痛、腹痛

下行大動脈
上肢・下肢の血圧差(上肢>下肢)

腎動脈
腎血管性高血圧(レニン分泌過剰)、急性腎不全、腎梗塞

下腿動脈
急性虚血症状、間欠性跛行、下肢のしびれ・冷感・疼痛、下肢壊死

Link 虚血性心疾患→ P.66

どんな検査をして診断する?

- 解離性大動脈瘤を疑った場合、まずCT検査を行います。それにより、大動脈の裂け目が確認でき、偽腔(ぎくう)の大きさを測定することができます。
- そのほかに併発症状の確認として、胸腹部のX線検査、心電図、心エコーなどを行います。

表 解離性大動脈瘤に特徴的な検査所見

血液検査	●白血球(WBC) ●CRP ●FDP ●Dダイマー
胸腹部X線検査	●縦隔陰影の拡大
心電図	●心電図上の特徴的な所見はない
胸腹部CT検査	●大動脈の二重構造(真腔、偽腔)の確認
心・腹部エコー検査	●大動脈弁の逆流・心嚢液貯留の有無の確認

どんな治療を行う？

- Stanford A型の場合は、命にかかわるため、**緊急手術**（人工血管置換術、ステントグラフト内挿術）となります。術後は厳密な循環管理が必要になります。
- Stanford B型の場合は、**血圧コントロール**や**疼痛緩和**が必要になります。緊急手術が適応でなく保存療法（薬物療法［降圧、疼痛］、安静療法）となった場合でも、病状の進行によっては手術が必要になることがあります。
- Stanford B型の慢性期では、薬剤コントロールがついても6〜12か月ごとに定期受診、CTのフォローアップ、解離の進行の有無を確認します。

看護師は何に注意する？：保存療法の看護

- Stanford B型の場合は、保存療法が選択されます。ただし、Stanford B型でも病状が進行し、腹腔動脈や両側腎動脈、上腸間膜動脈に解離が及んだ場合は、手術の適応となります。そのため、看護師は大動脈解離で保存療法が選択された場合でも、**異常（血圧変動、疼痛の部位・程度・継続の時間）の早期発見**に努めなければいけません。
- Stanford B型の患者さんは、大動脈解離が起こったことでの**疼痛緩和**と**血圧コントロール**が重要になります。疼痛があると血圧が上昇するため、血圧の変化には注意する必要があります。

表　疼痛緩和のための看護のポイント

観察項目	●疼痛の部位・程度・継続時間 ●バイタルサイン ●心電図の異常の有無 ●血液検査（CPK、LDH、GOT、GPT、CBC、ESR、電解質） ●心エコー、胸腹部CT ●大動脈解離の分類の把握 ●鎮痛薬使用時の効果 ●指示に基づいた鎮痛薬の使用
看護	●安楽な体位を工夫する ●処置をするときには声かけや説明を行い、不安を軽減する ●緊急時に備えて救急カートを用意しておく ●疼痛部位や程度に変化があったら、すぐに伝えてもらうように説明する ●レスキュー薬を使えることを伝える

表　血圧コントロールのための看護のポイント

観察項目	●バイタルサイン ●動脈圧モニターの観察・血圧の変動（急激な上昇・下降に注意） ●心電図の異常の有無 ●血液検査（CPK、LDH、GOT、GPT、CBC、ESR、電解質） ●心エコー、胸腹部CT ●大動脈解離の分類の把握 ●痛みの程度
看護	●指示された安静度を守る ●運動の制限 ●急激な温度差を避ける ●排便コントロール ●感情の大きな変化を避ける ●指示された血圧コントロールの薬剤を確実に投与する ●血圧のコントロール必要性を説明する

血圧の目標値は患者さんの状態によって異なることがあるので、医師の指示に従うようにしましょう

看護師は何に注意する?：術後の看護

- Stanford A型の場合は、緊急手術が必要になります。緊急手術後の看護では、**異常の早期発見**が最も大切になります。大動脈解離後の異常の早期発見のための観察項目を確認しておきましょう。

表 術後の異常の早期発見のための観察項目

適正血圧の維持	●術後は医師に指示された血圧を維持して、グラフトの血流を保つ。高血圧は人工血管吻合部からの出血、低血圧は血栓形成のリスクがある
循環血液量の維持	●循環血液量を維持しないと、循環血液量減少による血圧低下が起こる。逆に、多すぎると心不全のリスクがある
不整脈	●手術中の心筋損傷や電解質異常などの影響で、術後は不整脈を起こしやすいため、心電図モニターでの観察を行う
脳血流量の維持	●術中は人工心肺を用いて脳灌流を行うが、血栓の形成によって脳への酸素供給不足が起こる可能性があるため、意識レベルや神経学的所見を観察する
腎血流量の維持	●大動脈解離の手術後は、術中の出血や体外循環の不備、大動脈遮断の影響などから、腎血流量が減少して、腎不全を起こしやすい。そのため、尿量やIN/OUTバランス、電解質、BUN、Cr値などを観察する
末梢循環の維持	●大動脈解離の手術後は血栓が末梢動脈に詰まりやすいので、動脈の触知、温感、知覚の有無、チアノーゼの有無など観察する
ドレーンの管理	●後出血を起こすと、出血性ショックなどを起こす可能性があるため、ドレーンの出血量や性状などを観察し、適宜ミルキングを行う

Link チアノーゼ➡【別冊】P.6

Link 術後のドレーン管理➡P.348

表 解離性大動脈瘤の看護のポイント

血圧管理	●医師の指示に沿った薬剤管理
水分出納管理	●水分出納バランスの管理
疼痛管理	●痛みの場所・程度 ●医師の指示に沿った薬剤管理、医療用麻薬の使用
安静管理	●安静制限によるストレス緩和
精神面への配慮	●環境配慮 ●安静でのストレス ●睡眠状況

急性動脈閉塞症

どんな疾患?

- 急性動脈閉塞症は、**動脈が急に詰まってしまう**疾患です。
- 動脈が急に詰まる誘因には、不整脈（心房細動[AF]）、心臓粘液腫、血液凝固能の亢進、動脈硬化などがあります。
- 詰まってしまうおもな原因は、**塞栓症**、**血栓症**、**外傷**などです。

表 急性動脈閉塞症のおもな原因

塞栓症	血栓症	外傷
心臓内にできた血の塊（血栓）が大動脈内に流入し、先の細い血管内に詰まることによって起こる	動脈硬化による狭窄部分に血栓が生じて閉塞することによって起こる	動脈壁の挫滅、内膜の断裂・解離によって血栓を生じ、閉塞することによって起こる

心臓粘液腫
心臓の原発性良性腫瘍。

患者さんはどんな状態?

- 突然、手足に激痛、末梢冷感、しびれが出現します。**5つのP**が代表的です。
- 首や脳へいく血管が詰まると脳梗塞になり、意識障害や手足の麻痺が起こることもあります。

🔍 5つのPで代表される症状

①**P**ain（疼痛）
②**P**ulselessness（脈拍消失）
③**P**aleness（蒼白）
④**P**aresis（運動障害）
⑤**P**aresthesia（知覚障害）

※⑥としてProstration（虚脱）を加えるみかたもあります。

---

3 動脈疾患 解離性大動脈瘤（DAA）／急性動脈閉塞症

どんな検査をして診断する?

- 閉塞の位置を確認し、側副血行路を同定し、治療方針を決定するために、早めに血管造影検査を行う必要があります。

表 急性動脈閉塞症に特徴的な検査所見

心電図	●不整脈の存在
ドプラ血流計	●血流の有無
血管造影	●血管内腔の評価 ●先細り状の閉塞、動脈の途絶と側副血行路が乏しい状態となる
ABI	●0.90以下→下肢動脈の狭窄や閉塞が疑われる ●1.40以上→上肢動脈の高度狭窄が疑われる
MDCT	●閉塞血管の有無と局在 ●動脈の石灰化の程度 ●壁在血栓や血管外の情報
MRA	●少ない侵襲で広範囲の撮影ができる

どんな治療を行う?

- 診断がついたらただちに抗凝固療法を開始し二次血栓の進行を抑えます。
- 塞栓症では外科的血栓除去療法を行います。
- 血栓症では外科的血栓除去術あるいは危機的状況でない早期であれば、血栓溶解療法が適応となります。
- 不十分な場合には、追加でバイパス術を行います。どちらを行うかは虚血の重症度、血栓の範囲または部位、患者さんの状態によって決定されます。

表 急性動脈閉塞症の治療

薬物療法	●抗凝固療法　●血栓溶解療法
外科的手術	●人工血管や自家静脈を用いたバイパス術やステント留置術 ●フォガティーカテーテルによる血栓塞栓除去術(刺入部の局所麻酔のみで治療が可能)
カテーテル治療	●経カテーテル血栓溶解療法

看護師は何に注意する?

- 発症後からの治療が予後を左右するため、「5つのP」の症状の有無など細かな観察が必要です。

急性動脈閉塞症の予後

発症から手術までの時間が、肢の予後を左右するともいわれている。発症6時間以内に血流再開が得られれば、高率に救肢が可能だが、24時間を経過すると、約20％が切断に至るとされている。

Link 血栓塞栓除去術➡P.365

Link 5つのPで代表される症状➡P.213

閉塞性動脈硬化症（ASO）

どんな疾患？

- 閉塞性動脈硬化症（ASO）は慢性動脈閉塞症の1つで、**動脈硬化や炎症によって四肢の動脈が狭窄・閉塞**する疾患です。
- 50歳以上の男性に多くみられます。高血圧、糖尿病、喫煙歴などが誘因となります。

> ASO（arteriosclerosis obliterans）

> **閉塞性血栓血管炎（TAO）**
> バージャー病ともよばれ、慢性動脈閉塞症の1つである。ASOと症状が似ているが、特別な基礎疾患はない。ASOが50歳以上の男性に好発するのに対し、TAOは20〜40歳代の比較的若年男性に好発する。

患者さんはどんな状態？

- 代表的な症状は、**間欠性跛行（かんけつせいはこう）**、**四肢冷感**、**しびれ**などです。
- Fontaine（フォンタン）分類は、下肢の慢性動脈閉塞症を症状から病期分類したものです。

表 Fontaine 分類

Ⅰ度	Ⅱ度	Ⅲ度	Ⅳ度
●無症状 ●しびれ ●冷え	●間欠性跛行	●安静時疼痛	●潰瘍 ●壊疽（えそ）

どんな検査をして診断する？

- 血管造影、MRA、MDCTで確定診断を行います。

表 閉塞性動脈硬化症に特徴的な検査所見

ドプラ血流計	●血流の減弱・途絶
ABI	●0.90以下→下肢動脈の狭窄や閉塞が疑われる
血管造影	●虫食い像 ●広範な壁不整（中枢〜末梢の動脈で広範にみられる）
MRA	●大きい血管ははっきりと映るが、細い血管はCTで造影剤を使わないと映らない
MDCT	●血流の途絶や側副血行路がみられる

どんな治療を行う？

- 治療は、運動療法、薬物療法（抗血小板薬、血管拡張薬）、血行再建術（経皮的血管形成術[PTA]、バイパス術、血栓内膜摘除術）が中心となります。
- 壊死例では、患肢の切断術を行います。

Link 経皮的血管形成術（PTA）➡P.296

看護師は何に注意する？

下肢の状態の観察

- 小さな足の傷やトラブル、白癬（はくせん）が原因となって感染を起こし、下肢の状態が急速に悪化してしまうことがあるため、**フットケア**がとても重要です。
- 病状悪化につながる傷や皮膚変化がないか、**普段行うケアのときから注意深く観察を行う**ことが大切です。
- これらの観察は、看護師だけでなく、セルフケアが可能な患者さんに対して、セルフケアの1つとして在宅で観察を続けるように指導する必要があります。
- 爪切りや巻き爪のセルフケアは重要ですが、患者さん自身が爪切りをした結果、深爪や創傷をつくってしまい、そこから感染を起こしてしまう危険もあります。そのため、患者さん自身で爪切りが難しそうな場合は、通院の際、医師の指示のもとで看護師が爪切りを行います。

表 下肢の観察ポイント

観察項目	内容
下肢の状態	●自覚症状（しびれ、冷感、熱感、疼痛の有無） ●足背動脈・膝窩動脈の触知の有無、拍動の強さ、左右差 ●間欠性跛行の有無、症状の程度 ●潰瘍・壊死の有無、感染徴候、傷はないか、傷があれば治癒の程度 ●病性神経障害の有無 ●足趾の形や爪の肥厚や変形の有無。胼胝（べんち）、鶏眼（けいがん）、白癬などのトラブルの有無 ●皮膚の観察（皮膚色調の左右差はないか、皮膚温、皮膚状態）
疼痛	●痛みの出現部位・種類・出現頻度・性状・増強因子 ●痛みに対し薬物療法の効果は出ているか ●痛みが楽になるのはどんなときか（楽になる姿勢や動作などについて） ●夜間の睡眠状況、食欲 ●痛みの影響でADLはどのように変化しているか

足浴

- 閉塞性動脈硬化症の患者さんの足浴は、温熱効果によって代謝が亢進し、虚血を助長することもあるため、**低温（重症下肢虚血[CLI]では体温よりも低い温度）で実施**することが望ましいとされています。高濃度炭酸泉浴であれば35～37℃でも温かいと感じ、血管新生が促進されます。
- 感染徴候や深い潰瘍が生じている場合は、足浴することによって逆に感染を広げる危険があります。そのような状態の場合は、足浴の実施に関して医師へ確認してから行うようにしましょう。

重症下肢虚血（CLI）
慢性動脈閉塞による下肢の重症虚血。安静時疼痛または潰瘍・壊死を伴い、血行再建なしでは下肢の組織の維持や疼痛の解除が行えない。

退院支援のポイント

- 入院中の時点で、退院後の患者さんの生活を見すえ、患者さんのADLについてアセスメントしておくことが大切です。患者さんが以前の生活場所（自宅や入所施設）で生活を送っていけるよう、患者さんに適した方法、必要な社会支援を抽出し看護介入していくのは、看護師の大きな役割です。
- 下表のような情報を収集し、アセスメントに組み込むことで、退院後に必要な社会支援が抽出でき、患者さんのQOL維持に向けた看護介入が行えます。また、必要な社会支援提供のために、ソーシャルワーカーやケアマネジャーとの早期連携が可能になります。

表 閉塞性動脈硬化症の退院支援に関する情報収集のポイント

情報収集項目	内容
合併症・既往歴の有無	● 脳血管疾患や冠動脈疾患、腎疾患などの合併症 ● 高血圧、糖尿病、脂質異常症などの既往歴
合併症・既往歴のコントロール状況	● 服薬状況 ▷ 服薬管理は誰が行っているのか（服薬状況把握のため、可能なら残薬チェックも行う） ● 通院状況 ▷ 通院時、1人で来院したのか、介助者がいたのか ▷ 通院方法（徒歩、車、介護タクシー利用など） ▷ 定期受診できていたか
生活状況	● 飲酒、喫煙などの嗜好 ▷ 喫煙歴 ▷ 飲酒量、飲酒頻度 ● 食事 ▷ 食事管理は誰が行っていたか ▷ 食事内容 ▷ 買い物などはどうしていたか ● 入浴などの日常生活 ▷ 入浴やシャワーを1人で行えていたのか ▷ トイレはどうしていたか（おむつ、ポータブルトイレ使用など）
家族状況	● 同居家族はいるのか ● 支援してくれる家族はいるのか ● 同居もしくは近隣に家族がいる場合、患者さんの介護が可能か ● 社会資源の活用状況

閉塞性動脈硬化症の患者さんにとって、自己でフットケアを行う、感染を起こさないために気をつける、などのセルフケアはとても重要です。なぜなら、それらを行うことは、閉塞性動脈硬化症を悪化させず、疾患のコントロールにつながるからです。疾患のコントロールが行えることは、病状の悪化や痛みの増悪も防げ、患者さんのQOL維持につながります

大動脈瘤（TAA、TAAA、AAA）の看護の経過

	発症から入院・診断	入院直後
患者さんの症状	●胸部圧迫感 ●嗄声（反回神経麻痺） ●呼吸困難 ●嚥下困難 ●悪心・嘔吐 ●腹痛、腰痛 ●拍動性腹部腫瘤	急激な激痛や貧血がみられた場合は、破裂が考えられるため、すぐに医師に報告しましょう
検査	●胸部X線 ●造影CT ●MRI ●経食道エコー	
治療	●薬剤投与 　▷降圧薬 ●酸素投与	
看護	**観察** ●既往歴（高血圧） ●生活習慣 ●嗄声の有無 ●胸背部痛の有無 ●消化器症状の有無 ●バイタルサイン（血圧、心拍数、呼吸、SpO₂） ●末梢冷感の有無、左右差の有無 ●腹囲測定（腹部） ●動脈触知 **ケア** ●不安を表出できるような声かけ	**観察** ●左記に加えて四肢血圧 **ケア** ●血圧管理 ●疼痛管理 ●苦痛緩和 ●不安・疑問の軽減

急性期	一般病棟	自宅療養（外来）に向けて
	●血液検査 ●胸部X線	
●オープンステント ●人工血管置換術（→P.357） ●TEVAR、EVAR（→P.362） ●薬剤投与 ●酸素投与 ●安静		●内服薬（血圧コントロール薬）の調整
観察（術後） ●創部の状態 ●創痛の有無 ●出血の有無 ●ドレーン管理 ●覚醒状態 ●麻痺の有無	冠動脈疾患や脳血管障害の合併も予測されるため、経過観察中でも全身の観察はとても大切です。胸腹部症状にも注意しましょう	
		内科的治療の場合は、瘤の拡大・破裂の防止のためにも生活指導が大切になります。特に喫煙は瘤の拡張速度を増強させ、大動脈瘤破裂のリスクを高めるといわれており、禁煙指導は重要です
ケア ●看護師による清潔ケア ●血圧管理（おもに点滴） ●水分管理 ●疼痛管理 ●安静による苦痛緩和 ●精神面への配慮 ●睡眠コントロール ●排便コントロール ●食事・水分制限の説明 ●術後 　▷血圧管理 　▷循環血液量 　▷IN/OUTバランス 　▷尿量、尿比重	**ケア** ●血圧管理（おもに内服） ●退院指導 　▷生活習慣の改善（食事、運動、禁煙） 　▷適度な運動習慣をつける 　▷脂肪分の多い食事を控える 　▷菓子類・糖分などの間食を控える 　▷1日3食を決まった時間にゆっくり食べる 　▷食べすぎに注意し、量が多いときは残す 　▷外食を控える 　▷適正体重を維持する 　▷飲酒管理	**ケア** ●定期受診の必要性の説明 ●服薬指導 ●栄養指導 ●生活指導 　▷寒暖差に注意（急に寒い所に行くと血管収縮により血圧が上昇する） 　▷入浴（熱い湯は心負荷がかかる。長風呂も避ける） 　▷排便（いきむと血圧が上昇する）

解離性大動脈瘤（DAA）の看護の経過

	発症から入院・診断	入院直後
患者さんの症状	●突然の胸背部の激痛 ●意識消失 ●ショック状態 ●下肢虚血症状 ●呼吸困難	大動脈解離の急性期は、症状が一定ではないことも多いので、変化を見逃さないようにしましょう
検査	●胸部X線 　▷上縦隔陰影の拡大 ●造影CT ●心エコー ●血液検査	
治療	●薬剤投与（降圧薬、鎮痛薬） ●酸素投与	●降圧 ●安静 ●鎮痛
看護	**観察** ●バイタルサイン（血圧、心拍数、呼吸、SpO$_2$） ●既往歴（高血圧） ●生活習慣 ●疼痛の部位・程度 ●鎮痛の効果 ●意識レベル **ケア** ●血圧測定 ●疼痛コントロール Stanford A型は緊急手術の対応となることを念頭にケアを行いましょう	**観察** ●バイタルサイン ●血圧の左右差、上下肢差 ●対麻痺の有無 ●血流不全（冷汗、チアノーゼ、動脈触知） ●呼吸状態 ●血痰の有無 ●疼痛の有無・程度 ●意識レベルの変化（対光反射） ●排便コントロール **ケア** ●頻回なバイタルサイン測定 ●排便コントロール ●安楽な体位での苦痛の緩和 ●不安の緩和 ●手術の準備 ●室温調整（寒暖差に注意） ●家族ケア（不安の軽減など）

急性期	一般病棟	自宅療養(外来)に向けて
【Stanford A型】 ●人工血管置換術 ●ステントグラフト 【Stanford B型】 ●血圧コントロール	●薬剤投与(鎮痛・降圧) ●酸素投与	●内服薬の調整
観察 ●血圧 ●尿量 ●IN/OUTバランス ●出血 ●ドレーンの排液の性状・量 ●疼痛の有無・程度 ●腹囲、腹部緊満の有無 【術後】 ●創部の状態 ●覚醒状態 ●麻痺の有無 **ケア** 【術後】 ●血圧管理(おもに点滴) ●循環血液量の維持 ●脳血流の維持 ●不整脈の有無の確認 ●ドレーン管理 ●安静の説明 ●看護師による清潔ケア	**観察** ●バイタルサイン(血圧、心拍数、呼吸、SpO₂) ●尿量 **ケア** ●安静度の拡大(リハビリテーション) ●血圧管理(おもに服薬) ●排便コントロール	**ケア** ●定期受診の必要性の説明 ●服薬指導 ●栄養指導 ●生活指導 　▷食事 　▷運動　} P.11〜15参照 　▷禁煙

3 動脈疾患　解離性大動脈瘤(DAA)の看護の経過

急性動脈閉塞症の看護の経過

	発症から入院・診断	入院直後
患者さんの症状	●5つのP ①Pain(疼痛) ②Pulselessness(脈拍消失) ③Paleness(蒼白) ④Paresis(運動障害) ⑤Paresthesia(知覚障害)	
検査	●全身状態の把握のため、血液検査（CPK、凝固異常の有無）、胸部X線、ABG ●心電図 ●ドプラ血流計 ●血管造影 ●ABI ●MDCT ●MRA	
治療	●発症6時間以上が経過している場合、救命処置	●薬物療法 ▷抗凝固療法 ▷血栓溶解療法 ●外科的手術 ▷バイパス術 ▷ステント留置術 ▷血栓除去術
看護	**観察** ●既往歴・現病歴 ●生活習慣 ●バイタルサイン ●末梢冷感・知覚障害の有無 ●動脈触知の左右差の有無 ●外傷の有無 **ケア** ●不安や疑問を表出しやすいよう声かけを行う	**観察** ●既往歴、現病歴の聴取 ●間欠性跛行の有無 ●心疾患・脳梗塞の既往 ●不整脈・カテーテル検査歴など ●皮膚色、冷感・知覚障害の有無 **ケア** ●血圧、疼痛管理 ●苦痛の緩和 ●精神面への配慮

3 疾患

急性期	一般病棟	自宅療養(外来)に向けて
	●定期的な血液検査 ●ABG ●胸部X線	●血液検査 ●胸部X線 ●心電図 ●ドプラ血流計 ●ABI
●外科的血行再建術 ●二次血栓予防のための薬物療法(抗凝固薬) ●経皮的カテーテル血栓溶解療法 ●鎮痛薬の投与 ●抗菌薬の投与	●創部の清潔保持、感染予防 ●点滴、抗菌薬の投与	●薬物療法(内服薬の調整)
観察 ●患側の皮膚の色 ●冷感 ●チアノーゼ ●浮腫 ●知覚障害 ●筋肉硬直 ●潰瘍形成 ●壊死	**観察** ●患側の皮膚色、動脈触知の有無 ●血色 ●浮腫 ●知覚障害の改善の有無	
ケア ●疼痛管理(苦痛の緩和) ●血圧管理 ●精神面への配慮 ●睡眠コントロール	**ケア** 左記に加えて ●リハビリテーション ●退院指導 　▷食生活 　▷服薬　　P.11〜15参照 　▷運動 　▷禁煙	**ケア** ●生活習慣、薬物療法について指導 ●定期受診の必要性の説明

3 動脈疾患 急性動脈閉塞症の看護の経過

閉塞性動脈硬化症(ASO)の看護の経過

	発症から入院・診断	入院直後
患者さんの症状	●四肢冷感、しびれ ●間欠性跛行 ●安静時疼痛 ●潰瘍 ●壊疽	→
検査	●ドプラ血流計 ●ABI ●血管造影 ●MDCT、MRA ●心電図	
治療	●薬剤投与(抗凝固薬、血栓溶解薬) ●酸素投与	→
看護	**観察** ●不整脈の有無 ●生活習慣 ●既往歴(高血圧、糖尿病) **ケア** ●不安を表出できるような声かけ	**観察** ●足背動脈の触知、左右差 ●下肢のしびれ・冷感・疼痛の有無 ●下肢の皮膚色 ●知覚障害・運動障害の有無(触覚、痛覚、温覚) **ケア** ●疼痛管理 ●上記症状の苦痛緩和 ●不安・疑問の軽減

急性期	一般病棟	自宅療養(外来)に向けて
	●患肢症状の改善	
	●心電図 ●ABI	
●薬物療法(抗凝固薬、血栓溶解薬) ●疼痛管理、安静管理 ●経皮的血管形成術(PTA) ●バイパス術、血栓内膜摘除術 ●酸素投与		●内服薬の調整
観察 ●左記に加えてIN/OUTバランス(脱水予防) 【PTA後】 ●穿刺部位の腫脹・出血、疼痛の有無・程度 ●穿刺部よりも末梢の皮膚色、動脈触知 ●造影剤の使用量と副作用 ●尿量、尿比重 ●感染徴候 ●後腹膜出血の有無(便意、腹部膨満、血圧低下など) **ケア** ●疼痛管理 ●安静による苦痛緩和、精神面への配慮、ADL介助 ●睡眠コントロール ●保温、温罨法(火傷に注意) ●清潔ケアの介助 ●関節の拘縮予防 ●良肢位の保持 【PTA後】 ●安静・圧迫時間の説明	**ケア** ●清潔ケア ●爪切り(P.216参照) ●リハビリテーション ●感染予防	**ケア** ●患肢の圧迫や駆血をしないように説明する ●退院指導 ▷生活習慣の改善、禁煙などの指導 ▷内服を自己中断せず、きちんと内服するように指導する ▷外傷を避ける ▷適切な運動を行う ▷入浴方法 ▷皮膚ケア

3 動脈疾患・閉塞性動脈硬化症(ASO)の看護の経過

今までと同じように生活を送りながらもしっかりセルフケア行動を行い、疾患をうまくコントロールしながら生活していけるよう、入院中から退院後の生活を見すえて患者指導を行っていくことが看護師には求められます

静脈疾患
リンパ系疾患

▷ 疾患理解のポイント

静脈疾患は、血栓が形成されることにより、さまざまな症状が起こり、
命にかかわる重篤な状態になることをおさえておきましょう。
リンパ系疾患は、静脈系浮腫なのかリンパ系浮腫なのかをアセスメントすることが大切です。

▷ 治療のポイント

静脈疾患は、予防することで防ぐことができるため、早期発見が重要になります。
リンパ系疾患は、基本的に保存治療となるため、早期に圧迫療法を開始します。

▷ 看護のポイント

静脈疾患は、長期安静臥床から動きはじめるときが特に危険なので注意しましょう。
リンパ系疾患は、日常生活にどの程度影響があるのか、また、
セルフケアの説明が必要なので疾患に対しての本人の受容をアセスメントします。

静脈疾患

静脈疾患とは、静脈に何らかの障害が生じたものです。代表的なものに、**深部静脈血栓症(DVT)、肺血栓塞栓症(PTE)**があります。

リンパ系疾患

リンパ浮腫の定義は、国際リンパ学会では「リンパ系の機能不全と輸送障害による高タンパクの組織液が貯留し起こる症状」とされています。何らかの原因により、リンパ液がリンパ還流に入らず体内に貯留した状態のことを意味します。

静脈疾患の理解に重要な筋ポンプ作用

静脈のしくみと筋ポンプ作用

- 静脈は**表在静脈**と**深部静脈**の2つに分かれます。
- 静脈は、心臓に送り返す血液の量に応じて太さが変化できるように、中膜は薄く、やわらかくなっています。
- 深部静脈は、静脈血を心臓のほうへ送る重要な役割があります。
- 静脈には弁があり、血液が逆流するのを防いでいます。深部静脈を取り囲む筋肉は、静脈を圧迫して静脈内の血液を心臓のほうへ絞り出す手助けをしています。これを**筋ポンプ作用**と呼びます。

筋ポンプ作用のしくみ

▷筋ポンプ作用とは、歩いたり、足首を動かしたりしたときに、ふくらはぎの筋肉が収縮と弛緩を繰り返し、深部静脈を圧迫してポンプのように血液を押し上げるはたらきのことです。

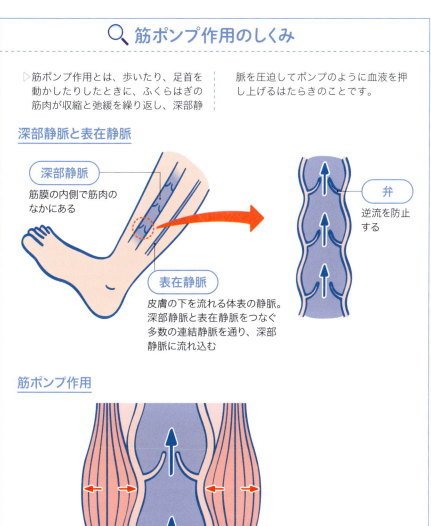

深部静脈と表在静脈

- 深部静脈：筋膜の内側で筋肉のなかにある
- 表在静脈：皮膚の下を流れる体表の静脈。深部静脈と表在静脈をつなぐ多数の連結静脈を通り、深部静脈に流れ込む
- 弁：逆流を防止する

筋ポンプ作用

筋肉　深部静脈

▷筋肉が拡張・収縮を繰り返すことで、血液を押し上げて心臓の方向に流しています。

深部静脈血栓症（DVT）

DVT（deep venous thrombosis）

どんな疾患?

- 深部静脈血栓症（DVT）は、**深部静脈の中の血液が凝固して血栓ができ、深部静脈の内腔を塞いでしまった状態**です。
- 血栓形成の要因には、長期臥床などによる**血流停滞**、手術や外傷などによる**血管内障害**、脱水などによる**血液凝固能の亢進**があります。
- 血栓は、9割以上が足の静脈内にできます。血栓が血液の流れにのって右心房、右心室を経由して肺静脈まで運ばれて**肺血栓塞栓症（PTE）**の原因となります。DVTとPTEの2つを合わせて**静脈血栓塞栓症（VTE）**と呼びます。

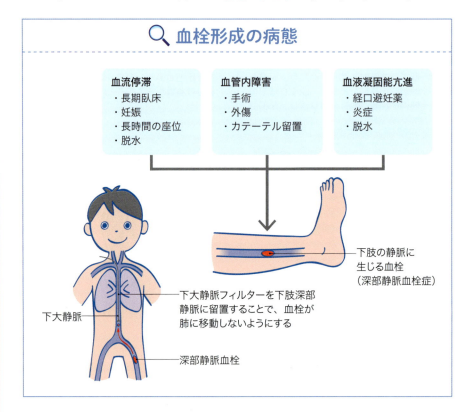

患者さんはどんな状態?

- 多くの場合、片側のふくらはぎに症状が起こります。また、長時間同じ姿勢で座っていたり、寝たきりで血液の流れが悪くなることでも起こります。

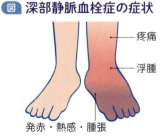

図 深部静脈血栓症の症状

どんな検査をして診断する?

- 血栓の状態は、静脈エコー・造影CT検査によって観察します。
- 血液検査としてDダイマーを測定します。

表 深部静脈血栓症に特徴的な検査所見

下肢静脈エコー	●正常では静脈がつぶれて動脈のみ描出されるが、血栓があると圧迫しても静脈が円形のまま描出される
胸部X線検査	●下肢の血栓が肺に飛んだ場合、PTE所見がみられる
血液検査 (Dダイマー)	●高いとDVTを疑う
下肢造影CT	●静脈径の拡張　●静脈充填欠損

図 静脈エコー

注意 血栓が動いている場合、肺血栓塞栓症が発症する可能性が高い

どんな治療を行う?

- 肺血栓塞栓症を引き起こす危険性があるため、一刻も早く治療を開始します。
- 第一に肺血栓塞栓症の予防として、ヘパリンによる抗凝固療法を行います。抗凝固療法ができない場合などは、下大静脈フィルターを留置します。

表 深部静脈血栓症の治療

圧迫療法 (予防目的のみ)	●弾性ストッキングの着用 ●弾性包帯の装着 　根拠 圧迫により、表在静脈の血液を深部に集める。静脈を狭くして深部静脈の血流が速くなるようにし、血栓を形成しにくくするはたらきがある ●間欠的空気圧迫法(IPC、別名：フットポンプ)
抗凝固療法	●点滴：ヘパリン ●内服：ワルファリン
カテーテル血栓 吸引・溶解療法	●1〜2週間以内の急性血栓症が適応 ●血栓溶解薬はウロキナーゼか、t-PAを使用する ●出血の危険性が高いときは適応外となる
外科的血栓摘除術	●P.365「血栓塞栓除去術」参考
下大静脈フィル ター留置術	●合併症：出血、血腫、感染、刺入部疼痛、造影剤や局所麻酔によるアレルギー、ショック、血管損傷、フィルターの移動、フィルターによる血栓形成

看護師は何に注意する？

- 急激な腫脹と疼痛が出現するため、**疼痛コントロール**が重要になります。
- 治療後の一定期間はベッド上安静が続きます。臥床状態が続くことによってストレスがたまります。ストレスはせん妄にもつながるため軽減に努めましょう。
- 抗凝固療法を続けなければいけないため、**出血傾向**となります。日常生活でもけがに気をつけて生活する必要があります（P.235参照）。

表 深部静脈血栓症のおもな観察ポイント

視診・触診	●足背・後脛骨・膝窩動脈の触知の有無 ●下肢の疼痛や腫脹・熱感 ●ホーマンズ徴候の有無 **図 ホーマンズ徴候** 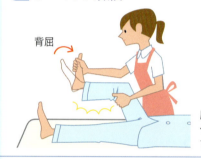 膝を伸展させる、または下肢を伸展させた状態で足関節を背屈すると、腓腹部に痛みが生じる
血液検査	●Dダイマー
下大静脈フィルター留置後の合併症	●下大静脈フィルター留置後の合併症には、出血、血腫、感染、刺入部疼痛、造影剤や局所麻酔によるアレルギー、血管損傷、フィルターの移動、フィルターによる血栓形成などがある。肺血栓塞栓症に移行しやすいため、関連した症状でないか注意しよう

肺血栓塞栓症が発症しやすいタイミングは、**安静状態から体を起こしたとき**です。このことを念頭におき、初回歩行時には必ず付き添い、清拭・体位変換・排泄・リハビリテーション・処置・検査・食事などを行う際には注意しましょう（P.235参照）

肺血栓塞栓症（PTE）

どんな疾患？

- 肺血栓塞栓症（PTE）は、おもに**下肢静脈にできた塞栓子が血流にのって肺動脈を閉塞し、肺循環障害をきたす**ことによって発症します。それにより、さまざまな症状が起こります。
- 血栓がある程度大きければ、肺血流を遮断してガス交換に影響を及ぼします。血栓が肺動脈に詰まると、肺動脈圧と右心圧の上昇をきたします。

PTE（pulmonary thromboembolism）

🔍 肺血栓塞栓症の発症のしくみ

▷ 深部静脈にできた血栓が下大静脈を経て肺動脈に詰まることで生じます。
▷ 手術後に血栓が形成され、安静が解除されることで血栓が肺動脈まで運ばれます。

患者さんはどんな状態？

- 肺血栓塞栓症のおもな身体所見は、**息苦しさ**です。ほかには、突然の呼吸困難、吸気時の胸痛、頻脈、過呼吸が生じます。重症化すると、失神、ショック、心停止に至ります。まれに、血痰、咳嗽が出現するときもあります。

図 肺血栓塞栓症の症状

突然の呼吸困難
胸痛
頻脈

どんな検査をして診断する?

● 呼吸状態の悪化が症状として出はじめたら、造影CTを行い、血液検査、心エコーを行って確定診断することが大切になります。

表 肺血栓塞栓症に特徴的な検査所見

胸部X線	● ナックルサイン（拡大した肺門部肺動脈が急激に細くなり、途絶してみえる）
胸部造影CT	● 肺動脈内に血栓の存在を示す陰影欠損がみられる
肺動脈造影	● 血流の途絶像およびU字状の陰影欠損がみられる
心エコー	● 右室機能不全の所見（右心系の拡張と動きの低下、心室中隔の異常運動） ● 右室右房間圧較差（TRPG）の上昇
血液検査	● 抗凝固能検査
血液ガス分析	● PaO_2、$PaCO_2$の低下 ● 呼吸性アルカローシスになる

どんな治療を行う?

● 確定診断にこだわらず、本症の疑いが強ければ積極的に治療を開始します。
● 治療は、酸素投与、抗凝固療法になります。必要に応じて血栓溶解療法を行います。

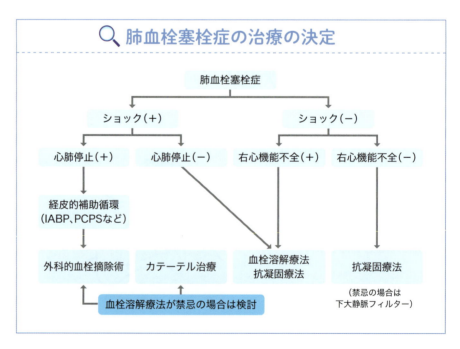

肺血栓塞栓症の治療の決定

抗凝固療法（ヘパリン投与）

- ヘパリンの24時間持続投与を行い、活性化部分トロンボプラスチン時間（APTT）をモニターしながら投与前の1.5～2倍程度になるようにコントロールを行います。一般的には初期投与の7日後から、内服の抗凝固薬であるワルファリンへ切り替えます。ワルファリンは、PT-INR 2.0～3.0を目標にコントロールを行います。

その他の治療

- 重症化例の場合には、血栓溶解療法（t-PA、ウロキナーゼ）を行います。また、カテーテルによる血栓破壊、経皮的心肺補助装置（PCPS）、外科的血栓摘除術などが検討されます。

PT-INR
プロトロンビン時間。ワルファリンによるモニタリング検査に用いられるデータ。

Link 経皮的心肺補助装置（PCPS）→P.328

t-PAによる血栓溶解療法のしくみ

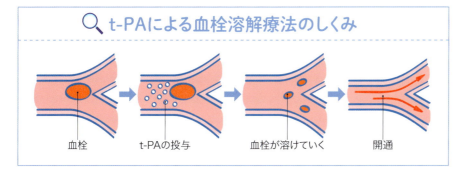

血栓　→　t-PAの投与　→　血栓が溶けていく　→　開通

看護師は何に注意する？

- 多くの患者さんは無症状のため、**異常の早期発見**が重要です。
- 症状を呈する患者さんには、苦痛を軽減するかかわりが大切になります。呼吸状態や全身状態、バイタルサインをていねいに観察しましょう。
- 血液を固まりにくくする抗凝固薬や、血栓を溶かす血栓溶解薬が用いられます。いずれも出血しやすくなるので患者さんは出血傾向となります。
- 患者さんは、日常生活でも出血しないよう気を使わなければいけません。また、抗凝固薬（ワルファリン）を服用する場合は、**納豆・クロレラ・青汁**など、ビタミンKを多く含む食品は、**作用を弱めるので食べたり飲んだりできません。**
- 死亡率は10～30%と報告されています。治療が功を奏すれば予後は良好です。
- 再発の恐れもあるので抗凝固薬は内服し続けなければなりません。

表 肺血栓塞栓症のおもな観察ポイント

呼吸状態	●呼吸困難、息苦しさ、喘鳴
胸部症状	●胸痛の有無
血液ガス分析	●PaO_2、$PaCO_2$の低下　注意 低酸素に注意する
出血傾向	●全身の皮下出血、鼻出血、歯ぐきからの出血

深部静脈血栓症(DVT)の看護の経過

	発症から入院・診断	入院直後
患者さんの症状	●下肢の腫脹・疼痛・熱感 ●チアノーゼ、浮腫 ●ホーマンズ徴候	●下肢の腫脹・疼痛・熱感 ●チアノーゼ
検査	●下肢エコー ●造影CT	●採血を行い、Dダイマーの数値を追視する ●定期的に下肢エコーを実施する
治療		●抗凝固療法 ▷ヘパリン ▷ワルファリンカリウム
看護	【救急外来での対応】 ●本人へ状況を説明する ●現在の状況や症状について聴取する ●安静の必要性を説明する	【観察】 ●下肢の状態 ●血栓が飛んでいないか呼吸状態・意識レベルを観察する 【ケア】 ●疼痛緩和

急性期	一般病棟	自宅療養(外来)に向けて
●下肢の腫脹・疼痛	●下肢の腫脹・疼痛の残存	
●定期的に下肢エコー ●造影CT ●血液検査		
●抗凝固療法 ●血栓溶解療法の併用	●血栓溶解療法 ●抗凝固療法が禁忌の場合などは下大静脈フィルター	●食生活や習慣の見直し
観察 ●下肢の状態 ●抗凝固療法を行っているため、出血傾向になりやすいので、全身を観察する **ケア** ●疼痛緩和 ●安静の確保	**観察** ●PTEの早期発見のため呼吸状態(呼吸回数・リズム、SpO₂、呼吸音)をみる **ケア** ●安静の確保	**ケア** ●少しずつ安静度を拡大していく ●抗凝固薬を飲み続けなくてはいけないため、注意点を患者さんに説明する ▷転倒やケガには気をつける ▷強く鼻をかまない(鼻出血のリスクがあるため) ▷強く歯みがきをしない(歯ぐきより出血しやすいため)

> DVTはきちんと治療すれば予後良好ですが、再発の可能性があるため抗凝固薬の服用が必要です

3 静脈疾患　深部静脈血栓症(DVT)の看護の経過

リンパ系疾患の理解に重要なリンパ系のしくみ

リンパ系のしくみとはたらき

Link リンパ系のしくみ
→P.48

- 血漿成分のうち、毛細血管に再吸収されなかった約10％の間質液（約90％は再吸収される）が、リンパ管に吸収されてリンパ節に流れてきます。このリンパ管に流入する間質液を、リンパ液といいます。
- リンパ液はリンパ管に流入した後、胸管または右リンパ本幹を介して中心静脈系に流入します。そして静脈系の流れに戻ります。
- リンパ管には静脈同様に弁があり、逆流を防止しています。筋の収縮時に発生する圧で移動します。
- リンパ液には細胞から出た老廃物や細菌・ウイルスなどの異物が含まれており、中心静脈系に流入する前にリンパ節を通過する際に異物が濾過されます。そのためリンパ節には、リンパ球、マクロファージ、樹状細胞が大量に存在し、流れてきた異物に対して免疫反応を起こしており、リンパ節は免疫系においても重要な役割を果たしています。
- リンパ節は、**表在リンパ節**と**深部リンパ節**に分けられ、表在リンパ節は皮膚の直下に存在し、全身に分布しています。特に頸部、腋窩、鼠径部に集中しています。

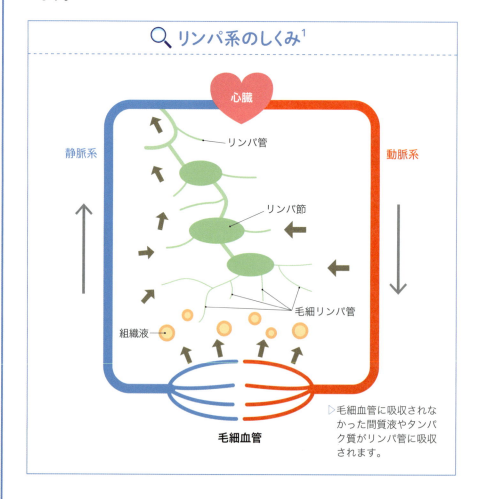

リンパ系のしくみ[1]

▷毛細血管に吸収されなかった間質液やタンパク質がリンパ管に吸収されます。

リンパ浮腫

どんな疾患?

- リンパ浮腫は、一次性(先天性、原因不明)と二次性(術後、感染)に分かれます。
- 大部分のリンパ浮腫は**二次性**に分類されます。
- リンパ浮腫は、**片側性の浮腫**であることがほとんどです。重症化すると両側性となります。
- リンパ浮腫の症状は3段階に分類されます。

表 リンパ浮腫の分類

一次性	●原因不明 ●先天性疾患
二次性	●子宮がん、乳がん根治術リンパ節郭清 ●外傷、感染、蜂窩織炎 ●悪性腫瘍 ●放射線照射

表 リンパ浮腫の症状の3段階

1期	●浮腫は圧痕性で、患部はしばしば朝までに正常に戻る(pitting edema)
2期	●浮腫期:浮腫は圧痕性で、患肢挙上では消失しにくい(pitting edema) ●晩期:浮腫は非圧痕性で、脂肪組織が線維化を起こす(non-pitting edema)
3期	●線維化した組織が肥厚、硬化し不可逆性となる(象皮症)

どんな治療を行う?

- 基本的な治療は、弾性着衣(弾性ストッキング)などの保存療法となります。

表 リンパ浮腫の治療

保存療法	手術療法
●圧迫療法 ●リンパドレナージ ●運動療法 ●スキンケア	●リンパ管細静脈吻合術(LVA) ●血管柄付きリンパ節移植術 ●脂肪吸引 ●スーパーマイクロサージャリーを用いた再建術

看護師は何に注意する?

- 夜間は下肢を挙上します。弾性ストッキングや圧迫療法を行う際は、皮膚トラブルに気をつけます。
- 保湿や特に負荷がかかる部分の圧痕の観察などが必要です。

循環器疾患と大きな関連のある疾患

睡眠時無呼吸症候群(SAS)

どんな疾患?

- 無呼吸とは、**10秒以上の呼吸停止**をいいます。睡眠中(一晩7時間)に30回以上の無呼吸、もしくは1時間あたりに無呼吸回数が5回以上で、**睡眠時無呼吸症候群(SAS)**とみなされます。
- 睡眠1時間あたりの無呼吸と低呼吸の合計回数を、**無呼吸低呼吸指数(AHI)**と呼び、この指数によって重症度が分類できます。
- 低呼吸とは、10秒以上の気流の30％以上の振幅の減少に、SpO_2の4％以上の低下を伴うものをいいます。

SAS(sleep apnea syndrome)

AHI(apnea hypopnea index)

表 AHIからみた重症度分類

軽症	中等症	重症
5 ≦ AHI <15	15 ≦ AHI <30	30 ≦ AHI

🔍 睡眠時無呼吸症候群の分類

閉塞性睡眠時無呼吸症候群(OSAS)

- ▷睡眠中に、**上気道の完全な閉鎖もしくは部分的閉鎖**が起こることで、繰り返し無呼吸や低呼吸をきたします。睡眠時無呼吸症候群の多くはOSASです。
- ▷原因は、**肥満による気道周囲狭窄**、小顎、加齢、就寝前のアルコールの摂取などがあります。

OSAS(obstructive sleep apnea syndrome)

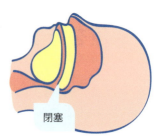

中枢性睡眠時無呼吸症候群(CSAS)

- ▷**脳幹からの呼吸指令が出ない**ため無呼吸が出現します。
- ▷CSASでは、二酸化炭素の濃度変化に対する脳幹の感受性が鈍くなっているため、低酸素になっていても脳から指令が出ず、無呼吸を繰り返します。
- ▷OSASと違い、気道が狭窄されなくても起こります。

CSAS(central sleep apnea syndrome)

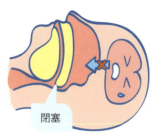

なぜ睡眠時無呼吸症候群が関連するの？

- 睡眠時無呼吸症候群（SAS）だけだと疾患としては無視されやすく、みつかりにくいですが、**放置することによって高血圧、糖尿病などの生活習慣病が悪化し、いずれ心不全になるリスクが高まります**。また、原因不明の高血圧・糖尿病の悪化は、SASの可能性もあり、早期発見して治療することが大切です。

心不全

- SASは心不全悪化の原因の1つになる可能性があります。その成因はいまだ不明なところも多いですが、気道が間欠的に閉塞することによる胸腔内圧変化が心不全の悪化に影響することが示唆されています。
- 体液は姿勢に影響を受けるといわれています。立位、坐位、臥位により、静脈還流が変わり、心臓に対する前負荷が変わると思われます。その影響の一端として、仰臥位時に体液が頭側へ移動することがあります。この体液の頭側への移動は、咽頭部の浮腫を誘導し、気道閉塞を引き起こします。SASは、この姿勢の変化に伴う体液移動による影響を免れないと考えられます。

Link 心不全 ➡ P.166

不整脈

- SASは呼吸停止と低呼吸を繰り返すため、**低酸素状態**になります。そのため、体内に酸素を多く取り入れようとし、**過呼吸**となります。
- 過呼吸になると交感神経が緊張し、**頻脈**になります。無呼吸期には気道が閉塞しているため、肺が大きく広がった状態になることがあります。
- 一定以上に肺が広がると迷走反射神経がはたらくため、**徐脈**になります。睡眠時無呼吸の持続中、頻脈と徐脈が繰り返されることにより心臓に負担がかかり、不整脈の原因となります。

Link 不整脈 ➡ P.90

高血圧

- 低酸素血症や脳の覚醒によって交感神経が緊張すると胸腔内が陰圧になり、**血流が増加**し、高血圧の要因になります。SASの患者さんは肥満を合併していることが多く、これも高血圧の悪化因子となります。

Link 高血圧症 ➡ P.54

糖尿病

- **肥満**はSASの要因となります。また、交感神経が亢進することでホルモンバランスが崩れます。そのため、糖尿病のリスクとなります。

狭心症

- SASにより、心臓へ血流が増えることで心負荷がかかります。それによって利尿作用がはたらき、**循環血流量が減少**します。
- 低酸素状態になることで、赤血球の産生が亢進します。赤血球は酸素を全身に運搬しますが、必要以上に増加すると多血症になります。多血症になると血栓形成を起こしやすくなります。高血圧や糖尿病は動脈硬化の原因であり、狭心症の要因になりますが、これも重なり狭心症を起こす可能性を高めるためです。

Link 狭心症（AP）➡ P.69

どんな治療を行う?

●睡眠時無呼吸症候群（SAS）の治療は、下記のようなものがあります。

表　睡眠時無呼吸症候群のおもな治療

生活習慣の指導	●仰向けで寝ることで舌や咽頭が下がり、気道を防いでしまったり、つぶしたりしてしまうことがあるので、側臥位で寝るように指導する
減量	●肥満はSASのリスクを高めるといわれる。そのため、食事や運動指導を行う
禁煙	●喫煙は上気道を逆流させたり、筋力を低下させるリスクがあるため禁煙するよう指導する
飲酒の制限	●飲酒は上気道の筋肉を弛緩させるため、制限する
睡眠薬	●薬剤によっては、SASを悪化させるものもあるため、内服している場合は医師に相談する
マウスピースの装着	●マウスピースを装着することで下顎を前方に固定し、気道が広がる
手術	●原因がアデノイドや扁桃肥大の場合、手術を行うことがある

経鼻的持続陽圧呼吸療法（CPAP）

●AHIが40以上でのSASでは、経鼻的持続陽圧呼吸療法（CPAP）が標準的治療となります。20＜AHI＜40の場合は、睡眠ポリグラフ検査（PSG）後、導入します。
●CPAPは、持続的に空気を送ることで狭くなっている気道を広げる治療法です。一定の陽圧を加えて呼吸を補助します。
●おもに閉塞性睡眠時無呼吸（OSA）の患者さんに使用します。

BIPAP療法

●心不全に伴う中枢性睡眠時無呼吸（CSA）の治療に、BIPAP療法を行います。
●BIPAPは、呼吸状態に合わせて高めの圧を出し吸気を助け、呼気のときは圧が低くなることで呼吸を補助します（吸気圧＞呼気圧）。

CPAPの原理

装着前
閉塞部位

装着後
気道が広がる

看護師は何に注意する?

●**いびきのアセスメント**が重要です。夜勤帯などのラウンド時にいびきの有無、同室者の訴えなどがあります。また、いびきだけでなく、**無呼吸、低呼吸**の有無も観察する必要があります。
●心負荷がかかることで、生体防御反応として利尿作用がはたらきます。そのため、**夜間の頻尿**も観察しましょう。
●呼吸停止が繰り返されることにより、脳や身体も断続的に覚醒状態となっています。そのため、**日中に眠気、倦怠感、集中力低下を訴えることが多い**です。

第4章

循環器のフィジカルアセスメント・検査

循環器のフィジカルアセスメント 242
心電図検査（ECG） 250
ホルター心電図 255
運動負荷心電図 256
心エコー検査 257
その他のエコー検査 260
心筋シンチグラフィ 261
CT検査 263
MRI検査 264
血行動態モニタリング 265
動脈血ガス分析 275

循環器のフィジカルアセスメント

循環器のフィジカルアセスメントのポイント

- 循環器疾患の患者さんのフィジカルアセスメントで大切なことは、**「聞(聴)き逃さない」「見逃さない」**ことです。患者さんの訴えや全身の症状を見逃すことなく、観察しましょう。

問診

- 胸の痛みを訴えている患者さんは、「どこが痛い」と正確に答えることは難しいです。実際、「胸」と呼ばれる部位は「心臓」のほかに、「肺」「気管」「食道」「肋骨・胸骨」「大動脈・大静脈」「乳房」「皮膚」などさまざまあります。
- 胸痛のなかで、まず鑑別しなくてはならないのが**致死的な胸痛であるかどうか**です。致死的な胸痛とは、**心筋梗塞**、**解離性大動脈瘤**、**肺梗塞**の3つです。まずは問診からアセスメントしてみましょう。

表 胸痛を訴える場合の問診のポイント

発症様式	●最初に痛みを感じたのはいつか、どのように起こったのか(突然か、徐々に痛みが出現したか) ●どのような状況のときに痛くなるか
増悪・寛解因子	●どのようなときによくなり、どのようなときに悪くなるか(動くと痛いか)
症状の性質・ひどさ	●痛みはどんな痛みか、今までに経験したことのない痛みか
場所・放散	●どの場所が痛いか(胸全体か、局所的に痛むのか) ●ほかにどんな症状があるか(息苦しさや咳が出現するか) ●ほかに痛むところはあるか ●痛みは広がるか
改善方法	●痛みが出たときは、いつもどのように対処しているか ●姿勢によって痛みの変化があるか(仰臥位や特定の姿勢で緩和する場合は、消化管系や筋骨格系に原因がある可能性がある)
症状の強さ	●痛みの強さはどれくらいか(NRSでの痛みはどうか)
時刻、起こりかた	●痛みが出るのはいつごろか ●1日にどのくらいの頻度で痛みが出るか ●痛みはどれくらい持続しているか ●以前にもあった痛みか
既往歴、家族歴	●高血圧、脂質異常症、糖尿病の既往がある場合は、心筋梗塞や解離性大動脈瘤のリスクが高くなる
その他	●術後や長期臥床など長時間の同一体位が考えられる場合は、肺梗塞や肺塞栓症などのリスクが高くなる

NRS (numerical rating scale)

視診

- まずは、**患者さんの第一印象**を確認しましょう。苦悶様の表情を浮かべていたり、息苦しい感じはないでしょうか。
- 視診は、患者さんの全身状態を目で診ることが目的です。局所だけではなく、全身を観察するように心がけましょう。
- 循環器疾患を疑う患者さんに対する視診のポイントは、下表のとおりです。

表 循環器疾患の視診のポイント

意識レベル	●ジャパン・コーマ・スケール(JCS)、グラスゴー・コーマ・スケール(GCS)を用いて、時間を追って計測する **根拠** 意識レベルは脳疾患以外にも、循環不全や電解質異常(高・低)、血糖異常などさまざまな原因によって生じるため
ショック	●顔面蒼白　●冷汗　●呼吸不全　●虚脱 ●動脈触知不可　●頻脈　●乏尿　など
チアノーゼ	●顔面蒼白　●口唇 ●爪床　●ばち状指
浮腫	●全身　●顔面　●眼瞼　●下肢
頸静脈怒張	●頸静脈は右心の血行動態を反映する **根拠** 頸静脈は弁がなく右心房につながっているため
呼吸状態	●肩呼吸や起座呼吸　●労作時の息切れ　●頻呼吸　●喘鳴 ●咳嗽　●発作性夜間呼吸困難　●ピンク状泡沫状痰　など

Link JCS ➡【別冊】P.107
Link GCS ➡【別冊】P.108

チアノーゼの分類
- 中心性チアノーゼ：動脈血酸素濃度の低下によって生じる。おもな原因は、先天性心疾患や肺機能の低下。
- 末梢性チアノーゼ：動脈血酸素濃度は正常だが、末梢血管床の血流停滞によって静脈血の脱酸化ヘモグロビンが増加した状態。おもな原因は、心拍出量低下、動脈閉塞。

ばち状指

正常な指では、第一関節を背中合わせにすると、爪と爪の間に菱形の空間ができる。慢性的な酸素供給不足が続いていると、爪のつけ根が盛り上がり、爪どうしがあたらないようになる。

頸静脈怒張の観察方法

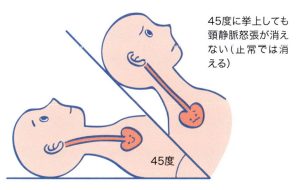

45度に挙上しても頸静脈怒張が消えない(正常では消える)

45度

▷うっ血性心不全による右房圧の上昇や上大静脈症候群、大動脈解離による上大静脈の圧迫により、頸静脈が怒張します。
▷観察方法は、仰臥位からベッドを徐々に上げていきます。ベッドアップが45度に達すると、怒張が消失するのが正常です。**右房圧が高い右心不全を起こしている場合は、怒張が残存**しています。

浮腫の分類
- 全身性浮腫の種類：心性、腎性、肝性、栄養状態、内分泌性、薬物性など。
- 局所性浮腫の種類：血管系、リンパ系、炎症など。

触診

- 触診は、①脈拍測定→②心尖拍動の確認→③腹部・両下肢の動脈の聴診の順番で行います。

脈拍測定

- 脈拍測定は一般的に、手首にある橈骨動脈に示指、中指、薬指の3本の指を当てて、リズムがみられたら**1分間測定**します。
- 成人の正常な脈拍数は、**1分間あたり60～100回**です。
- はじめて脈をとる患者さんの場合は、**両橈骨動脈を同時に測定し、左右差がないかを確認**します。
- 脈拍測定は脈拍数のほかに、リズム、脈拍欠損の有無、脈拍の強さ・速さ・左右差・上下肢差などを確認します。

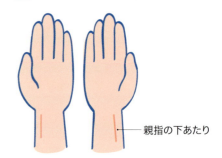

図 脈拍の測定部位（橈骨動脈）

親指の下あたり

表 脈拍のアセスメント

分類		特徴	おもな原因
脈拍の速さ	頻脈	●脈拍数が100回/分を超える	●発熱、貧血、低酸素状態、低心拍出量など ●頻脈性心房細動、心房粗動、上室性頻拍、心室性頻拍など
	徐脈	●脈拍数が50回/分未満	●刺激伝導系に問題がある。徐脈性心房細動、房室ブロック、洞性徐脈、洞不全症候群など ●高カリウム血症、ジギタリス中毒など ●副交感神経が優位な状態
不整脈	交互脈	●リズムは規則的だが、脈拍の大きさが1拍ごとに大小交代する	●左心不全など
	二段脈	●通常の強い脈拍の後に早期収縮の小さい脈拍が続く	●心房性期外収縮、心室性期外収縮など
	奇脈	●吸気時に脈拍が弱くなり、呼気時に脈拍が強くなる	●心タンポナーデ、心膜炎、肺塞栓症など

> 🔍 **脈拍からみる血圧のめやす**

▷ 一般的に橈骨動脈で触知できる場合、**収縮期血圧が80mmHgを上回っている**といわれています。
▷ 橈骨動脈で触知できない場合は、肘のところの正中動脈、上腕動脈、首のところの頸動脈、鼠径のところの大腿動脈などで再度、触知を確認します。

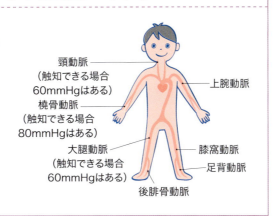

心尖拍動の確認

- 手のひらを胸骨正中部位に当てて、指の先端で心尖拍動を触知します。
- 心尖拍動が著しく弱い、または触知できない場合は、**低心拍出状態**、**心タンポナーデ**、**肺気腫**などが疑われます。
- 心尖拍動が大きくて強い場合は、**大動脈弁狭窄症**、**拡張型心筋症**、**左室肥大**などが疑われます。
- 心尖拍動とともに、**振戦の有無**を確認します。振戦は、**心臓弁膜症**や**短路血流（シャント）**によって生じます。

図 心尖拍動の確認方法

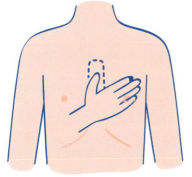

右の手のひらを胸骨正中に合わせて当てると、指先が心尖部付近になる

表 振戦による異常

	振戦部位	おもな原因
収縮期	胸骨左縁上部	●肺動脈狭窄
	胸骨左縁中部	●心室中隔欠損
	胸骨右縁上部	●大動脈弁狭窄症
拡張期	胸骨左縁中部	●大動脈弁閉鎖不全症
持続性	－	●大動脈間開存症 ●バルサルバ洞動脈瘤破裂

腹部・両下肢の動脈の触診

- 腹部の触診では、上腹部から中腹部の正中線上付近にあたる、**腹部大動脈の拍動**に注意します。三尖弁閉鎖不全症の場合、収縮期に心窩部から右季肋部にかけて肝臓の拍動を感じることがあります。
- **両下肢の動脈を触知し、左右差の有無を確認**します。左右差がある場合は、閉塞性動脈硬化症や大動脈解離が疑われます。

心尖拍動
心収縮期に、心尖部（心臓の左前方の尖端）が前胸壁に突き当たり、その部分が心臓の拍動とともに持ち上がること。

Link 三尖弁閉鎖不全症（TR）→P.123

聴診の基本

- 肺の聴診の目的には、**呼吸音の聴取**と**異常心音の聴取**があります。
- 前胸部では心音のほかに呼吸音を、背部では呼吸音を聴取するようにします。

聴診器のしくみ

- 聴診器のチェストピースには、膜面（ダイヤフラム面）とベル面の2種類があります。
- 膜面は、高音が聴取しやすいため、大動脈弁閉鎖不全症などで起こる拡張期逆流性雑音などの聴取に向いています。
- ベル面は、低音を中心に、すべての心音を聴取する場合に向いています。Ⅲ音、Ⅳ音、僧帽弁狭窄症の拡張期ランブルなどの低音が聴取できます。

[Link] 大動脈弁閉鎖不全症（AR）➡P.120

[Link] 僧帽弁狭窄症（MS）➡P.110

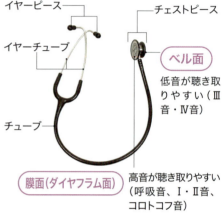

図 聴診器のしくみ

呼吸音の聴診

- 呼吸音の聴診は、**上から下に向かって、左右対称**に聴診します。

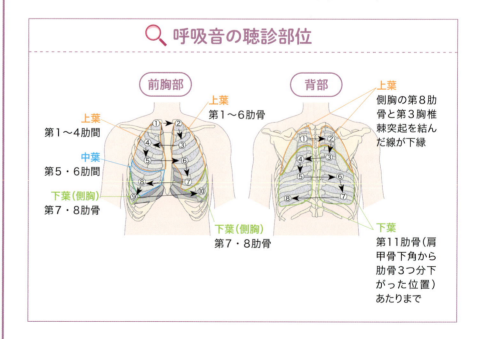

呼吸音の聴診部位

呼吸音のアセスメント

- 呼吸器系の聴診では通常、高い音が多いため、**聴診器の膜面**を使用します。
- 正常な呼吸音は、頸部気管や胸骨周辺で呼気と吸気の両方が粗く聴取される**気管音**と**気管支肺胞音**、肺野全体で吸気のときにやわらかく聴取される**肺胞音**があります。
- 異常音は、**副雑音（ラ音）**ともいわれます。呼吸音がどこで聴取されるか、呼気と吸気のどちらで聴取されるか、音の性状（連続性、断続性、高音性、低音性）を注意深く聴取します。

表 正常な呼吸音

種類	吸気：呼気	特徴
気管音	1：2	高調な粗い呼気がよく聴取される
気管支肺胞音	1：1	肺胞音よりやや高い音質が聴取される
肺胞音	2：1	やわらかく低調な吸気がよく聴取される

表 呼吸音の異常

異常の内容	おもな原因
呼吸音の減弱・消失	●胸水貯留　●無気肺　●慢性閉塞性肺疾患（COPD）　●呼吸筋麻痺　●気道の狭窄・閉塞
呼気の延長	●気管支喘息　●COPD
肺胞領域での気管音の聴取	●胸水貯留　●肺うっ血　●肺炎

表 副雑音の種類

種類		音の例	おもな原因
連続性副雑音	高音性（ウィーズ）(wheeze)	ヒューヒュー	●気管支喘息　●気道狭窄　●心不全
連続性副雑音	低音性（ロンカイ）(rhonchi)	グーグー	●痰などの貯留　●肺炎　●気道狭窄など
断続性副雑音	捻髪音（ファインクラックル）(fine crackles)	パチパチ	●心不全　●肺水腫　●肺炎　●肺線維症　●間質性肺炎
断続性副雑音	水泡音（コースクラックル）(coarse crackles)	ブツブツ	●気管支拡張症　●肺炎　●慢性気管支炎　●肺水腫
その他	胸膜摩擦音	ギューギュー、バリバリ	●皮下気腫　●胸膜炎

心音の聴診

心音の聴取部位

- 聴取するときは、仰臥位か座位で下の図の聴取部位を聴取します。
- 僧帽弁狭窄症の場合は、左側臥位になると拡張期ランブルが増強するため聴取しやすくなります。また、大動脈弁閉鎖不全症の場合は、座位になると灌水様逆流が増強するため聴取しやすくなります。

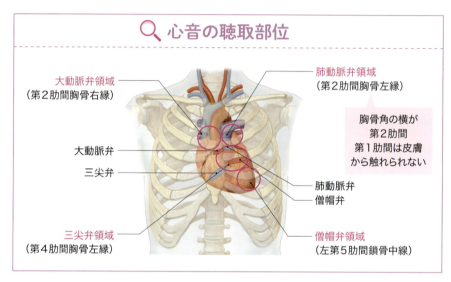

🔍 心音の聴取部位

- 大動脈弁領域（第2肋間胸骨右縁）
- 肺動脈弁領域（第2肋間胸骨左縁）
- 三尖弁領域（第4肋間胸骨左縁）
- 僧帽弁領域（左第5肋間鎖骨中線）

胸骨角の横が第2肋間　第1肋間は皮膚から触れられない

心音の種類

- 心音は、**弁が閉じたときに血流がぶつかることによって起こる音**や、**弁の閉鎖する音**です。正常であれば、弁の解放時には雑音が聴こえません。
- 心音にはⅠ～Ⅳ音まであります。

表　心音の種類

Ⅰ音（「ド」と聴こえる）	Ⅱ音（「トン」と聴こえる）
●房室弁（僧帽弁、三尖弁）の閉鎖音 三尖弁／僧帽弁／房室弁閉鎖Ⅰ音 左心室は心筋量が多いため、Ⅰ音が大きく聴こえる	●半月弁（大動脈弁、肺動脈弁）の閉鎖音 肺動脈弁／大動脈弁／半月弁閉鎖Ⅱ音
Ⅲ音	Ⅳ音
●Ⅱ音の後に聴かれる低音 注意 中年以降で聴取されたら異常を疑う（心不全などで聴取される）	●Ⅲ音の後に聴かれるⅢ音よりも低い音 ●通常は聴取されない ●心筋肥大、虚血、うっ血性心不全などで聴かれる

Link 僧帽弁狭窄症（MS）➡P.110

Link 大動脈弁閉鎖不全症（AR）➡P.120

異常心音のアセスメント

- 心臓は、心房から心室へ血液が流れ込み、心室から全身、または肺に血液を送り出す機能をもつ臓器です。また、その流れは一方通行です。
- 血液をためる、一方通行の流れをつくり出すために役立っているのが心臓の弁です。弁は血液の逆流を防いでいますが、**何らかの疾患により、弁がしっかり閉まらないと逆流が起こり、心雑音となって聴こえます(閉鎖不全症)**。また、弁が解放することによって血液が送り出されますが、完全に開いていないと狭いところを血液が通ります。その**狭いところを無理やり通ることにより、心雑音が聴こえることになります(狭窄症)**。
- 心雑音は、血管雑音のような「ザー」というような音が聴取されます。心雑音の強度のアセスメントには、Levine分類(レバイン)がよく用いられます。

I音とII音の聴き分け方

I音は房室弁の閉鎖音のため収縮期、II音は半月弁の閉鎖音のため拡張期のはじまりといえる。I音とII音の鑑別で簡単なのは、頸動脈を触診しながら行うことである。脈拍の立ち上がりと同時に聴こえる音がI音といえる。ほかに、I音は重く「ド」と聴こえ、II音は軽く「トン」と聴こえるなど音の違いからも鑑別できる。

表 Levine分類(心雑音の強度のアセスメント)

	I度	II度	III度	IV度	V度	VI度
振戦	振戦に触れない			振戦に触れる		
心雑音の強さ	弱 →→→→→→→→→→→→→→→→→→→→→→→→ 強					
聴診器での聴取	かろうじて聴こえる	普通に聴こえる	大きく聴こえる	大きく聴こえ、聴診器を一部離しても聴こえる	聴診器で聴こえる最も大きい音。聴診器を離すと聴こえない	聴診器を胸壁から離しても聴こえる

表 心雑音の種類

分類		おもな原因疾患
収縮期雑音 I音からII音の間に聴こえる (I II I)	駆出性雑音	● 大動脈弁狭窄症 ● 肺動脈弁狭窄症 ● 心房中隔欠損症 ● 肥大型心筋症　など
	逆流性雑音	● 僧帽弁閉鎖不全症 ● 三尖弁閉鎖不全症 ● 心室中隔欠損症　など
拡張期雑音 II音からI音の間に聴こえる (I II I)	房室弁雑音	● 僧房弁狭窄症(拡張期ランブル) ● 三尖弁狭窄症 ● 僧帽弁閉鎖不全症　など
	逆流性雑音	● 大動脈弁閉鎖不全症 ● 肺動脈弁閉鎖不全症　など

4 循環器のフィジカルアセスメント

心電図検査（ECG）

ECG（electrocardiogram）

Link 刺激伝導系 → P.33

Link 心周期 → P.38

どんな検査？

- 心臓は、電気信号が刺激伝導系と呼ばれる「刺激を伝えるための電線」を伝って、心筋細胞を活動させることで収縮します。
- 心電図とは、この**心臓の電気信号を身体の表面からみたもの**です。
- 心電図の各波形の意味を理解することで、心臓の解剖生理にもとづいた心電図の理解につながります。

心電図波形の意味

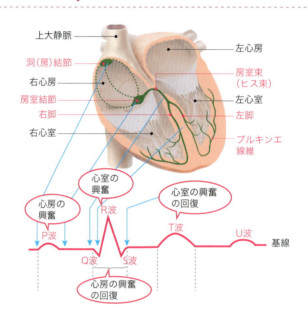

P波：心房の興奮

▷洞結節から房室結節への刺激は、心房の心筋細胞を興奮させます。小さなエネルギーでも十分な興奮であり、波が小さくなっています。

QRS波：心室の興奮

▷Q波：P波の後の基線に続いて最初に下を向く
▷R波：Q波の後に上を向く
▷S波：R波の後に下を向く
▷この3つは心室の興奮を表しており、QRS波と呼ばれます（Q波はない場合もあります）。心室は強く興奮しているため、波が大きく、狭くなります。

T波：心室の興奮の回復

▷興奮した心筋細胞がエネルギーをためる期間です。

心房の興奮からの回復は、QRS波のなか、つまり心室の興奮のときに起こっているため、大きな波に小さな波が隠れています

心電図の誘導法

- 心電図検査では、電極を胸部や四肢の決められた位置に付けて測定します。
- 電極を付ける組み合わせには、**標準肢誘導**（双極肢誘導）、**単極肢誘導**、**胸部誘導**があります。これらを標準12誘導と呼びます。

表 **標準12誘導**

種類	電極の位置など
標準肢誘導（双極肢誘導） 四肢の2電極間の電位差をみる	第Ⅰ誘導：右手・左手
	第Ⅱ誘導：右手・左足
	第Ⅲ誘導：左手・左足
単極肢誘導 四肢につけた単一の電極の電位をみる	aV_R：右手
	aV_L：左手
	aV_F：左足
胸部誘導 胸部の第4～5肋間につけた電極の電位をみる	V_1：第4肋間胸骨右縁
	V_2：第4肋骨胸骨左縁
	V_3：V_2とV_4の中間
	V_4：第5肋間で左鎖骨中線上
	V_5：V_4と同じ高さで左前腋窩線上
	V_6：V_4と同じ高さで左中腋窩線上

モニター心電図

- モニター心電図とは、患者さんの心電図異常を24時間リアルタイムに観察するものです。
- モニター心電図では、一般的に標準肢誘導（双極肢誘導）が用いられます。電気信号は左の腰付近に向かっていきます。
- 心電図モニターでは、近づいてくる電気信号を正面にとらえているので、QRSの波形は上向きになっていて、最も心臓の収縮の流れを見やすい位置になっています。

3点誘導のしくみ

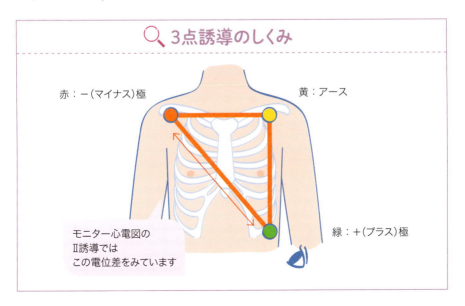

赤：−（マイナス）極　　黄：アース　　緑：＋（プラス）極

モニター心電図のⅡ誘導ではこの電位差をみています

12誘導心電図

- 12誘導心電図は、標準肢誘導（双極肢誘導）、単極肢誘導、胸部誘導を組み合わせて行うものです。
- 12誘導心電図は、**不整脈の診断・心筋虚血の評価**など、より正確な心筋の電位を確認するために使用します。心臓の収縮の流れを決まった位置から全部みると、12個の波形がみられます。

Link 不整脈 ➡ P.90

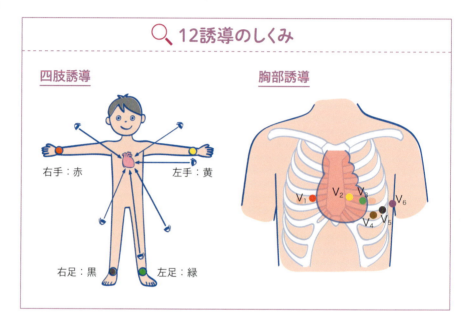

12誘導のしくみ

四肢誘導／胸部誘導
右手：赤　左手：黄
右足：黒　左足：緑

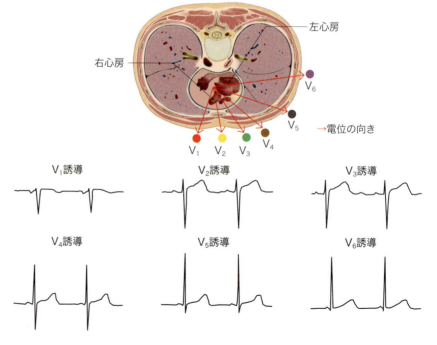

図 胸部誘導の心臓の観察位置と心電図波形

心電図のよみかた

- 虚血性心疾患でみられる心電図変化や、不整脈の鑑別のためにも、正常な心電図波形を理解しておくことが異常の早期発見には不可欠です。
- 最初は、以下の順番でポイントをみながら、心電図の正常と異常の判断をしていくとよいでしょう。
 ①P波があること。
 ②P波に続くQRS波が１つずつ、一定であること。
 ③RR間隔が一定であること。
 ④ST部分が上下していないこと。
 ⑤ST-Tがなだらかな波で、尖っていないこと。

Link 虚血性心疾患（IHD）➡P.66

Link 不整脈➡P.90

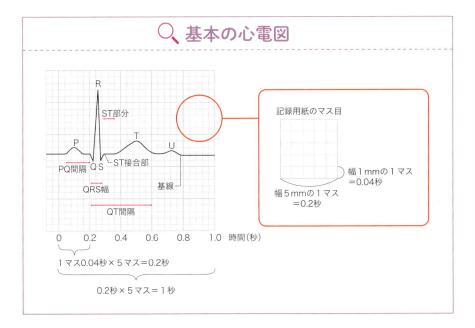

基本の心電図

表 基準値

PQ時間	0.12～0.20秒（3～5mm）
QRS幅	0.10秒以下（2.5mm以下）
QT時間	補正QT時間が0.36～0.44秒

基準値を知っておくことは、不整脈を鑑別するときに役立ちます

心電図モニターの管理のポイント

- ただ患者さんについている心電図モニターを見るのではなく、**何のために装着しているのか**（例：不整脈イベントの早期発見、心不全の精査中、カテーテル治療など）を理解しておくことが大切です。

波形の見やすさ

- 「P波が小さくて見えにくい」「波形が重なって見える」などがあれば、モニターの感度や誘導を変更しましょう。

ノイズ

- 患者さんの体動や呼吸などで、波形がグチャッと乱れることがあります。体動による筋電位や呼吸による振幅であれば問題ありませんが、電極が剥がれている場合もありますので、患者さんを直接見ることが大事です。

アラーム対応

- アラームが鳴ったら、まずは要因と患者さんの確認です。リコール機能を使って、アラームの振り返りもできます。
- アラームに自分で対応できないときは、「アラーム対応お願いします」と他者に依頼し、だれか対応できたか確認するようにしましょう。
- むやみにアラームを鳴らさないためにも、アラーム設定を確認し、患者さんに合わせた設定になっているかを確認しましょう。

皮膚トラブル

- 粘着質な電極テープにより、皮膚障害を起こす患者さんもいます。日々の清潔ケアのなかで、皮膚の観察を怠らないようにしましょう。

ライントラブル

- 患者さんの不快感に配慮し、必要性を説明しながら、ライントラブルの回避に努めましょう。
- 患者さんを訪室する際には、ライン類や点滴スタンドなどが療養生活の妨げになっていないか整理するように心がけることで、トラブルの未然の回避につながります。

ホルター心電図

どんな検査?

- ホルター心電図は、24時間の生活のなかで、**不整脈の検出と心筋虚血の有無を確認**するために行います。
- 携帯型の心電図計を24時間装着して記録するため、**電気毛布や電子機器による雑音の混入に注意**が必要です。
- 心電図の装着とともに、生活記録や症状の有無などを患者さんに記録してもらう必要があります。
- 病棟などで使用する場合、安静度に制限のある患者さんや、患者さん自身で記録できない場合は、看護師もケアなどの際に記録を行います。

Link 不整脈→P.90

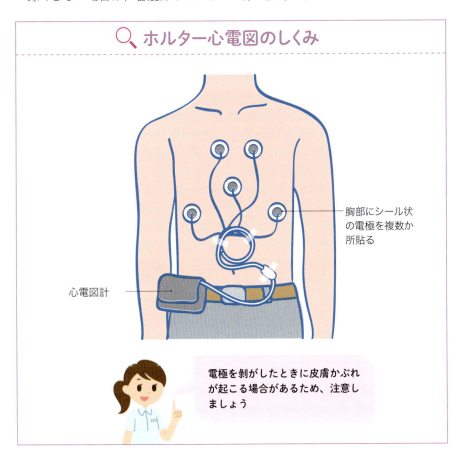

ホルター心電図のしくみ

- 心電図計
- 胸部にシール状の電極を複数か所貼る

電極を剥がしたときに皮膚かぶれが起こる場合があるため、注意しましょう

運動負荷心電図

どんな検査?

- 運動負荷心電図は運動により、心筋の酸素需要を増大させて虚血状態を誘発し、**心電図でSTの変化や不整脈の出現を観察**します。
- 検査方法は、一定の負荷量を開始から終了まで継続して行う単一段階負荷の**マスター2階段法**と、負荷量を時間ごとに増加させる多段階負荷の**エルゴメーター法（自転車型）**や、**トレッドミル法（ベルトコンベア型）**の3種類あります。
- 安静時にはみられなかった心電図波形の変化から、狭心症や不整脈を診断します。

表 運動負荷の種類

単一段階負荷 （一定の負荷量を開始から終了まで継続して行う）	多段階負荷 （負荷量を時間ごとに増加させる）	
マスター2階段法	エルゴメーター法	トレッドミル法
運動**前**と運動**後**に心電図を記録する	運動**前**と運動**中**に心電図を記録する	運動**前**と運動**中**に心電図を記録する
●年齢、性別、体重で決められた回数を、一定時間昇降する ●シングルマスター（1分30秒）とダブルマスター（3分間）があり、2段の階段を昇降する	●ペダルに一定の抵抗を加えた自転車をこぐ。下肢の不自由な人には、両腕で回す用手エルゴメーターがある	●3分ごとに速度と傾斜が変わるベルトの上を歩く
スクリーニングに適する	**運動耐容能の評価に適する**	**冠動脈疾患の診断に適する**

4 フィジカルアセスメント・検査

心エコー検査

どんな検査?

- 心エコー検査(心臓超音波検査)では、生体内に超音波を照射し、反射してきた波を分析・画像化することで、**心臓の動きや形態などの内部構造**を調べることができます。また、プローブを動かすことで、観察方向を簡単に変えることができ、リアルタイムにみることができます。
- 心エコー検査の観察方法には、**経胸壁心エコー(TTE)** と**経食道心エコー(TEE)** の2種類があります。

経胸壁心エコー(TTE)

- 左側臥位を基本とし、プローブを胸部に当て体表面から心臓をみる、最も非侵襲的な検査です。
- 心機能、心拡大、心肥大、心臓弁膜症、血栓、心囊液量などを評価します。

TTE (transthoracic echocardiography)

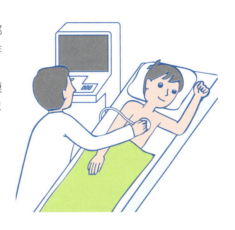

経食道心エコー(TEE)

- プローブを飲み込んでもらい、**心臓の後方を食道からみる**半侵襲的な検査です。
- 検査は必要に応じて鎮静または麻酔下で行うため、検査中は**呼吸循環のモニタリング**が必要です。
- 経食道エコーでは左心房や僧帽弁を詳細に観察でき、左房内血栓、感染性心内膜炎の疣贅、心臓弁膜症を中心とする術前および術中の評価に有用です。

TEE (transesophageal echocardiography)

Link 感染性心内膜炎(IE)→P.137

Link 心臓弁膜症→P.108

図 経食道心エコーのしくみ

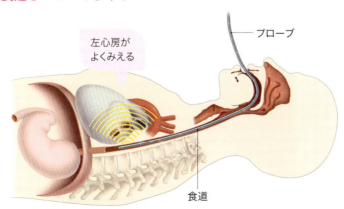

経胸壁と経食道での画像の違い

- 経食道エコーではプローブの隣に左心房があり、経胸壁では最も遠くなってしまう左心房の観察に適しています。

図 経胸壁と経食道の照射部位

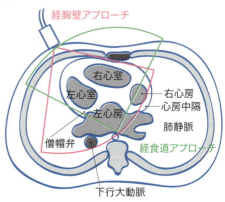

経胸壁と経食道の実際の画像（左房内血栓の例）

▷ プローブが画面中央上方に位置し、そこから見た画像が画面の下方に描出されます。一般に経胸壁の画像を180度回転させて、さらに左右に反転したものが経食道の画像となります。

経胸壁

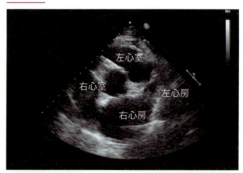

経食道

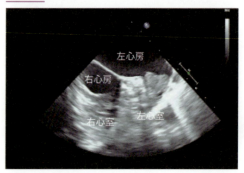

観察画面と画像

●心エコー検査の観察画面には下記のようなものがあります。

表 観察画面の種類

方法		特徴	おもな適応
Mモード		●音波反射の経時的変化を画像化 ●二次元的な心形態の表示は不可能	●左室容積、駆出率、心拍出量などの測定
断層心エコー法 (Bモード)		●解剖学的位置関係をとらえ、心臓の形態を二次元表示する ●構造物(弁や壁など)のダイナミックな動きをリアルタイムにとらえることができる	●各種弁膜症、虚血性心疾患、先天性心疾患の診断
ドプラ法 (Dモード)	カラードプラ法	●血流の向きと速度を、わかりやすいカラーマッピングで二次元に表示する	●弁逆流の定性的評価 ●短絡血流の同定
	パルスドプラ法	●任意の部分の血流パターンと血流速度を計測する	●弁逆流、短絡血流の検出
	連続波ドプラ法	●カラードプラ法で検出した異常血流速度、速い血流の測定が可能	●圧較差や心内圧を測定
	組織ドプラ法	●ドプラ法により、心筋壁運動速度をリアルタイムに測定する	●左室拡張機能評価 ●心機能評価

🔍 断層心エコー法の基本断面像

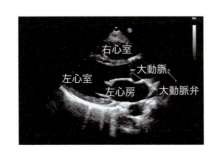

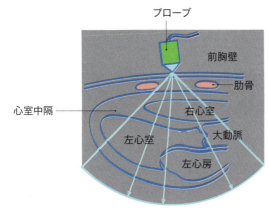

その他のエコー検査

下肢エコー検査

- 下肢エコー検査は、下肢の動脈または静脈の血管形態や血流動態を、視覚的にリアルタイムで観察する非侵襲的な検査です。
- 末梢動脈疾患の病変部位の同定、狭窄または閉塞部位の評価、治療後の評価、下肢静脈瘤や深部静脈血栓症の治療前後の評価に有用です。

下肢エコー検査画像の例

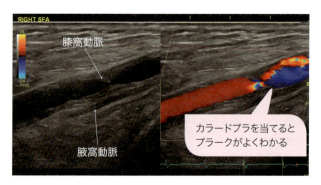

▷ カラードプラの赤色(暖色系)の意味：プローブに近づいている血流で、拍動していれば動脈を示す。
▷ カラードプラの青色(寒色系)の意味：プローブから遠ざかる血流を示す。

頸動脈エコー検査

- 頸動脈エコー検査では、脳に血液を送る頸動脈の狭窄や血栓の有無、動脈硬化の程度や血流動態を観察して、脳梗塞や脳塞栓などの脳血管疾患の原因を調べます。また、頸動脈エコーで評価した動脈硬化の状態から、全身の動脈硬化の程度を推測し、評価します。

頸動脈エコー検査画像の例

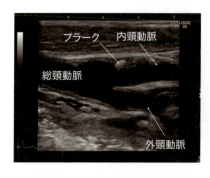
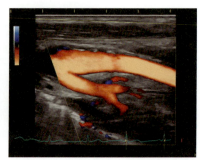

心筋シンチグラフィ

どんな検査?

- 心筋シンチグラフィは、放射性同位元素を含む製剤を体内に投与し、放射線を検出するカメラで、その分布を撮影して画像化する検査です。
- 検査は、SPECT(単光子放出型コンピュータ断層撮影)とPET(ポジトロン[陽電子]放出型断層撮影)があり、SPECTではタリウムやテクネチウム、BMIPP(ベータ メチル-p-ヨードフェニルペンタデカン酸)などを使用し、PETではFDG(フッ素-18デオキシグルコース)、アンモニア、水などを使用します。
- CTと同様に被曝を伴う検査ですが、腎機能障害のある患者さんでも使用できる利点があります。
- 心筋血流や心筋代謝といった機能面の描出にすぐれています。
- 心筋虚血や心筋生存能を評価し、虚血性心疾患や心臓サルコイドーシスの診断を行います。
- 血流低下部位は集積低下像として描出されます。

心臓サルコイドーシス
原因不明の全身性肉芽腫性疾患をサルコイドーシスと呼び、心臓サルコイドーシスは心臓病変が存在するものである。心臓サルコイドーシスは、不整脈や重症心不全を生じることがあり、突然死の原因となる。

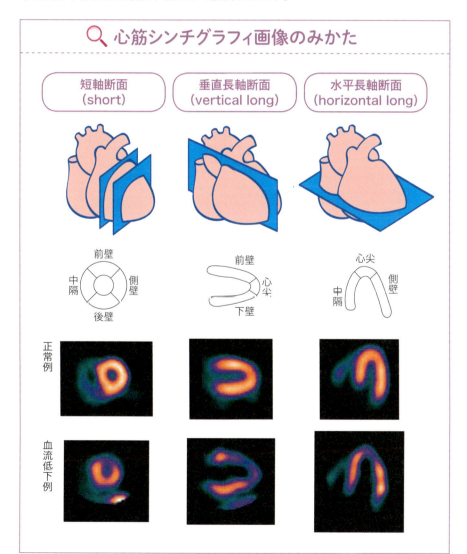

心筋シンチグラフィ画像のみかた

負荷心筋シンチグラフィ

- 負荷心筋シンチグラフィは、**薬物投与や運動負荷を行い、心筋シンチグラフィと心電図のST変化を観察して心筋虚血を評価**します。
- 負荷の方法は、運動負荷(エルゴメーター、トレッドミル)と、薬物負荷(アデノシン、ジピリダモール、ドブタミン塩酸塩)の2種類があり、併用することもあります。
- 心臓に負担をかけた状態(負荷)と、通常の状態(安静)で2回撮影し、負荷前後の放射性同位元素の集積分布画像から虚血性心疾患を診断します。
- 心筋虚血がある部位は、安静時には集積し、負荷時に集積が低下を認めます。

負荷心筋シンチグラフィの方法

①運動または薬剤注射で心臓に負荷をかける

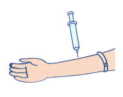

②1回目の撮影をする(負荷後)

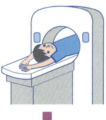

③2回目の撮影をする(安静時)

狭心症発作や合併症が出現した場合は、ただちに中断し、医師に報告します

CT検査

どんな検査?

- X線を使って身体の断面を撮影するCT検査(コンピューター断層撮影)は、同時に複数の断面を撮影できる多列検出器CT(MDCT)が普及し、三次元画像が容易に得られるようになりました。
- 大動脈疾患(大動脈瘤、大動脈解離)、冠動脈の評価(走行、狭窄、石灰化、プラーク、バイパスグラフト、ステント内狭窄)、心筋評価(血流、虚血、梗塞、線維化)、先天性心疾患、閉塞性動脈硬化症、肺血栓塞栓症、深部静脈血栓症の診断に有用です。
- 造影CTでは**ヨード造影剤**を使用します。**造影剤の副作用歴、活動性喘息、腎機能障害、ビグアナイド系糖尿病治療薬**を服用している人は、副作用を起こす危険性があるため慎重な投与が必要です。

🔍 CT画像の例

MIP画像 (maximum intensity projection)

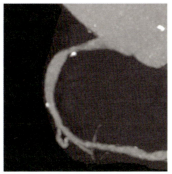

▷CAGに類似した画像が得られる。RCA近位部に狭窄を認める。

VR画像 (volume rendering)

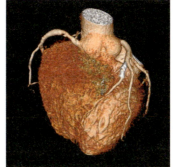

▷心臓全体の解剖学的な状態がわかる。

Bull's eye 表示

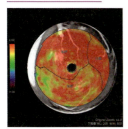

▷負荷心筋シンチグラムの画像と融合したもの。RCA領域に心筋虚血を認める。

融合画像(負荷像)

▷負荷心筋シンチグラムの画像と融合したもの。シンチグラフィと冠動脈CTの画像を融合して表示することもできる。RCA領域に心筋虚血を認める。

CPR (curved planer reconstruction)

▷curved MPR画像を直線化したもの。血管や側枝の狭窄性病変を評価できる。RCA近位部に狭窄を認める。

MRI検査

どんな検査?

- 磁気共鳴現象を利用して、人体の横断像・縦断像を描くMRI検査(磁気共鳴画像法)では、1回の検査で心機能、心筋血流、心筋生存能の評価、冠動脈の描出が可能です。梗塞や線維化などの心筋性状や心筋血流、壁運動、また冠動脈の高度石灰化病変の内腔も描出することができます。ただし、**ステント内腔は描出できない**ため、PCI既往のある人の冠動脈は評価できません。
- 冠動脈の評価では、空間分解能が高いCTが優先されますが、放射線感受性の高い若年者にはMRI検査の利用がすすめられます。また、1.5TMRI装置では、造影剤を使用せず撮影することができるため、腎機能障害がある人でも検査を受けられます。
- 検査を受けることができないのは、**MRI非対応のペースメーカやICD植込み、冠動脈や頸動脈にステントを挿入して間もない人**などです。また、検査時間が30分から1時間と長く、閉所恐怖症の人も難しいです。
- 造影MRIではガドリニウム造影剤を使用します。**重篤な腎機能障害**がある場合、腎性全身性線維症(NSF)が現れることがあるため、絶対的禁忌です。

腎性全身性線維症(NSF)
腎不全患者にMRI造影剤であるガドリニウムを使用した場合に生じる全身性疾患である。体幹の皮膚の肥厚・硬化、関節拘縮を呈し、肺・肝臓・筋・心臓などの多臓器が侵される。

🔍 MRI検査画像のみかた

長軸像(非造影) 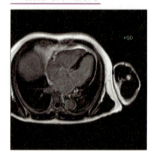　長軸像(遅延造影)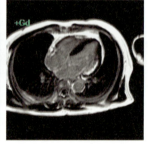

短軸像(非造影)　短軸像(遅延造影) 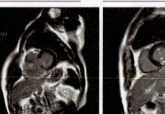　短軸像(内腔表示)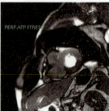

血行動態モニタリング

どんな検査?

- 血行動態モニタリングとは、動脈・静脈・心臓内の圧力や血流量などを計測し、持続的に監視することをいいます。
- 心臓のポンプ機能、血管抵抗、循環血液量を評価することで、その治療法の指標になります。
- 血行動態モニタリングを行うにあたって重要なのは、右心カテーテル法で実施するスワンガンツカテーテルです。
- スワンガンツカテーテルによって得られた数値から、心不全の重症度を把握して治療方針を導くことができ、循環動態の把握などに活用されています。
- 正しい値を測定するため、安静仰臥位で測定します。

Link 右心カテーテル➡P.284

Link Forrester分類 ➡P.187

表 スワンガンツカテーテルのおもな適応

- ショック
- 急性心不全
- 低心拍出量症候群
- 心臓手術直後
- 心タンポナーデの診断
- 急性心筋梗塞後の心室中隔穿孔と左室乳頭筋断裂の鑑別
- 血管拡張薬やカテコラミン使用時

スワンガンツカテーテル(SGC)のしくみ

- スワンガンツカテーテルは、先端にあるバルーンを拡張させ、圧波形をモニタリングしながら、血流に乗せて右心房・右心室を経由して肺動脈まで安全にカテーテルを進めることができるしくみになっています。また、肺動脈内でバルーンを拡張させ楔入することで肺動脈楔入圧を測定し、間接的に左房内圧を測定することができます。

図 ペーシング機能付きスワンガンツカテーテルの例

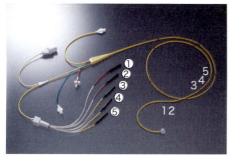

①-1　遠位心室ペーシング
②-2　近位心室ペーシング
③-3　遠位心房ペーシング
④-4　中位心房ペーシング
⑤-5　近位心房ペーシング

スワンガンツ・サーモダイリューション・カテーテル(電極付)
(写真提供:エドワーズライフサイエンス株式会社)

アプローチ部位

- スワンガンツカテーテルのアプローチ部位は、**内頸静脈**、**大腿静脈**、**尺側皮静脈**が選択されます。留置する場合は、内頸静脈をアプローチすることが多いです。まれに、鎖骨下静脈を選択する場合もあります。

図 右心カテーテルのアプローチ部位

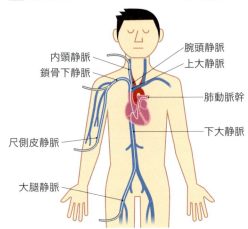

看護師は何に注意する?

- スワンガンツカテーテル留置中は、以下に注意しながら観察を行いましょう。

表 スワンガンツカテーテル留置中の看護のポイント

看護のポイント	根拠
肺動脈圧波形になっていることカテーテルの位置を胸部X線写真で確認すること	●カテーテルの位置ずれは合併症のリスクになる ▷カテーテルが浅い：右室圧波形→心室性不整脈のリスクとなる ▷カテーテルが深い：肺動脈損傷のリスクとなる
バルーンシリンジがデフレートされていること	●インフレートの状態にしておくと、肺動脈血流の低下や損傷のリスクとなる場合がある
カテーテルが清潔に固定されていること	●シースとスワンガンツカテーテルのロックが外れていると、事故抜去のリスクとなる ●スリーブにテープが貼られていると、カテーテルの位置を変更する際に破損し、不潔になるリスクとなる ●刺入部が清潔に固定されていないと、感染のリスクとなる
カテーテルのラインが整理されていること	●カテーテルが屈曲していると、正確なデータが得られない ●コード類の絡みやたわみがあると、事故抜去のリスクとなる
安全にカテーテルを管理できるよう、患者さんに必要性を説明できていること	●集中治療室のモニター・アラーム音などでストレスがかかっている患者さんに対し、各種ラインの必要性の理解が得られていないと、体動などで容易にひっかかり、自己抜去のリスクとなる

合併症には何がある?

- スワンガンツカテーテル挿入中に特に注意したい合併症は次のとおりです。

表 スワンガンツカテーテルの合併症

不整脈	●カテーテルの接触により、期外収縮や心室頻拍などの不整脈が出現しやすいため、注意が必要である
深部静脈血栓症(DVT) 肺血栓塞栓症(PTE)	●スワンガンツカテーテルの長期留置では、DVTやPTEに注意が必要である。そのため、禁忌がなければヘパリンを投与する
肺動脈破裂	●カテーテルの先端が血流にのり、肺動脈の細い部分に自然と楔入している場合がある。そのままバルーンを拡張させてしまうと肺動脈損傷を起こし、致死的となることもあるため、先端バルーン拡張の際には必ず圧波形を確認する

スワンガンツカテーテルで得られる評価項目

右房圧、右室圧、肺動脈圧、肺動脈楔入圧

- スワンガンツカテーテルでは、右房圧(RAP)、右室圧(RVP)、肺動脈圧(PAP)、肺動脈楔入圧(PAWP)、心拍出量(CO)、心係数(CI)を測定し、**心機能や心不全の血行動態を評価**することができます。

図 心内圧の基準値とカテーテル先端圧波形・心電図の連動波形

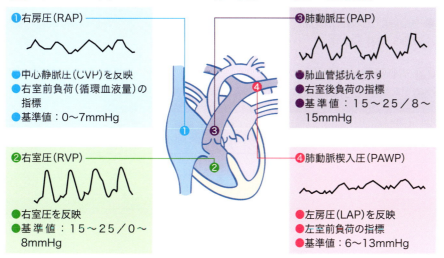

❶右房圧(RAP)
- 中心静脈圧(CVP)を反映
- 右室前負荷(循環血液量)の指標
- 基準値：0～7mmHg

❷右室圧(RVP)
- 右室圧を反映
- 基準値：15～25／0～8mmHg

❸肺動脈圧(PAP)
- 肺血管抵抗を示す
- 右室後負荷の指標
- 基準値：15～25／8～15mmHg

❹肺動脈楔入圧(PAWP)
- 左房圧(LAP)を反映
- 左室前負荷の指標
- 基準値：6～13mmHg

表 肺動脈楔入圧（PAWP）の異常

	考えられる状態	考えられるおもな原因
PAWPの上昇	●左心房への流入血液量の増加	●僧帽弁狭窄症 ●僧帽弁閉鎖不全症 ●大動脈弁閉鎖不全症 ●心室中隔欠損症 ●動脈管開存症
	●左室収縮力の低下	●左心不全 ●虚血性心疾患 ●拡張型心筋症
PAWPの低下	●循環血液量の低下	●出血 ●脱水 ●熱傷など

スワンガンツカテーテルの先端が正しい位置にあるかどうかは、圧波形を見ることで確認できます。最低の圧が0に近ければ右室圧、ほとんど圧に変化がなければ肺動脈圧（肺動脈に楔入）であることがわかります

中心静脈圧（CVP）＝右房圧（RAP）

- 中心静脈圧は、右心房に近い胸腔内の上下大静脈圧で、循環動態の管理、体液量の把握に必要です。中心静脈圧は、スワンガンツカテーテルが入っていなくても、中心静脈内にカテーテルが留置されていれば、測定可能です。
- 中心静脈圧の値は、**右房圧（RAP）と胸腔内大静脈圧と等しい**です（中心静脈圧＝右房圧＝胸腔内大静脈圧）。
- 中心静脈圧の正常値は、5〜10mmHgです。値は、**右心室の収縮力・循環血液量に依存**します。

表 中心静脈圧（CVP）の異常

	考えられる状態	考えられるおもな原因
CVPの上昇	●循環血液量の増加	●右心不全 ●心タンポナーデ
CVPの低下	●循環血液量の減少	●出血 ●脱水 ●熱傷など

心拍出量（CO）

- 心拍出量は、心臓のポンプ機能を表わす指標です。**左心室（LV）から1分間に拍出される血液量**のことをいいます。

> 心拍出量（CO）＝1回拍出量（SV）×心拍数（HR）

🔍 心拍出量の測定方法（熱希釈法）

▷ 心拍出量の測定には、熱希釈法が用いられます。カテーテル先端のサーミスタを利用して、決められた量（5〜10mL）の冷却生理食塩水を注入用側孔（RA）にすばやく注入し、その温度変化を測定します。

▷ ただし、高度の三尖弁閉鎖不全症や心構造系の短絡（シャント）疾患がある場合には、血液の逆流により、正確な心拍出量が測定できないため、Fick法が用いられます。

[Link] 三尖弁閉鎖不全症（TR）➡P.123

Fick法
心腔血液中の酸素飽和度などから心拍出量（CO）を測定する方法。

📊 **心拍出量測定画面の例**

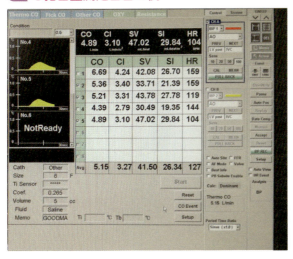

心係数（CI）

- 肺動脈楔入圧は**うっ血の指標**であり、心係数は**ポンプ機能の指標**ととらえられ、その病型に基づいた治療法の決定が可能となります。

> 心係数（CI）（L/分/m^2）＝心拍出量（CO）（L/分）÷体表面積（BSA）（m^2）

- Forrester分類のなかでも、肺うっ血を伴う低心拍出の状態であるSubset Ⅳはきわめて重篤なため、必要に応じて大動脈バルーンパンピング（IABP）や経皮的心肺補助装置（PCPS）などの補助循環装置の使用が検討されます。
- Forrester分類のほかにも、心不全の重症度を評価するツールには、NYHA心機能分類、Killip分類、クリニカルシナリオ、Nohria-Stevenson分類があります。

[Link] Forrester分類➡P.187

[Link] 心不全➡P.166

[Link] NYHA心機能分類➡P.178

[Link] クリニカルシナリオ➡P.186

[Link] Nohria-Stevenson分類➡P.187

混合静脈血酸素飽和度（SvO₂）

- 混合静脈血酸素飽和度（SvO₂）は、全身の血流・冠静脈洞からの混合静脈血の酸素飽和度のことで、**組織への酸素の需要供給バランスを連続してモニタリング**することができます。
- 混合静脈血酸素飽和度に影響を与える因子は4つあり、**①心拍出量**、**②ヘモグロビン**、**③動脈血酸素飽和度（SaO₂）**、**④酸素消費量**です。
- 正常値は60〜80％とされており、清潔ケアや体位変換により、一時的な低下をみることもありますが、通常は数秒で戻ります。戻りが悪いときは、混合静脈血酸素飽和度に影響する因子をもとに、アセスメントしていく必要があります。

🔍 混合静脈血酸素飽和度に影響を与える因子

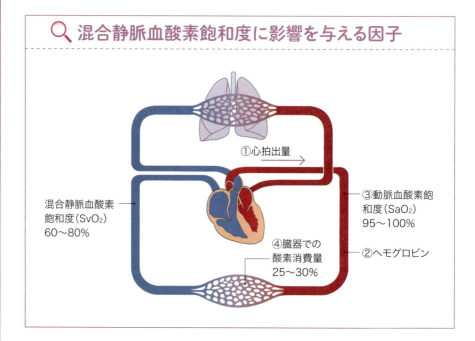

表 混合静脈血酸素飽和度（SvO₂）の低下要素とその対処方法

要素	原因	対処方法
①心拍出量の減少	●循環血液量の不足 ●心機能の低下 ●末梢血管抵抗の増加	●容量負荷 ●強心薬 ●血管拡張、体温管理など
②ヘモグロビンの減少	●出血 ●貧血	●輸血 ●薬剤
③動脈血酸素飽和度の低下	●ガス交換能の低下	●酸素療法の見直し
④酸素消費量の増加	●発熱 ●シバリング ●感染 ●不安、疼痛 ●体位変換・吸引など	●体温管理 ●十分な酸素供給 ●感染コントロール ●鎮静、鎮痛 ●苦痛を最小限に抑えたケア　など

動脈ラインによる観血的血圧測定

- 動脈ライン（Aライン）は、循環管理において**必要な心拍出量の推測**をするのに有用です。持続的に圧波形を確認することができ、必要時には、患者さんに苦痛を与えることなく血液採取することができます。
- 特に、動脈血から得られる血液ガスからは、酸塩基平衡・電解質バランス・代謝反応などの全身状態の把握に必要な情報が得られます。
- アプローチ部位には、橈骨動脈、上腕動脈、大腿動脈、足背動脈などがあります。

図 動脈ラインのおもなアプローチ部位

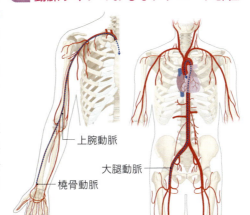

上腕動脈／大腿動脈／橈骨動脈

動脈圧波形のみかた

①正常な動脈圧波形

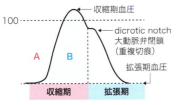

収縮期血圧／dicrotic notch 大動脈弁閉鎖（重複切痕）／拡張期血圧／収縮期／拡張期

▷大動脈弁閉鎖時のdicrotic notchを境に、収縮期と拡張期に分かれます。収縮期の立ち上がり（A）から心収縮力と大動脈の弾力性、収縮期の面積（B）から1回拍出量が推測できます。

②Under damping（Over shoot）波形

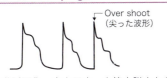

Over shoot（尖った波形）

▷動脈硬化、高血圧症、血管内脱水などで認められます。過剰に高値を示すため、非観血的血圧測定でも確認することが必要です。

③Over damping波形

▷やわらかい動脈ライン、ライン内の気泡、加圧バッグの圧低下・生理食塩水の減少など、機器の原因検索が必要です。

動脈圧波形の正常・異常波形から読み取れる情報を理解し、実際の患者さんを観察することが重要です

図（波形）は、道又元裕編：ICUディジーズ クリティカルにおける看護実践 改訂第2版．学研メディカル秀潤社，東京，2015：231．より引用

動脈血ラインの測定方法のポイント

- 穿刺部に局所麻酔を行い、動脈に針を刺します。外筒（サーフロー）を留置し、専用の耐圧チューブにヘパリンシリンジを接続したものを接続します。逆血確認ができたら、トランスデューサー付きの圧ラインセットと接続します。

表 必要物品

- 圧ラインセット（トランスデューサー、耐圧延長チューブ、トランスデューサー架台、レーザーポインター：水準器、加圧バッグ、ヘパリン加生理食塩水500mL）
- ヘパリンシリンジ10mL
- 三方活栓付き耐圧ライン
- アームボード（固定用）
- 22G針
- 2.5mLシリンジ
- 局所麻酔（1％キシロカイン）
- 固定用テープ
- 処置用シーツ
- 消毒綿
- 手袋

注意 圧ライン作成時は、しっかりとエアー抜きをします。圧ライン内にエアーが混入していると、正しい波形が出なかったり、誤って患者さんの体内に入った場合、空気塞栓を起こすリスクがあります。

ゼロ点校正

- ゼロ点校正は、測定開始時に血圧測定の基準を決定することで、正確な測定値を得るために重要な手順です。
- ゼロ点校正が必要なときは、おもに以下の3つです。
  ①患者さんが変わったとき
  ②患者さんの体位が変化し、心臓の高さが変わったとき
  ③大気開放点の高さを変えたとき

臨床の現場では、長時間計測による計測値の変動を防ぐため、各勤務交代時にも実施します

🔍 ゼロ点校正のポイント

▷ゼロ点の位置は、患者さんの右心房の高さ（第4肋間腋窩中線）とされています。

第4肋間腋窩中線に合わせると右心房の位置になる

血圧ラインの大気開放点（三方活栓）と、ゼロ点位置を同じ高さに合わせることが大切です

看護師は何に注意する？

- 患者さんの苦痛の軽減に努めます。患者さんには必要性の説明をします。
- 正しい動脈圧波形の確認をします。
- アラーム設定は血圧変動に迅速な対応ができるように、患者さんの状態に合わせたものにしておきましょう。
- アラーム時には、原因検索のためベッドサイドへ行き、患者さんの状態、波形、ラインの接続、固定部まで観察するようにしましょう。
- ライントラブルを回避するため、固定確認をしましょう。
- 感染徴候（熱感、発赤、腫脹、疼痛、膿など）の有無を観察するとともに、早期抜去が可能かのアセスメントも重要です。

ビジレオモニターによる循環動態の観察

- ビジレオモニターでは動脈圧ラインを利用して、**動脈カテーテルで測定する血圧波形から得られる情報を詳細に解析し、心拍出量などの各種パラメーターを測定**します。
- 輸液反応性の指標となる、フロートラックシステムを併用することで、循環動態の変化をリアルタイムかつ数値化してとらえることができます。

図 フロートラックセンサーの例

 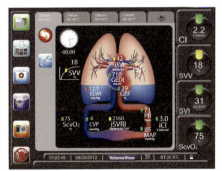

EV1000 クリティカルケアモニター
（写真提供：エドワーズライフサイエンス株式会社）

ビジレオモニターのパラメーターのアセスメント

- 循環血液量が減少傾向にある場合、人工呼吸器下で動脈圧波形の呼吸性変動が大きくなります。この波形の変化率を示したのが**1回拍出量変化（SVV）**です。
- SVV値が10～15％以上で1回拍出量（SV）・心拍出量（CO）値が低下している場合は、循環血液量の不足により、1回拍出量が減少している可能性があります。
- SVV値は、動脈圧波形がオーバーシュート・アンダーシュートしていると正確なデータを得ることができないため、注意が必要です。
- ビジレオモニターから得られるパラメーターには下記のようなものがあります。

表　ビジレオモニターから得られる各循環動態パラメーターの基準値のめやす

略称	内容	基準値
CO	心拍出量	4.0～8.0 L/分
CI	心係数	2.5～4.0 L/分/m²
SV	1回拍出量	60～100 mL/回
SVI	1回拍出量係数	33～47 mL/回/m²
SVV	1回拍出量変化	10～15 %以上で輸液反応性あり
SVR	末梢血管抵抗：左心室に対する抵抗、後負荷	800～1,200 dynes/分/cm^{-5}
SVRI	体血管抵抗係数	1,970～2,390 dynes/分/cm^{-5}/m²

パラメーターから得られる情報と、患者さんに実際に接して観察した項目とを組み合わせて、より深いアセスメントにつなげることで、異常の早期発見ができ、報告のタイミングを逃すことなく重症な患者さんのケアにあたることができます

動脈血ガス分析

どんな検査?

- 血液には、窒素(N_2)、酸素(O_2)、二酸化炭素(CO_2)などのガスが溶け込んでいます。これらの血液ガス(特にO_2やCO_2)とpHやHCO_3^-などを測定することにより、**肺や心臓、腎臓などの臓器や体液の状態**を知ることができます。動脈血ガス分析(以下、血液ガス分析)は、橈骨動脈などから動脈血を採取し、専用の器機で測定します。
- 血液ガスは、**ガス交換**と**酸塩基平衡**の指標となります。
- CO_2分圧やO_2分圧などは、動脈血と静脈血でかなり差があるため、呼吸機能の状態を知るためには動脈血によるガス分析が必須となります。ただし、ベースエクセス(BE)や電解質は動脈血と静脈血であまり差がないため、酸塩基平衡の状態だけを知りたいときは、静脈血によるガス分析でも可能です。

表 おもな血液ガスの基準値(成人)

値	基準値	内容
pH	7.4±0.05	●酸性かアルカリ性かを示す
PaO_2(動脈血酸素分圧)	80〜100Torr	●動脈血液中の酸素と結合しているヘモグロビンの割合を示す
SaO_2(動脈血酸素飽和度)	95〜97%	●酸素が血中ヘモグロビンと何%結合しているのかを示す ●PaO_2と相関している(酸素解離曲線)
$PaCO_2$(動脈血二酸化炭素分圧)	40±5(35〜45)Torr	●肺による酸塩基平衡の調整因子
HCO_3^-(重炭酸イオン)	24±2(22〜26)mEq/L	●腎による酸塩基平衡の調整因子
BE(ベースエクセス)	0±2(−2〜+2)mmol/L	●塩基(HCO_3^-)の過不足を示す
Lac(ラクテート、乳酸)	5〜12mg/dL(0.56〜1.39mmol/L)	●酸素供給が不十分な条件下で、組織が産生するグルコースの代謝産物。肝臓で代謝され、腎臓から排出される
アニオンギャップ(AG)	12±2(10〜14)mEq/L 求め方=「Na^+」−「Cl^-」−「HCO_3^-」	●通常の測定では検出されない陰イオン(有機酸) ●増加時は代謝性アシドーシスが考えられる

※上記値はめやすです。

循環器の血液ガスで注意が必要なのが急性循環不全です。循環機能障害が重篤な場合などの症状の1つとして、代謝性アシドーシスがあります。このときの血液ガスデータは、pH・HCO_3^-の低下をきたします。代謝性アシドーシスをきたした病態を早急に把握し、治療を開始する必要があります

ベースエクセス(BE)

excessは過剰という意味で、BEは「塩基過剰」と訳すことが一般的である。塩基である重炭酸イオン(HCO_3^-)が正常値からどれだけ過剰になっているかを示す指標で、正常値より多い場合は「+」、正常値より少ない場合は「−」と表示する。

ラクテート(Lac)

乳酸の解離で生じる陰イオン。グルコースの細胞内代謝産物で、嫌気的なエネルギー産生(解糖)時に、骨格筋細胞、赤血球、脳などの組織で産生される。

酸塩基平衡の異常のみかた

- 循環器で血液ガスをみるときに重要なポイントに、**酸塩基平衡の異常をみる**ことがあります。酸塩基平衡のアセスメントは次の順番で行います。

①pHをみる

- **pH＝7.35未満をアシデミア（酸血症）、pH＝7.45以上をアルカレミア（アルカリ血症）**といいます。アシデミアとアルカレミアとは、単にpHのみで考えるものです。

②pH変化の原因である「CO_2」「HCO_3^-」をみる

- pHの原因が何かを「酸であるCO_2」「酸を中和するHCO_3^-」から考えます。
- 「CO_2」が原因で「pH」が変化するものを、**呼吸性アシドーシス／呼吸性アルカローシス**といいます。
- 「HCO_3^-」が原因で「pH」が変化するものを、**代謝性アシドーシス／代謝性アルカローシス**といいます。
- アシドーシスでは、**血中のpHを下げようとする病態**を考えます。pH7.35未満であることが多いですが、7.35以上でもアシドーシスを考慮する場合があります。
- アルカローシスでは、**血中pHを上げようとする病態**を考えます。pH7.45以上が多いですが、7.45未満でもアルカローシスを考慮する場合があります。

③pHの変化が内訳と同じであるものを探す

- その結果が酸塩基平衡の状態（結論）となります。

表 酸塩基平衡の4つの異常のまとめ

病態		pH	$PaCO_2$	HCO_3^-	BE
代謝性アシドーシス	●ショック ●循環不全 ●下痢 ●糖尿病 ●嘔吐・下血 ●腎不全 ●敗血症　など	↓	変化なし	↓	↓
呼吸性アシドーシス	●気管支喘息の重責発作 ●慢性閉塞性肺疾患など呼吸不全 ●睡眠時無呼吸症候群　など	↓	↑	変化なし	変化なし
代謝性アルカローシス	●嘔吐 ●クッシング症候群 ●利尿薬の使用 ●低カリウム血症　など	↑	変化なし	↑	↑
呼吸性アルカローシス	●間質性肺炎 ●過換気症候群　など	↑	↓	変化なし	変化なし

アシデミア、アルカレミアとアルカローシス

アシデミアとアルカレミアとは、単にpHのみで考えるものである。アルカローシスは、病態の存在を考えるものである。

アシドーシスの生体への影響

心筋収縮力の低下、心拍数の減少、興奮伝導の障害、末梢血管の拡張、カテコールアミンの反応性低下などを起こし、心機能を抑制して不整脈を発生させる。

アルカローシスの生体への影響

心収縮力の増加、心拍数の増加、低心電図、末梢血管の収縮、不整脈を起こし、骨格筋のけいれんを起こす。

第5章

心臓カテーテル検査・治療

心臓カテーテル検査・治療の基本	278
左心カテーテル(動脈系)	282
右心カテーテル(静脈系)	284
左心カテーテルの検査	285
経皮的冠動脈インターベンション(PCI)	290
経皮的血管形成術(PTA)	296
経皮的中隔心筋焼灼術(PTSMA)	297
経皮的心房中隔欠損閉鎖術(ASO)	298
経皮的僧帽弁形成術	300
経皮的大動脈弁形成術(PTAV)	302
経カテーテル大動脈弁植込み術(TAVI)	304
カテーテルアブレーション	307
ペースメーカ治療	309
植込み型除細動器(ICD)	318
心臓再同期療法(CRT)	319

心臓カテーテル検査・治療の基本

どんな検査・治療?

- 心臓カテーテル検査・治療は、経皮的に手首(橈骨動脈)や肘(上腕動脈)、鼠径部(大腿動脈)などの動脈や静脈から、心臓や血管内へカテーテルを挿入し、X線造影によって**形態の観察、血行動態の検査、またその治療**を行います。
- 心臓カテーテル検査・治療には、動脈から行われる**左心カテーテル**と、静脈から行われる**右心カテーテル**があります。
- ほとんどが局所麻酔で行われ、検査は日帰りで行われることもあります。開胸手術に比べ、比較的低侵襲な検査・治療ですが、患者さんは意識のある状態であり、不安や緊張を感じていることも少なくありません。
- 最近では、より低侵襲の冠動脈CT(CCTA)が普及し、治療後のフォローアップ時などに使用されることも多くあります。しかし、不整脈や息止め困難な患者さんでは良質な画像が得られず、石灰化が強い病変やステント内も評価困難な場合があり、最終的な診断には心臓カテーテル検査を要する症例もあります。

Link 左心カテーテル➡ P.282

Link 右心カテーテル➡ P.284

表 心臓カテーテル検査でわかるおもな疾患

冠動脈疾患	●心筋梗塞　●狭心症
心臓弁膜症	●大動脈弁狭窄症・閉鎖不全症　●僧帽弁狭窄症・閉鎖不全症
大動脈疾患	●大動脈瘤
その他	●心筋症　●心筋炎　●心不全　●肺高血圧症　●心房中隔欠損症

放射線被曝防護

- スタッフは、心臓カテーテル検査・治療中に放射線防護のため、鉛のプロテクターを着用します。
- 慢性完全閉塞病変(CTO)治療など長時間に及ぶ検査・治療、肥満の患者さんの場合などは被曝量が多くなります。術者やスタッフの被曝への対策とともに、患者さんへの対応も必要となります。
- 皮膚線量が3Gy以上の場合、発赤や潰瘍などの皮膚障害が起こる可能性があります。照射部位や線量などを医療スタッフ、患者さんへ伝え、注意を促します。手技の1〜2週間後に症状が出現することもあり、背部など照射部位の観察を行う必要があります。

肥満の患者さんで被曝量が多くなる理由
放射線が多量の脂肪を透過するので、機械が自動的に放射線量を増やすため。

図 放射線防護

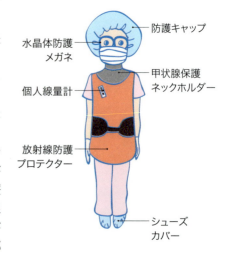

防護キャップ / 水晶体防護メガネ / 甲状腺保護ネックホルダー / 個人線量計 / 放射線防護プロテクター / シューズカバー

血管造影装置の特徴

- 血管造影装置(アンギオ装置)には、シングルプレーンとバイプレーンがあります。バイプレーンでは、一度にさまざまな角度から撮影ができます。バイプレーンは造影剤の使用量は減らせますが、被曝量が多くなります。
- 撮影は、LAO(左側から)、RAO(右側から)、Cranial(頭側から)、Caudal(尾側から)の4方向をさまざまな角度で組み合わせて行います。

シングルプレーン
フラットパネルディテクター(FDP。X線をデジタル信号に変換する装置)が1つ装備されているもの。

バイプレーン
フラットパネルディテクターが2つ装備されているもの。

図 アンギオ装置の例（シングルプレーン）

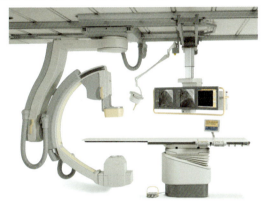

Allura Xper FD10（写真提供：株式会社フィリップス・ジャパン）

🔍 **撮影方向**

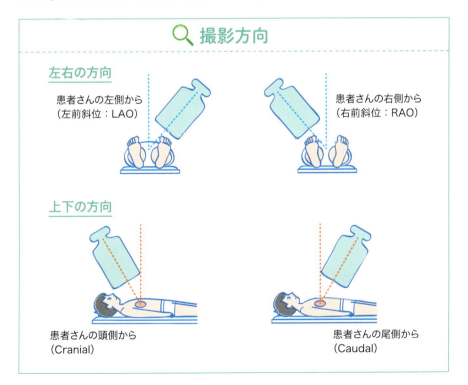

左右の方向
- 患者さんの左側から（左前斜位：LAO）
- 患者さんの右側から（右前斜位：RAO）

上下の方向
- 患者さんの頭側から（Cranial）
- 患者さんの尾側から（Caudal）

5 心臓カテーテル検査・治療の基本

看護師は何に注意する?

検査・治療前に把握しておくべき情報

●事前の的確な情報収集が、安全な検査・治療環境の提供につながります。また、個々の情報をふまえたかかわりは、患者さんの不安軽減にもつながります。

表 心臓カテーテル検査・治療前に把握しておくべき項目

既往歴	●冠動脈危険因子 　▷糖尿病 　▷脂質代謝異常症 　▷高血圧 　▷家族歴など ●呼吸器疾患 　▷喘息 　▷肺性心 　▷慢性閉塞性肺疾患（COPD）など 　　**根拠** 喘息がある場合、造影剤による副作用の発現率が10倍になるといわれている ●アルコール嗜好歴 ●自己免疫疾患 ●放射線治療、抗がん薬の使用歴 ●緑内障 ●その他、手術歴や脳血管疾患など
アレルギー禁忌薬	●非イオン性造影剤、キシロカイン、消毒薬、抗生剤、ヘパリン、テープ材、ラテックスなどのアレルギーがある場合は対応が必要である
アプローチ部位の禁忌	●シャント ●麻痺 ●乳がんリンパ節郭清術後 ●動脈瘤 ●血管の蛇行や狭窄・閉塞など（過去のカテーテル操作時の情報を確認） ●アレンテスト陰性の橈骨動脈
内服薬	●抗凝固薬 ●抗血小板薬 ●β遮断薬 　**根拠** β遮断薬を内服している場合、造影剤使用によってアナフィラキシーショックを起こしたときに、エピネフリンの効果が減弱することがある ●ビグアナイド系糖尿病治療薬など 　**根拠** ビグアナイド系糖尿病治療薬は造影剤使用により、腎機能増悪や乳酸アシドーシスを引き起こす可能性があり、休薬が必要である
検査データ	●血液データ 　▷BUN 　▷Cr 　▷Hb 　▷CPK 　▷CK-MB 　▷トロポニン 　▷感染徴候など

Link アレンテスト → P.283

検査データ （つづき）	●心エコー検査 　根拠 LowEF（30%以下）の患者さんには輸液速度や使用薬剤の注意が必要である ●ABI（足関節上腕血圧比） 　根拠 0.9以下で下肢虚血が疑われるときは、冠動脈造影検査（CAG）時に下肢動脈造影検査も行う場合がある。また、上腕血圧の左右差がある場合、大動脈解離や鎖骨下動脈狭窄などが疑われ、低値側の上肢からはアプローチしない場合がある ●その他、心電図や胸部X線撮影、CCTAなど
カテーテル検査・PCI治療歴	●前回までの検査時の使用カテーテルの種類、治療歴、アプローチ部位、アレルギー歴など
運動機能やコミュニケーション能力	●麻痺の有無、ADL、視力・聴力障害、認知機能など 　根拠 狭く高いカテーテル台への移乗を行うため。自力での移乗が困難な場合は、ベッドやストレッチャーから全介助で移乗を行う。また、体動制限の理解が難しい場合は、抑制帯の使用を考慮する必要がある

造影剤の使用についての注意

- 心臓カテーテル検査・治療の特徴として、造影剤の使用があります。
- 心臓カテーテル検査では、ヨード造影剤を冠動脈や心腔内に注入します。造影剤を注入すると、体が熱く感じられます。
- まれに副作用が起こることがあります。副作用には、投与直後に発生する即時性と、数時間後から数日後に発生する遅発性のものがあります。
- 過去に造影剤アレルギーを起こした患者さんが、冠動脈造影（CAG）や経皮的冠動脈インターベンション（PCI）を行う必要がある場合、事前にステロイドや抗ヒスタミン薬を投与して危険性を軽減します。また、アレルギーを起こした造影剤は使用せず、異なる種類の造影剤を使用するなどの情報収集や対応が必要です。

表 造影剤使用時の副作用

おもな副作用 （発症する確率は1〜1.5人／100人程度）	●悪心・嘔吐　●かゆみ ●くしゃみ　●咽喉頭の違和感 ●動悸　●頭痛　●発疹など
重症副作用 （発症する確率は、1人／6,000〜9,000人程度）	●呼吸困難　●ショック　●意識障害 ●心停止　●腎不全など

左心カテーテル（動脈系）

どんな検査？

- 左心カテーテルは、**動脈から血流と逆行性**にカテーテルを進めます。
- 局所麻酔を行い、橈骨動脈や上腕動脈、大腿動脈から冠動脈までカテーテルを挿入し、冠動脈に造影剤を流すことで、**冠動脈の閉塞や狭窄**を確認します。
- 左心カテーテルでは、**狭心症や心筋梗塞の確定診断**を行います。また、左室造影（LVG）では、壁運動や弁膜症の有無・程度の評価を行います。

表　左心カテーテルで行うおもな検査・治療

検査	●冠動脈造影検査（CAG）	P.285
	●左室造影検査（LVG）	P.286
	●大動脈造影検査（AOG）	P.289
治療	●経皮的冠動脈インターベンション（PCI）	P.290
	●経皮的血管形成術（PTA）	P.296
	●経皮的腎動脈形成術（PTRA）	
	●経皮的中隔心筋焼灼術（PTSMA）	P.297
	●経皮的大動脈弁形成術（PTAV）	P.302

左心カテーテルのアプローチ部位と走行

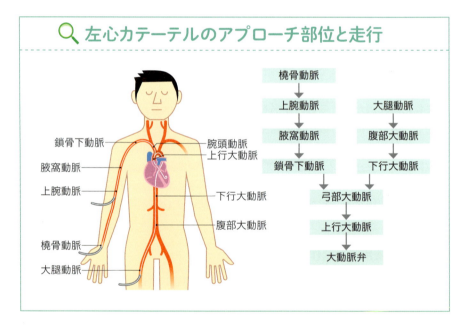

アプローチ部位の選択と注意点

- カテーテルの挿入は、**橈骨動脈、上腕動脈、大腿動脈**が選ばれます。
- 各部位において**穿刺部末梢の血流障害**への注意が必要です。検査・治療終了後、シース挿入中や圧迫固定後に、橈骨動脈や足背動脈など末梢動脈血流を確認し、血流低下や血流が確認できない場合は、すぐに医師へ報告が必要です。

経橈骨動脈アプローチ（TRI）

- 止血の時間や痛みが少なく、終了後すぐに歩け、日帰りできるなど患者さんへの負担が最も少ない部位です。
- 橈骨動脈は、ほかのアプローチ血管に比べて細く（約3mm）、スパズム（血管の攣縮）を起こしやすいため、穿刺困難な場合があります。
- スパズムは、痛みや緊張で誘発されやすく、患者さんの痛みの軽減や緊張の緩和に配慮する必要があります。

TRI（trans radial intervention）

経上腕動脈アプローチ（TBI）

- 橈骨動脈の狭窄や蛇行がある場合に選択されることがあります。すぐ下に神経（正中神経）が走行しているため、損傷の危険性があります。穿刺時や止血圧迫中、手のしびれの有無を確認することが必要です。
- 医師から指示のあったアプローチ側の橈骨動脈触知が不良であったり、アレンテストが陰性の場合は医師へ報告し、アプローチ部位を変更するか確認します（末梢静脈ラインはアプローチと反対側に確保することが多いので、事前に把握しておく必要があります）。
- 経上腕動脈アプローチでは、シャントができやすいので注意が必要です。

TBI（trans brachial intervention）

🔍 アレンテスト

▷ 橈骨動脈アプローチの場合、圧迫止血後の血流維持のため、**橈骨動脈と尺骨動脈のループの有無**を確認する必要があります。陰性の場合、アプローチは禁止となります。

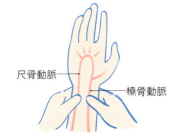

尺骨動脈／橈骨動脈

方法
① 片方の手の橈骨動脈と尺骨動脈を、両手で同時に圧迫する。
② 手の開閉を10回程度繰り返した後に開く（このときに手指は蒼白となる）。
③ 尺骨動脈のみ圧迫を解除し、10秒以内に赤みが戻れば陽性（→正常）。

経大腿動脈アプローチ（TFI）

- 大腿動脈は血管が太く（約6〜8mm）、太いシースや循環補助を必要とする複雑な手技の場合に選択されます。止血に時間を要し、術後の安静が長く、すぐに歩けないなど患者さんの負担は大きくなります。
- 透析の患者さんなど、上肢にアプローチ禁忌の血管がある場合、CAGでもTFIで行われる場合があります。
- 補助循環（IABP、PCPS）を挿入する場合は、基本的にTFIで行われます。
- 止血デバイスを用いる場合は、安静時間が短縮されます。

TFI（trans femoral intervention）

図 脈を触れる足の動脈

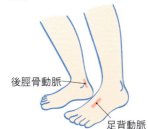

後脛骨動脈／足背動脈

右心カテーテル（静脈系）

どんな検査？

- 右心カテーテルは、**静脈から血流と順行性**にカテーテルを進めます。
- 右心カテーテルでは、**スワンガンツカテーテル（SGC）**を用いるのが一般的です。
- スワンガンツカテーテルでは、心内圧、心拍出量（CO）、酸素飽和度を測定することができます。右房圧（RAP）、右室圧（RVP）、肺動脈圧（PAP）、肺動脈楔入圧（PAWP）、中心静脈圧を測定し、心機能や心不全の血行動態を評価することができます。
- 右心機能と左心機能、心不全の重症度、心房中隔欠損症（ASD）など先天性心疾患の重症度を診断することができます。

表 右心カテーテルで行うおもな検査・治療

検査	●心血管内圧測定 ●心拍出量（CO）・心係数（CI）測定 ●肺体血流比（Qp/Qs）測定 ●各部位での酸素飽和度測定によるシャント量計測など ●電気生理学的検査（EPS）	P.269	スワンガンツカテーテルを用いる
治療	●経皮的経静脈的僧帽弁交連切開術（PTMC） ●経皮的心房中隔欠損閉鎖術（ASO） ●経皮的僧帽弁形成術 ●カテーテル心筋焼灼術（アブレーション治療） 　▷高周波カテーテル心筋焼灼術（RFCA） 　▷冷凍カテーテル心筋焼灼術（クライオアブレーション） ●ペースメーカ治療 ●植込み型除細動器（ICD） ●心臓再同期療法（CRT）	P.298 P.300 P.307 P.309 P.318 P.319	

右心カテーテルのアプローチ部位

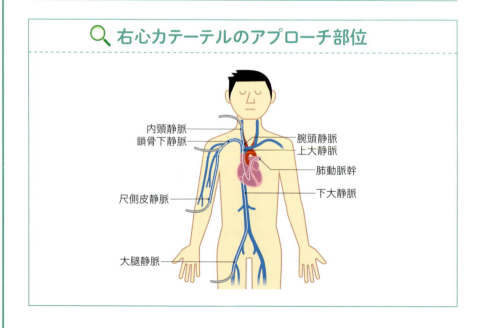

Link スワンガンツカテーテル→P.265

Link 心房中隔欠損症→P.160

電気生理学的検査（EPS）
心腔内に電極カテーテルを留置し、電位記録と電気刺激を行い、不整脈の機序や刺激伝導系の電気異常について評価する。

左心カテーテルの検査

冠動脈造影検査（CAG）

- 冠動脈造影検査（CAG）は、**心筋梗塞や狭心症の診断・評価**を行います。
- 冠動脈は、心臓の周囲を取り巻き、心筋に酸素や栄養を運ぶ重要な役割を果たしています。冠動脈の動脈硬化が進行すると、狭窄や閉塞を起こし、心筋に十分な酸素や栄養が届かず、心筋が虚血や壊死を起こします。
- 病変の有無や程度の診断のために、カテーテルの先端を冠動脈の入口部まで進め、造影剤を注入してX線によって動画撮影します。
- カテーテルは先端形状によって種類が分けられており、目的血管によって使い分けます。

CAG（coronary angiography）

図 カテーテルの種類（一例・イメージ）

右冠動脈用（ジャドキンス右）　左冠動脈用（ジャドキンス左）　左室造影用（ピッグテール）

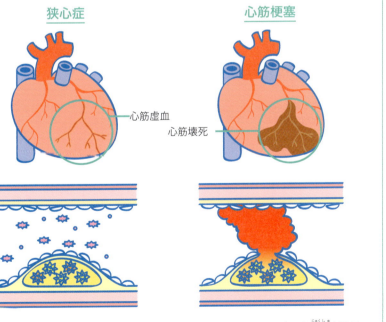

狭心症と心筋梗塞の違い

狭心症／心筋虚血
心筋梗塞／心筋壊死

▷ 動脈硬化のために冠動脈が狭くなり、一時的に酸素が不足する心筋虚血状態になります。

▷ 冠動脈硬化によって生じた粥腫が破綻することで血栓ができ、血流の供給が途絶えて、心臓が壊死します。

Link 狭心症（AP）→ P.69

Link 心筋梗塞（MI）→ P.73

LVG(left ventriculography)

左室造影検査(LVG)

- 左室壁運動、左室駆出率(EF)、左室容積、左室壁の肥厚(LVH)、僧帽弁閉鎖不全症(MR)の評価を行います。大動脈から左心室までカテーテルを進め、左室内の圧力を測定します。また、造影剤を注入し、左室壁運動の評価、僧帽弁逆流の有無や程度を確認できます。
- 事前の心エコー検査で、左室内血栓が認められている場合は、LVG禁忌となります。
- 左室造影検査では、大量の造影剤を左心室に一気に注入します。造影剤アレルギーがある場合や、腎機能障害のある場合は行わないこともあります。

Link 心エコー検査→P.257

図 左室造影検査画像のみかた

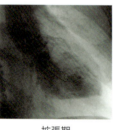
拡張期

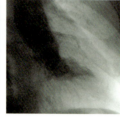
収縮期

図 左室壁のAHA分類[1]

①前壁基部 ②前壁部 ③心尖部 ④下壁 ⑤後壁基部 ⑥心室中隔 ⑦後側壁

図 左室壁運動の評価[1]

正常収縮（normokinesis）

拡張末期
収縮末期

拡張末期と収縮末期で心臓が均一に十分に収縮している

収縮低下（hypokinesis）

拡張末期と収縮末期で心臓が均一に収縮しているが、収縮が不十分

不均一収縮（asynesis）

拡張末期と収縮末期で心臓壁の一部が十分に収縮せず、結果、全体での収縮が不均一になる

奇異性収縮（dyskinesis）

収縮末期での心臓壁の一部が拡張末期より膨らみ、結果、全体での収縮が不均一になる

時差収縮（dyssynchrony asynchrony）

心臓の収縮のタイミングが均一でなく、心臓壁の収縮がいびつなリズムで起こる

無収縮（akinesis）

拡張末期と収縮末期で心臓壁の一部がまったく収縮せず、結果、全体での収縮が不均一になる

図 僧帽弁閉鎖不全症の評価（Sellers分類）[2]

大動脈 ピッグテールカテーテル 左心房 左心室

Ⅰ
左心房へのジェット流を認めるが、左心房全体には及ばない

Ⅱ
左心房全体は造影されるが、左心室より淡い

Ⅲ
左心房の拡大を認める。左心房と左心室は同濃度になる

Ⅳ
左心房の拡大を認める。左心房が左心室や大動脈よりも濃い

心筋血流予備量比（FFR）

- 圧センサーつきガイドワイヤー（プレッシャーワイヤー）で、冠動脈内圧を測定し、狭窄部位の遠位部（Pd）と近位部（Pa）の圧を比で算出し、評価します。
- アデノシン（ATP）を投与し、毛細血管を最大拡張して行います。CAGにて狭窄の程度が中等度の場合、狭窄が心筋虚血をきたしているか否かを客観的に評価することができます。
- **FFR値（Pd÷Pa）0.80以下は心筋虚血がある**と判断されます。
- 大動脈弁狭窄症（AS）ではPd、大動脈弁閉鎖不全症（AR）ではPaが正確に測定されない場合があります。また、頻脈や心房細動（AF）では拍動の影響により、圧が不安定となる場合があります。
- カフェインは、アデノシンの効果を減弱させてしまいます（カフェインとアデノシンの構造体が類似しているため）。FFR施行が予測される場合、術前24時間のカフェイン摂取を禁止する必要があります。
- アデノシンの代わりにパパベリン塩酸塩の冠動脈注入を行うことがありますが、この場合、QT延長による心室細動の出現に注意する必要があります。

FFR（fractional flow reserve）

Link 大動脈弁狭窄症（AS）→P.117

Link 大動脈弁閉鎖不全症（AR）→P.120

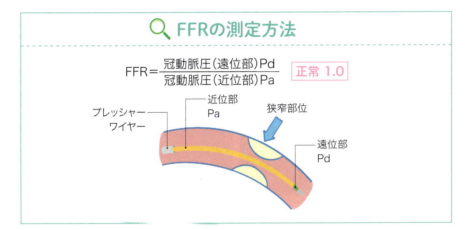

FFRの測定方法

$$FFR = \frac{冠動脈圧（遠位部）Pd}{冠動脈圧（近位部）Pa}$$

正常 1.0

冠攣縮薬物誘発試験

- 狭心症が疑われるが、CAGにて有意狭窄が認められない場合、冠攣縮が関与している場合があります（冠攣縮性狭心症）。アセチルコリンまたはエルゴメトリンを冠動脈内へ投与し、冠攣縮（spasm）を誘発する試験を行い、造影することで診断できます。造影画像、心電図変化、自覚症状として変化が現れ、血管拡張薬の投与で解除されます。
- アセチルコリン負荷では高度徐脈になる可能性があるため、一時的ペースメーカを留置する必要があります。
- 強陽性で高度狭窄となる場合があるので、薬剤準備など十分な注意が必要です。

Link 冠攣縮性狭心症（CSA）→P.71

血管内イメージング

- より安全・確実な経皮的冠動脈インターベンション（PCI）を行うために、近年活用されているのが血管内超音波検査（IVUS）や光干渉断層法（OCT）などのイメージングデバイスです。

血管内超音波検査（IVUS）

IVUS（intravascular ultrasound）

- カテーテルの先端に超音波を発振、検出するプローブがあり、プローブを360度回転させることで、血管を輪切りにした断面図をリアルタイムに観察できます。血管の内径、外径、血管壁の構造（石灰化やプラーク量など）、分岐の情報などを得ることができ、ステント留置前の病変の評価や留置後の圧着、解離や血栓の有無などアンギオだけではわかりづらい詳細な病変情報が得られます。

🔍 IVUSの画像

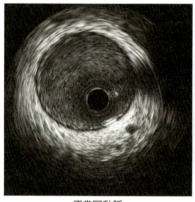
正常冠動脈

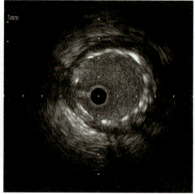
ステント留置後

▷高い密度の石灰化したプラークなどでは明るい白色、脂質プラークなど密度の低い部分は黒く表示されます。

光干渉断層法（OCT）

OCT（optical coherence tomography）

- 近赤外線を用いて、プラーク性状や血管壁、ステントの状態などを詳細に評価できます。解像度が約10～15μmとIVUSの約10倍の高い分解能があり、IVUSの弱点である石灰化や血栓などの評価にすぐれています。新生内膜の被覆状況や不安定プラークの線維性被膜（TCFA）などもわかります。OCTを行うためには血管内から血球を完全に除去する必要があり、造影剤やデキストランをフラッシュしながら観察を行います。

OCTの画像

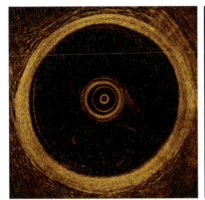
正常冠動脈

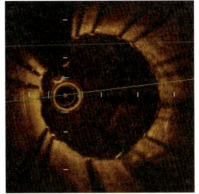
ステント留置後

大動脈造影検査（AOG）

AOG（aortography）

● 閉塞性動脈硬化症（ASO）や大動脈弁閉鎖不全症（AR）の診断・評価を行います。

Link 閉塞性動脈硬化症（ASO）→P.215

Link 大動脈弁閉鎖不全症（AR）→P.120

心筋生検

● 生検鉗子を用いて心筋の一部を採取し、顕微鏡による病理診断を行います。右心室または左心室の心筋を採取し、心筋炎やいわゆる二次性心筋症（拡張型心筋症、心サルコイドーシス、心アミロイドーシスなど）の診断を行います。

Link 拡張型心筋症（DCM）→P.152

経皮的冠動脈インターベンション（PCI）

どんな治療？

PCI（percutaneous coronary intervention）

Link 虚血性心疾患 ➡ P.66

Link ロータブレータ ➡ P.293

Link 方向性冠動脈粥腫切除術（DCA）➡ P.293

- 経皮的冠動脈インターベンション（PCI）とは、狭心症や心筋梗塞など虚血性心疾患に対し、**冠動脈内腔の狭くなった部分をカテーテルを使って拡げる治療**です。
- PCIには、病変に合わせて下記のようなさまざまな治療法があります。
  ▷バルーンのみで拡張する**バルーン治療（POBA）**
  ▷バルーンで狭窄部位を拡張した後に、ステントを留置する**ステント治療**
  ▷硬くなった石灰化病変を削る**アテレクトミー治療（ロータブレータ）**、**方向性冠動脈粥腫切除術（DCA）**
  ▷急性心筋梗塞（AMI）など、血栓性の病変に行う**血栓吸引療法**
- 安定狭心症に対しては待機的に治療を行い、心筋梗塞や不安定狭心症など急性冠症候群（ACS）に対しては緊急で治療を行う必要があります。

表 経皮的冠動脈インターベンション（PCI）の適応

- 冠動脈に90％以上の狭窄が認められる
- 冠動脈造影（CAG）にて75％狭窄でも、その灌流域に心筋虚血が認められれば治療適応となる場合がある。狭窄部位が近位部、入口部にある場合は適応となる
- CAGにて75％狭窄でも、心筋虚血が認められなければ、適応とならない場合もある
  ＊心筋虚血の評価法として、運動負荷試験や負荷心筋シンチグラフィが用いられる。

心筋梗塞の既往や家族歴、年齢など総合的に判断し、治療の適応を決定する必要があります

PCIの禁忌

- バルーン治療（POBA）のみの時代は、保護されていない左冠動脈主幹部（LMT）病変や、3枝病変などは禁忌とされ、冠動脈バイパス術（CABG）が選択されていました。現在は、ステント治療が主流となり、石灰化病変に対応できるデバイス（ロータブレータ）も使用できるようになり、適応が拡大され、十分な経験のある施設では積極的にPCIが行われるようになってきています。

3枝病変
3つの冠動脈（RCA、LAD、LCX）すべてに狭窄がある状態のこと。

左冠動脈主幹部（LMT）は、左冠動脈のつけ根の部分です。LMTから左前下行枝（LAD）と左回旋枝（LCX）に分岐します。LMTが詰まると広範囲の心筋虚血から突然死や致死的不整脈を引き起こす場合もあり、特に危険です

PCIの流れ

🔍 PCIの流れと使用するデバイス

①局所麻酔、穿刺
↓
②シースの挿入
↓
③ガイディングカテーテルの挿入
↓
④造影
↓
⑤ガイドワイヤーを狭窄の遠位部へ挿入
↓
⑥IVUSやOCTで狭窄病変の性質や長さ、血管径を確認する
↓
⑦バルーンカテーテルまたはステントを挿入
↓ 注意 胸部症状や心電図変化に注意が必要
⑧ステント内のバルーン拡張、ステントの留置（病変部が拡がっていることを確認し、必要時バルーンで後拡張する）
↓
⑨IVUSやOCTで留置したステントの状態を確認する
↓
⑩造影（穿孔や解離の有無を確認）
↓
⑪ガイドワイヤーの抜去
↓
⑫造影（最終確認）
↓
⑬ガイディングカテーテルの抜去
↓
⑭シースの抜去

シース

▷シースとは、各種カテーテルを血管内に挿入させるための管で、セルジンガー法で留置されます。一般的にCAGでは4Fr・5Fr、PCIでは6Fr以上が選択されます。

▷Fr（フレンチ）÷3がカテーテルの径（mm）となります。
例：6Frシースの太さは6÷3＝2mm

図 シースの例

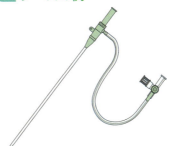

▷シースの色は国際基準で決まっています。
4Fr（赤）、5Fr（グレー）、6Fr（緑）、7Fr（オレンジ）、8Fr（青）、9Fr（黒）

ガイディングカテーテル

▷穿刺部から冠動脈の入口にかけて留置するカテーテルで、病変に合わせてカテーテルの形状やサイズを選択します。

ガイドワイヤー

▷カテーテルを血管内へ挿入するときのガイドとして使用します。バルーンやステントも、ガイドワイヤーに沿って病変部へ運びます。病変により、重さや硬さを使い分けます。

バルーンカテーテル

▷狭窄部位をバルーン（風船）で拡張するためのものです。ステント挿入前後に行われることが多く、膨らみやすさや用途によって種類が分けられています。

バルーンカテーテルの種類

● セミコンプライアントバルーン
● ノンコンプライアントバルーン
● スコアリングバルーン
● カッティングバルーン
● 薬剤コーテッドバルーン（DCB）
● パーフュージョンバルーン
など

ステント

- ステントは、狭窄部位の血管を内側から拡げて支え、再狭窄を予防するものです。病変によって径や長さ、素材を使い分けます。

表 **おもなステントのメリット・デメリット**

	メリット	デメリット
ベアメタルステント（BMS）	●ステント留置後の抗血小板療法の期間が薬剤溶出ステントと比べて短い	●薬剤溶出ステントと比べて再狭窄率が高い（15～30％）
薬剤溶出ステント（DES）	●ステント留置後の再狭窄率がベアメタルステントと比べて低い（5～10％）。長期間にわたって血管の開存を維持する	●第一世代では遅発性ステント血栓症のリスクが高かった（年0.36～0.6％）が、現在は改良されている
生体吸収ステント（BVS）	●生体吸収素材であり、3年以降でほぼ吸収される。永久に残るベアメタルステントと異なり、慢性期に血管の生理機能を保持できるメリットが示唆されている ●抗血小板薬を中止できる可能性がある	●血管内腔支持力の弱さやステント血栓症が多い可能性が示唆されており、開発・改良の段階にある

薬剤溶出ステントのしくみ

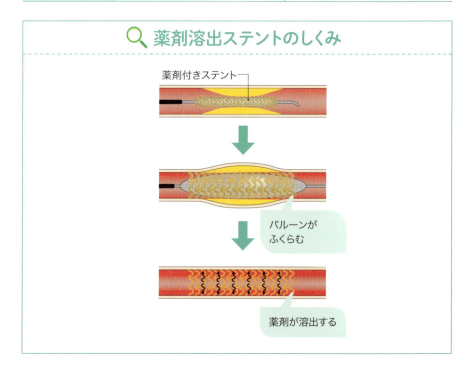

高速回転アテレクトミー

- 高速回転アテレクトミーとは、ロータブレータを用いる治療法で、慢性完全閉塞病変や透析の患者さんなど著明な石灰化によって病変の拡張が困難な場合に使用されます。
- ロータブレータとは、カテーテルの先端に微小の人工ダイヤモンドの粒を装着した先端チップを15〜24万回/分で高速回転させ、主として石灰化プラークを切除する装置です。
- 石灰化部分を毛細血管も通過可能なほど細かく粉砕します。末梢閉塞による冠血流の低下（no-/slow-flow）から**徐脈となって血圧が低下**することがあるので、**心電図変化や血圧、胸痛の有無に注意**し、**一時的ペースメーカ、アトロピン硫酸塩水和物、硝酸薬や昇圧薬の準備**も必要です。
- ロータブレータ使用中は大きな音がするので、患者さんに説明して安心させることが必要です。例：「大きなキーンという音がしますが、機械の音なので心配いりませんよ」「少し胸が痛くなるかもしれません。痛み止めを使えますので、がまんせず言ってください」など

> **慢性完全閉塞病変（CTO病変）**
> 3か月以上にわたり、冠動脈が完全に詰まっている病変。完全閉塞の状態で、造影をしても血管の情報がつかめないので、治療には熟練した技術が必要となる。

🔍 高速回転アテレクトミーのしくみ

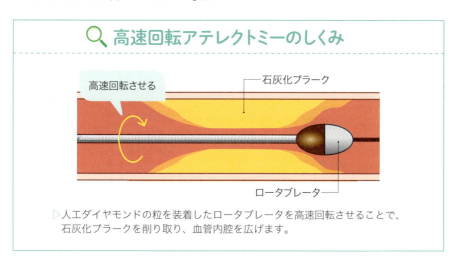

▷ 人工ダイヤモンドの粒を装着したロータブレータを高速回転させることで、石灰化プラークを削り取り、血管内腔を広げます。

方向性冠動脈粥腫切除術（DCA）

- カテーテルの先端に付いたカッターで、血管内の遍在性プラークを削り取る方法です。切除片はカテーテルの一部に収納して回収されます。
- プラーク切除中、バルーン拡張によって一時的に冠動脈が閉鎖され、冠血流が低下したり、切除によって冠動脈解離や血腫形成を引き起こすことがあります。胸痛や心電図変化が出現したり、不整脈や血行動態の変調をきたすため、注意しましょう。

看護師は何に注意する?

● PCI施行中は一時的な冠血流の途絶により、**胸痛や血行動態の変動、不整脈**などをきたすことがあります。**急変時の対応に備える**必要があります。

表 PCIのおもな合併症

合併症	原因	観察項目・対応
血栓、塞栓	●カテーテル内の血栓形成や血管内操作によるプラークの飛散などにより、末梢側の下肢や冠動脈、脳血管、腸管動脈が塞栓することがある	●下肢痛や胸痛、心電図変化、麻痺、呼吸状態の悪化などの症状が出現する ●ステント血栓症はまれであるが、術後30日以内が多く、その後、発生頻度は低下する
不整脈	●カテーテル操作による心房や心室への刺激によって発生し、致死性不整脈(心室頻拍[VT]、心室細動[VF])へ移行することがある ●右冠動脈の造影時には、徐脈や心停止に注意が必要である ●右冠動脈は刺激伝導系である洞結節を栄養しているので、虚血によって房室ブロックなどの徐脈を引き起こす	●心電図変化や意識レベルの確認、電解質異常の有無に注意する ●抗不整脈薬や電解質補正など、薬剤投与の準備が必要になる
迷走神経反射(ワゴトニー)	●最も多い合併症の1つ ●不安・痛みや苦痛をがまんしたときなどに起こりやすい。手技中だけでなく、圧迫固定時や病状説明時などに起こることもある	●顔色不良となり、徐脈・血圧低下・冷汗を伴い、嘔吐や失禁する場合もある ●多くの場合、輸液負荷、アトロピン硫酸塩水和物投与にて改善がみられる
心タンポナーデ	●カテーテル操作で心筋を損傷した場合や冠動脈が穿孔した際に起こることがある	●心嚢内に血液が貯留し心臓が拡張できなくなり、胸痛や呼吸困難、血圧低下、頻脈などの症状が出現する ●エコーで確認し、必要時は心嚢ドレナージを行う
動脈解離	●ガイディングカテーテルやガイドワイヤーの挿入により、大動脈や冠動脈を損傷すると急性解離を起こす ●バルーン拡張や、ステント留置後のエッジに起こる場合もある	●胸痛や血行動態の変動を伴う場合がある
冠動脈穿孔	●カテーテルやガイドワイヤーで血管を傷つけ穴を開けてしまい、血液が血管壁外へ漏れてしまうことがある。側枝への迷入や硬いガイドワイヤーでは、特に穿孔が起こりやすくなる	●風船やコイルによる止血、必要があれば緊急手術での対応が行われる ●心タンポナーデに至ることがあるため、早急に対応が必要になる

Link 不整脈→P.90

Link 心タンポナーデ→P.135

合併症	原因	観察項目・対応
穿刺部出血、血腫	●術中出血や、穿刺部圧迫後の再出血・血腫形成の危険性がある	●抗血小板薬や抗凝固薬の内服薬による影響、術中のヘパリン使用など出血のリスクに対する注意が必要である
神経障害	●一般的に動脈と神経は並走しており、穿刺によって神経を傷つけてしまうことがある	●穿刺時や圧迫止血時のしびれ、動きにくさなどを確認する ●末梢側の動脈触知や皮膚の変化も確認する
感染症	●消毒が不十分な状況でのカテーテル操作や、長時間のカテーテル操作によって生じる	●カテーテル操作は滅菌管理下にて行う必要がある
造影剤による腎機能障害	●ヨード造影剤は急性腎障害をきたすことがある。慢性腎臓病の患者さんではそのリスクが高い	●投与量が150mLを超える場合や糖尿病、脱水のある患者さんは十分な注意が必要である
薬剤アレルギー	●キシロカインや造影剤、抗菌薬など薬剤により、アナフィラキシー症状が出現することがある。発疹や瘙痒感などの症状から呼吸困難、血圧低下など重篤となる場合もある	＜造影剤アレルギー＞ ●比較的軽度の場合は、発赤や発疹などが生じる。重篤になると、呼吸困難などアナフィラキシーショックに陥ることがある ●造影剤使用後すぐに出現する場合と、遅れて出現する場合があり、注意が必要である ＜その他＞ ●消毒薬や抗菌薬など、さまざまな薬剤アレルギーのリスクがあり、症状や訴えの観察は重要である

経皮的血管形成術（PTA）

どんな治療？

PTA (percutaneous transluminal angioplasty)

- 経皮的血管形成術（PTA）は、下肢動脈や鎖骨下動脈、頸動脈や腎動脈、透析シャントなど**末梢動脈の狭窄や閉塞に行う治療**です。
- PTAも経皮的冠動脈インターベンション（PCI）同様に、バルーンのみで拡張するバルーン治療（POBA）、バルーンで狭窄部位を拡張した後にステントを留置するステント治療、硬くなった石灰化病変を破砕するアテレクトミー治療（例：クロッサーシステム）、血栓性の病変に対する血栓吸引療法など、病変に合わせたさまざまな治療法があります。
- 急性下肢虚血（ALI）に対しては、緊急で治療を行う必要があります。
- 末梢動脈の拍動が触知できない場合、ドプラ血流計で血流音を聴取できる場合があります。

表 経皮的血管形成術（PTA）の適応

上下肢	●疼痛や歩行障害、間欠性跛行、悪化すると潰瘍や壊死が認められる ●ABI（足関節上腕血圧比）の低下がある ●造影にて75％以上の狭窄が認められる
透析シャント	●高度狭窄閉塞によって透析が困難な場合

合併症には何がある？

- PCIの合併症と同様に、**さまざまな合併症のリスク**があります（P.294表「PCIのおもな合併症」参照）。

看護師は何に注意する？

後腹膜出血の有無

- PTAにおいて**後腹膜出血**は重篤となる場合があります。後腹膜出血は、体内での出血であり、止血が困難なため、容易にショックへ陥ることがあります。顔色不良となり、腹痛や血行動態の変動が認められ、輸血やバルーンによる止血、外科的処置が必要となる場合もあります。

経皮的中隔心筋焼灼術（PTSMA）

どんな治療？

- 経皮的中隔心筋焼灼術（PTSMA）は、閉塞性肥大型心筋症（HOCM）の治療法の１つです。
- 経皮的冠動脈インターベンション（PCI）の技術と器具を応用した治療法です。左室流出路狭窄の原因となる、肥厚した中隔心筋を灌流する冠動脈中隔枝に高濃度エタノールを緩徐に注入し、局所的に壊死させることで肥厚した心筋を菲薄化し、圧較差の軽減を図ります。

PTSMA（percutaneous transluminal septal myocardial ablation）

Link 閉塞性肥大型心筋症（HOCM）➡P.149

合併症には何がある？

- 心筋壊死による胸痛、完全房室ブロックおよび脚ブロック、致死性不整脈（心室頻拍、心室細動）の出現、左前下行枝へのエタノール流出による広範囲心筋梗塞に注意が必要です。

看護師は何に注意する？

心電図変化および胸痛出現の有無の観察

- 高濃度エタノールの注入により、局所的に心筋壊死となるため、心電図の変化や胸痛の出現、痛みの程度などの観察を行います。
- 心電図の変化や胸痛に対し、鎮痛薬の投与などの対応が必要となる場合があります。また、バイタルサインの観察も重要です。

致死性不整脈出現の有無の観察

- 致死性不整脈出現時は、医師の指示により、除細動が実施されます。意識消失の有無の確認や、意識回復後の患者さんへの対応が必要です。

経皮的心房中隔欠損閉鎖術（ASO）

どんな治療？

ASO(amplatzer septal occluder)

Link 心房中隔欠損症（ASD）➡P.160

- 経皮的心房中隔欠損閉鎖術（ASO）は、**心房中隔欠損症（ASD）**の治療法の1つです。
- 形状記憶合金（ニチノール）のメッシュで構成された円状の閉鎖栓を挿入し、心房中隔欠損孔を閉鎖します。
- 治療には経食道心エコーが重要であるため、全身麻酔下で治療する施設が多いです。
- 経静脈アプローチで、欠損孔に閉鎖栓を挿入し、左心房→右心房の順に閉鎖栓を展開し、欠損孔を閉鎖します。
- 静脈穿刺のため、治療後の安静時間は短時間です。
- 入院期間は5日程度で、退院後は激しい運動は避ける必要がありますが、普段どおりの生活ができます。

表 経皮的心房中隔欠損閉鎖術（ASO）のおもな適応

①38mm未満の二次孔欠損でかつ前縁を除く欠損孔縁が5mm以上ある場合
②右心室の容量負荷（臨床的に過剰な血液流入の根拠）が認められる場合
③心房由来の不整脈を併発している場合
④奇異性塞栓症の二次予防

図 ASOで使用する閉鎖栓の例

AMPLATZER™ Septal Occluder
（写真提供：アボットメディカルジャパン株式会社）

Figulla® Flex Ⅱ ASD Occluder
（写真提供：日本ライフライン株式会社）

経皮的心房中隔欠損閉鎖術のしくみ

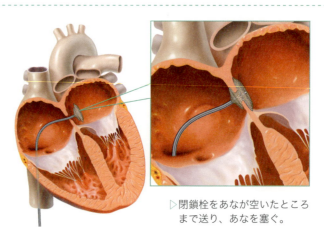

▷閉鎖栓をあなが空いたところまで送り、あなを塞ぐ。

心臓カテーテル検査・治療

合併症には何がある?

- 閉鎖栓の脱落・位置不正、心タンポナーデ、心穿孔、房室ブロック、心臓カテーテル法に伴う空気塞栓、感染、穿刺部位の出血・血腫などに注意が必要です。

Link 心タンポナーデ→
P.135

看護師は何に注意する?

不整脈や塞栓症の観察

- 閉鎖栓の脱落は、治療中もしくは治療後早期に生じることが多いとされているため、心電図モニタリングが重要です。
- 空気塞栓によってさまざまな症状が出現するため、意識レベルの変化やバイタルサインの観察が大切です。

全身麻酔に対する看護

- 治療は全身麻酔で行われることが多いため、除圧や体温調節のための室温管理が必要となります。
- 麻酔覚醒後の意識レベルや呼吸状態の観察が重要です。

再出血や血腫の観察

- 治療前に抗血小板薬の内服が開始となり、術後には、さらに抗血小板薬が追加されます。穿刺部からの出血や皮下血腫の観察が大切です。

経皮的僧帽弁形成術

[Link] 僧帽弁閉鎖不全症（MR）➡P.114

経皮的僧帽弁形成術（MitraClip）の適応
①僧帽弁閉鎖不全症（MR）3度または4度
②器質性僧帽弁逆流（DMR）、機能的僧帽弁逆流（FMR）

どんな治療?

- 経皮的僧帽弁形成術は、**僧帽弁閉鎖不全症（MR）** の治療法の1つです。
- 経静脈、経心房中隔アプローチをし、MitraClip®で僧帽弁の前尖と後尖を把持し、僧帽弁修復を行います。システム設置のために体位調整が重要です。
- MitraClip®システムを使用した方法では、経食道エコーが必須であり、全身麻酔での治療となります。
- 経静脈アプローチにより、中隔穿刺針を用いて心房中隔穿刺を行います。左心房から僧帽弁へ挿入し、僧帽弁の前尖と後尖を把持し、クリップを留置します。
- 治療では抗凝固薬を投与し、活性凝固時間（ACT）は250秒以上を保持させます。そのため、1時間ごとのACT測定を行います。

🔍 MitraClip®での治療

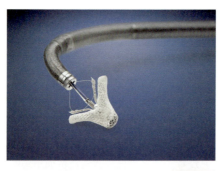

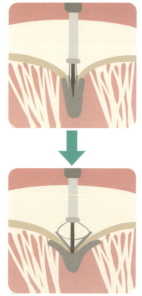

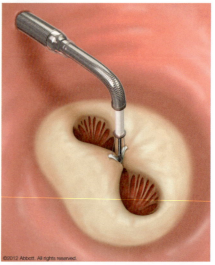

▷僧帽弁の前尖と後尖を把持して、僧帽弁を修復します。

（写真提供：アボット バスキュラー ジャパン株式会社）

合併症には何がある？

- クリップの脱落、心タンポナーデ、医原性心房中隔欠損、僧帽弁狭窄、僧帽弁逆流の悪化、感染、穿刺部位からの再出血や皮下血腫に注意が必要です。

Link 心タンポナーデ➡ P.135

看護師は何に注意する？

心拍・血圧の観察

- 心房細動で頻脈となっているときは、心拍出量が減少するため、**不整脈出現の有無の観察**が大切です。
- MitraClip®により、左心室から大動脈への血流が増えることから、左心室への後負荷が増加し、血圧が上昇するため、**血圧の管理**が重要となります。普段の血圧の把握が大切です。

活性凝固時間（ACT）の測定

- 治療中は抗凝固薬を投与し、**活性凝固時間（ACT）は250秒以上**を保持します。1時間ごとに測定をし、ACT値の把握と医師への報告を行うことが大切です。

全身麻酔に対する看護

- 治療は全身麻酔で行われるため、体温管理のための**室温管理や保温**を行います。また、MitraClip®システム設置のため、患者さんの**下肢の除圧**が重要となります。
- 麻酔覚醒時の意識レベルの変化や呼吸状態の観察が必要です。

再出血や血腫の観察

- 経静脈アプローチですが、挿入されるシステム径は大きいため、穿刺部を縫合します。**治療部位からの出血や血腫の形成の観察**が必要です。

経皮的大動脈弁形成術(PTAV)

どんな治療?

PTAV(percutaneous transcatheter aortic valvuloplasty)

Link 大動脈弁狭窄症(AS)➡P.117

- 経皮的大動脈弁形成術(PTAV)は、**大動脈弁狭窄症(AS)**の治療法の1つです。PTAVはPTACとも呼ばれます。
- バルーンカテーテルを用いて狭窄した大動脈弁を拡張することで、大動脈弁狭窄の症状を改善することを目的として適応されます。
- 両鼠径部を消毒し、穿刺部位に局所麻酔後、大腿の血管にカテーテルを挿入して治療を行います。苦痛の軽減のために鎮静薬を使用することがあります。
- 血管内に挿入したバルーンカテーテルで、狭窄した大動脈弁を拡張させ、大動脈弁狭窄症の症状の改善を図ります。

表 PTAVの適応

クラスI	なし
クラスIIa	なし
クラスIIb	1. 症候性重症AS症例にて、PTAVにより全身状態ならびに心血行動態の改善を得たのちに、待機的に弁置換術またはTAVIを予定している場合。レベルC 2. 症候の有無にかかわらず重症ASにて、全身麻酔下での非心臓手術が予定されており、術中の血行動態の安定化ならびに耐術能の確保が必要な場合。レベルC 3. 外科的弁置換術またはTAVIの双方ともに著しくハイリスク、もしくは適応とならない症候性重症AS患者に対して、症候寛解治療が必要な場合。レベルC 4. 形態ならびに血行動態上、重症ASの可能性が高いが、合併する心血管系疾患や多臓器疾患のため、ASの関与ならびに重症度が不確定な症例にて、診断的治療をかねて施行する場合。レベルC
クラスIII	1. 軽症〜中等度(弁口面積1.0cm^{2}以上)のASで、心不全徴候を有する症例に対して症候寛解を目的に施行する場合。レベルC 2. 症候性重症AS症例に対して、外科的弁置換術またはTAVIの実施が可能であるにもかかわらず、代替治療として症候寛解を目的に施行する場合。レベルC

PTAV:経皮的大動脈弁形成術、AS:大動脈弁狭窄症、TAVI:経カテーテル大動脈弁植込術
日本循環器学会:先天性心疾患,心臓大血管の構造的疾患(structural heart disease)に対するカテーテル治療のガイドライン 2014年版.
www.j-circ.or.jp/guideline/pdf/JCS2014_nakanishi_h.pdf(2020年1月閲覧)より転載

🔍 アプローチの方法

順行性

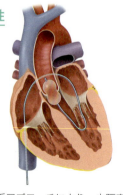

▷経静脈アプローチにより、中隔穿刺針を用いて中隔穿刺をし、順行性にバルーン拡張式弁形成術用カテーテル(イノウエ・バルーン、東レ・メディカル株式会社)を挿入し、大動脈弁を拡張します。

逆行性

▷経動脈アプローチにより、逆行性にバルーンカテーテルを挿入し、高頻拍ペーシング下で大動脈弁を拡張します。最近、逆行性用のイノウエ・バルーンも保険適用となりました。

合併症には何がある?

- 経皮的バルーン大動脈弁形成術(PTAV)の合併症には、致死性不整脈の出現（心室頻拍、心室細動）、心タンポナーデ、ショック、血管損傷、カテーテル挿入部位からの出血や皮下血腫などがあります。

看護師は何に注意する?

意識レベル・呼吸状態の観察

- 鎮静薬を使用するため、**意識レベル・呼吸状態の変化**を確認します。
- 高頻拍ペーシング時には、血圧低下による意識レベルの変化に注意が必要です。

バイタルサインの確認

- 血圧、脈拍、酸素飽和度の変動を十分に観察します。
- ガイドワイヤーによる穿孔や解離、不整脈の出現により、循環動態が急激に変化することがあります。

急変時の対応

- 合併症出現時に適切な対応が求められるため、治療時の観察や患者さんの訴えを常に注意深く観察します。
- 急激な循環動態や呼吸状態の変動をきたす場合は、補助循環装置や人工呼吸器が適応になります。

再出血や血腫の観察

- 大腿部の血管にカテーテルを挿入するため、術後は穿刺部からの出血や皮下血腫の観察を行います。

経カテーテル大動脈弁植込み術（TAVI）

TAVI（transcatheter aortic valve implantation）

Link 大動脈弁狭窄症（AS）➡P.117

5 心臓カテーテル検査・治療

どんな治療？

- 経カテーテル大動脈弁植込み術（TAVI）は、基本的に胸を開かず心臓が動いている状態で、カテーテルを使って人工弁を患者さんの心臓に装着する治療法です。
- 大動脈弁狭窄症（AS）によって息切れなどの症状がある患者さんで、高齢などの理由で開胸手術をあきらめていた人に対する新しい治療の選択肢となります。

表 経カテーテル大動脈弁植込み術（TAVI）の適応

外科的な治療が困難な症例に対して有効な治療方法である。外科的手術とTAVIの解剖学的リスクの2つの側面から検討し、治療の選択をしていく。

- 高齢（日本は80歳以上がめやす、欧州は75歳以上が推奨）
- 過去に開胸手術の既往がある
- 胸部の放射線治療の既往がある
- 肺気腫など呼吸器疾患の合併がある
- 予後1年以上が期待できる悪性疾患の合併
- 脳血管障害、リウマチ性疾患で免疫抑制薬やステロイドを使用、皮膚結合組織異常など

表 TAVI 弁の種類

バルーン拡張型人工弁	自己拡張型人工弁
サピエン3 生体弁 （写真提供：エドワーズライフサイエンス株式会社）	CoreValve™ Evolut™ PRO （写真提供：日本メドトロニック株式会社）

図 アプローチの部位

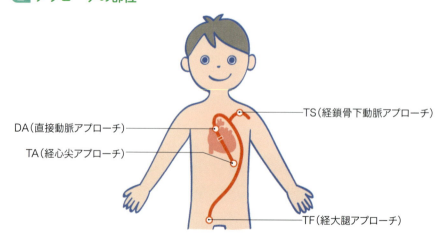

- TS（経鎖骨下動脈アプローチ）
- DA（直接動脈アプローチ）
- TA（経心尖アプローチ）
- TF（経大腿アプローチ）

看護師は何に注意する？

術前の看護のポイント

- TAVI治療は外科的手術でのリスクが高い患者さんへの治療で、おもに高齢者を対象としており、なかには90歳以上の患者さんもいます。超高齢患者さんに対するTAVI治療と保存的加療の明確な境界線は存在しません。そのため、患者さんや家族の希望、介護サポート力の程度を確認し、医師をはじめとして多職種間で共有することが大切です。

手術までの流れの説明

- オリエンテーション用紙を使用し説明します。
- 術前に主治医から病状説明を行いますが、高齢者の場合、時間の経過とともに不安や心配ごとが出現します。なるべく術前に解決できるよう、不安なこと、心配なことを会話のなかから読み取り、医療者間で共有できるよう努めます。

退院に向けた情報収集・ADLの評価

- 家族背景（キーパーソン、支援体制）、介護支援の状況を確認します。術前から介護度を把握し、患者さんの希望している場所へ退院できるよう、医療ソーシャルワーカーと連携をとっておきます。
- 高齢の患者さんが多いため、術前から理学療法士による心臓リハビリテーション介入を行い、術前からADLを評価し、多職種間で情報共有・協力して、ADLを落とすことなく退院できるよう努めます。

Link 心臓リハビリテーション ➡ P.19

術後の看護のポイント

全身状態の観察

- 術後はCCUへ入室し、全身管理を行います。
  - ▷ 完全房室ブロック波形の有無
  - ▷ アプローチ部位からの出血の有無
  - ▷ 脳梗塞の所見の有無
  - ▷ 血圧変動の有無

CCUでの観察項目
- 覚醒状態の確認
- CVや一時的ペースメーカ、Aラインなどのデバイス挿入部位の確認と管理
- アプローチ部位の観察
- バイタルサイン
- 心電図
- 血液検査データ
- 動脈血ガス分析
- 胸部X線検査

※術後は完全房室ブロック（CAVB）波形に注意（術前に右脚ブロックがある場合、CAVB波形になる確率が高い）。

表 起こりうる合併症

房室ブロック	大動脈弁を人工弁に留置する際、刺激伝導系に機械的な負荷がかかることで、伝導障害が生じる。特に高度房室ブロックでは、ペースメーカの植込みが必要になることもある
弁周囲逆流（PVL）	TAVIは自己弁を押しのけ、凹凸となっている弁表面に人工弁を挿入するため、組織と人工弁の間にすき間ができ、逆流が生じる
冠動脈の閉塞	冠動脈口の高さのところに人工弁が当たり、閉塞する場合がある
弁輪破裂	発生頻度は0.9～1.1％と低いものの、いったん生じると高い死亡率につながる
心タンポナーデ	経静脈ペーシング、カテーテルによる右室裂孔、ガイドワイヤーによる左室穿孔などで起こる
その他	弁脱落など

看護師は何に注意する？（つづき）

せん妄の予防
- 患者さんは術後に、CVや一時的ペースメーカが挿入されており、アプローチ部位の圧迫止血のため、ベッド上安静臥床の状態を強いられた環境に置かれます。患者さんにとっては強いストレスが加わります。この状態が長く続くことで、容易にせん妄症状を引き起こすことになります。そのため、術後は患者さんの訴えに耳を傾け、可能な範囲で苦痛を解除できるよう努めていく必要があります。

抗血栓薬の管理
- TAVI後は抗血小板薬を内服し、血栓の予防を行います。基本的には抗血小板薬である**クロピドグレル硫酸塩を3～6か月、バイアスピリン錠を一生内服**していきます。
- 心房細動を患い治療している場合は、抗凝固薬が必要です。
- 薬の使用方法はガイドラインに沿って行われますが、患者さんの状態（例えば出血のリスク）を加味しながら調節します。必ず主治医と治療方針を確認しながら看護にあたることが重要になります。

表　TAVI適応患者の抗血栓薬の使用方法（例）

	もともと抗血栓薬を飲んでいない	もともと抗血小板薬を2剤飲んでいる	心房細動があり抗凝固薬をもともと内服している
TAVI前	●アスピリン100mg/日	●できるだけ抗血小板薬を1剤に減量する	●抗凝固薬⇒ヘパリン持続点滴へ移行する ●DOAC内服中の場合はヘパリン投与せず、前日より内服中止とする
TAVI後	●術後飲水可能になった時点でクロピドグレル硫酸塩75mgを4錠ローディング	●抗血小板薬を2剤に戻す	●抗凝固薬を再開し、抗血小板薬も追加していく

早期離床の促進
- TAVI後は状態が安定していれば、翌日にデバイスがすべて抜去され、理学療法士によるリハビリテーションを開始し、ADLの評価・拡大を行います。
- 高齢の患者さんは、長期間の入院による制限や苦痛により、せん妄症状発症のリスク、ADLの低下も懸念されます。
- 医師の指示に従い、早期離床をめざすことが大切です。

退院前の生活指導
- 健康な毎日を送るために、一般的な項目（バイタルサイン、食事、運動）について説明を行います。退院後の生活については心不全患者に沿った退院指導を行います。

DOAC
直接経口抗凝固薬。直接Xa阻害薬、トロンビン直接阻害薬がある。

カテーテルアブレーション

どんな治療?

- カテーテルアブレーション(以下、アブレーション)は、**頻脈性の不整脈**に対して行われる治療法です。
- 頻脈性不整脈の原因として、ぐるぐる刺激が回っていくリエントリーと、さまざまな場所から刺激が出る異所性があります。マッピングというカテーテルで、不整脈の原因となる場所を探して、その部位を焼灼する治療です。
- 太い血管からカテーテルを入れて、心臓内部の不整脈の原因となっている部分を焼灼します。おもに大腿静脈や内頸静脈からカテーテルを穿刺します。
- アブレーションは不整脈の根本的な治療をすることができます。

Link 不整脈 ➡ P.90

表 カテーテルアブレーションが適応となる不整脈
- 上室性頻拍
- 発作性上室性頻拍(PSVT)
- 房室回帰性頻拍(AVRT、WPW症候群)
- 房室結節回帰性頻拍(AVNRT)
- 心房粗動(AFL)
- 心房細動(AF)
- 心房頻拍(AT)
- 心室頻拍(VT)

看護師は何に注意する?

- アブレーションは、おもに大腿静脈からカテーテルを穿刺して行っているので、術後は歩いて帰室することができません。そのため、術後はベッドで戻ってきます。また、歩くだけでなく、起き上がることもできません。
- 起き上がったり、動いてしまうと出血してしまうため、医師の指示にもとづき安静になってもらう必要があります。安静にする時間は、カテーテルの太さによって異なります。
- 術中麻酔を実施するため、術直後は呼吸が抑制されていることもあり、必要時、酸素投与などを行います。
- アブレーションが終了し、病棟から戻ってきたら、**バイタルサイン測定**、穿刺部の観察、**心電図モニターの確認**をし、不整脈が出現していないかを観察します。
- 治療前に内服していた抗不整脈薬や抗凝固薬が中止になる場合があります。また、治療後もそのまま中止となる場合や再開になる場合もあるため、医師に確認が必要です。
- 心房細動(AF)のアブレーションでは、術前・術中に経食道心エコーを行います。心房細動は心臓に血栓を形成するリスクがあるため、左心耳・左心房内の血栓の有無を確認します。また、左房機能、卵円孔開存の有無も確認します。

カテーテルアブレーション後は心拍が落ち着かず、一過性に頻脈になることがあります。基本的には時間がたてば安定していきますが、主治医に報告する必要があります。また、治療をしても不整脈が再発してしまう場合があります。次回外来の有無、内服の継続なども確認していく必要があります

看護師は何に注意する？（つづき）

● アブレーションで注意が必要な合併症は次のとおりです。

表 カテーテルアブレーションのおもな合併症

	原因	観察項目・対応
出血	● アブレーションを行う患者さんの多くは、抗凝固薬を内服している。そのため、カテーテルを穿刺したとき、あるいはカテーテルを抜いた後に、出血がなかなか止まらないことがある	● カテーテル穿刺・抜去時は、圧迫止血を行う。術直後は用手圧迫をするが、病棟に戻ってからは、瓶やアンギオロールなどで圧迫する ● 穿刺部を観察する。特に圧迫解除時や安静解除時に出血リスクが高いため注意が必要である。圧迫除去後、再出血した場合は、すぐに再圧迫し、医師に報告する ● 長時間の安静が強いられるので、腰痛などがある患者さんには、看護師が体位変換したり、圧迫を緩和するようにタオルなどを腰に敷くなどして対応する
徐脈	● アブレーションの手技中に正常な刺激伝導系を傷つけてしまい、新たな不整脈が出現することがある。それに伴い、房室ブロックなどの徐脈になることがある ● 刺激伝導系を傷つけなくても、一過性の不整脈ではなく持続的な不整脈の治療後は、洞不全症候群が発見されることがある	● 徐脈を発症した場合、必要時にはペースメーカ植込み術を行う ● 心電図モニターを確認し、不整脈の有無を確認する ● 不整脈による意識消失や自覚症状の有無を観察する
血栓の発生による梗塞	● アブレーションによる心筋の焼灼刺激やカテーテル操作により、血栓が発生し、ほかの臓器に血栓が飛んでしまうことがある	● 症状の有無の確認、バイタルサイン測定を行い、脳梗塞、肺塞栓症、心筋梗塞など発症していないか観察する
食道潰瘍	● 食道は心臓のすぐ後ろを走っているため、焼灼部位によっては食道潰瘍が発生することがある	● 胸やけ、嚥下障害、嚥下時違和感、食思不振、吐血の有無を観察する ● ただし、術後は指示の時間までベッドをギャッチアップして食事摂取できないことや、アブレーション時に経食道心エコーを行っている場合などがあるため、それもアセスメントする必要がある
肺静脈狭窄	● 焼灼部位にもよるが、肺静脈近くの心筋を焼灼した場合はその影響により、肺静脈狭窄が起こることがある。心房細動はおもに肺静脈周辺を焼灼するため特に注意が必要である	● 息切れ、胸痛、血痰、呼吸困難の有無など呼吸状態を観察する
心タンポナーデ	● アブレーション中、手技によって心臓の壁を傷つけてしまうことがある。そのことにより、心筋と心膜の間に血液がたまり、心タンポナーデをきたすことがある	● 血圧の低下、心拍数の上昇、呼吸困難、心音の微弱が生じるため観察する
横隔神経麻痺	● 心筋焼灼の際に、横隔膜を動かす横隔神経が傷ついてしまった場合に起こる ● 心房細動や心房粗動のABL時に起こることがある	● 吃逆の有無、呼吸状態などを観察する

アンギオロール
楕円柱状の止血圧迫綿。ガーゼを固く巻いた物などの代用として用いる。

5 心臓カテーテル検査・治療

Link 心タンポナーデ→ P.135

ペースメーカ治療

どんな治療？

- ペースメーカ（心臓ペースメーカ）治療とは、房室ブロックなどといった**徐脈性不整脈に対する治療**で、人工的に心臓に電気刺激を与えることで、正常な心拍リズムを維持します。
- X線透視下で局所麻酔によって治療します。手術時間は1～2時間程度です。
- ペースメーカには、①**一時的ペースメーカ**と②**植込み型ペースメーカ**があります。

Link 徐脈性不整脈 ➡ P.92

表 ペースメーカの種類

	一時的ペースメーカ (体外式ペースメーカ)	植込み型ペースメーカ
治療法	●X線透視下の穿刺法で大腿静脈、鎖骨下静脈、内頸静脈から右室内に挿入し、おもに心室をペーシングする	●X線透視下の穿刺法で鎖骨下静脈から右心房または右心室に挿入し、おもに心房と心室をペーシングする
適応	●経皮的パッチ電極によるペーシング：心停止、緊急時（極度の徐脈）など ●頸静脈的ペーシング：緊急に徐脈を解除する必要がある場合（例：急性心筋梗塞に伴う完全房室ブロックなど） ●インターベンションによって徐脈が発生する可能性が高い場合（例：冠動脈形成術時の徐脈）	●一時的ではなく除去できない原因により、繰り返すまたは持続する徐脈によって重篤になる場合 ●適応の例：洞不全症候群、房室ブロック、徐脈性心房細動、神経調整性失神、過敏性頸動脈洞症候群、閉塞性肥大型心筋症

ペースメーカのしくみ

- 一時的・植込み型ペースメーカそれぞれに、**シングルチャンバ型**と**デュアルチャンバ型**があります。
- シングルチャンバ型は、心房・心室のどちらか1つをペーシングします(一時的ペーシングの場合、多くは心室のみをペーシング)。
- デュアルチャンバ型は、心房・心室の両方をペーシングします。
- リードの植込み方法には以下の2つがあります。
  ①鎖骨下静脈などから経静脈的挿入する方法(心内膜リード)
  ②心外膜に直接電極を装着する方法(心外膜リード)

Link ペースメーカ手帳
➡P.315

ペースメーカの設定

- ペースメーカ手帳にも記載されている、覚えておきたい設定を紹介します。

表 ペースメーカの設定

設定	内容	設定値(通常)
モード (mode)	ペースメーカが刺激するパターン	—
基本レート (lower rate, basic rate)	ペースメーカが刺激する最も低い刺激のレート	50〜70bpm
上限レート (upper tracking rate)	ペースメーカが心房波(P波)に追従して心室を刺激できる最大のレート	100〜130bpm
AVディレイ (AV delay, AV interval)	心房ペーシングの後もしくは心房センシングの後にどのくらいの時間を空けて心室をペーシングするかを決める時間	100〜300ms
出力 (amplitude, pulse width)	心房・心室のリードから出力される電気刺激の大きさ	2.5V/0.4ms(心筋を動かす閾値の2〜3倍)
感度 (sensitivity)	心房・心室リードが心房波(P波)、心室波(R波)を感知できる強さ	心房：0.5mV 心室：2mV

ペースメーカの表示と様式

●植込み型ペースメーカでは、アルファベット5文字で機種を表記しています。特に、最初の3文字を覚えておきましょう。

🔍 ペースメーカの表示

V   **V**   **I**   モード

ペーシング部位   センシング部位   自己心拍を感知したときの作動様式

- A：心房
- V：心室
- D：心房＋心室

- A：心房
- V：心室
- D：心房＋心室

- T：同期
- I：抑制
- D：同期＋抑制

表 代表的なペースメーカの様式

分類	ペーシング部位	センシング部位	自己心拍を感知したときの作動様式
VVI	心室	心室	抑制
VOO	心室	なし	なし
AAI	心房	心房	抑制
DDD	心房＋心室	心房＋心室	同期＋抑制
VDD	心室	心房＋心室	同期＋抑制

図 VVIペースメーカ心電図の例（心室のみを刺激）

図 DDDペースメーカ心電図の例（心房・心室の両方を刺激）

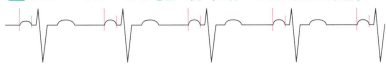

ペーシング
電気刺激を行うこと。

センシング
心筋の電気興奮を感知すること。

抑制(I：inhibit)
自発心拍が出た場合にペーシングを休止すること。

トリガー(T：trigger)
自発心拍が出た場合に同期してペーシングすること。

デマンド型(Demand)
一定時間の心拍停止時に自動的にペーシングを行うペースメーカのこと。

5 ペースメーカ治療

ペースメーカ植込み術後の看護

血管造影室からの退室〜帰室までの看護

- ペースメーカの創部は、創傷被覆剤などで保護されており、その上からガーゼで圧迫固定しています。
- リード脱落予防のため、バストバンドで患肢側を固定します。
- 放射線科で胸部X線撮影を行ってから、病室に帰室します。
- 帰室後は、バイタルサイン測定・12誘導心電図検査を行い、モニター心電図を装着します。
- 手術直後から合併症の有無を観察します。手術直後から数か月に起こりやすい合併症を下記に示します。

3点誘導法のⅡ誘導で観察する場合、電位差を測定していない電極はアースの役割をしているので、創部に貼らないように注意しましょう。例えば、左鎖骨下にペースメーカを植込んだ患者さんの場合、赤は右鎖骨下、緑は左腹部、黄色は右腹部になります

表 ペースメーカ植込み術後の合併症と観察項目

合併症	観察項目
創部感染	●創部の腫脹・発赤・熱感・疼痛の有無 ●排膿の有無
出血・血腫	●皮下のペースメーカは硬く触知できるが、血腫はやわらかく触知できる 注意 体格のよい患者さんでは、気づきにくいこともある ●抗凝固薬を服用している場合は、血液検査データでINR値を確認する
気胸・血胸	●呼吸困難症状の有無、SpO_2値の確認 ●聴診で肺音の左右差の有無・減弱がないかの確認 ●胸部X線撮影・CT検査で診断する 注意 状態により、ドレナージが必要になることもある
心タンポナーデ	●血圧低下・脈拍上昇の有無 ●心エコーで心嚢液貯留の診断 注意 状態によりドレナージが必要になることもある
リードトラブル	●モニター心電図でpacing failure（ペーシング不全）の確認 ●胸部X線撮影でリード脱落（適切な位置にない）の確認 注意 リード脱落は再固定術が必要になる
横隔膜刺激症状（twitching）	●吃逆（しゃっくり）の有無 ●心窩部周囲のピクつきの有無 注意 出力などの設定調整が必要になる
イソジン焼け	●消毒薬のイソジン液10%による皮膚トラブル ●発赤・熱感・腫脹することがあるので、医師に診察依頼をする

Link 心タンポナーデ →P.135

手術翌日以降の看護（退院指導）

- 手術翌日から退院指導を行います。ペースメーカ会社のパンフレットなどを用いて退院指導を行っていきましょう。
- ペースメーカを植込んでから退院までは、平均で10日間ほどになります。入院翌日にペースメーカ植込みの手術になることが多いですが、入院時のアナムネ聴取で病歴や症状だけでなく、生活スタイルや職業、趣味などを確認しておくと退院指導がスムーズに行えます。
- 患者さんによって理解度はさまざまなので、どこまで把握できているかを申し送りすることで継続看護にもつながります。

🔍 ペースメーカ装着患者の退院指導の基本的な流れ

Step 1 心臓やペースメーカについて

患者さんと一緒にパンフレットの読み合わせを行うことで、患者さん自身の心臓の状態や、どうしてペースメーカが必要になったかの再認識にもなります。心臓の構造や刺激伝導系は、できるだけわかりやすい表現で伝えましょう。

※写真はパンフレットの一例

Step 2 入院や手術のこと

入院に向けての内容は、外来で説明を聞いていることが多いため、退院指導の際は省略してもよいでしょう。

Step 3 退院後の日常生活のこと

ここの内容がとても重要になります。検脈指導、自宅での注意点、職業での注意点、外出時の注意点、その他の注意点に分けて説明します。具体的には次のページから解説します。

退院指導で大切なのは、「病気を知る」ではなく、「病気をもった患者さん」を知ることです

ペースメーカ植込み術の退院指導

検脈指導

- 検脈は、どこでも簡易的に、ペースメーカが作動しているか確認できる方法の1つです。
- 検脈は**安静時（できれば起床時）**に行います。ペースメーカは**lower rate**（ローワー レート）を下回る場合に作動します。そのため、活動時や活動直後では脈拍数が増加しているため、安静時に行うように指導します。
- 指導内容のポイントは、**脈拍数を測定する**ことです。橈骨動脈に、示指・中指・環指の3指の腹を当てるように指導しましょう。橈骨動脈の触知が難しい場合には、頸動脈を示指・中指で軽く抑えるような方法もあります。しかし、脳梗塞の既往や、血圧が低い患者さんには行いません。高次機能障害や手が不自由な患者さんの場合は、家族に指導を行いましょう。
- 検脈が難しい患者さんや家族には、脈波などが表示されるパルスオキシメーターを勧めてみましょう。
- 脈拍数の測定の基本は、1分間に何回脈が触れるかを数えます。1分間の測定が難しい場合は、30秒測定して2倍にしたり、10秒測定して6倍にするなど、「1分間での回数」に換算しましょう。その回数がlower rateを下回っていないか確認します。

検脈指導ではlower rateを知ることが大切です。また、なかなか自身の脈を触知することができない患者さんもいるので、根気強く指導しましょう

🔍 検脈のポイント

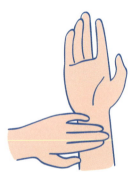

▷ 示指・中指・環指で測定します。
▷ 「トン、トン、トン」と規則正しく脈が触れられるか確認しましょう。脈のリズムに乱れがある場合は、注意が必要です。

日常生活での注意点

- ペースメーカを装着していても、これまでの日常生活とほぼ同じ生活を送ることができます。しかし、ペースメーカが体内にあることで、自宅の家電で注意が必要になるものがあります。**直接身体に電気を通すもの、外へ強い電磁波を出すものの使用は避ける**などです。退院指導にあたっては、家電の聞き取り調査をしましょう。
- 家事をする人の多くの疑問が、「IH調理器や炊飯器・電子レンジを使用してもいいの？」「ガスの調理器に買い替えたほうがいいかしら？」という内容です。植込み部位を近づけないように気をつければ、安全に使用できることを伝えましょう。IH炊飯器は、保温中でも電磁波が放出されているため注意が必要です。
- 体脂肪計は、身体に微弱な電流を流し、電流の流れやすさを測定することで体組成を測る方法です。体脂肪計付き体重計の場合は、**体脂肪を測定しないモードを選ぶ**ように説明しましょう。
- 携帯電話は、**植込み部位より15cm離して使用する**ように説明してください。男性の場合、胸ポケットに携帯電話を入れて持ち歩くことが多いので、**カバンなどで持ち運ぶ**ように説明しましょう。
- 自動車のスマートキーシステム（キーを差し込まず、ドアロックの開閉やエンジンの始動・停止などができるシステム）は、**植込み部位を車載搭載アンテナから22cm以上離れた場所で使用**するように説明しましょう。車種によってアンテナ搭載部は異なるため、各自動車会社に問い合わせ確認が必要になります。

表 日常生活で影響を及ぼすもの

一般的に影響が少ないもの	●冷蔵庫、食洗器、電子レンジ、電気ポット、コーヒーメーカー、オーブントースター、ミキサー、洗濯機、テレビ、DVD／BDプレーヤー、空気清浄機、ラジオ、パソコン、電気こたつ ●自動車、電動自転車、原動機付き自転車、二輪車 ●電気工具類、補聴器、血圧計、体温計、電気毛布 注意 冷蔵庫・電子レンジ・洗濯機はアースに接続が必要
注意事項を守れば安全に使用ができるもの	●炊飯器、IH調理器、携帯電話（スマートフォン含む） ●スマートキーシステム搭載自家用車、モーター、配電／分電盤 ●EAS（電子式商品監視システム）、CT装置
影響があるもの	●マッサージチェア、電位布団、体脂肪計、アマチュア無線 ●全自動麻雀卓、電気自動車の急速充電器、電気風呂 ●ジアテルミー装置（超短波治療・負電荷治療）、MRI、電気メス、放射線治療器、体外式除細動器（AED含む）、電位治療器 ●業務無線、各種溶接機、発電および変電施設内

外出時の注意点

- 外出時は必ず、**ペースメーカ手帳を持ち歩く**ように説明します。複数の病院に通院している人は、各病院でペースメーカ手帳を提示する必要があります。

ペースメーカ手帳

患者さんの治療過程が記載されたものでペースメーカ会社によって異なる。9か国語で記載されている。
（写真提供：日本メドトロニック株式会社）

その他の注意点

職業での注意点

- 業務無線、溶接機、発電および変電施設内、各種エンジンを操作する職業、放射線技師など電磁波の影響を受けやすい職業の人には、主治医と相談するように説明しましょう。少しでも気になることがあれば、各ペースメーカ会社への問い合わせが必要になります。

身体に関する注意点

創部の観察

- 創部のトラブルがないかを確認するように説明します。直接創部を見ることは難しいため、家族に観察を頼むか、無理であれば自身で鏡などを使用して観察する方法があります。創部が赤くなってないか・腫れていないかなどの状態の説明を行いましょう。

ペースメーカ留置側の腕の安静

- ペースメーカのリードには、タインド型とスクリュー型があります。どちらも1～3か月程度でほぼ固定されるといわれています。そのため、その間に腕を強く伸ばしたりする行動は、リード脱落が起こる可能性があります。
- リード脱落をまねきやすい動作としては、野球でボールを投げる、ゴルフのスイング、投げ釣り、鉄棒などが例として挙げられます。患者さんの趣味などを把握することが大切になるため、「ご趣味は？」などと聞いてみましょう。

致死的不整脈の既往がある患者さんは、「次の不整脈はいつ起こるんだろう？」と不安を抱えて生活を送ることがあります。また、電気ショックが作動したことのない患者さんでは「ショックってどんな感覚なんだろう？」と思っています。あらかじめ、どのような感覚かを知っておくことで、不安の軽減にもつながります。電気ショックを感じた際は、次回の外来を待たずに、すぐに受診するよう説明しましょう

ペースメーカの管理

特定医療機器登録制度

- ペースメーカを使用する患者さんにとって非常に重要な制度に、特定医療機器登録制度(医療機器トラッキング制度)があります。万一、医療機器に不具合が生じた場合に事故を未然に防止するため、医療機器についての安全情報が、すみやかにかつ確実に製造会社から医師を介し患者さんへ提供されることを目的として、平成7 (1995) 年7月1日より実施されています。
- 患者さんが登録を希望した場合は、氏名、住所等、医療機関、使用されたまたは使用が中止された医療機器の製品情報などの詳細な内容を登録します。

> **特定医療機器対象となる医療機器**
> ① 植込み型心臓ペースメーカおよびそのリード
> ② 植込み型補助人工心臓
> ③ 植込み型除細動器およびそのリード
> ④ 人工心臓弁および人工弁輪
> ⑤ 人工血管(胸部大動脈、腹部大動脈、冠動脈に使用されたものに限る)

身体障害者手帳

- ペースメーカが植込まれた患者さんは、身体障害者福祉法により身体障害者の認定を受けることができます。
- 身体障害者の認定は、原則として患者さん自身の申請によって認定されます。申請を希望する人は、所定の申請用紙に必要事項を記入し、医師によって記載された身体障害者診断書を添えて福祉事務所に提出します。
- 申請用紙は、住んでいる地域の市役所・区役所・町役場の福祉課、支援課、または福祉センターにあります。各市町村によって異なるので、申請場所や申請用紙取得に関しては確認してください。

ペースメーカの電池交換時期

- ペーシングの出力やペーシング率により、電池消耗の程度は異なります。そのため、定期的に外来受診で電池の残存量を調べる必要があります。
- 電池の残存量はプログラマという簡単な機械で苦痛なく調べることができます。

🔍 電池の残存量の確認方法

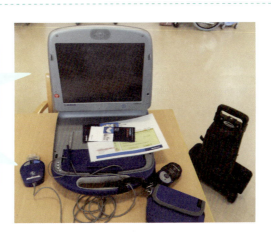

プログラマにより、ペースメーカの作動状況、電池の残量などの確認と、ペースメーカの設定変更を行うことができる

この部分をペースメーカの外側から当てる

植込み型除細動器（ICD）

どんな治療？

ICD（implantable cardioverter defibrillator）

- 植込み型除細動器（ICD）は、**突然の致死性不整脈（心室頻拍、心室細動）の発生を検知して、電気的治療（除細動）を行います**。致死性不整脈に対する治療は除細動が基本ですが、ある程度発生の予測ができる患者さんに対してICDが選択されます。
- ICDの頻脈に対する治療は以下の3つがあります。

抗頻拍ペーシング

- 心室頻拍が起こった際に、頻拍よりも少し早くペーシングを行います。ほとんどの場合は苦痛を感じませんが、患者さんによっては動悸を自覚することがあります。

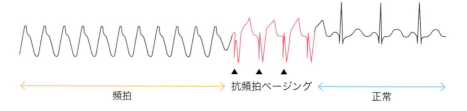

カルディオバージョン

- 抗頻拍ペーシングで治療できなかった心室頻拍に対し、安全なタイミングで電気ショックを行います。患者さんは、「不意に胸をたたかれたような感じ」を自覚します。

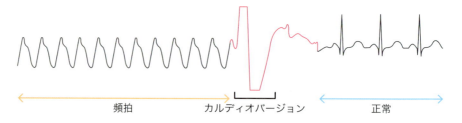

除細動

- 心室細動が起こった際に、カルディオバージョンよりも強いエネルギーで電気ショックを行います。患者さんは「胸を蹴られたような感じ」を自覚します。

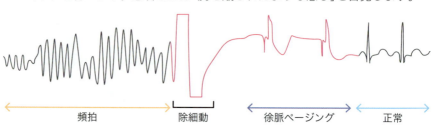

心臓再同期療法（CRT）

どんな治療?

- 通常のペースメーカは、右心房と右心室にリードを留置してペーシングしますが、CRTでは左心室側にも留置して、両方の心室をペーシングします。左心室の収縮タイミングのずれ（非同期）を改善することを目的に行います。
- おもに重症心不全の改善に使用されます。
- CRTは、以下の2つに分けられます。
  ① **CRT-P（両心室ペースメーカ）**：ペースメーカに左室自由壁に留置する左心室リードを追加したもの
  ② **CRT-D（両心室ペーシング機能付き植込み型除細動器）**：CRTにICD（植込み型除細動器）を追加したもの

CRT（cardiac resynchronization therapy）

CRT-PのPは「ペースメーカ」という意味、CRT-DのDは「除細動器」という意味です

🔍 CRT-Dのしくみ

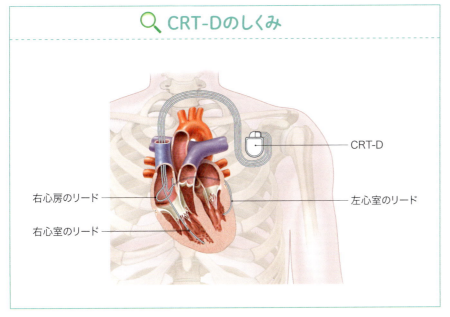

右心房のリード
右心室のリード
CRT-D
左心室のリード

ICD・CRTの看護

- ICD・CRT植込み術の看護は基本的に同じです。
- ICD・CRT-Dには、ショックによる治療があります。自動車運転の制限、ショックが作動した後の対応などの説明が必要になります。
- ICD機能が作動したと感じた場合は、外来受診、意識消失した場合は救急車での搬送など、家族や職場・同僚などにも自身のことを知ってもらう必要があります。

低侵襲化が進む新たな治療法①
リードレスペースメーカ

どんな治療?

- リードレスペースメーカは、カプセル型の小型の装置で、大腿静脈からカテーテルを用いて心臓内に送り込まれます。
- 装置に付いているフックをひっかけて直接心室に留置し、先端の電極を通じて電気刺激を送り、ペーシングを行います。機能はVVIのみとなります。
- リードも皮下ポケットも不要なため、それらに関連した合併症の恐れはありません。また、胸部の傷もなく、外からは装置のふくらみもないため、装置を意識することなく生活できます。
- MRI撮影は条件があるため、患者さんの条件を確認しましょう。

VVI
心室の動きを感知し、心室を刺激してリズムを整えるモード(P.311参照)。

表 リードレスペースメーカの対象

①心房細動を合併した、症状のある発作性もしくは持続性の高度房室ブロック
②心房細動を合併しない、症状のある発作性もしくは持続性の高度房室ブロックで、右心房へのリード留置が困難、または有効でないと考えられる場合
③症状のある徐脈性心房細動または洞機能不全症候群で、右心房へのリード留置が困難、または有効でないと考えられる場合

🔍 リードレスペースメーカのしくみ

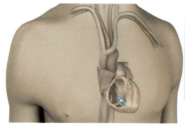

Micra経カテーテルペーシングシステム(写真提供:日本メドトロニック株式会社)

看護師は何に注意する?

- 術後は、創観察の必要性は当然ありませんが、太いカテーテルで大腿静脈から挿入するため、出血・血腫に注意し、従来のペースメーカと同様にモニターの監視を行います。
- 従来のペースメーカと比較し、術後に心タンポナーデを起こすリスクがあるため、バイタルサインやモニター観察に注意する必要があります。

低侵襲化が進む新たな治療法②
皮下植込み型除細動器（S-ICD）

どんな治療？

- 皮下植込み型除細動器（S-ICD）は、腋の下に本体が植込まれ、皮下にリードが留置されます。致死的不整脈に対するカウンターショック機能のみで、抗頻拍ペーシング機能はありません。
- このシステムは、本体とリードが心臓や血管に触れないため、植込みによる合併症の発生率が、経静脈ICDシステムよりも少ないという利点があります。
- 万が一デバイス感染が生じた際には、比較的容易に抜去できる利点もあります。腋の下にデバイスが植込まれるため、創部が目立ちにくいです。

🔍 皮下植込み型除細動器（S-ICD）のしくみ

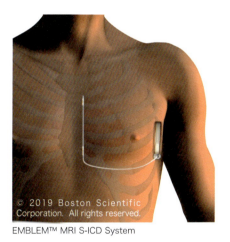
EMBLEM™ MRI S-ICD System

看護師は何に注意する？

- 創部痛が比較的残りやすいので、疼痛管理に留意します。女性の場合は、ブラジャーの位置が創部に当たらないようにする必要があります。

> ワイヤー入りブラジャーを着用すると切開部が圧迫される箇所があるため、回復期にはワイヤー入りブラジャーを着用しないように患者さんに説明しましょう

知っておきたい治療法①
大動脈内バルーンパンピング（IABP）

どんな治療？

IABP（intra-aortic balloon pumping）

- 大動脈内バルーンパンピング（IABP）は、バルーンのついたカテーテルを胸部下行大動脈内に留置し、**心臓の拍動に合わせて、バルーンの収縮（デフレーション）と拡張（インフレーション）を繰り返すことで心臓を補助する**圧補助循環装置です。
- 心臓の拡張期にバルーンを拡張させることにより、冠動脈への血流が増加し、心筋への酸素供給量を増加させます。また、バルーンを収縮させることで、急激に大動脈圧が低下し、後負荷が減少します。**心拍出量の10〜15％程度の補助効果**があります。

表 IABPの適応

内科的適応	● 急性冠症候群（急性心筋梗塞、難治性不安定狭心症、薬剤抵抗性の重症心不全） ● 急性心筋梗塞合併症（心原性ショック、心室中隔穿孔、僧帽弁閉鎖不全） ● リスクが高い経皮的冠動脈インターベンション（PCI）中・後の補助
外科的適応	● 人工心肺離脱困難 ● 開心術後の低心拍出量症候群（LOS） ● 左冠動脈主幹部病変、高度の3枝病変の手術前予防挿入 ● 経皮的心肺補助装置（PCPS）使用時の後負荷軽減

表 IABPの禁忌とその理由

禁忌	理由
重症大動脈弁閉鎖不全	● バルーンの拡張期に大動脈弁逆流が増悪するため
胸部・腹部大動脈瘤 大動脈解離	● 解離の進行や破裂、瘤の中の血栓が剥がれることによる塞栓の危険があるため
慢性閉塞性動脈硬化症	● カテーテルの挿入が困難なため ● 下肢虚血があるため
大動脈から腸骨動脈にかけての重篤な石灰化	● バルーンの穿孔のリスクが増大するため
重度の凝固異常	● 抗凝固薬使用による出血傾向があるため

5 心臓カテーテル検査・治療

🔍 バルーンの収縮・拡張と心電図、血圧波形の関係[1]

diastolic augmentation
（心臓の拡張期にバルーンを拡張する）

バルーン拡張による大動脈内圧の上昇
- 冠動脈血流 ↑ → 心筋酸素供給 ↑
- 平均動脈圧 ↑ → 脳・腎血流 ↑

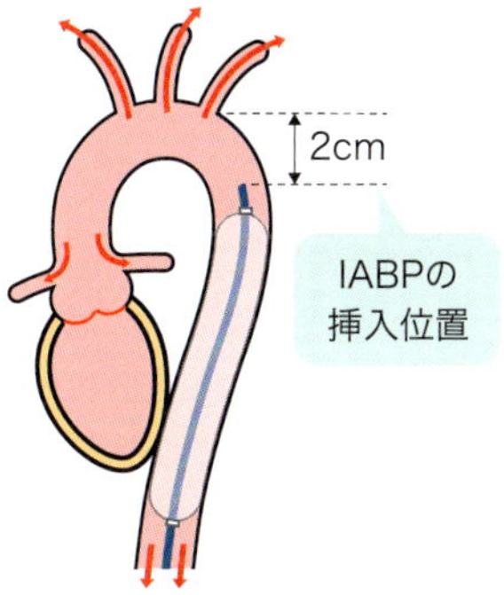

2cm
IABPの挿入位置

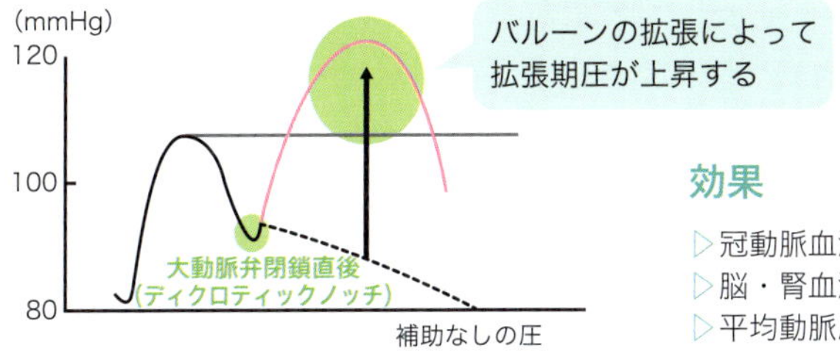

バルーンの拡張によって拡張期圧が上昇する

大動脈弁閉鎖直後（ディクロティックノッチ）
補助なしの圧

効果
▷ 冠動脈血流の**増加**
▷ 脳・腎血流の**増加**
▷ 平均動脈圧の**上昇**

systolic unloading
（心臓の収縮期にバルーンを収縮）

バルーン収縮による大動脈拡張期終末圧 ↓
↓
後負荷の軽減
↓
心筋酸素消費量の軽減
心仕事量の軽減

補助なしの圧

バルーンの収縮によって動脈圧が低下する

低下した大動脈拡張期終末圧

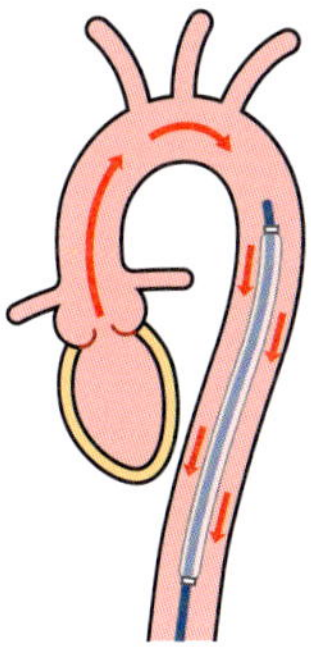

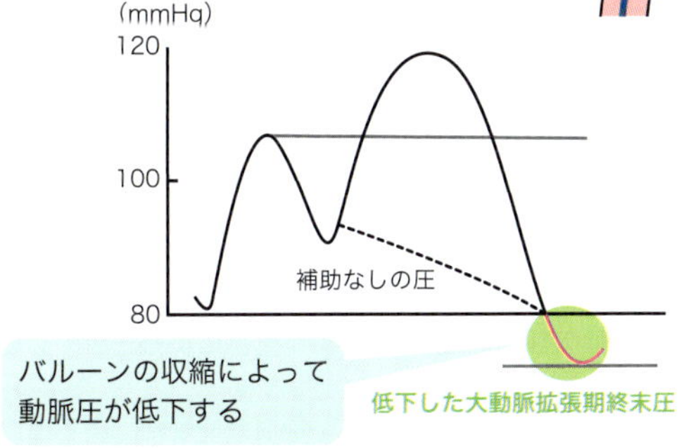

効果
▷ 後負荷の**軽減**
▷ 心仕事量の**軽減**
▷ 心筋酸素消費量の**減少**

5 大動脈内バルーンパンピング（IABP）

IABP挿入中の看護のポイント

- IABP挿入中は**安静が重要**なため、患者さんの理解と協力が必要です。苦痛やストレスに対する看護や十分な説明が重要です。
  ▷ 同一体位による苦痛や腰痛が予測されるため、**腰部マッサージや除圧、鎮痛薬の投与など、苦痛を軽減する看護**を提供します。
  ▷ 安静を説明する際のポイントとして、「○○はできません」という制限ばかりでなく、「〜ができます」など可能なことを明確に伝えると、精神的苦痛やストレスを軽減する効果が得られるようです。
- 体位変換や清潔ケアなど、身体を動かすケアの前後では、**カテーテルの位置にずれが生じないよう**、モニター類を確認しながら人員を確保して安全に実施します。体位変換時は、背部から下肢がまっすぐになるようにクッションなどを用いて調整をします。
- IABPの効果を最大限に引き出すには、**バルーンの収縮・拡張のタイミングが重要**となります。心臓の拍動のタイミングに合わせる方法（トリガー）には、心電図と大動脈圧のどちらかを使用します。タイミングがずれてしまうと効果が下がるだけでなく、逆に後負荷が増大するなどの弊害が生じます。心電図でタイミングを合わせているとき（心電図トリガー）は、心電図電極が剥がれてしまうとIABPは停止するため、心電図電極を補強し剥がれないように固定します。

表 IABP挿入中の合併症と看護

合併症	原因	観察ポイント	看護
下肢虚血	●大腿動脈からのカテーテル挿入によって血管内腔が狭くなり、下肢の血流障害が起こる	●下肢皮膚温の左右差 ●下肢動脈（足背動脈、後脛骨動脈）の触知または超音波血流計による聴診 ●下肢の皮膚色 ●痛み ●しびれや感覚異常 ●チアノーゼ ●カリウム値の上昇、乳酸値の上昇 ●ミオグロビン尿の出現	●末梢冷感がある場合は、保温を行うことで改善を図る ●下肢動脈が確認できない、痛みがあるなど下肢虚血の症状が出現したらすみやかに医師に報告し、抜去を検討する必要がある
出血	●挿入時の血管損傷、抗凝固薬の使用、血小板や凝固因子の消費による出血傾向のために起こる	●出血部位、出血量 ●皮下出血の有無と増大傾向 ●挿入部の血腫・硬結の有無 ●心拍数の増加、血圧の低下、SpO_2の低下、乳酸値の上昇など循環血液量不足の徴候 ●ヘモグロビン値の低下、ヘマトクリット値の低下、血小板値、ACT	●ラインやカテーテル類の挿入部からの出血が持続する場合は医師に報告し、圧迫や縫合処置による止血の必要を検討する ●血腫や硬結、皮下出血は範囲をマーキングしておき、拡大がないか観察する ●凝固因子の不足がある場合やヘモグロビン値の低下がある場合は、輸血投与の検討が必要である ●上記処置をしても持続する場合、抜去の検討も行う

合併症	原因	観察ポイント	看護
血栓塞栓症 臓器虚血	●カテーテルという異物が体内にある影響で、血栓が形成される ●血管壁のアテロームや小血栓の飛来による ●カテーテルの留置位置が足側に移動することにより、腹腔動脈や腎動脈血流量が低下する	●各臓器障害の確認 ▷血液データの急激な悪化、腹腔動脈の塞栓による腹痛の出現、腎動脈塞栓による尿量の急激な減少、血尿の出現 ●四肢の末梢循環不全の徴候：冷感、色調変化 ●アシドーシスの増悪	●血栓塞栓症の予防のために、ヘパリンなどの抗凝固薬を投与する。ACTやAPTTを定期的に測定し、投与量のコントロールを行う ●カテーテルの先端は胸部下行動脈起始部から2〜3cm下が望ましく、バルーン部分が腎動脈よりも上に留置される。X線による位置確認と、確実な固定を行う ●虚血を疑う所見があった場合はすみやかに医師へ報告し、CT検査や血管造影検査などを実施し、特定を行う必要がある
大動脈穿孔 大動脈解離	●カテーテル挿入時のワイヤーなどにより、血管損傷が起こることで発生することがある ●蛇行血管への挿入後に発生することもある	●挿入時・管理中の胸背部痛・腹部痛の出現 ●急激な血圧の変動 ●四肢血圧の差 ●知覚障害の出現 ●意識レベルの低下 ●ヘモグロビン値の低下、凝固因子の低下	●自覚症状が出現したらすみやかに医師へ報告し、CT検査などで特定を行う必要がある ●大動脈穿孔の場合、ショックに陥る可能性があるため、急変時の対応がとれるように準備を行う ●血圧の上昇がある場合は、血圧コントロールを行い、解離腔の拡大を防ぐ
腓骨神経麻痺	●安静時の下肢外旋により、下腿外側の腓骨頭が圧迫され生じる	●足趾の背屈障害の有無 ●下腿外側から足背にかけての感覚障害の有無	●挿入下肢の膝裏付近にクッションなどを置き、適度に屈曲し良肢位を保ち、外旋を防ぐ
感染	●大腿動脈からの挿入がほとんどであり、汚染されやすい	●挿入部位の感染徴候（発赤、腫脹、熱感、疼痛） ●体温上昇の有無 ●白血球数の増加、CRPの上昇	●手指衛生の徹底 ●挿入部の清潔保持、ドレッシング材の適正使用 ●汚染時は消毒、再固定を行う ●全身・陰部の清潔維持 ●下痢などが頻回で汚染されやすい場合は、便失禁ケアシステム（バード® ディグニケア®など）の使用も検討する
バルーンの破損	●石灰化した大動脈内壁との摩擦により、バルーン表面が摩耗して起こる ●長期間使用に伴う劣化によって生じる	●カテーテル内血液逆流の有無 ●ヘリウムガスリークアラームの有無、バルーン駆動内圧の低下の有無 ●拡張期圧の低下	●カテーテル内に血液の逆流を認めた場合はすみやかに医師に報告し、患者さんの状態を確認しながら、抜去できるように準備する ●挿入下肢の安静を保ち、カテーテルの屈曲を予防する

IABPのウィニング（離脱）

- 心拍数とバルーンの拡張と収縮の割合を**アシスト比**といいます。心拍数1回に対しバルーンの拡張と収縮が1回ならアシスト比1：1、心拍数2回に対しバルーンの拡張と収縮が1回ならアシスト比1：2です。
- 循環動態が維持できるようになり、離脱の目途がたったら、徐々にバルーンの拡張と収縮の回数を減らしていきます。
- IABPのウィニング（離脱）中に、**胸痛や心電図変化が出現したときは、心筋虚血を疑う**ため、ウィニングを中止し、アシスト比を1：1に戻し、対応します。
- アシスト比が少なくなれば、バルーンが動かない時間も増えるため、血栓形成のリスクが高くなります。

IABP抜去時の看護のポイント

- IABPの抜去時は医師によって用手圧迫止血を行います。用手圧迫中は、**下肢の血流障害**を起こす可能性があるため、下肢虚血の合併症に基づく観察が必要です。
- 補助がなくなったことで、**血圧低下**や**胸部症状**が出現する可能性があるため、抜去後も注意深く観察を続ける必要があります。また、圧迫による疼痛で**迷走神経反射**が出現することがあります。症状として、あくび、眠気、めまい、心拍数低下、血圧低下などがあります。

表 IABP抜去に伴う合併症と看護

合併症	原因	観察ポイント	看護
血腫 皮下出血 出血	●止血不足、凝固因子の減少、抗凝固薬の使用	●抜去部・抜去部周囲の腫脹や皮下出血の有無 ●ヘモグロビン値の低下、血小板の減少 ●血圧の低下、心拍数の上昇	●血腫や皮下出血には範囲をマーキングしておき、拡大時はすみやかに医師へ報告する ●明らかな出血や急速に血腫が拡大したら用手圧迫を行い、周りに声をかけ医師に連絡する
後腹膜出血	●動脈損傷、止血不足、止血後の圧迫固定がずれることにより、体外ではなく後腹膜に出血して生じる ●穿刺点が鼠径靭帯より頭側の場合、起こりやすい	●心拍数の増加、血圧の低下 ●腹壁の緊張、腹痛、腰痛 ●せん妄、意識レベルの変化 ●ヘモグロビン値の低下、ヘマトクリット値の低下	●後腹膜出血は通常の腹腔出血よりも発見が遅れやすい合併症のため観察が難しい。患者さんを経時的に観察し、変化をすばやくキャッチする必要がある ●出血を疑ったら、すみやかに医師へ報告する。CT検査で鑑別を行い、体表面からの止血は困難のため、血管内治療や外科的治療などを検討する

合併症	原因	観察ポイント	看護
下肢の血流障害	●機械的圧迫に伴う血流低下 ●下肢動脈の血栓形成 ●血腫による血流障害	●P.324表「IABP挿入中の合併症と看護：下肢虚血」の項目と同様	●P.324表「IABP挿入中の合併症と看護：下肢虚血」の項目と同様 ●機械的圧迫を緩める行為は出血のリスクを高めるため、医師に相談し、判断を仰ぐ
血行動態の変化	●出血による循環血液量の不足 ●IABP抜去による心拍量の低下	●血圧の低下、心拍数の低下、呼吸回数の増加、SpO_2の低下、意識レベルの変化	●心拍出量が維持できていない原因（前負荷、後負荷、心収縮力、心拍数）を検討する。循環動態が破綻する可能性があるため、すみやかに医師に報告する
仮性動脈瘤 動静脈瘻	●仮性動脈瘤は動脈壁の損傷による出血後に血管外にできた血腫が瘤状になったもの ●動静脈瘻は穿刺のときに動脈壁を貫き、近くの静脈まで穿刺した結果、動脈と静脈が交通した状態	●挿入部の腫脹・拍動 ●聴診によるシャント音の聴取 ●疼痛・違和感	●遅発性の合併症であるため、歩行後など挿入部に負荷がかかった後に確認を行う ●仮性動脈瘤は構造上不安定であるため、疑いがあれば安静を促し、すみやかに医師に報告する

知っておきたい治療法②
経皮的心肺補助法（PCPS）

PCPS（percutaneous cardiopulmonary support）

どんな治療？

- 経皮的心肺補助法（PCPS）は機械的循環補助の1つです。遠心ポンプと膜型人工肺を閉鎖式回路で構成する人工心肺装置により、大腿動静脈経路で心肺補助を行うものと定義され、「V-A ECMO」ともいいます。
- 脱血管：大腿静脈から挿入し右心房に留置します。
- 送血管：大腿動脈に留置します。
- 遠心ポンプの陰圧によって脱血し、人工肺で酸素化して大腿動脈に送血することにより、全身への灌流を維持することができます。
- 流量補助で心拍出量の**50〜70%**を補助することができます。

表 PCPSの適応

内科的適応	●重症心不全 ●心室頻拍・心室細動の頻発 ●心原性ショック、心肺停止状態 ●重症呼吸不全
外科的適応	●開心術後の人工心肺離脱困難 ●開心術後の低心拍出量症候群（LOS）

表 PCPSの禁忌

禁忌	理由
重度の大動脈弁閉鎖不全	●大動脈弁閉鎖不全によって心拡張をきたし、心負荷が増えるため
閉塞性動脈硬化症	●下肢虚血が増悪するため
顕性出血	●出血によって脱血できなくなり、循環維持が困難になるため
発症後、間もない脳血管障害・頭部外傷	●出血を増悪させるため

PCPSのしくみ

- PCPSには**ミキシングゾーン**と呼ばれるものがあります。大腿動脈から送血した場合、血液の流れは、通常と逆になり、心臓のほうへ戻るような流れになります。そのため、患者さんの肺で酸素化した血液を送り出す流れとPCPSで酸素化された血液が交わる、つまりミキシングされる部分をミキシングゾーンといいます。
- ミキシングゾーンは、患者さんの心臓から駆出される量やPCPSの流量によっ

て変化します。図からわかるように**右手側はPCPSの影響を受けにくく、患者さんの心臓の動きが反映**されます。そのため、動脈ラインは右橈骨動脈に挿入し、SpO₂モニターも右手に装着し、PCPSと右橈骨動脈の血液ガスデータの酸素化に解離があれば、自己心拍出量が維持されているか判断できます。

ミキシングゾーン

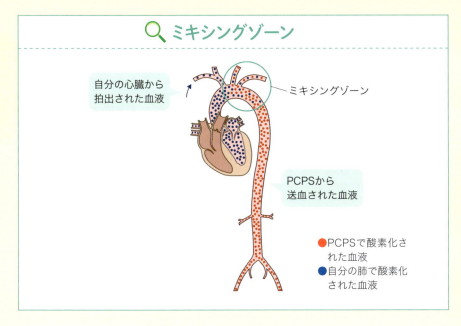

PCPSのしくみ

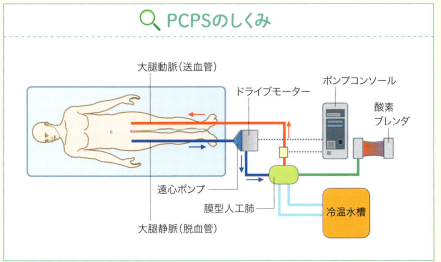

合併症には何がある？

出血

- PCPS管理中は、**血栓形成を防ぐために抗凝固療法**を行っているので（ACTを流量2.0L/分以上のとき180〜220秒、2.0L/分未満のとき250秒にコントロール）、出血の合併症に注意が必要です。穿刺部出血、後腹膜出血、肺胞出血などがあります。経時的血液検査のフォロー、X線撮影、エコー、CTなどの画像検査、全身観察を行います。
- 回路による溶血は肝酵素を上昇させるため注意が必要です。

下肢虚血

- 動脈へ挿入したカニューレにより、血流が十分に保てず虚血になる可能性があります。皮膚色、動脈触知による拍動の確認、下肢の冷感・チアノーゼを定期的に観察します。虚血が確認されたら血行再建を行う必要があります。
- あらかじめ、送血管挿入部の末梢側に向けて4Frシースを挿入し、PCPS送血側と連結して下肢虚血を予防する場合もあります。

血栓塞栓症・空気塞栓

- 凝固能の亢進、流量の減少、PCPSの長期化に伴い、血栓が形成しやすい状態になります。脱血管、人工肺の観察が必要です。
- 回路や点滴ルートからの空気塞栓にも注意が必要です。

感染

- さまざまな挿入物、全身状態の悪化によって感染に対する免疫力が低下しています。易感染状態にあるため、血液検査データ、X線撮影、全身の観察をします。

皮膚損傷

- PCPS管理中は積極的な体位変換が困難なため、体圧分散式マットレスを使用し、褥瘡予防に努めます。また、定期的にマットレスと患者さんの身体の間に手を入れてプッシュアップしたり、踵を少し持ち上げるなどして除圧に努めます。
- 浮腫や乾燥など、皮膚が脆弱化していることが多いため、回路による医療関連機器圧迫損傷（MDRPU）や、固定のテープによるスキンテアなど皮膚損傷に注意します。
- 皮膚を清潔に保ち、1日2回程度保湿剤を塗布します。
- 回路が直接接触しないように、クッション性のある皮膚保護剤の使用を検討します。
- 医療用テープは、消毒薬を拭き取る、または完全に乾燥してから皮膜剤で保護して貼付します。剥離剤を使用して愛護的に剥がします。

低体温

- 体外循環による低体温に注意が必要です。

機械・回路のトラブル

- 安全に管理するために、多職種によるチーム医療が必要となります。

IABPとPCPSの管理

- 補助循環装置は大きく分けて、圧補助のIABPと流量補助のPCPSに分けられます。
- PCPSは流量補助で心拍出量の50〜70％を補助でき、心筋の仕事量軽減と全身への血流維持ができます。しかし、自己心拍と逆流させて循環するため、左心室の後負荷が増加し、心機能低下症例では脈圧が出せません。
- そこでIABPを併用することで、後負荷の軽減と脈圧が出せます。また、IABPで心保護を行うことで早期離脱をめざすことができます。PCPS離脱後もIABPは残るため、10〜20％の補助ができるため安心です。

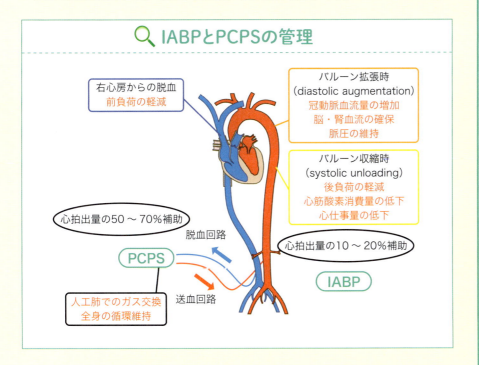

IABPとPCPSの管理

知っておきたい治療法③
V-V ECMO（V-V体外式膜型人工肺）

ECMO
(extracorporeal membrane oxygenation)

どんな治療？

- 体外式膜型人工肺（V-V ECMO）は、PCPSと同様の装置を用いた治療です。
- **重症呼吸不全**に対して、**肺保護**を目標として使用します。

V-V ECMO

- V-V ECMOで使用する機械や回路はPCPSと同様です。
- 脱血管：大腿静脈から挿入し留置します。
- 送血管：右内頸静脈または大腿静脈より挿入します。
- これらの管と回路を接続し、人工肺で酸素化した血液をポンプにて内頸静脈または大腿静脈から送血することにより、肺を保護し、肺障害の進行を抑えることができます。
- 適応疾患は、**重症肺炎**、**急性呼吸窮迫症候群（ARDS）**、**手術後の重症呼吸不全**、**敗血症**などです。

合併症には何がある？

- PCPS装着中の合併症と同様です（P.330）。患者さんと機械に起因にした合併症に注意しましょう。

V-V ECMOの管理と看護のポイント

- 患者さんの呼吸・循環動態の管理、合併症への観察・看護が重要になります。
- 特に呼吸・循環動態は、**PCPSと違って循環を補助しないため、循環不全に陥った際はV-A ECMOへの移行**も検討します。
- その他の観察項目については、PCPSの合併症（P.330）を参考にしてください。

第 6 章

循環器の外科的治療

心臓手術 334
冠動脈バイパス術（CABG） 350
心臓弁膜症の外科的治療 353
大動脈疾患の外科的治療 357
血栓塞栓除去術 365

心臓手術

どんな治療?

- 心臓手術の多くは、**人工心肺装置**を用いて各臓器への血流を保ちながら、一時的に**心肺停止状態**にして実施します。このように、心臓手術は、「人工心肺」「心停止」という、非生理的で侵襲の高い特有の手術であることを十分に理解して、看護に当たる必要があります。
- 心臓手術には、非開心術と開心術があります。
  ▷**非開心術**：心臓の拍動を止めずに行います（人工心肺装置は使用しない）。

🔍 心臓手術（胸骨正中切開による開心術）の流れ

① 入室 → ② 麻酔導入 → ③ 胸骨正中切開 → ④ 人工心肺開始 → ⑤ 心停止

人工心肺は、心停止中の体循環・肺循環・ガス交換を担う

- 静脈血を、上下大静脈などに挿入した脱血管から脱血→二酸化炭素を排出→人工肺にて酸素化→大動脈に挿入した送血管により全身に送血します。
- 人工心肺装置使用中は血液が凝固しやすくなるため、ヘパリンを使用し、活性凝固時間（ACT）＞400秒を維持します。
- 回路には、気泡や異物を除去するフィルターがついています。
- 血管損傷を最小限にするよう回路が改善されています。

心停止状態にして無血視野を確保する

- 心筋保護液を使用して心停止にします。
- 心筋保護液は、心停止中の心筋ダメージを軽減します。
- 手術中は酸素消費量を軽減するため、低体温管理します。

図 **人工心肺の原理としくみ**

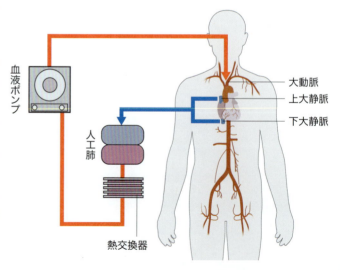

▷**開心術**：人工心肺装置を使用し、心臓の拍動を止めて、心臓に血液がない状態（無血視野を確保）にして行われます。多くの心臓手術は、開心術です。一般的な胸骨正中切開と、手術創が小さく侵襲の少ないとされる、低侵襲心臓手術（MICS）があります。

●冠動脈バイパス術には大きく分けて、**人工心肺を使用して行うもの（ON-Pump）**と、**使用せずに行うもの（OFF-Pump）**があります。

MICS（minimally invasive cardiac surgery）

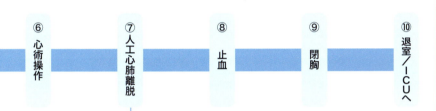

⑥心術操作　⑦人工心肺離脱　⑧止血　⑨閉胸　⑩退室／ICUへ

大動脈の遮断を解除し、冠動脈への血流が再開する

●心拍再開後は、心拍出量低下や徐脈となる場合があるため、強心薬投与や一時的なペーシングリードを留置してペーシングサポートを行うこともあります。

低侵襲心臓手術（MICS）は出血が少ない、術後の回復や退院が早い、傷が小さいので美容面でのメリットもある、などの理由から、近年希望される患者さんが増えています。一方で、動脈硬化の強い患者さんや、重症例ではデメリットもあるため、適応にならない場合もあります

6 心臓手術

術前の情報収集

●術中・術後の合併症リスクや術後変化を評価するために、術前の情報収集は重要です。一般的な手術前の情報収集のほかに、心臓手術では特に以下の項目に注意します。

表 術前の情報収集のポイント

情報収集項目		ポイント
身長、体重		●心機能測定に必要 ●術後の水分出納バランス管理には体重が重要である。術後は毎日体重測定し、前日比、手術前との比較で評価する。一般的には、手術前の体重に戻すことが目標となる
年齢、認知機能		●高齢者は、体力や各臓器の予備能力が低下していることが多く、術後の回復が遅延する可能性がある ●術後せん妄のリスクも高まるため、環境調整には特に注意する
ADL		●術後リハビリの目標や評価に重要である ●理学療法士と協働して早期離床に向けたケアを積極的に実施する
既往歴、手術歴、内服薬	内服歴	●抗凝固薬や抗血小板薬を服用している場合がある。術前にヘパリンなどの点滴へ移行し術後内服に戻すなど、管理が重要であるため、看護師も十分に把握しておく必要がある
	糖尿病	●高血糖は創部治癒遅延となるため、術前からのコントロールが重要である ●心臓手術は特に侵襲が高いため、術後の生体反応により高血糖となりやすく、血糖コントロールが困難となる場合がある ●糖尿病専門医の介入も検討し、血糖管理について多職種で相談できる体制をとる
	喫煙歴、呼吸機能	●特に喫煙歴がある場合は、呼吸機能の低下や気道内分泌物が増加する傾向にある。術後の無気肺・肺炎など、呼吸器合併症のハイリスク群となることを理解して看護にあたる
	腎機能、人工透析の有無	●手術侵襲により、水・電解質異常や酸塩基平衡の異常、急性腎不全をきたしやすい場合がある ●人工透析患者の場合、手術中や術後の水分出納バランス管理が困難となる場合がある。また、シャントの観察と管理を十分に行う必要がある
	心機能評価、血管評価、脳疾患	●現疾患の評価に加え、必要に応じて心電図、胸部X線、心エコー検査(より詳細に検査したい場合、経食道心エコー)、冠動脈評価(心筋シンチグラフィ、心臓CT、冠動脈造影)を行う。重症度評価や合併症の予防に重要なので、看護師も把握し、ケアに生かす ●心臓手術では、術中術後に脳梗塞や脳出血を合併するリスクがある。手術前に、既往歴や検査データ、フィジカルアセスメントなどでリスクの評価を行う。また、必要時は手術前に画像診断による評価も行う
口腔内環境		●周術期の口腔ケアは、術後合併症の予防において大変重要である。外来で、入院前の歯科受診の重要性について、患者さんや家族に説明する

緊急手術の場合の情報収集項目

予定手術とは違い、病状や全身状態が悪いことが多いため、通常の手術と比較して術中の危険率や術後合併症のリスクが高まる。また、術前の検査や、抗凝固薬・抗血小板薬の中止などの準備も不十分であることも、術中・術後合併症のリスクにつながる。

情報収集項目	ポイント
口腔内環境	●歯科受診の結果、義歯・動揺歯・齲歯の有無など、口腔内環境について聴取・観察し、適切な口腔環境に整える ●特に、感染性心内膜炎の原因に、齲歯や歯周病が挙げられるため、心臓外科手術前の情報収集として重要である ●看護師による日々の口腔ケアは重要である。また、歯科医師・歯科衛生士・摂食・嚥下障害看護認定看護師などの多職種による口腔ケアラウンドがあれば、積極的に介入を検討する
心理的状況	●状況の理解度、不安・緊張の程度などを十分に観察し、精神的な支援に努める ●趣味や日常のストレス耐性などを事前に把握しておくことで、ICU入室中やリハビリ期のストレス緩和の援助につなげる ●患者さんだけでなく、家族も緊張が強いことが多く、ストレスを感じやすくなる。術前から家族と十分にコミュニケーションを図り、不安やストレスの援助に努める
患者周囲の環境	●家族関係(キーパーソン、同居している家族の情報など)、家族が疾患や手術について理解しているか、家屋の状況など、退院後の療養環境を把握する。問題が予測される場合は、医療ソーシャルワーカー(MSW)や入退院支援チームなどの介入を検討する

心臓手術がもたらす身体への影響

●手術によって身体は侵襲を受けます。特に開心術では、人工心肺・心停止による特有の侵襲から恒常性を維持しようと、さまざまな生体反応が起こります。
●心臓手術後の生体反応を理解するには、侵襲に伴う生体反応について理解する必要があります。

神経・内分泌反応

●カナダの生物学者であるハンス・セリエによって提唱されたものです。セリエはストレッサーに対する反応を「汎適応症候群」として説明しています。

表 セリエのストレス反応

第1期 (前期:ショック相、 後期:警告反応期)	ストレッサーに対して生体反応を開始する時期
第2期 (抵抗期または防衛期)	生体反応によって全身状態が安定しはじめる時期。 恒常性の維持ができる
第3期 (疲憊期または疲弊期)	不適応状態、恒常性を維持するための機能が低下もしくは喪失した時期。この状態が続けば生体は死へ向かう

図 神経・内分泌反応のしくみ

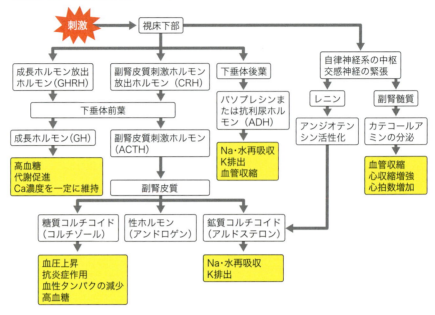

免疫系の反応（サイトカイン誘発反応）

- サイトカインは炎症部位の局所で産生され、組織修復・病原体排除のために必要不可欠なものです。サイトカインには炎症性サイトカインと抗炎症性サイトカインがあります。この2つがバランスをとり、免疫系の生体反応をコントロールしています。
- 炎症部位において炎症性サイトカイン産生が過剰で、抗炎症性サイトカインのはたらきが弱いと局所から全身にサイトカインが回り、**全身性炎症反応症候群（SIRS）**が惹起されます。逆に、SIRSに拮抗する病態として、**代償性抗炎症反応症候群（CARS）**があります。抗炎症性サイトカインの産生が過剰になり、炎症性サイトカインが抑制されると、免疫能が低下して重症感染症を合併する可能性があります（免疫抑制状態）。SIRSとCARSが同時に起こることもあり、その状態は**MARS**と呼ばれます。

SIRS（systemic inflammatory response syndrome）

CARS（compensated anti-inflammatory syndrome）

MARS（mixed antagonistic response syndrome）

表 全身性炎症反応症候群（SIRS）の診断基準（米国胸部疾患学会）

①体温	36℃以下、または38℃以上
②脈拍数	90回/分以上
③呼吸数	20回/分以上、またはPaCO₂＜32mmHg
④白血球数（WBC）	＞12,000/mm³、あるいは＜4,000/mm³

左記の項目2つ以上を満たす場合、SIRSと診断される。

代謝反応

- フランシス・D・ムーアは、術後の回復経過を4相に区分しています。

図 ムーアの回復過程とエネルギー消費量[1]

傷害期 術直後〜術後2〜4日	転換期 術後4日前後 〜数日間	同化・ 筋力回復期 術後7日〜数週間	脂肪蓄積期 術後数週間〜数か月間
●神経内分泌反応が亢進し、全身状態が不安定となる時期 ●糖新生の促進、インスリン感受性低下により、高血糖・耐糖能低下をきたす ●血管透過性の亢進により、細胞外液がサードスペースへ移動し、循環血液量が減少する ●基礎代謝が亢進することでタンパク異化が亢進、尿中窒素排泄が増加し、負の窒素バランスとなる ●無気力、無関心である	●神経内分泌反応が正常化してくる ●副腎皮質ホルモンが正常化し、血糖が安定してくる ●尿中窒素排泄が減少する ●精神状態が安定してくる	●窒素バランスが負から正に変化する ●タンパク合成によって筋力回復する	●ホルモン変動が消失する ●脂肪合成によって脂肪蓄積され、体重が増加する

（％）
エネルギー消費量（基礎代謝率）
200
干潮期　満潮期
広範囲熱傷
敗血症
外傷
侵襲
死
100
体液保持　異化の亢進とエネルギー供給　同化と創修復　エネルギー蓄積
0
数時間　数日間　数週間　数か月

心臓手術後の看護

心臓手術の合併症

- 心臓手術は既往歴やもともとの心機能だけでなく、術式、麻酔方法、人工心肺使用の有無などの多くの要因が複雑に絡み合い、さまざまな合併症が出現します。そのため、患者さんのそばにいる看護師が合併症に関する知識をもち、術前情報を含めて合併症が出現するリスクを理解し、予防することが重要です。
- 合併症は早期発見し、術後ケアを行っていくことが大切です。ここでは術後に発生しやすい合併症と観察項目、ケアを挙げます。

低心拍出量症候群(LOS)

- 低心拍出量症候群(LOS)は、心臓手術後の循環管理の要になる合併症です。LOSは、心臓手術後に**心拍出量を規定する4つの因子(心拍数、前負荷、後負荷、心収縮力)が障害され、心拍出量低下によって身体の酸素消費量と供給量のバランスが崩れてしまった結果**、出現します。LOSが出現すると臓器の血流量が不足し、**多臓器不全**を引き起こす可能性があります。
- 原因としては高い手術侵襲(手術手技、心筋保護の方法、人工心肺の使用の有無、手術時間、大動脈遮断の有無などからその程度を把握する)、手術による心筋傷害、周術期心筋梗塞、術後出血、不整脈、血圧の変動などが挙げられます。
- LOSでは、末梢循環障害の症状がみられるため、スワンガンツカテーテルや中心静脈圧(CVP)のモニタリングを終了した後でも、末梢冷感、血圧の低下、尿量の減少、活気がない、食欲がない、いつも関心をもつことに興味を示さないなどの症状がないか観察を継続します。術前のADLや食事摂取量、趣味などを把握して看護にあたることで、「何かいつもと違う」という患者さんの変化を早期発見できます。

Link スワンガンツカテーテル(SGC)のしくみ➡P.265

表 低心拍出量症候群(LOS)の観察ポイントと看護ケア・対応

観察ポイント		看護ケア・対応
モニタリングデータ	●血圧↓、脈拍数↑ ●CVP↓、PAP↓、PAWP↓、CI↓ ●尿量↓	●対応は4つの因子のうちどこに障害が起きているかによって変わる ▷心拍数の調整:不整脈の項目(P.342)参照 ▷前負荷の調整:輸液量の調節、輸血や血液製剤の投与 ▷後負荷の調整:血管拡張薬の調節 ▷心収縮力の調整:カテコラミン調節 ●LOSが持続する場合はIABPなど補助循環装置の装着も検討する ●体位変換や吸引、清潔ケアなど酸素消費量が増えるような看護ケアは必要性をアセスメントし、過度な負荷がかからないように工夫する
フィジカルアセスメント	●表情、顔色、倦怠感 ●末梢冷感、皮膚湿潤 ●呼吸数↑	
採血・血ガスデータ	●代謝性アシドーシス、乳酸値↑	
心電図	●心拍数の変化、ST変化、不整脈	
ドレーン排液	●排液量、色、性状	

術後出血

- 術後出血は一般的には数時間で減少しますが、約1〜3％で再開胸が必要になる[1]といわれています。施設によって基準が違いますが、**ドレーンからの出血量が100〜200mL/時以上**排出されると、再開胸の検討が必要になります。
- 出血を起こす原因としては、手術中の止血操作、人工心肺の使用、血圧上昇、ヘパリンの使用、回収血輸血によるACT延長などが挙げられます。
- 出血を起こしやすいタイミングとしては、血圧が上昇しやすい麻酔覚醒時、吸引や抜管、不穏での体動時、歩行開始時です。そのほかに、抗凝固薬の投与開始時、ペーシングリード抜去時などがあります。
- 術後出血が出現すると、循環血液量が低下し、LOSを発症することや、ドレナージが妨げられることで心タンポナーデや縦隔血腫を引き起こします。

表 術後出血の観察ポイントと看護ケア・対応

	観察ポイント	看護ケア・対応
モニタリングデータ	●血圧↓、脈圧↓、脈拍数↑、SvO₂↓ ●尿量↓ ●心電図：頻脈	●出血を疑ったらすみやかに医師に報告する ●再開胸を念頭に入れた行動が必要である ●出血による循環血液量の不足を補うために、輸液やアルブミン製剤などの急速輸液を行う ●止血のために、止血剤、プロタミンの投与、新鮮凍結血漿や血小板輸血の投与を行う ●貧血が進行したら濃厚赤血球輸血を行う ●シバリングや疼痛、吸引刺激などによって血圧が上昇し、出血を助長する可能性がある ●低体温は凝固機能障害を起こすため、復温が必要だが、急激な体温の上昇は末梢血管を拡張させ血圧低下をまねくため、注意が必要である
フィジカルアセスメント	●意識レベル、皮膚蒼白、チアノーゼ、末梢冷感、冷汗、CRT↑ ●呼吸数↑ ●心タンポナーデの徴候：Beckの三徴（血圧↓、静脈圧↑、心音微弱）	
採血・血ガスデータ	●代謝性アシドーシス、乳酸値↑ ●Hb↓、Hct↓	
ドレーン排液	●排液量、色、性状、排液スピード、凝血塊の有無	

Link 心タンポナーデ→P.135

周術期心筋梗塞（PMI）

- **周術期心筋梗塞（PMI）** は、術中・術後に出現する心筋梗塞のことをいいます。PMIや心筋虚血が出現すると、**低心拍出量症候群（LOS）** や**重症不整脈**が出現する可能性があります。PMIの合併症が多い術式は**冠動脈バイパス術**ですが、その他の術式でも出現する可能性があります。
- 原因としては、術中や術後の低血圧、術中の不十分な心筋保護、不完全なグラフト吻合、大動脈遮断や人工心肺の使用による空気塞栓や微小塞栓、低体温などが挙げられます。

PMI（perioperative myocardial infarction）

表 周術期心筋梗塞（PMI）の観察ポイントと看護ケア・対応

観察ポイント		看護ケア・対応
モニタリングデータ	●血圧、心拍数 ●心電図：ST変化、異常Q波、陰性T波、不整脈(心室性不整脈、持続する脚ブロック) ●CVP、PA ●尿量	●PMIを発症したら、ニトログリセリンやカルシウム拮抗薬の投与、緊急冠動脈形成術、IABP挿入などの対応が必要になる ●採血データは手術の影響でも上昇するため、鑑別が難しいが、他の検査所見を合わせてPMIを疑う ●冠動脈血流量の維持と酸素消費量を抑えることが必要である。冠動脈血流量維持には、血圧や循環血液量の安定が、尿量や輸液量を調整する必要がある ●酸素消費量を抑えるためには、麻酔覚醒時のシバリングを起こさないような体温管理、不必要なケアの実施を行わないこと、疼痛コントロールを行うことが必要である
フィジカルアセスメント	●苦痛表情、胸部症状	
採血・血ガスデータ	●CPK、CK-MB、AST、LDH	

不整脈

Link 不整脈 ➡ P.90

- 心臓手術後はさまざまな要因により、多様な不整脈が出現します。術後に最も多く出現する不整脈は**心房細動**です。冠動脈バイパス術後で30％以上、心臓弁膜症術後で40％前後も出現するといわれています[2]。そのほかに、心室頻拍や心室細動は術後1〜3％の割合で出現するといわれています[3]。
- 術式によっては刺激伝導系周囲に手術操作が及ぶことがあり、徐脈性不整脈（洞性徐脈や房室ブロックなど）が出現する可能性もあります。
- 不整脈の原因としては、手術侵襲、痛みや発熱などによる交感神経亢進状態、低酸素血症、循環血液量の低下、電解質異常、酸塩基平衡異常、肺動脈カテーテルなどの機械的刺激、低体温などが挙げられます。

表 不整脈の観察ポイントと看護ケア・対応

観察ポイント		看護ケア・対応
モニタリングデータ	●血圧、心拍数 ●心電図：不整脈(頻脈性、徐脈性) ●尿量	●心臓手術後は心電図モニターを装着し、モニタリングを行う ●不整脈が出現すると心拍出量が低下する可能性があるため、出現したら循環動態を維持しているか観察することが必要である ●頻脈性不整脈は、挿入物の刺激や疼痛など内因性カテコラミンの放出によっても出現する。ケアを行う際、刺激にならないように愛護的に行うことや、疼痛コントロールが必要となる ●カテコラミンの投与によっても誘発するため、出現時は投与量の検討も必要になる ●尿量の増加により、低カリウム血症や低マグネシウム血症を起こす可能性があるため、補正を行う必要がある ●徐脈性不整脈は、手術操作や心筋ダメージなどによって出現するため、一時的ペースメーカの装着を検討する必要がある
フィジカルアセスメント	●苦痛表情、疼痛、胸部症状、呼吸困難感	
採血・血ガスデータ	●電解質異常、PaO_2↓、$PaCO_2$↑ ●CPK、CK-MB、AST、LDH	

腎機能障害

- **急性腎不全**は、手術後の体液管理を困難にさせる合併症です。心臓と腎臓の関係性は深く、心臓手術は外科手術のなかでも**急性腎障害（AKI）**の出現が高く、発症すると死亡率が高くなるといわれています。
- 腎障害は原因部位によって腎前性、腎性、腎後性に分けられます。手術後に人工心肺を使用している場合、血液希釈をする影響で手術直後は利尿が亢進されますが、ほとんどの場合で術後12時間以内に乏尿が起こります。血清クレアチニン値は術後4日目ごろに重症化しやすく、その後は回復する場合が多いといわれています。
- 腎機能障害の原因としては循環血液量の不足、心拍出量の減少、抗菌薬や造影剤などの腎毒性薬剤の投与、低体温などが挙げられます。

表 腎機能障害の観察ポイントと看護ケア・対応

	観察ポイント	看護ケア・対応
モニタリングデータ	●血圧↓、心拍数↓、CVP ●尿量↓、IN-OUTバランス ●体重	●おもに循環血液量と腎血流量の維持が必要になる ●腎機能障害を発症すると体液の貯留、電解質異常、酸塩基平衡異常が起こる。そのため、循環血液量が維持できていれば、利尿薬の投与を行う。悪化すれば血液浄化を検討する必要がある ●赤血球が破壊されることで溶血尿がみられることがある。溶血尿は腎障害を起こす可能性があるため、すみやかに医師に報告する
フィジカルアセスメント	●皮膚乾燥、ツルゴール、浮腫、倦怠感 ●尿の性状（溶血尿、浮遊物）	
採血・血ガスデータ	●電解質異常（特にK↑）、酸塩基平衡異常 ●BUN、Cre、推算GFR	

中枢神経障害

- 心臓手術後の中枢神経障害は**脳卒中**、**認知機能障害**、**脳症（せん妄、けいれん、昏睡）** に分類されます。患者さんのADL、QOLを低下させるだけでなく死亡率も高くなる合併症です。
- 脳卒中のほとんどは脳梗塞で、発症率は術式によって異なります。手術中の脳梗塞の原因は、人工心肺や大動脈遮断による塞栓と脳血流量の低下です。手術後の脳梗塞の原因としては全身性炎症反応（SIRS）や術後の凝固能の亢進、心房細動による心内血栓が挙げられます。
- 認知機能障害は手術後に新たに発症した認知機能の低下のことで、心臓手術後は発症するリスクが高いといわれています。術後に認知機能が低下する原因は、はっきり解明されていませんが、早期に発症するものは全身麻酔や人工心肺などの影響といわれています。また、ICU退室まで続く長期の認知機能障害は、低血圧や低酸素血症、低血糖や血糖の変動、高炎症状態、せん妄など、複合的な要因で発症すると考えられています。
- 脳症のなかでもせん妄は、心臓手術後の発生率が47％という報告[4]もある、頻度の高い合併症です。術後のせん妄は多臓器不全の1つとして考えられていて、さまざまな要因が複雑に絡み合って発症します。
- 心臓手術は術式によって循環停止を行うため脳自体への血流不全を起こしやすくなります。また、気管内チューブや各種ドレーン、カテーテルなど挿入物も多いことも要因に挙げられます。

表 中枢神経障害の観察ポイントと看護ケア・対応

	観察ポイント	看護ケア・対応
モニタリングデータ	●血圧↑ ●心電図：不整脈（特に心房細動）	●麻酔未覚醒の状態や鎮静中は、意識レベルや麻痺など運動障害の評価を行うことが難しいため瞳孔所見、眼位、対光反射などの異常がないかの確認が必要である ●麻酔未覚醒時、通常、瞳孔は縮瞳しているため、手術直後に瞳孔散大傾向があればすぐに医師に報告が必要である ●麻酔から覚醒してくると体動が確認できるようになる。指示動作がとれない段階でも、自発的な動きに左右差がないかを確認していくことも重要である ●術後の心房細動によって心臓内に血栓を形成する可能性があり、その血栓が脳血管に飛ぶことで脳梗塞を発症する可能性がある。そのためヘパリンやワルファリンなどの抗凝固薬使用を検討する必要がある ●せん妄は術後から定期的に評価をしていく必要がある（詳しい管理方法はP.349）
フィジカルアセスメント	●意識レベル、鎮静深度（RASS）、せん妄評価（CAM-ICU、ICDSC） ●瞳孔所見（眼位、対光反射、瞳孔不同） ●神経所見（麻痺の有無、筋緊張の左右差、ドロップテスト、腱反射の有無）、けいれん	

呼吸機能障害

- 心臓手術後はほとんどの場合、人工呼吸器管理を行いますが、その多くは、12時間以内の抜管が可能です。しかし、人工呼吸器管理が長期化すると呼吸器合併症のリスクがさらに高まります。
- 術後の呼吸機能障害の原因としては、全身麻酔や筋弛緩薬、麻薬による呼吸中枢の抑制、胸骨正中切開による胸壁の分割、ドレーン挿入、術中後体位による下側肺障害、人工心肺の使用、血管透過性の低下などによる無気肺や肺水腫、肺炎、気胸、胸水貯留などが起こることで、酸素化や換気の維持ができなくなることが挙げられます。

表 呼吸機能障害の観察ポイントと看護ケア・対応

観察ポイント		看護ケア・対応
モニタリングデータ	●SpO₂ ●人工呼吸器の実測値の変化(1回換気量↓、気動内圧↑)	●呼吸器合併症は要因を把握しながら積極的な呼吸ケアが必要である ●人工呼吸器装着中は人工呼吸器関連肺炎(VAP)予防を行う(詳しい管理方法はP.348参照) ●呼吸ケアとしては体位ドレナージ、吸引などによる機械的気道分泌物の除去、深呼吸やハフィングなどの排痰訓練、疼痛の緩和、口腔ケア、離床などがある ●患者さんの呼吸障害をアセスメントし、ケアにつなげていくことが重要である ●排痰を行うとき、胸郭が動揺して疼痛が増強することがある。疼痛は患者さんの咳嗽の妨げにもなり、胸郭の動揺は縦隔炎などのリスクになる。一般的に枕を抱え胸郭の動揺を抑えた排痰体位があるが、ハートホルダーなど胸部の保持ができるバンドを使用する場合もある
フィジカルアセスメント	●呼吸音(呼吸音の減弱、副雑音の有無)、胸郭運動の低下 ●呼吸回数↑、呼吸パターン(呼吸補助筋の使用)、皮下気腫の有無 ●痰(性状、色、量)、咳嗽力と自己排痰の有無 ●疼痛の有無	
採血・血ガスデータ	●酸塩基平衡異常、酸素化能 ●乳酸値↑	
胸腔ドレーン	●排液量、性状、色、リークの有無	

感染症、血糖異常

- 心臓手術は人工心肺の影響で免疫能が低下するだけでなく、さまざまなカテーテル類が留置され、ドレーン類も挿入されることから、感染を引き起こす要因が多くあります。
- 手術後に起こる感染症としては、創感染、縦隔炎、血流感染、尿路感染、人工呼吸器関連肺炎、人工弁・人工血管感染があります。原因としては、術後出血、胸骨の動揺、不適切なカテーテル管理などが挙げられます。
- 血糖は手術の侵襲に対する生体反応で、**一時的に高く**なります。糖尿病の既往歴がある場合、高血糖状態が助長されます。血糖値の上昇によって免疫能が低下し、創傷治癒遅延や創感染などのリスクが高まります。

表 感染症、血糖異常の観察ポイントと看護ケア・対応

観察ポイント		看護ケア・対応
モニタリングデータ	●心拍数↑ ●体温↑ ●尿量	●心臓手術後は感染に対する予防的抗菌薬を使用する。もしも感染を疑うような所見があれば、医師に報告し、培養検査を行い、原因菌を特定する必要がある。しかし、術後の生体反応によっても体温や炎症値の上昇は起こるため、鑑別が必要になる ●カテーテル関連血流感染症は、不必要なカテーテルを早期に抜去することで予防できるものもあるため、カテーテル留置の必要性についてアセスメントし、医師と検討していくことが必要である ●術後の高血糖は糖尿病の既往歴がなくても起こり得る。一般的には血糖を180mg/dL以下でコントロールする必要があるため、食事開始前であれば持続インスリン療法を行う。定期的に血糖測定を行い低血糖にならないように管理する ●食事が開始になったら、一般的には持続インスリン療法を終了し、皮下インスリン投与に切り替える
フィジカルアセスメント	●呼吸回数↑、痰(性状、色、量↑) ●胸郭動揺の有無、疼痛の有無 ●創部(発赤、腫脹、浸出液の有無) ●口渇の有無 ●尿の性状(混濁、浮遊物の有無)	
採血・血ガスデータ	●炎症反応↑(WBC、CRP)、血糖値	

術後の循環動態の管理

●術後の循環動態の管理は、**手術によってダメージを受けた心臓の機能が戻り、きちんと機能するまで低心拍出量症候群(LOS)を起こさないように管理**することが重要です。

心拍数の管理

●術直後は心臓のダメージがあり、心筋虚血状態になっていることで一時的に心機能が低下しているため、心拍数が低下すると心拍出量が著しく維持できない状態になります。そのため、心拍数の維持が必要になり、**一般的には80〜90回/分前後でコントロール**していきます。

●術後はカテコラミンの投与により、心拍数の管理も行っていますが、カテコラミンが高流量で投与されると頻脈になる可能性があります。心拍数の増加は心筋への酸素供給量が低下し、心負荷がかかるので注意が必要です。また、徐脈に対しては一時的ペースメーカを使用してコントロールします。

●出現の多い不整脈である心房細動は、洞調律のときと比べると心拍出量は20〜30％低下しているため、術後24時間以内に発症すると循環動態の維持ができなくなる可能性があります。また、術後2〜3日目はリフィディング(利尿期)に入り、利尿が亢進し、低カリウム血症などの電解質異常が起こりやすくなります。リハビリテーションも進んでくる時期なので交感神経亢進などの誘因も重なり、不整脈が出現しやすく注意が必要です。

血圧管理

- 血圧のコントロールは、術式によって異なります。一般的には、**収縮期血圧90〜140mmHg**程度でコントロールを行うことが多いです。
- 術直後は、低体温や人工心肺の影響、全身麻酔の影響などから、離脱する際に高血圧になりやすい状態となります。しかし、高すぎる血圧は術後出血をまねいてしまい、心負荷もかかることから、血管拡張薬を使用し、コントロールを行います。
- 低血圧は組織への酸素供給不足になり、臓器障害を引き起こす可能性があります。冠動脈バイパス術後は、つないだグラフトの血流保持ができなくなり、**周術期心筋梗塞（PMI）**を引き起こす可能性があります。
- 血圧は収縮期血圧に注意しがちですが、臓器への血流保持を考えるうえでは平均血圧も重要になってきます。

Link 周術期心筋梗塞（PMI）→P.341

水分出納バランス管理

- 心臓手術後は侵襲による生体反応で、血管透過性が亢進することによって体液がサードスペースに移動してしまい、血管内の循環血液量が維持しにくい状態になります。そのため、血圧だけではなく、尿量やドレーンからの排液量、肺動脈圧（PAP）や中心静脈圧（CVP）の低下傾向、乳酸値の上昇傾向、IN-OUTバランスなどからアセスメントし、輸液量を調整していきます。
- 血管透過性が亢進している状態では、通常の輸液（細胞外液など）は血管内にとどまりにくいため、アルブミン製剤など、血管内に残りやすい製剤を使用する場合もあります。
- 腎機能障害の項目で触れましたが、術後12時間以内に起こる乏尿期に輸液量が多すぎると、心負荷がかかり、心不全の助長、肺うっ血による呼吸状態の悪化などにつながるため、注意が必要です。
- 術後はIN-OUTバランスも重要ですが、測定できない不感蒸泄なども考えていく必要があるため、術前からの体重測定を行い、増減を含め、体液量をコントロールしていく必要があります。

Link 腎機能障害→P.343

体温管理

- 術直後の体温は全身麻酔や人工心肺などの影響によって**低体温**になります。
- 低体温は、血管の緊張を高め血圧を上昇させ、凝固機能障害を起こし、出血のリスクを高めたり、シバリングを誘発して酸素消費量が増大するなどの原因になります。
- 術直後は定期的な体温測定、肺動脈カテーテルなどからの持続中枢温測定などを行い、体温の推移を把握することや不必要な皮膚の露出を避け、必要時電気毛布などを用いて復温することも大切です。
- 急激な復温は再加温性ショックを引き起こし、血圧を低下させるため、1時間に1℃程度の上昇、目標体温の1℃手前で加温を終了するなどの対応が必要です。

術後の呼吸管理

- 術式や施設によって手術室で抜管を行う場合もありますが、ほとんどの場合、人工呼吸器管理が必要です。術直後は全身麻酔の影響によって呼吸中枢が抑制され、自発呼吸が乏しい状態ですので、A/CモードやSIMVなど強制換気が行えるモードを使用して管理します。
- 人工呼吸器管理中の基本的管理として、**人工呼吸器関連肺炎（VAP）**予防を行う必要があります。日本集中治療医学会の「人工呼吸器関連肺炎予防バンドル2010改訂版（VAPバンドル）」では、①手指衛生を確実に実施する、②人工呼吸器回路を頻回に交換しない、③適切な鎮静・鎮痛を図る。特に過鎮静を避ける、④人工呼吸器からの離脱ができるかどうか、毎日評価する、⑤人工呼吸中の患者さんを仰臥位で管理しない、となっています。
- 心臓手術後は循環動態が変動しやすいため、**頭部挙上を行うことで血圧が低下**する可能性があるため、モニタリングを行いながら実施することが大切です。頭部挙上は30度をめやすにしていますが、頭部挙上を行うことで機能的残気量の上昇、誤嚥の予防などになるため、可能な範囲で実施していくことが大切です。
- 抜管後は疼痛コントロールを積極的に行い、深呼吸や排痰を促していきます。浅い呼吸が持続することで無気肺が遷延し、呼吸状態の悪化や肺炎につながってしまいます。

術後のドレーン管理

- 心臓術後に挿入されるドレーンには、心嚢ドレーン、縦隔ドレーン、胸腔ドレーンがあります。ドレーン管理の目標は**安全で有効なドレナージ**と**異常の早期発見**です。
- 安全で有効なドレナージのために術直後は、低圧持続吸引器を使用してドレーンの管理を行います。そのため、適切な吸引圧の設定、作動確認が必要です。また、ドレーン内に凝血塊がある場合、閉塞のリスクがあるため、ミルキングを行う必要があります。ミルキングを行うときに過剰な刺激が加わると不整脈が出現する可能性もあるため、モニタリングを行いながら実施することが必要です。
- 異常の早期発見のためには排液の観察が重要です。血性が強くなった、排液のスピードが速くなったなど、術後出血を疑う所見があれば、すぐに医師に報告しましょう。
- ドレーンは患者さんにとって異物であり、心臓手術後に挿入されるドレーンは太く、挿入されていることでの疼痛が出現します。そのため、目的が達成できているかと併せて抜去できるかどうかを多職種で共有し検討していくことも大切です。

A/C（assist/control）

SIMV（synchronized intermittent mandatory ventilation）

VAP
ventilator associated pneumonia：人工呼吸器関連肺炎。気管挿管・人工呼吸開始から48時間以降に新たに発生した肺炎のこと。

術後の意識障害、せん妄

- 術後の覚醒遅延には、麻酔の影響が強い、鎮静薬の影響、中枢神経障害などが考えられます。前述の観察項目をしっかり観察することが必要です。

術後せん妄

- せん妄の評価は定期的に実施し、他の職種との共有言語として患者さんを把握していく必要があります。
- せん妄の評価ツールとして、『日本版集中治療室における成人重症患者に対する痛み・不穏・せん妄管理のための臨床ガイドライン』ではCAM-ICUとICDSCが推奨されています。
- せん妄発症にはさまざまな要因が絡み合っているため、多職種でアプローチを行っていく必要があります。

CAM-ICU: 鎮静評価（RASS）とせん妄評価の2段階で評価する。

ICDSC: 8時間または24時間以内の情報をもとにせん妄の有無を評価する。8項目から評価し、4点以上でせん妄ありと評価される。

表 せん妄発症の因子 [5]

直接因子	●身体疾患　●薬剤　●手術
準備因子	●高齢　●認知障害　●重篤な身体疾患　●脳器質性疾患の既往 ●せん妄の既往　●アルコールの多飲　●侵襲度の高い手術の前 ●抑うつ　●視力・聴力障害
促進因子	●身体的要因：疼痛、便秘、脱水、不動化、ドレーン類、拘束、視力低下、聴力低下 ●精神的要因：不安、抑うつ、恐怖、孤独感 ●環境変化：入院、ICU入室、明るさ、騒音、社会的かかわりの低下 ●睡眠：不眠、睡眠関連障害

術後の疼痛管理

- 術後は創部やカテーテル、ドレーンなどの挿入物に加え、思うように動けないことで疼痛が出現します。また、強い疼痛を経験したり、疼痛が持続することで、患者さんは不安になり、痛くなるのではないかなど予期疼痛につながり、さらに疼痛が増強してしまいます。
- 疼痛は、交感神経を亢進されるため、**血圧の上昇**や**心拍数の増加**をまねき、心負荷につながります。また、疼痛による離床の遅れは、呼吸機能や腸管運動の低下などにつながります。そのため、定期的に鎮痛薬を使用することや、疼痛が予測される処置やケア、リハビリテーションの前に鎮痛薬を投与してコントロールを行うことも大切です。
- 疼痛は患者さんが感じる主観的な症状です。疼痛スケール（NRSやVASなど）を用いて患者さん自身に評価してもらうことで、疼痛の把握を行うことも必要です。

冠動脈バイパス術（CABG）

CABG(coronary artery bypass grafting)

Link 虚血性心疾患（IHD）➡P.66

Link 経皮的冠動脈インターベンション（PCI）➡P.290

Link 薬剤溶出ステント（DES）➡P.292

どんな治療？

- 冠動脈バイパス術（CABG）は、**急性心筋梗塞など虚血性心疾患の際に、冠動脈の狭窄や閉塞による心筋虚血を改善**するために行います。狭窄がある冠動脈の末梢側と大動脈を、グラフトを使用してバイパスする外科手術です。その結果、**狭窄している血管よりも先に血液が流れて、末梢血流を保つ**ことができます。
- CABGでは、全身麻酔を行い、胸骨を正中切開する必要があります。
- 虚血性心疾患の治療にはおもに、経皮的冠動脈インターベンション（PCI）とCABGがあります。それぞれの適応は、慢性冠動脈疾患患者の2枝以下の遠位部病変はPCI、それ以外のLAD（左前下行枝）近位部、3枝病変、非保護左主幹部病変はCABGが適応となっています。
- しかし近年は、薬剤溶出ステント（DES）や薬物療法による有効性も明らかになっているため、病変だけではなく、患者さんの年齢や基礎疾患、他臓器機能など多岐にわたって患者背景を理解したうえで治療内容を選択しています。

表 PCIとCABGの適応

解剖学的条件		PCI適応	CABG適応
1枝／2枝病変	LAD近位部病変なし	○	△
	LAD近位部病変あり	○	○
	LAD入口部病変	△	○
3枝病変	LAD近位部病変なし	△	○
	LAD近位部病変あり	△	○
非保護左主幹部病変	入口部、体部の単独病変あるいは＋1枝病変	△	○
	分岐部病変の単独病変あるいは＋1枝病変	△	○
	多枝病変	△	○

表 CABGのおもな術式

人工心肺使用心拍動下冠動脈バイパス術（on-pump beating CABG）	●**人工心肺を使用するが大動脈遮断は行わず**、人工心肺による循環補助のもと、心臓が拍動した状態のまま血行再建術を行う
人工心肺非使用心拍動下冠動脈バイパス術（OPCABG：off-pump CABG）	●**人工心肺を使用せず**、心臓が拍動した状態で血行再建を行う

低侵襲冠動脈バイパス術（MIDCAB）

胸骨正中切開ではなく、また人工心肺を使用せず、左側胸部を小切開して左内胸動脈（LITA）を左前下行枝（LAD）にグラフトする低侵襲手術である。近年では、LADに対するPCIが行えるようになってきたことで適応が少なく、あまり行われない術式である。

グラフトのポイント

- グラフトは、大きく分けて動脈を用いるか、静脈を用いるかに分かれます。
- 動脈は血管の構造上、開存率が高く、静脈は50～60％が10年で閉塞するといわれています。
- どのグラフトを使用するかは、狭窄病変をみて検討します。グラフトとして使用されるのは、**左右内胸動脈（RITA、LITA）**、**橈骨動脈（RA）**、**右胃大網動脈（RGEA）**、**大伏在静脈（SVG）** などがあります。このなかでも左内胸動脈（LITA）が長期開存にすぐれています。

🔍 グラフトの種類と選択

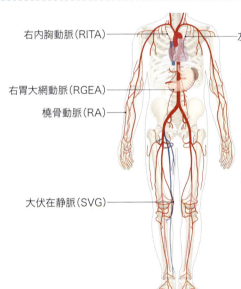

▷ RA、SVGはほかの部位から採取をしてきてつなげるフリーグラフトであり、制限がありません。そのためLITA、RITA使用後に狭窄病変と検討し、4PD、4AVなどに用いることが多いです。

▷ LITA、RITA、RGEAは1端のみをつなげることでバイパスできるのが特徴です。

表 グラフトの選択

グラフト	バイパス先
左内胸動脈（LITA）	LAD
右内胸動脈（RITA）	（LAD）、LCX、RCA、4PDなど多岐につながる
橈骨動脈（RA）	フリーグラフト
右胃大網動脈（RGEA）	LCX、4PD、4AV
大伏在静脈（SVG）	フリーグラフト

看護師は何に注意する?

- 心臓手術のおもな合併症についてはP.340を確認しましょう。

術直後

- 一般的な開胸術の合併症に加えて**グラフトの血流障害、動脈グラフトによるスパズムによる不整脈や心筋梗塞**に注意が必要です。そのため術直後は、一般的な開胸術の管理に加えて**冠血流の維持**が大切です。血圧は、収縮期血圧110mmHg程度を保ち、脈拍数は80回/分を確保します。前負荷を保てるように輸液管理も重要になってきます。
- 右胃大網動脈（RGEA）を使用した場合は、**食事による血流量の変化**も起こるためモニタリングが必要となります。
- 心電図モニターは、不整脈の確認に加えて、**ST変化が起こっていないか**の確認も行います。

一般病棟に転棟後

- 虚血、梗塞に注意しながら心臓リハビリテーションを行います。
- 大伏在静脈（SVG）を採取した際は、静脈還流障害が起こるため、**浮腫**が発生します。弾性ストッキングなどで浮腫の増悪の予防が必要です。採取された静脈は、時間をかけて側副血行路がつくられ、浮腫も自然と消失していきます。
- **正中創部感染、縦隔炎**についても注意が必要です。
- 術後1週間をめやすにグラフトの開存状況を確認するために、冠動脈造影検査（CAG）やCCTを行います。
- ほかの諸検査は一般的な開胸術と同様です。

退院指導

生活習慣の見直し

- 虚血性心疾患は動脈硬化による血管の狭窄が原因のため、**生活習慣を見直す生活指導**も重要になってきます。特に若年者の場合は喫煙、脂質異常症、高血圧、糖尿病といった生活習慣の確認が必要です。また、仕事によっては夜勤による食生活の乱れやストレス性高血圧症なども考えられます。そのため、生活に寄り添った指導介入を行っていきます。

感染の予防

- 胸骨切開をしているため、胸骨の癒合には3～6か月かかるといわれています。また糖尿病を併発している場合は、**創感染、縦隔炎**などの合併症が発症する可能性があります。手術部位感染（SSI）は、術後1年間は発症のリスクがあるとガイドラインでも指摘があります。**自宅に帰った際の創部感染の確認のしかた**も重要な指導内容になります。

Link 心臓リハビリテーション➡P.19

Link 冠動脈造影検査（CAG）➡P.285

心臓弁膜症の外科的治療

どんな治療?

- 心臓弁膜症の手術は大きく分けて、**弁形成術**と**弁置換術**の2つがあります。
- 弁形成術は、自己の弁を温存して病変のある弁尖を切除し、人工腱索を用いて弁の接合を修正した人工弁輪を用いて、弁の機能を回復させる手術です。
- 弁置換術は、傷んだ弁を人工的につくられた弁に置き換える手術です。人工弁には**機械弁**と**生体弁**があります。

[Link] 心臓弁膜症 ➡ P.108

人工弁輪の例

カーペンターエドワーズフィジオリングⅡ
(写真提供:エドワーズライフサイエンス株式会社)

🔍 機械弁と生体弁の特徴

	機械弁	生体弁
外観	Regent™ (写真提供:アボットメディカルジャパン株式会社)	カーペンターエドワーズ牛心のう膜生体弁マグナEASE ThermaFix Process (写真提供:エドワーズライフサイエンス株式会社)
材質	●チタンやカーボンなど	●豚の大動脈弁や牛の心膜
利点	●耐久性にすぐれている ●再手術の必要が少ない	●血栓塞栓症のリスクが低い ●術後3〜6か月経過後に、心房細動などの不整脈が出現しなければ抗血栓薬を飲む必要がない
欠点	●血栓塞栓症を起こすリスクがある ●生涯、抗血栓薬を飲み続ける必要がある	●耐久性が劣る ●弁の破壊や石灰沈着が起こりやすい ●10〜20年経過すると再手術が必要となる
適応※	●生体弁の適応(右記)以外	●妊娠・出産を希望する場合 ●スポーツなどを行う場合 ●胃潰瘍など出血を起こす合併症をもっている場合 ●将来、別の手術を受ける可能性がある場合 ●抗血栓薬を規則正しく内服することが困難な場合 ●65歳以上の高齢者

※適応は、患者背景と患者さんの希望によって最終決定する。

僧帽弁疾患の外科的治療

どんな治療？

- 僧帽弁疾患には、僧帽弁狭窄症(MS)と僧帽弁閉鎖不全症(MR)があります。
- 僧帽弁疾患の外科的治療には、**直視下僧帽弁交連切開術(OMC)**、**僧帽弁形成術(MVP)**、**僧帽弁置換術(MVR)**があります。

表 僧帽弁疾患の外科的治療の特徴

手術	適応疾患	特徴
直視下僧帽弁交連切開術(OMC)	●僧帽弁狭窄症(MS)	●NYHA Ⅲ〜Ⅳ度の中等度から高度のMSで、経皮的僧帽弁交連切開術(PTMC)が実施できない場合などに行う(OMCかMVRかは術中に決める) ●交連部(弁尖のヒンジ部分)が癒合している場合にこれを切開し、弁尖がよく開くようにする
僧帽弁形成術(MVP)	●僧帽弁閉鎖不全症(MR)	●心機能が保たれている時期の手術は、弁形成術が望ましい ●心房細動を合併している場合は、抗血栓薬を内服する必要があるため、弁形成術を選ぶ利点が減ってしまう
僧帽弁置換術(MVR)	●僧帽弁狭窄症(MS) ●僧帽弁閉鎖不全症(MR)	●経皮的僧帽弁交連切開術(PTMC)やOMCの適応とならない進行した場合に実施される ●術後の抗凝固療法が必要である ●感染性心内膜炎などの人工弁関連合併症に対する予防が必要である

図 直視下僧帽弁交連切開術（OMC）のしくみ

僧帽弁／交連部が狭窄している → 狭窄した僧帽弁を切開する

図 僧帽弁形成術（MVP）のしくみ

弁尖が拡大している／前尖／後尖 → 逸脱した弁尖を切除・縫合して人工腱索を再建した後、人工弁輪を縫着する

図 僧帽弁置換術（MVR）のしくみ

僧帽弁 → 人工弁に置換する

- Link 僧帽弁狭窄症(MS) ➡ P.110
- Link 僧帽弁閉鎖不全症(MR) ➡ P.114

OMC (open mitral commissurotomy)

MVP (mitral valvuloplasty)

MVR (mitral valve replacement)

6 外科的治療

大動脈弁疾患の外科的治療

どんな治療?

- 大動脈弁疾患には、大動脈弁狭窄症(AS)と大動脈弁閉鎖不全症(AR)があります。
- 大動脈弁狭窄症の外科的治療には、**大動脈弁置換術(AVR)**があります。現在では、経皮的大動脈弁形成術(PTAV)や経カテーテル大動脈弁植込み術(TAVI)などの低侵襲手術も行われています。
- 大動脈弁閉鎖不全症の外科的治療には、大動脈弁置換術と大動脈弁形成術があります。
- 大動脈弁疾患で弁輪が拡大し、上行大動脈まで変化が及ぶ場合は、ベントール手術を行う場合があります。

Link 大動脈弁狭窄症(AS)➡P.117

Link 大動脈弁閉鎖不全症(AR)➡P.120

AVR(aortic valve replacement)

Link 経皮的大動脈形成術(PTAV)➡P.302

Link 経カテーテル大動脈弁植込み術(TAVI)➡P.304

表 大動脈弁疾患の外科的治療の特徴

	大動脈弁狭窄症(AS)	大動脈弁閉鎖不全症(AR)
手術適応	●狭心症、失神、心不全といった臨床症状が出現した場合 ●症状の有無にかかわらず、冠動脈バイパス術や心臓弁膜症の手術を行う場合 注意 患者背景、手術とTAVIのリスク、心事故のリスクとの兼ね合いで判断する	●高度な逆流を認めた場合 ●NYHA Ⅲ～Ⅳ度 ●左室収縮機能の低下(LVEF50%未満) ●中等度以上の左室拡大(LVDs＞50～55mmまたはLVDd＞70～75mm) ●感染性心内膜炎や大動脈解離、外傷などによる急性大動脈弁逆流が生じた場合
特徴	●大動脈弁置換術(AVR)が大動脈弁狭窄症の第一選択となる(開心術が困難な患者さんは、開心術よりも低侵襲で行うことができるPTAVやTAVIが適応となる)	●大動脈弁形成術 注意 大動脈弁形成術は大動脈弁置換術と比較して再発によって再手術となるリスクが高く、あまり選択されていない

心事故
心臓死(致死性心筋梗塞、心臓突然死、心不全死)、非致死性心筋梗塞のこと。

🔍 ベントール手術

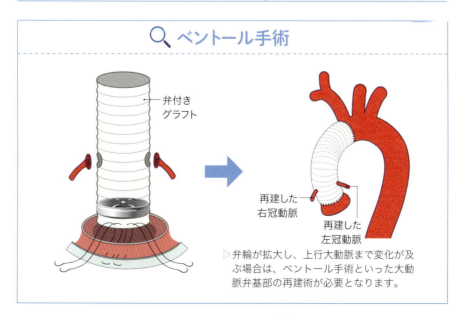

弁付きグラフト

再建した右冠動脈

再建した左冠動脈

▷弁輪が拡大し、上行大動脈まで変化が及ぶ場合は、ベントール手術といった大動脈弁基部の再建術が必要となります。

心臓弁膜症の外科的治療の看護

看護師は何に注意する?

●心臓手術のおもな合併症についてはP.340を確認しましょう。

表 心臓弁膜症の外科的治療で特に注意したい合併症

合併症	原因	対応
心筋梗塞	●心臓弁膜症の手術は長時間となることが多く、その間、心筋の虚血を起こしやすい状況にある。心筋保護液を用いた心停止下の手術では不十分な心筋保護により、虚血になりやすい ●術操作などから気泡が冠動脈内に混入してしまうと空気塞栓を起こすことがある	●術直後からの心電図の24時間持続モニタリングを行う ●入室時には12誘導心電図で心電図変化を観察する
不整脈	●心臓自体の問題 ●呼吸の問題 ●電解質異常 ●カテーテル類の刺激 ●薬剤 ●全身状態の問題	●手術直後からの24時間持続モニタリング ●出血量や尿量の観察 ●血液検査での貧血や電解質異常の確認

抗血栓薬(ワルファリンカリウム)

●人工弁を使用する際は、抗血栓薬を服用します。抗血栓薬は、ビタミンKのはたらきを抑えて血液を固まりにくくし、血栓ができるのを防ぎます。血が固まりにくくなる作用(出血傾向)があります。
●服用の際に、指導する必要がある内容は下記のとおりです。

表 ワルファリンカリウム服用時の注意点

制限するもの	●納豆、クロレラ、青汁などビタミンKを多く含む食品は、薬の作用を弱めるため、食べたり飲んだりできない ●アルコールは薬の作用に影響を与える恐れがあるため、過度の飲酒は控える必要がある ●薬の服用中は出血が止まりにくくなるので、ケガをする恐れのある仕事や運動などは避けるようにする
出血傾向	●下記の症状がある場合は医師に相談する ▷血が出やすい症状(鼻出血、歯茎からの出血、皮膚の内出血、月経量が多い)が強い場合 ▷便に血液が混じったり、黒色の便が出た場合(消化管からの出血の可能性があるため)
その他	●定期的に診察を受け、血液凝固能検査を受ける必要がある。定期的に血液検査を行い、PT-INRを2.0前後に保つ(目標値は施設や患者さんによって異なる) ●手術や抜歯をするときには、事前に担当の医師に相談する ●前日の抗凝固薬を飲み忘れていることに気がついた場合は、追加で飲むことはせずに医師に相談する

大動脈疾患の外科的治療

人工血管置換術はどんな治療？

- 大動脈疾患（大動脈瘤、解離性大動脈）の外科的治療にはおもに、**人工血管置換術**と**ステントグラフト内挿術**があります。
- 人工血管置換術とは、**拡大した大動脈を人工血管に置換**する手術です。特に、胸部大動脈では循環補助手段を必要とし、手術の侵襲が大きく、さまざまな合併症への注意が必要です。

Link ステントグラフト内挿術➡P.362

Link 大動脈瘤➡P.205

Link 解離性大動脈瘤（DAA）➡P.209

表 おもな人工血管置換術の術式と適応

	上行大動脈置換	弓部大動脈置換	下行大動脈置換
術式	人工血管		
適応	●大動脈瘤：瘤径が60mmを超えるものや切迫破裂徴候を認めるもの、臓器障害を認めるもの ●大動脈解離：StanfordA型、DeBakeyⅠ・Ⅱ型（上行にエントリーがあるもの）	●動脈瘤、急性・慢性動脈解離 注意 上行大動脈だけに限局していれば上行大動脈置換、弓部大動脈が巻き込まれていれば弓部大動脈置換となる	●大動脈瘤：下行大動脈瘤に対して瘤による心臓や食道の圧迫症状を呈するもの ●大動脈解離：TEVARが解剖学的理由などによって不適応な場合、食道瘻や肺瘻などの感染性疾患

	胸腹部大動脈置換	腹部大動脈置換
術式	横隔膜	
適応	●胸腹部大動脈瘤	●腹部大動脈瘤の直径が5〜6cmを超えるもの、または急速な拡大傾向のもの（半年で5mm以上）。破裂や解離の可能性があるもの

Link Stanford分類➡P.209

Link DeBakey分類➡P.209

Link 胸部大動脈ステントグラフト内挿術（TEVAR）➡P.362

※切迫破裂または破裂の場合は緊急手術となり、待機手術の目的は破裂の予防である。

人工血管置換術のおもな術式

上行大動脈置換術

- 胸骨正中切開を行い、体外循環を用いて、心臓停止下で脳保護を必要とする手術です。脳分離体外循環が確立した後に、大動脈の末梢側と中枢側を吻合します。
- 単独上行置換の場合は、低体温循環停止法のみで行うことも可能です。

弓部大動脈置換術

- 胸骨正中切開を行い、動脈瘤中枢側と末梢側の動脈をクランプして瘤を切除し、人工血管末梢側を吻合します。
- 脳へ分岐する血管を再建しなければいけないため、脳保護のために、**選択的脳分離体外循環法（SCP）**または**低体温循環停止逆行性脳灌流法**を行います。
  ▷ 選択的脳分離体外循環法（SCP）：腕頭動脈から順に脳灌流のカニューレを3分枝に挿入する方法です。
  ▷ 低体温循環停止逆行性脳灌流法：上大静脈へ血管を留置し、送血する方法です。

🔍 弓部大動脈置換＋オープンステントグラフト[1]

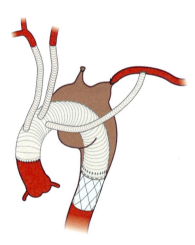

▷ 体外循環時間を短縮できる治療法として、オープンステントグラフト法があります。弓部大動脈手術時、下行大動脈縫合（末梢側吻合）をステントグラフトによる固定によって代用します。

▷ 人工血管移植範囲を広範囲に設定できる、大動脈解離に行う場合は残存解離腔の予後が良好であるなどのメリットがあります。

胸腹部大動脈置換術

- 置換範囲が胸部から腹部にかけて広範囲で、侵襲の大きな手術です。
- 胸腹部大動脈置換では、右側臥位として左後方開胸とします。

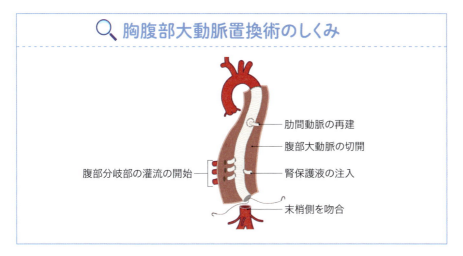

胸腹部大動脈置換術のしくみ

- 肋間動脈の再建
- 腹部大動脈の切開
- 腹部分岐部の灌流の開始
- 腎保護液の注入
- 末梢側を吻合

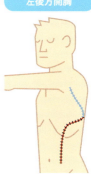

左後方開胸

胸腹部大動脈置換術で行う。

下行大動脈置換術

- 基本的には左開胸で人工血管置換を行います。
- 大動脈を剥離・露出した後、人工心肺を確立します。その後、大動脈遮断を行い、切開して吻合します。

腹部大動脈置換術

- 腹部正中切開（開腹）を行い、Y字型人工血管置換を行うことが多いです。

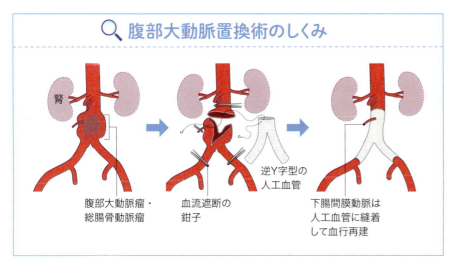

腹部大動脈置換術のしくみ

- 腎
- 腹部大動脈瘤・総腸骨動脈瘤
- 血流遮断の鉗子
- 逆Y字型の人工血管
- 下腸間膜動脈は人工血管に縫着して血行再建

人工血管置換術では看護師は何に注意する？

- 心臓手術のおもな合併症はP.340を参考にしましょう。

上行大動脈置換術、弓部大動脈置換術

- 上行・弓部大動脈置換術は、その他の心臓手術に比べて**合併症発生率や死亡率が高い**です。また、主要臓器への栄養血管でもある大動脈の手術となり、影響は多岐にわたります。
- 術後は、特に**出血**や**脳梗塞**などの合併症に注意が必要です。

表 上行・弓部大動脈置換術後に特に気をつけたい合併症と看護

	合併症	観察ポイント・看護
出血	●上行・弓部置換の場合は、吻合箇所が多いことや低体温体外循環の影響により、凝固機能が低下しやすく、出血のリスクが高まる。さらに、術後急性期に血圧が上昇すると吻合部からの再出血が高まるため、血圧を厳重に管理する ●ドレーンからの排液量の観察、止血薬や輸血の投与、低体温による凝固能抑制による血小板機能不全を最小限にするため体温管理を行う	●血圧管理：100〜140mmHg前後 ●体温管理 ●覚醒や疼痛に伴い血圧が上昇しやすいため、覚醒状況や疼痛を確認して評価し、必要に応じて鎮静・鎮痛薬を使用する ●ケアを分散し、循環変動を最小限とする ●ドレーンの排液量や性状の観察 ●止血薬や輸血の投与 ●検査データの確認（凝固能、ヘモグロビン）
脳合併症	●脳分離による影響、人工心肺中の低灌流、人工心肺回路内に混入した小気泡や組織片、血栓や血管内の粥腫飛散により、脳血管の塞栓症や脳浮腫を引き起こすリスクがある ●術後当日から脳浮腫の改善目的でグリセオールの投与を行う	●神経学的所見の確認：意識レベル、瞳孔所見、四肢の動き ●麻酔からの覚醒状況の観察 ●けいれんや不随意運動の有無 注意 合併症を疑うときは、CTやMRI検査を実施する ●バイタルサインの変動の観察 ●採血データの確認

表 上行大動脈置換術特有の合併症と看護

	合併症	観察ポイント・看護
低心拍出量症候群(LOS) 冠血流障害	●上行大動脈には冠動脈が分岐しているため、冠動脈再建に伴う心筋障害や長時間の体外循環における術後のLOSを合併しやすい ●大動脈解離の場合は、解離が冠動脈へ波及すると、狭窄・閉塞による冠血流障害が生じ、狭心症や心筋梗塞を引き起こすリスクがある ●解離は右側に沿って生じることが多いので、房室ブロックなどの不整脈に注意する ●長時間の体外循環や冠動脈再建による心筋障害に伴う術後LOSを合併しやすい	●モニター管理：不整脈の出現の有無、頻度、血圧変動 ●12誘導心電図の観察 ●検査データ：MB、CK-MBなど ●尿量、WB ●胸部症状の有無

Link 低心拍出量症候群(LOS)➡P.340

下行大動脈置換術、胸腹部大動脈置換術

● 術後は特に、**脊髄梗塞による対麻痺**に注意が必要です。

表 下行大動脈・胸腹部大動脈置換術後に特に気をつけたい合併症と看護

	合併症	観察ポイント・看護
脊髄梗塞	● 脊髄を灌流する重要な動脈であるアダムキュービッツ動脈は、Th9〜L2に多く存在する。置換範囲が同部位およびその近傍に及ぶ場合には肋間動脈の再建を行う。また、必要に応じて脳脊髄ドレナージチューブを挿入する	● 脳脊髄ドレーンの管理 ● 下肢感覚の異常の有無 ● 運動障害の有無 ● 尿意の有無など
食道損傷	● 食道は胸部大動脈の近傍に位置するため、癒着が強い場合に損傷する恐れがある。術中に食道損傷が認識されないこともあり、術後のCTや嚥下時の違和感などで指摘されることもある。食道損傷は人工血管感染・縦隔炎を引き起こすこともある	● 発熱の有無 ● 嚥下機能：むせや排痰状況 ● 検査データ
肝不全 腸管虚血 腸管壊死 腎機能障害	● 下行大動脈、胸腹部大動脈からは肋間動脈、腹腔動脈、上腸管動脈、腎動脈が分岐する。消化管虚血による肝不全や腸管虚血、腸管壊死に至る可能性がある。腎動脈の虚血により、腎機能の悪化をきたす可能性がある	● 腸音の有無 ● 排便状況、腹痛の有無 ● 検査データ ● 尿量

腹部大動脈置換術

● 腹部大動脈置換術は、ほかの手術と違い、術後出血の指標となるドレーンが挿入されないため、術後出血の評価が容易ではありません。血圧、検査データ、腹囲に注意し、**術後出血を見逃さない**ことがポイントです。
● 腹部大動脈置換では、合併症がないと判断された後、めやすとして排ガスが確認されたら飲水開始、排便が確認されたら食事開始となります。
● 初回は主治医と相談し、消化のよい3分粥や5分粥から開始します。

表 腹部大動脈置換術で特に気をつけたい合併症と看護

	合併症	観察ポイント・看護
出血 グラフトの破綻	● 術後はさまざまな要因で出血のリスクが高まる	● 血圧コントロール：収縮期血圧100〜160mmHg程度に管理する ● 腹部症状や検査データに注意する ● 腹囲を測定し、急激な増加がないか経過を観察する
下肢虚血	● 人工血管吻合部の狭窄や大動脈内アテロームが末梢側に飛ぶことにより、血栓・塞栓症を起こすことがある	● 下肢の色調・冷感の有無、下肢動脈の触知の有無、腫脹の有無などに注意する

ステントグラフト内挿術はどんな治療？

- 大動脈瘤の治療に、ステントグラフト内挿術があります。ステントグラフト内挿術は人工血管置換術に比べて、低侵襲で実施できます。
- ステントグラフト内挿術とは、大腿動脈などの末梢血管からステントグラフトを挿入し、動脈瘤を血管の内側から治療することです。人工血管（グラフト）にバネ状の金属（ステント）を組み合わせた器具を用い、カテーテル操作により挿入します。
- 血管内に放出されたステントグラフトは、金属のバネの力と血圧によって広がり、血管内壁に圧着されることで大動脈瘤内への血流を遮断し、瘤の破裂を予防します。
- 胸部大動脈瘤にて胸部にステントグラフトを挿入する場合を**胸部大動脈ステントグラフト内挿術（TEVAR）**、腹部大動脈瘤にて腹部にステントグラフトを挿入する場合を**腹部大動脈ステントグラフト内挿術（EVAR）**と呼びます。

TEVAR（thoracic endovascular aortic repair）

debranching TEVAR
上行大動脈から左鎖骨下動脈分岐部にランディングを行う場合に、閉塞血管に対してバイパス手術を併用することである。頸部分枝・腹部分枝すべてにバイパス施行後、ステントグラフトを挿入する。

胸部大動脈ステントグラフト内挿術（TEVAR）

- 大腿動脈から血管内腔にステントを挿入し、瘤への血流を遮断します。血流の遮断により、ステントの外側から瘤内側の血栓が縮小化されます。
- ステントグラフトで閉塞される鎖骨下動脈や腹腔動脈の血流を、いかに維持させるかが重要になります。

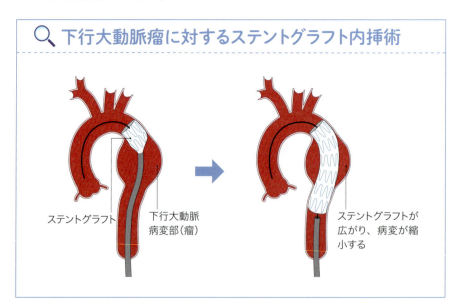

🔍 下行大動脈瘤に対するステントグラフト内挿術

ステントグラフト　下行大動脈病変部（瘤）　→　ステントグラフトが広がり、病変が縮小する

EVAR（endovascular aneurysm repair）

腹部大動脈ステントグラフト内挿術（EVAR）

- 大腿動脈から血管内腔にステントを挿入し、瘤への血流を遮断します。血流の遮断化により、ステントの外側から瘤内側の血栓が縮小化されます。
- 瘤の範囲が腹腔動脈に限局している場合はI型ステント、左右の腸骨動脈まで及ぶ場合はY型ステントを使用します。

エンドリーク

- ステントグラフト内挿術で大きな問題となる合併症が、**エンドリーク**です。
- エンドリークとは、ステントグラフト留置後、**瘤内への血流が漏れる**ことです。原因は、ステントグラフトの密着不足や、ステントグラフトの移動や落ち込みによるズレ、加齢に伴う大動脈の短縮や蛇行などがあります。瘤内の減圧が図れない場合、追加処置が必要となります。

表 EVARのエンドリークの分類

	Type I	Type II	Type III	Type IV
状態	ステントグラフト中枢（Ia）あるいは末梢（Ib）からの瘤へのリーク	大動脈瘤自体から分岐する肋間動脈、気管支動脈、下腸間膜動脈、腰動脈などから大動脈内へのリーク	ステントグラフトの損傷に伴うリークやステントグラフト接合部からのリーク	ステントからの滲み出しのリーク（ステントグラフト留置後、30日以内に認められる場合）
対応	バルーンで固定部を再度圧着させる	多くの場合、ヘパリン中和後に血栓化してリークは消失するが、残存する場合は塞栓術を行う	バルーンニングやエクステンショングラフトを追加する	ヘパリン中和後に消失する場合が多いため、経過観察とする

ステントグラフト留置後は、血管造影によってエンドリークの有無を確認します

ステントグラフト内挿術では看護師は何に注意する?

- 心臓手術のおもな合併症はP.340を参考にしましょう。
- 術後は平均血圧を維持し、対麻痺、出血、塞栓症などの合併症の観察が必要です。

表 TEVARで特に注意したい合併症と看護のポイント

	合併症	観察ポイント・看護
循環変動	●ステントグラフト内の血流維持のため、ボリューム負荷、血圧を維持し、Hypovolemia（循環血液量減少状態）にしない	●TEVARの場合、平均血圧（BPm）で70〜80mmHg維持する（椎骨動脈の血流確保）。ニコランジルを投与する場合もある ●血液ガスデータでラクテート・BE、WB（脱水所見）に注意する
腎障害	●造影剤の使用量は50〜150mL程度になる。造影剤自体の腎毒性を考慮し、造影剤の高比重による浸透圧利尿から血管内脱水となり、腎機能障害が起こらないように注意が必要である ●低心機能や腎機能低下している患者さんの場合、利尿コントロールの指標となるため、必要時、尿比重を測定する	●バイタルサインの変動、尿量・性状、腎機能データ、電解質、WBに注意する
対麻痺	●ステントグラフトがアダムキュービッツ動脈を閉塞することがあるため、対麻痺が起こることがある。また、術中・術後の低血圧は、遅発性対麻痺を起こすことがあるため注意する	●下肢感覚の異常の有無 ●運動障害の有無 ●尿意の有無など ●術中・術後は平均血圧を80mmHg以上で管理する
エンドリーク	●P.363参照	●血圧管理 ●胸背部痛の有無 ●嚥下困難の有無 ●悪心・嘔吐などの症状

表 EVARで特に注意したい合併症と看護のポイント

	合併症	観察ポイント・看護
腎障害	●造影剤を使用するため、輸液負荷を行い、造影剤の排泄を促す	●尿量・尿比重 ●WB ●検査データ
エンドリーク	●P.363参照	●血圧管理 ●腹囲の観察 ●腹部症状の有無

血栓塞栓除去術

どんな治療?

- 血栓塞栓除去術は、**血栓や塞栓を血管内から除去する手術**です。おもに急性動脈閉塞症にて行われます。代表的な治療法として、急性下肢閉塞に対する**フォガティーカテーテルを用いた血栓塞栓除去術**があります。

Link 急性動脈閉塞症
➡P.213

🔍 フォガティーカテーテルを用いた血栓塞栓除去術

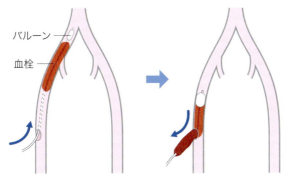

▷わずかな切開口から先端にバルーンのついたカテーテルを挿入し、血管内でそのバルーンを膨らませ、血栓や塞栓とともに掻き出します。短時間の手術で済み、外傷も最小限に抑えられます。

看護師は何に注意する?

術前

- **症状の悪化に伴う苦痛の緩和**に努めます。症状の悪化の徴候を観察するため、**動脈拍動の有無の確認**(足背動脈・後脛骨動脈のドプラシグナルの有無の確認)を行います。
- 虚血肢の神経は4〜6時間、筋肉は6〜8時間、皮膚は8〜12時間で不可逆的変化を生じるといわれているため、時間の経過を問診し、術後の看護につなげましょう。

術後

- 合併症の早期発見に努めながら、急性閉塞に陥ってから再開通までの時間の経過を把握します。
- 動脈が急に閉塞すると、筋肉や組織は急性虚血に陥り、虚血部位から無酸素代謝産物として乳酸、ピルビン酸が産生され、次第に細胞崩壊によってカリウム、ミオグロビン、CPK、AST(GOT)、ALT(GPT)、LDHが細胞外に流出します。そのため、術後は血液ガス分析、血中CPK、ミオグロビン、カリウム、クレアチニンなどを経時的に測定し、尿量やミオグロビン尿を観察します。

引用・参考文献

第1章 循環器看護で大切なこと

1. Antman EM, Cohen M, Bernink PJLM, et al. The TIMI risk score for unstable angina/non-ST elevation MI. A method for prognostication and therapeutic decision making. *JAMA* 2000 ; 284 : 835-842.
2. 池亀俊美企画編集：特集「おさらい」で看護力UP！ 3大疾患 総復習. 循環器ナーシング 2015 : 5(3).
3. 内藤博昭医学監修, 伊藤文代編：循環器看護ケアマニュアル 第2版. 中山書店, 東京, 2013.
4. 百村伸一, 鈴木誠編：慢性心不全のあたらしいケアと管理 チーム医療・地域連携・在宅管理・終末期ケアの実践. 南江堂, 東京, 2015.
5. 佐藤幸人編著：CIRCULATION Up-to-Date Books 02 スペシャリスト集団になる！ 最強！ 心不全チーム医療. メディカ出版, 大阪, 2014.
6. 佐藤栄子編著：事例を通してやさしく学ぶ 中範囲理論入門 第2版. 日総研出版, 愛知, 2009.
7. 木原康樹, 森山美和子, 広島大学病院心不全センター 他 編著：心不全ケアチーム構築マニュアル 広島発・チームの作りかたと地域連携の道のり. メディカ出版, 大阪, 2016.
8. 日本心臓リハビリテーション学会：指導士認定試験準拠 心臓リハビリテーション必携. 日本心臓リハビリテーション学会事務局, 東京, 2011.
9. Yancy CW, Jessup M, Bozkurt B, et al. 2013 ACCF/AHA guideline for the management of heart failure : a report of the American College of Cardiology Foundation/American Heart Association Task Force on practice guidelines. *Circulation* 2013 ; 128 : e240-e327.

第2章 循環器で必要な解剖生理

1. 医療情報科学研究所編：病気がみえる vol.2 循環器 第4版. メディックメディア, 東京, 2017 : 2-29.
2. 稲田英一, 医療情報科学研究所：イメカラ 循環器 —イメージするカラダのしくみ. メディックメディア, 東京, 2010 : 2-19.
3. 堀正二監修, 坂田泰史編：図解 循環器用語ハンドブック 第3版. メディカルレビュー社, 東京, 2015.
4. 小澤瀞司, 福田康一郎監修, 本間研一, 大森治紀, 大橋俊夫 他 編：標準生理学 第8版. 医学書院, 東京, 2014 : 632-654.
5. 坂井建雄, 河原克雅編：カラー図解 人体の正常構造と機能【全10巻縮刷版】第3版. 日本医事新報社, 東京, 2017 : 82-107.
6. 増田敦子編著：身体のしくみとはたらき—楽しく学ぶ解剖生理. サイオ出版, 東京, 2015.
7. 大谷修, 堀尾嘉幸：カラー図解 人体の正常構造と機能 第2巻 循環器 第3版. 日本医事新報社, 東京, 2017 : 82-107.

第3章 循環器の疾患

循環器疾患で重要なリスク因子

1. 日本高血圧学会高血圧治療ガイドライン作成委員会編：高血圧症治療ガイドライン2019. 日本高血圧学会, 東京, 2019.
2. 日本動脈硬化学会：動脈硬化性疾患予防ガイドライン2017版. 日本動脈硬化学会, 東京, 2017.
3. 日本糖尿病学会編著：糖尿病診療ガイドライン2016. 南江堂, 東京, 2016.
4. 日本肥満学会編：肥満症診療ガイドライン2016. ライフサイエンス出版, 東京, 2016.

高血圧症

1. 安倍紀一郎，森田敏子：関連図で理解する 循環機能学と循環器疾患のしくみ 病態生理，疾患，症状，検査のつながりが見てわかる 第3版．日総研出版，愛知，2010．
2. 医療情報科学研究所編：薬がみえる vol.1．メディックメディア，東京，2014．
3. 日本高血圧学会高血圧治療ガイドライン作成委員会編：高血圧症治療ガイドライン2019．日本高血圧学会，東京，2019．

虚血性心疾患

1. 藤野彰子：ナーシングレクチャー 心疾患をもつ人への看護．中央法規出版，東京，1997．
2. 安倍紀一郎，森田敏子：病態生理，疾患，症状，検査のつながりが見てわかる 関連図で理解する 循環機能学と循環器疾患のしくみ 第3版．日総研出版，愛知，2010．
3. 医療情報科学研究所編：病気がみえる vol.2 循環器 第4版．メディックメディア，東京，2017．
4. 榊原記念病院看護部，鈴木紳編著：AMIケアマニュアル．ハートナーシング1992夏季増刊，メディカ出版，大阪，1992．
5. 日本循環器学会：ST上昇型急性心筋梗塞の診療に関するガイドライン（2013年改訂版）．http://www.j-circ.or.jp/guideline/pdf/JCS2013_kimura_h.pdf（2020.01.10アクセス）
6. 黒澤博身総監修：全部見える 循環器疾患．成美堂出版，東京，2012．
7. 浦部晶夫，島田和幸，川合眞一編：今日の治療薬2018．南江堂，東京，2018．
8. 三浦稚郁子：「なぜ？」の理解で総復習＆ステップアップ！ 循環器ケアの成長ふりカエルチェッククイズ65．ハートナーシング 2013；26：5-65．
9. 酒井毅：読解プロセスですいすいわかる！ 完全攻略炎の心電図ドリル50．ハートナーシング 2016；29(6)：11-86．
10. 赤石誠監修：くすりのはたらきと使用ポイントがよくわかる！ ナース必携！循環器の薬剤ガイド150．ハートナーシング2015年春期増刊，メディカ出版，大阪，2015．
11. 日本循環器学会：心血管疾患におけるリハビリテーションに関するガイドライン（2012年改訂版）．http://www.j-circ.or.jp/guideline/pdf/JCS2012_nohara_h.pdf（2020.01.10アクセス）

不整脈

1. 百村伸一編：心臓病の治療と看護（NURSING—Cure and Care Series）．南江堂，東京，2006．
2. 医療情報科学研究所編：year note 2019．メディックメディア，東京，2018．
3. 大八木秀和：まるごと図解 循環器疾患．照林社，東京，2013．

心臓弁膜症

1. 大谷修，堀尾嘉幸：カラー図解 人体の性状構造と機能Ⅱ 循環器．日本医事新報社，東京，2000：11．
2. Bonow RO, Carabello BA, Chatterjee K, et al. ACC/AHA2006guidelines for the management of patients with valvular heart disease: a report of the American College of Cardiology/American Heart Association Task Force on Practice Guidelines (writing Committee to Revise the 1998guidelines for the management of patients with valvular heart disease) developed in collaboration with the Society of Cardiovascular Anesthesiologists endorsed by the Society for Cardiovascular Angiography and Interventions and the Society of Thoracic Surgeons. *J Am Coll Cardiol* 2006；48：e1-148．
3. 日本循環器学会：弁膜疾患の非薬物治療に関するガイドライン（2012年改訂版）．http://www.j-circ.or.jp/guideline/pdf/JCS2012_ookita_h.pdf（2020.01.10アクセス）
4. 岩瀬三紀監修：保存版 循環器の疾患・治療・ケア ビジュアル図説107．ハートナーシング2019年春季増刊，メディカ出版，大阪，2019．
5. 平岡栄治，則末泰博，藤谷茂樹編：重症患者管理マニュアル．メディカル・サイエンス・インターナショ

ナル，東京，2018．
6. 道又元裕総監修，露木菜緒監修・解説：ICU3年目ナースのノート 改訂増強版．日総研出版，愛知，2017．
7. 古川哲史監修：ぜんぶわかる心臓・血管の事典．成美堂出版，東京，2018．
8. 道又元裕監修：心臓血管外科の術後管理と補助循環 第2刷．日総研出版，愛知，2013．
9. 山中源治，小泉雅子編：徹底ガイド 心臓血管外科 術後管理・ケア（ハンディ版）．総合医学社，東京，2016．

心膜炎・心内膜炎

1. 甲田英一監修：Super Select Nursing 循環器疾患 疾患の理解と看護計画．学研メディカル秀潤社，東京，2011．
2. 医療情報科学研究所編：病気がみえる vol.2 循環器 第4版．メディックメディア，東京，2017．
3. 日本循環器学会：感染性心内膜炎の予防と治療に関するガイドライン（2017年改訂版）．
   http://www.j-circ.or.jp/guideline/pdf/JCS2017_nakatani_h.pdf（2020.01.10アクセス）

心筋疾患

1. 伊藤文代編：循環器看護ケアマニュアル 第2版．中山書店，東京，2013．
2. 医療情報科学研究所編：病気がみえるvol.2 循環器 第4版．メディックメディア，東京，2017．
3. 日本循環器学会：拡張型心筋症ならびに関連する二次性心筋症の診療に関するガイドライン．
   http://www.j-circ.or.jp/guideline/pdf/JCS2011_tomoike_h.pdf（2020.01.10アクセス）
4. 日本循環器学会：肥大型心筋症の診療に関するガイドライン（2012年改訂版）．
   http://www.j-circ.or.jp/guideline/pdf/JCS2012_doi_h.pdf（2020.01.10アクセス）

成人の先天性心疾患

1. 佐藤千史，井上智子編：人体の構造と機能からみた 病態生理ビジュアルマップ[1] 呼吸器疾患，循環器疾患．医学書院，東京，2010：118-119．
2. 医療情報科学研究編，病気がみえる vol.2 循環器 第4版．メディックメディア，東京，2017．
3. 吉田俊子，田村富美子，工藤啓：患者の看護．循環器疾患患者の看護，医学書院，東京，2005：330．
4. 日本循環器学会：成人先天性心疾患診療ガイドライン（2017年改訂版）．
   http://www.j-circ.or.jp/guideline/pdf/JCS2017_ichida_h.pdf（2020.01.10アクセス）

心不全

1. Yancy CW, Jessup M, Bozkurt B, et al. 2013 ACCF/AHA guideline for the management of heart failure : a report of the American College of Cardiology Foundation/American Heart Association Task Force on practice guidelines. *Circulation* 2013；128：e240-e327.
2. Ponikowski P, Voors AA, Anker SD, et al. Authors/Task Force Mem-bers. 2016 ESC Guidelines for the diagnosis and treatment of acute and chronic heart failure : The Task Force for the diagnosis and treat-ment of acute and chronic heart failure of the European Society of Cardiology (ESC). Developed with the special contribution of the Heart Failure Association (HFA) of the ESC. *Eur J Heart Fail* 2016；18：891-975．
3. 日本循環器学会：急性・慢性心不全診療ガイドライン（2017年改訂版）．
   http://www.j-circ.or.jp/guideline/pdf/JCS2017_tsutsui_h.pdf（2020.01.10アクセス）
4. 日本循環器学会：心血管疾患におけるリハビリテーションに関するガイドライン（2012年改訂版）．
   http://www.j-circ.or.jp/guideline/pdf/JCS2012_nohara_h.pdf（2020.01.20アクセス）
5. 日本循環器学会：循環器疾患における末期医療に関する提言（2010年）．
   http://www.j-circ.or.jp/guideline/pdf/JCS2010_nonogi_h.pdf（2020.01.10アクセス）
6. 2013 ACCF/AHA Guideline for the Management of Heart Failure：Executive Summary．

http://www.onlinejacc.org/content/accj/62/16/1495.full.pdf（2020.01.10アクセス）
7. 加藤真帆人：心不全とはなんだろう？～慢性心不全という新しい概念とその管理～．日大医誌 2015；74(4)：153-160．
https://www.jstage.jst.go.jp/article/numa/74/4/74_153/_pdf/-char/ja（2020.01.10アクセス）
8. 市田聡：ハート先生の心不全講座 改訂第三版．医学同人社，東京，2018．
9. 堀正二監修，坂田泰史編：図解 循環器用語ハンドブック 第3版．メディカルレビュー社，大阪，2015．
10. 葛谷恒彦，堀正二：主な循環器疾患の診断・管理治療．標準循環器病学 第4版，小川聡，井上博編，医学書院，東京，2007．
11. 長谷部直幸，菊池健次郎：本態性高血圧症．小川聡，井上博編，標準循環器病学 第4版．医学書院，東京，2007：335-341．
12. 岡田隆夫：循環系の調節．小澤瀞司，福田康一郎監修，本間研一，大森治紀，大橋俊夫 他 編：標準生理学 第8版．医学書院，東京，2014：630-631．
13. 厚生労働省：第4回心血管疾患に係るワーキンググループ 第2回資料．https://www.mhlw.go.jp/file/05-Shingikai-10901000-Kenkoukyoku-Soumuka/0000165484.pdf（2020.01.10アクセス）
14. 小田切菜穂子：慢性心不全患者の特徴と療養上の課題．循環器ナーシング 2014；4(10)：6-15．
15. 宮下光令，柴信行，下川宏明：循環期看護の最前線を知る 第9回 末期心不全の緩和ケアを考える．HEART 2012；2(5)：501-511．
16. 日本集中治療医学会看護テキスト作成ワーキンググループ編：集中治療看護師のための臨床実践テキスト 疾患・病態編．真興交易医書出版部，東京，2018．
17. JSEPTIC看護部会監修，卯野木健，森安恵実編：ICUナースポケットブック 第3版．学研メディカル秀潤社，東京，2016：29．

動脈疾患

1. アステラス製薬株式会社ホームページ：動脈硬化のメカニズム．
https://www.astellas.com/jp/ja/diseases/moreinformation-01/atheros-02
（2020.01.10アクセス）
2. セルフドクターネット：生活習慣病とは？．
https://www.selfdoctor.net/q_and_a/2015_10/01.html（2020.01.10アクセス）
3. 道又元裕総監修，露木菜緒監修・解説：ICU3年目ナースのノート 改訂増強版．日総研出版，愛知，2017．
4. 医療情報科学研究所編：病気がみえる vol.2 循環器 第4版．メディックメディア，東京，2017．

静脈疾患・リンパ系疾患

1. リンパ管疾患情報ステーション：リンパ管とは？．
https://www.lymphangioma.net/doc1_2.html（2020.01.10アクセス）
2. 大八木秀和：まるごと図解 循環器疾患．照林社，東京，2013．
3. 黒澤博身総監修：全部見える 循環器疾患．成美堂出版，東京，2012．
4. 医療情報科学研究所編：病気がみえる vol.2循環器 第4版．メディックメディア，東京，2017．

睡眠時無呼吸症候群

1. 日本循環器学会：循環器領域における睡眠呼吸障害の診断・治療に関するガイドライン．
http://www.j-circ.or.jp/guideline/pdf/JCS2010,momomura.h.pdf（2020.01.10アクセス）
2. 澤渡浩之，欅木晶子：循環器疾患患者における睡眠時無呼吸に対する看護支援の最前線．循環器ナーシング 2015；5(2)：58-64．

第4章 循環器のフィジカルアセスメント・検査

フィジカルアセスメント

1. 上田芳郎：診察と診断の流れ．吉田俊子著者代表，系統看護学講座 専門分野Ⅱ 成人看護学3 循環器 第14版．医学書院，東京，2015：48-51．
2. 横山正明：診察（視診・聴診），診察（聴診）．落合慈之監修，山﨑正雄，柴田講編，循環器疾患ビジュアルブック 第2版．学研メディカル秀潤社，東京，2017：21-29．
3. 竹尾惠子監修：看護技術プラクティス 第23版．学研メディカル秀潤社，東京，2013．
4. 山内豊明：見る・聴く・触るを極める！山内先生のフィジカルアセスメント 技術編．エス・エム・エス，東京，2014：24-27，34-43．

心電図

1. 鈴木まどか：ナースが書いた 看護に活かせる心電図ノート．照林社，東京，2015：1-25．
2. 心臓病看護教育研究会：ハート先生の心電図教室ONLINE．http://www.cardiac.jp/（2020.01.10アクセス）

画像検査

1. 医療情報科学研究所編：病気がみえる vol.2循環器 第4版．メディックメディア，東京，2017．
2. 齋藤滋監修，高橋佐枝子，島袋朋子編：やさしくわかる心臓カテーテル 検査・治療・看護．照林社，東京，2014．
3. 木村文子，西村重敬編：見て診て学ぶ 虚血性心疾患の画像診断 —CT・MRI・核医学・USで診断する—．永井書店，大阪，2009．
4. 川久保清：運動負荷心電図 その方法と読み方 第2版．医学書院，東京，2010．
5. 水島美津子，岩下淨明，上條敏夫 他：図説 超音波検査シリーズ12．国立医療学会編：超音波検査の進め方 下肢動脈・下肢静脈疾患のチェックポイント．医療 2006；60(12)：788-796．
6. 小山英則：末梢動脈疾患（PAD）診断と治療の進歩．日本内科学会雑誌 2008；97(2)：267-397．
7. 中西新，副島宏美：血管超音波検査による下肢動脈血流の評価．創傷 2011；2(2)：65-72．

血行動態モニタリング

1. 小泉雅子：循環管理のアプローチ．道又元裕編，ICUディジーズクリティカルケアにおける看護実践 改訂第2版．学研メディカル秀潤社，東京，2015：228-243．
2. 医療情報科学研究所編：病気がみえるvol.2 循環器 第4版．メディックメディア，東京，2017：121．
3. 岡﨑利恵：Step2 循環器ケア基礎編，Step3 循環器ケア初級編，Step4 循環器ケア中級編．山田聡子監修，佐藤尚司医学監修：ハートナーシング2013年春季増刊 先輩がみちびく超実践的ステップでめざせひとりだち！ 新人ナースのための循環器ケア習得サポートプログラム．メディカ出版，大阪，2013：94-98，118-121，163-171．
4. 福間綾：Step3 循環器ケア初級編．山田聡子監修，佐藤尚司医学監修：ハートナーシング2013年春季増刊 先輩がみちびく超実践的ステップでめざせひとりだち！ 新人ナースのための循環器ケア習得サポートプログラム．メディカ出版，大阪，2013：125-129．

動脈血ガス分析

1. 佐藤廣康，橋本敬太郎：心機能に対するpHの効果．心電図 1983；3(2)：171-182．

第5章 心臓カテーテル検査・治療

1. 山名比呂美：特集 60問トライアル ハートナース検定．ハートナーシング 2016：29(12)：40-41．

2. 循環器用語ハンドブック：僧帽弁閉鎖不全［症］．
   https://med.toaeiyo.co.jp/contents/cardio-terms/disease/3-23.html（2020.01.10アクセス）
3. 日本循環器学会：弁膜疾患の非薬物治療に関するガイドライン（2012年改訂版）．
   http://www.j-circ.or.jp/guideline/pdf/JCS2012_ookita_h.pdf（2020.01.10アクセス）
4. 齋藤滋監修，高橋佐枝子，島袋朋子編：やさしくわかる心臓カテーテル 検査・治療・看護．照林社，東京，2014．
5. 尾辻豊：心臓弁膜症・心内膜炎．医療情報科学研究所編，病気がみえる vol.2 循環器 第4版，メディックメディア，東京，2017：202-230．
6. 長沼亨：弁膜症 実地医療で実践すべき診療のプロセス弁膜症 実地医家が知っておくべき現代の弁膜症 経カテーテル僧帽弁逆流症治療MitraClipとは．Medical Practice 2017；34(12)：1999-2005．
7. 高谷陽一，赤木禎治：はやわかり！ Amplatzerの実際と必要な看護．ハートナーシング 2015；28(7)：710-712．
8. 日本メドトロニック株式会社：ペースメーカって、何ですか？ 2013年12月改訂版．
   https://www.medtronic.com/content/dam/medtronic-com/jp-ja/patients/crhf/documents/ipg_nandesuka.pdf（2010.01.10アクセス）
9. 吉川糧平，岡村篤徳，南口仁 他：第6章 心臓カテーテル治療．粟田政樹，田中一美編，はじめての心臓カテーテル看護 –カラービジュアルで見てわかる！．メディカ出版，大阪，2013：65-87．

IABP

1. 辻本雄大，松葉晃平：イラストで理解！ IABPの仕組み．高田弥寿子企画編集：ICU・CCUのME機器を理解する！．循環器ナーシング 2015；5(6)：7．
2. 正井崇史著：メディカのセミナー濃縮ライブシリーズ Dr.正井のなぜなに？がガツンとわかる補助循環．メディカ出版，大阪，2015．
3. 道又元裕総監修，露木菜緒監修・解説：ICU3年目ナースのノート 改訂増強版．日総研出版，愛知，2017．
4. 平野充：IV.循環サポート機器 IABP～重装備でとっつきにくいIABP，しくみを整理してケアも一歩前進～．急性・重症患者ケア 2013；2(3)：646-654．
5. 武澤真：IABP装着中のケア～苦手だった私が…「得意」になる自分に変わるために！～．山中源治，小泉雅子編：徹底ガイド 心臓血管外科 術後管理・ケア（ハンディ版）．総合医学社，東京，2016：435-450．

PCPS、V-V ECMO

1. 澤芳樹代表監修：研修医，コメディカルのためのプラクティカル補助循環ガイド．メディカ出版，大阪，2007．
2. 新田隆監修：病態生理の理解に基づく 心臓血管外科の基本知識と患者ケア．総合医学社，東京，2017：75-79．
3. 山形泰士，道又元裕特別編集：基本から学べる体外循環 管理のポイントと看護ケアの実際．重症患者ケア 2015；4(3)．
4. 武居哲洋，讃井將満責任編集：特集ECMO．INTENSIVIST 2013；5(2)．
5. 西村元延監修，関口敦編著：CIRCULATION Up-to-Date Books 08 最新にして上々！ 補助循環マニュアル．メディカ出版，大阪，2015．

第6章 循環器の外科的治療

心臓手術

1. 尾野敏明企画編集：術前・術後看護の視点－フィジカルアセスメントを中心に－．手術ナーシング 2014：1(1)．

2. 土師誠二著：「外科侵襲を代謝とサイトカインから考える」外科侵襲下におけるサイトカイン・免疫代謝変動と合併症抑制対策．外科と代謝・栄養 2016；50(5)：285-290．
3. 小野聡：総説周術期生体反応の特性と感染性合併症対策．東京医科大学雑誌 2016；74(2)：123-135．
4. 日本心臓血管外科学会：冨澤康子：手術・手技と解説 総論01人工心肺．
https://plaza.umin.ac.jp/~jscvs/surgery/0_1_syujutu_sinzou_sinpai/(2020.01.10アクセス)
5. 厚生労働省：人工心肺装置の標準的接続方法およびそれに応じた安全教育等に関するガイドライン．
https://www.mhlw.go.jp/topics/2007/04/dl/tp0427-10-1.pdf(2020.01.10アクセス)
6. 東海大学出版部Web TOKAI：浦野明央：細胞社会のコミュニケーション（全12回）第11回神経系・内分泌系・免疫系．
https://www.press.tokai.ac.jp/webtokai/saibosyakai11.pdf(2020.01.10アクセス)
7. 九州栄養福祉大学・東筑紫短期大学キャリア教育推進・支援センター：中村吉男：ストレス反応における病理学・解剖生理学的考察を中心に―キャリア教育におけるストレスコントロールのための考察―．
http://www.hcg.ac.jp/career_information/sutoresu.pdf(2020.01.10アクセス)
8. 澄川耕二：外科的侵襲と自律神経機能．日本臨床麻酔学会誌 1997；17(4)：209-216．
https://www.jstage.jst.go.jp/article/jjsca1981/17/4/17_4_209/_pdf(2020.01.10アクセス)
9. 日本呼吸器学会・日本呼吸療法医学会・日本集中治療医学会：ARDS診療ガイドライン2016．
https://www.jsicm.org/pdf/ARDSGL2016.pdf(2020.01.10アクセス)
10. 小川道雄，酒本喜与志，中川和浩 他：侵襲に対する生体反応とサイトカイン．外科治療 1992；67：574-581．
11. 平岡栄治，則末泰博，藤谷茂樹編：重症患者管理マニュアル．メディカル・サイエンス・インターナショナル，東京，2018．

心臓手術の看護

1. Bojar RM. Manual of Perioperative Care in Adult Cardiac Surgery, 5th ed. NewYork：Wiley-Blackwell；2011：347-381.
2. 塩塚潤二：術後心房細動．内野滋彦他編：特集術後管理．INTENSIVIST 2012;(4)2：263．
3. 天野篤監訳：心臓手術の周術期管理．メディカル・サイエンス・インターナショナル，東京，2008：401．
4. Chang YL, Tsai YF, Lin PJ, et al. Prevalence and risk factors for postoperative delirium in a cardiovascular intensive care unit. *Am J Crit Care* 2008；17(6)：567-575.
5. 井上真一郎，内富庸介：せん妄の要因と予防．臨床精神医学 2013；42(3)：289-297．
6. 山中源治，小泉雅子編：徹底ガイド 心臓血管外科 術後管理・ケア（ハンディ版）．総合医学社，東京，2016．
7. 天野篤監訳：心臓手術の周術期管理．メディカル・サイエンス・インターナショナル，東京，2008．
8. 田端実，讃井將満責任編集：特集心臓血管外科後編．INTENSIVIST 2016；8(1)．
9. 聖路加国際病院循環器疾患ケアグループ編：かみくだいて教える心臓血管外科マニュアル上巻術前・術後編．日総研出版，東京，2009．
10. 聖路加国際病院心血管センター編：心臓血管外科ケアマニュアル 改訂版．日総研出版，東京，2016．
11. 前田浩企画編集：特集心臓血管外科手術の術後ケア～術後に発生しやすい合併症とその対応～．Heart 2014；4(8)．
12. 道又元裕編集顧問：心臓血管外科の術前・術後管理～厳選ポイント15．重症集中ケア8・9月号 2017；16(3)．
13. 国立循環器病研究センター心臓血管部門編：新 心臓血管外科管理ハンドブック改訂第2版．南江堂，東京，2016．
14. 藤澤美智子，武居哲洋：譫妄の発症メカニズム：危険因子，予防法．林淑朗，讃井將満任編集：特集疼痛・興奮・譫妄．INTENSIVIST 2014；6(1)：65-72．
15. 古賀雄二，若松弘也：ICU せん妄の評価と対策：ABCDE バンドルと医原性リスク管理．特集ICU/CCU

で遭遇する精神的問題を考える．ICUとCCU 2012；36（3）：167-179．
16. 日本集中治療医学会J-PADガイドライン作成委員会：日本版・集中治療室における成人重症患者に対する痛み・不穏・せん妄管理のための臨床ガイドライン．日本集中治療医学会雑誌 2014；21（5）:539-579．
https://www.jsicm.org/pdf/2015-J-PAD-guideline.pdf（2020.01.10アクセス）
17. 藤井大輔，山田亨，櫻本秀明：重症疾患後の認知機能 ICU退室後の認知機能障害の実際．ICNR 2016；3（3）：60-66．

冠動脈バイパス術

1. 上田裕一：新人ナースお助け号！ 術式別イラストで見える・わかる・動ける よく出会う心臓手術の術後ケア．ハートナーシング 2013；26（6）：5-54．
2. 日本循環器学会：虚血性心疾患に対するバイパスグラフトと手術術式の選択ガイドライン（2011年改訂版）．
http://www.j-circ.or.jp/guideline/pdf/JCS2011_ochi_h.pdf（2020.01.10アクセス）
3. 医療情報科学研究所編：病気がみえる vol.2 循環器 第4版．メディックメディア，東京，2017．

心臓弁膜症の外科的治療

1. 日本循環器学会：弁膜疾患の非薬物治療に関するガイドライン（2012年改訂版）．
http://www.j-circ.or.jp/guideline/pdf/JCS2012_ookita_h.pdf（2020.01.10アクセス）

大動脈疾患の外科的治療

1. 日本循環器学会：大動脈瘤・大動脈解離診療ガイドライン（2011年改訂版）．
http://www.j-circ.or.jp/guideline/pdf/JCS2011_takamoto_h.pdf（2020.01.10アクセス）
2. 田端実，讃井將満責任編集：特集 心臓血管外科 編．INTENSIVIST 2015；7（4）．
3. 道又元裕総監修，露木菜緒監修・解説：ICU3年目ナースのノート．日総研出版，愛知，2013．

血栓塞栓除去術

1. 日本循環器学会：末梢閉塞性動脈疾患の治療ガイドライン（2015年改訂版）．
http://www.j-circ.or.jp/guideline/pdf/JCS2015_miyata_h.pdf（2020.01.10アクセス）

循環器でよく使う略語

	略語	英文	日本語訳
A	AAA	abdominal aortic aneurysm	腹部大動脈瘤
	ABI	ankle brachial index	足関節上腕血圧比
	ABL	ablative therapy	アブレーション治療
	ACC	American College of Cardiology	アメリカ心臓病学会
	ACE	angiotensin converting enzyme	アンジオテンシン変換酵素
	ACS	acute coronary syndrome	急性冠症候群
	ACT	activated coagulation time	活性凝固時間
	ADH	antidiuretic hormone	抗利尿ホルモン
	AF	atrial fibrillation	心房細動
	AFL	atrial flutter	心房粗動
	AHA	American Heart Association	アメリカ心臓協会
	AHI	apnea hypopnea index	無呼吸低呼吸指数
	AMI	acute myocardial infarction	急性心筋梗塞
	ANP	atrial natriuretic peptide	心房性ナトリウム利尿ペプチド
	Ao	aorta	大動脈
	AOG	aortography	大動脈造影検査
	AP	angina pectoris	狭心症
	APC	atrial premature contraction	心房期外収縮
	APH	apical hypertrophic cardiomyopathy	心尖部肥大型心筋症
	APTT	activated partial thromboplastin time	活性化部分トロンボプラスチン時間
	AR	aortic [valve] regurgitation	大動脈弁逆流症、大動脈弁閉鎖不全症
	ARB	angiotensin Ⅱ receptor blocker（antagonist, inhibitor）	アンジオテンシンⅡ受容体拮抗薬（遮断薬、抑制薬）
	ARDS	acute respiratory distress syndrome	急性呼吸窮迫症候群
	AS	aortic [valve] stenosis	大動脈弁狭窄症
	ASD	atrial septal defect	心房中隔欠損症
	ASH	asymmetric septal hypertrophy	非対称性中隔肥大
	ASO	arteriosclerosis obliterans	閉塞性動脈硬化症
	AST	aspartate aminotransferase	アスパラギン酸アミノトランスフェラーゼ
	AT	atrial tachycardia	心房頻拍
	ATA	anterior tibial artery	前脛骨動脈
	ATP	adenosine triphosphate	アデノシン三リン酸
	AV	①arteriovenous ②atrioventricular	①動静脈 ②房室
	AVN	atrioventricular node	房室結節
	AVP	aortic valvuloplasty	大動脈弁形成術
	AVR	aortic valve replacement	大動脈弁置換術
	AVSD	atrioventricular septal defect	房室中隔欠損症
B	BE	bacterial endocarditis	細菌性心内膜炎
	BMI	body mass index	体格指数

	略語	英文	日本語訳
B	BMS	bare metal stent	ベアメタルステント
	BNP	brain natriuretic peptide	脳性ナトリウム利尿ペプチド
	BP	blood pressure	血圧
	BVS	bioresorbable vascular scaffold	生体吸収ステント、生体吸収性スキャフォールド
C	CABG	coronary artery bypass grafting	冠動脈バイパス術
	CAG	coronary angiography (arteriography)	冠動脈造影検査
	CAM-ICU	confusion assessment method for the ICU	ICUのためのせん妄評価法
	CAVB	complete (third degree) atrioventricular (AV) block	完全房室（[第]3度）ブロック
	CBC	complete blood count	全血球計算、末梢血球算定
	CCU	coronary care unit	冠動脈疾患集中治療室
	CFA	common femoral artery	総大腿動脈
	CHD	coronary heart disease	冠動脈疾患
	CHDF	continuous hemodiafiltration	持続的血液濾過透析
	CHF	①congestive heart failure ②chronic heart failure	①うっ血性心不全 ②慢性心不全
	CI	cardiac index	心係数
	CIA	common iliac artery	総腸骨動脈
	C[P]K	creatine [phospho] kinase	クレアチン[フォスフォ]キナーゼ
	CKD	chronic kidney disease	慢性腎臓病
	C[P]K-MB	creatine [phospho] kinase-MB	クレアチン[フォスフォ]キナーゼMB分画
	CLBBB	complete left bundle branch block	完全左脚ブロック
	CLI	critical limb ischemia	重症下肢虚血
	CO	cardiac output	心拍出量
	CP	chest pain	胸痛
	CPA	cardiopulmonary arrest	心肺停止
	CPAP	①continuous positive airway pressure ②nasal continuous positive airway pressure	①持続的気道陽圧法、持続的陽圧呼吸 ②鼻腔持続的陽圧呼吸
	CPX	cardiopulmonary exercise testing	心肺運動負荷試験
	CRBBB	complete right bundle branch block	完全右脚ブロック
	CRP	C-reactive protein	C反応性タンパク
	CRT	cardiac resynchronization therapy	心臓再同期療法
	CRT-D	cardiac resynchronization therapy with defibrillator	植込み型除細動器付き心臓再同期療法
	CSA	①coronary spastic angina ②central sleep apnea	①冠攣縮性狭心症 ②中枢性睡眠時無呼吸
	CT	computed tomography	コンピュータトモグラフィ、コンピュータ断層撮影[法]
	CTO	chronic total occlusion	慢性完全閉塞
	CTR	cardiothoracic ratio	心胸[郭]比
	CV	central vein	中心静脈
	CVP	central venous pressure	中心静脈圧

	略語	英文	日本語訳
C	CX	circumflex	回旋枝
D	DAA	dissecting aortic aneurysm	解離性大動脈瘤
	DAPT	dual antiplatelet therapy	抗血小板薬2剤併用療法
	DC	direct cardioversion	電気的除細動
	DCA	directional coronary atherectomy	方向性冠動脈粥腫切除術
	DCB	drug-coated balloon	薬剤コーティングバルーン
	DCM	dilated cardiomyopathy	拡張型心筋症
	DES	drug eluting stent	薬剤溶出ステント
	D-HCM	dilated phase hypertrophic cardiomyopathy	拡張相肥大型心筋症
	DIC	disseminated intravascular coagulation syndrome	播種性血管内凝固症候群
	DL	dyslipidemia	脂質異常症
	DM	diabetes mellitus	糖尿病
	DVT	deep venous vein thrombosis	深部静脈血栓症
E	EF	ejection fraction	左室駆出率
	EIA	external iliac artery	外腸骨動脈
	EPS	electrophysiologic study	電気生理学的検査
	ESC	European Society of Cardiology	ヨーロッパ心臓協会
	EVAR	endovascular aortic repair	腹部大動脈ステントグラフト内挿術
F	FA	femoral artery	大腿動脈
	FFR	fractional flow reserve	血流予備量比
	FV	femoral vein	大腿静脈
G	GEA	gastroepiploic artery	胃大網動脈
	GSV	great saphenous vein	大伏在静脈
H	HCM	hypertrophic cardiomyopathy	肥大型心筋症
	HF	heart failure	心不全
	HFpEF	heart failure with preserved ejection fraction	駆出率が保持された心不全
	HFrEF	heart failure with reduced ejection fraction	駆出率が低下した心不全
	HNCM	hypertrophic nonobstructive cardiomyopathy	非閉塞性肥大型心筋症
	HOCM	hypertrophic obstructive cardiomyopathy	閉塞性肥大型心筋症
	HR	heart rate	心拍数
	HT	hypertension	高血圧[症]
I	IABP	intra-aortic balloon pumping	大動脈内バルーンパンピング
	ICD	implantable cardioverter defibrillator	植込み型除細動器
	ICDSC	intensive care delirium screening checklist	成人患者のせん妄評価スケール
	ICU	intensive care unit	集中治療室
	IE	infectious endocarditis	感染性心内膜炎
	IHD	ischemic heart disease	虚血性心疾患
	ISDN	isosorbide dinitrate	イソソルビドジニトレイト、硝酸イソソルビド
	ISMN	isosorbide mononitrate	一硝酸イソソルビド
	IVC	inferior vena cava	下大静脈

	略語	英文	日本語訳
I	IVR	interventional radiology	放射線診断技術を用いた検査・治療
	IVST	interventricular septal thickness	心室中隔厚
	IVUS	intravascular ultrasound	血管内超音波［法］、血管内エコー法
J	JV	jugular vein	頸静脈
L	LAD	①left anterior descending coronary artery ②left axis deviation	①左冠動脈前下行枝 ②左軸偏位
	LAO	left anterior oblique position	左前斜位
	LAP	left atrial pressure	左房圧
	LBBB	left bundle branch block	左脚ブロック
	LCA	left coronary artery	左冠動脈
	LCX	left circumflex coronary artery branch	左冠動脈回旋枝
	LITA	left internal thoracic artery	左内胸動脈
	LMT	left main coronary trunk artery	左冠動脈主幹部
	LOS	low output syndrome	低心拍出量症候群
	LV	left ventricle	左心室
	LVA	lymphaticovenous anastomosis	リンパ管細静脈吻合術
	LVDd	left ventricular end-diastolic diameter dimension	左室拡張終末期径
	LVDs	left ventricular end-systolic diameter dimension	左室収縮終末期径
	LVEDP	left ventricular end-diastolic pressure	左室拡張終末期圧
	LVEF	left ventricular ejection fraction	左室駆出分画率
	LVG	left ventriculography	左室造影
	LVH	left ventricular hypertrophy	左室肥大
	LVP	left ventricular pressure	左室圧
	LVPW	left ventricular posterior wall	左室後壁厚
M	MAP	①mitral annuloplasty ②monophasic action potential	①僧帽弁輪形成術 ②単相性活動電位
	MI	myocardial infarction	心筋梗塞
	MIDCAB	minimally invasive direct coronary artery bypass	低侵襲冠動脈バイパス術
	MR	mitral [valve] regurgitation	僧帽弁逆流症、僧帽弁閉鎖不全症
	MRA	MR angiography magnetic resonance angiography	磁気共鳴血管造影［法］（MRアンギオグラフィ）
	MRI	magnetic resonance imaging	磁気共鳴像（イメージング）
	MS	mitral [valve] stenosis	僧帽弁狭窄症
	MVP	①mitral valve prolapse ②mitral valve plasty	①僧帽弁逸脱症 ②僧帽弁形成術
	MVR	mitral valve replacement	僧帽弁置換術
N	NSR	normal sinus rhythm	正常洞調律
	NSTEMI	non-ST (-segment) elevation myocardial infarction	非ST上昇［型］心筋梗塞
	NSVT	nonsustained ventricular tachycardia	非持続性心室頻拍
	NYHA	New York Heart Association	ニューヨーク心臓協会

	略語	英文	日本語訳
O	OCT	optical coherence tomography	光干渉断層法
	OMC	open mitral commissurotomy	直視下僧帽弁交連切開術
	OMI	old myocardial infarction	陳旧性心筋梗塞
	OPCAB	off-pump coronary artery bypass	体外循環非使用冠動脈バイパス術、オフポンプ冠動脈バイパス術、人工心肺非使用心拍動下冠動脈バイパス術
	OSA	obstructive sleep apnea	閉塞性睡眠時無呼吸
P	PA	pulmonary artery	肺動脈
	PAC	premature atrial contraction	心房期外収縮
	$PaCO_2$	arterial partial pressure of carbon dioxide	動脈血二酸化炭素分圧
	PAD	peripheral arterial disease	末梢動脈疾患
	PAF	paroxysmal atrial fibrillation	発作性心房細動
	PAFL	paroxysmal atrial flutter	発作性心房粗動
	PaO_2	arterial partial pressure of oxygen	動脈血酸素分圧
	PAP	pulmonary artery pressure	肺動脈圧
	PAT	paroxysmal atrial tachycardia	発作性心房頻拍
	PAWP	pulmonary artery wedge pressure	肺動脈楔入圧
	PCI	percutaneous coronary intervention	経皮的冠動脈インターベンション、経皮的冠動脈形成術
	PCPS	percutaneous cardiopulmonary support	経皮的心肺補助(法、装置)
	PDA	patent ductus arteriosus	動脈管開存症
	PE	pulmonary embolism	肺血栓症
	PEEP	positive end-expiratory pressure	呼気終末陽圧[呼吸]
	Pero.A	peroneal artery	腓骨動脈
	PH	pulmonary hypertension	肺高血圧[症]
	POAF	postoperative atrial fibrillation	術後心房細動
	POBA	percutaneous old balloon angioplasty	経皮的古典的バルーン血管形成術
	PS	pulmonary valve stenosis	肺動脈弁狭窄症
	PSVT	paroxysmal supraventricular tachycardia	発作性上室性頻拍
	PTA	percutaneous transluminal angioplasty	経皮的血管形成術
	PTAC	percutaneous transluminal aortic commissurotomy	経皮的大動脈弁交連切開術
	PTAV	percutaneous balloon aortic valvuloplasty	経皮的大動脈弁形成術
	PTCA	percutaneous transluminal coronary angioplasty	経皮的冠動脈形成術
	PTCR	percutaneous transluminal coronary recanalization (revascularization)	経皮[経管]的冠動脈血栓溶解療法
	PTE	pulmonary thromboembolism	肺血栓塞栓症
	PT-INR	prothrombin time-international normalized ratio	プロトロンビン時間国際標準比
	PTMC	percutaneous transluminal transvenous mitral commissurotomy	経皮的経静脈的僧帽弁交連切開術
	PTRA	percutaneous transluminal renal angioplasty	経皮的腎動脈形成術

	略語	英文	日本語訳
P	PTSMA	percutaneous transluminal septal myocardial ablation	経皮的中隔心筋焼灼
	PV	pulmonary [pulmonic] vein	肺静脈
	PVC	premature ventricular contraction	心室期外収縮
Q	Qp/Qs	pulmonary blood flow ratio/systemic blood flow ratio	肺体血流比
R	RA	①radial artery ②right atrium	①橈骨動脈 ②右心房
	RAO	right anterior oblique position	右前斜位
	RAP	right atrial pressure	右房圧
	RBBB	right bundle branch block	右脚ブロック
	RCA	right coronary artery	右冠動脈
	RCM	restrictive cardiomyopathy	拘束型心筋症
	RFCA	radiofrequency catheter ablation	高周波カテーテルアブレーション
	RHC	right heart catheterization	右心カテーテル法
	RITA	right internal thoracic artery	右内胸動脈
	RMI	recent myocardial infarction	亜急性心筋梗塞
	RR	respiration rate	呼吸数
	RVP	right ventricular pressure	右室圧
S	SAM	systolic anterior motion	収縮期前方運動
	SAPT	single anti-platelet therapy	単剤の抗血小板療法
	SAS	sleep apnea syndrome	睡眠時無呼吸症候群
	SBP	systolic blood pressure	収縮期血圧
	SFA	superficial femoral artery	浅大腿動脈
	SGC	Swan-Ganz catheter	スワンガンツカテーテル
	SIRS	systemic inflammatory response syndrome	全身性炎症反応症候群
	SpO_2	percutaneous oxygen saturation	経皮的動脈血酸素飽和度
	SSI	surgical site infection	手術部位感染
	SSS	sick sinus syndrome	洞不全症候群
	STEMI	ST [-segment] elevation myocardial infarction	ST上昇[型]心筋梗塞
	SV	stroke volume	１回拍出量
	SVC	superior vena cava	上大静脈
	SVI	stroke volume index	１回拍出量係数
	SvO_2	mixed venous oxygen saturation	混合静脈血酸素飽和度
	SVR	systemic vascular resistance	体血管抵抗
	SVRI	systemic vascular resistance index	体血管抵抗係数、全身血管抵抗係数
	SVV	stroke volume variation	１回拍出量の呼吸性変化
T	TA	①transapical approach ②tricuspid atresia	①経心尖アプローチ ②三尖弁閉鎖症
	TAA	thoracic aortic aneurysm	胸部大動脈瘤
	TAAA	thoracoabdominal aortic aneurysm	胸腹部大動脈瘤
	TAO	thromboangiitis obliterans	閉塞性血栓血管炎
	TAP	tricuspid annuloplasty	三尖弁輪縫縮術

	略語	英文	日本語訳
T	TAVI	transcatheter aortic valve implantation	経カテーテル大動脈弁植込み術
	TB	tuberculosis	結核[症]
	TEE	transesophageal echocardiography	経食道心エコー法
	TEVAR	thoracic endovascular aortic repair	胸部大動脈ステントグラフト内挿術
	TF	transfemoral approach	経大腿アプローチ
	TOF	tetralogy of Fallot	ファロー四徴症
	t-PA	tissue-plasminogen activator	組織プラスミノーゲンアクチベータ
	TPR	total peripheral resistance	全末梢血管抵抗
	TR	tricuspid [valve] regurgitation	三尖弁逆流症
	TRI	transradial coronary intervention	経橈骨冠動脈インターベンション
	TS	tricuspid [valve] stenosis	三尖弁狭窄症
	TTE	transthoracic echocardiography	経胸壁エコー法
	TVR	tricuspid valve replacement	三尖弁置換術
U	UAP	unstable angina pectoris	不安定狭心症
V	VAS	ventricular assist system	心室補助人工心臓、心室補助装置
	VF	ventricular fibrillation	心室細動
	Vf	ventricular flutter	心室粗動
	VO$_2$max	maximal oxygen uptake	最大酸素摂取量
	VSD	ventricular septal defect	心室中隔欠損症
	VT	①ventricular tachycardia ②tidal volume	①心室頻拍 ②１回換気量
	VTE	venous thromboembolism	静脈血栓塞栓症

索引（和文）

あ
アイゼンメンジャー症候群　161
亜急性心筋梗塞　73
アシデミア　276
アシドーシス　276
アセチルコリン　287
アダムス-ストークス症候群　95
アディポサイトカイン　50
アディポネクチン　50
アテローム動脈硬化　201,202
アドバンス・ケア・プランニング　18
アドヒアランス　14
アニオンギャップ　275
アルカレミア　276
アルカローシス　276
アルドステロン　58
アレンテスト　283
アンギオ装置　279
アンジオテンシンⅠ　58
アンジオテンシンⅡ　58
アンジオテンシンⅡ受容体拮抗薬　63
アンジオテンシン変換酵素　58
アンジオテンシン変換酵素（ACE）阻害薬　63

い
一時的ペースメーカ　309
インフレーション　322

う
植込み型除細動器　318
植込み型ペースメーカ　309
ウェンケバッハ型　94
右冠動脈　31,67
右脚　33,250
右脚ブロック　103
右室圧　267
右心カテーテル　284
右心カテーテルのアプローチ部位　266
右心室　29
右心不全　173,176
右心房　29
右房圧　267
ウロキナーゼ　233

え
運動負荷心電図　256
腋窩リンパ節　48
液性調節　42,44
壊死部位による分類　73
エルゴメーター法　256
遠心性肥大　167,169
延髄　42
エンドリーク　363
塩分制限　12

お
横隔膜神経　28
オスラー結節　138

か
外傷　213
ガイディングカテーテル　291
ガイドワイヤー　291
外膜　46
外来心臓リハビリテーション　22
解離性　206
解離性大動脈瘤　209,220
拡張型心筋症　152
拡張期血圧　56
拡張期雑音　249
拡張相肥大型心筋症　149
拡張不全　172
下行大動脈　204
下行大動脈置換　357
下行大動脈置換術　359
下肢エコー検査　260
ガス交換　24
仮性　206
下大静脈　29
下大静脈フィルター　229
活動電位　36
カテーテルアブレーション　307
カーニー症候群　51
仮面高血圧　59
下葉　246
カラードプラ法　259
カルシウム（Ca）拮抗薬　63,80
カルディオバージョン　318
冠危険因子　7
間欠性跛行　215
間質性浮腫　180
患者指導　11
冠状溝　32

冠静脈洞　31
感染症　345
感染性心内膜炎　137,144
完全房室ブロック　95
感度　310
冠動脈　31
冠動脈造影検査　285
冠動脈のAHA分類　67
冠動脈の灌流領域　67
冠動脈の構造　67
冠動脈バイパス術　350
貫壁性梗塞　73
冠攣縮性狭心症　66,68,71
冠攣縮薬物誘発試験　71,287
緩和ケア　17

き
機械弁　353
気管音　247
気管支肺胞音　247
偽腔　209
起座呼吸　175
喫煙　50,52,203
基本レート　310
奇脈　133,244
脚ブロック　103
逆流性雑音　249
逆行性アプローチ　302
求心性肥大　167,169
急性冠症候群　66,68
急性心不全　171
急性心膜炎　130,140
急性動脈閉塞症　213,222
弓部大動脈置換　357
弓部大動脈置換＋オープンステントグラフト　358
弓部大動脈置換術　358
胸管　48
狭心症　69,82,239,285
狭心痛　69
胸水　180
胸腹部大動脈置換術　357,359
胸腹部大動脈瘤　205
胸部大動脈ステントグラフト内挿術　362
胸部大動脈瘤　205
胸部誘導　251,252
胸膜摩擦音　247
局所性浮腫　243

索引		
局所調節	42,44	
虚血性心疾患	66,85	
緊急一時ペーシング	191	
筋原線維	34	
筋性動脈	46	
筋線維	34	
筋フィラメント	34	
筋ポンプ作用	227	

く

駆出期	38	
駆出性雑音	249	
クスマウル徴候	133	
グラフト	351	
クリニカルシナリオ分類	186	

け

経カテーテル大動脈弁植込み術	118,304	
経胸壁心エコー	257	
頸静脈怒張	243	
経上腕動脈アプローチ	283	
経食道心エコー	257	
経大腿動脈アプローチ	283	
経橈骨動脈アプローチ	283	
頸動脈エコー検査	260	
経皮的冠動脈形成術	290	
経皮的経静脈的僧帽弁交連切開術	112	
経皮的血管形成術	296	
経鼻的持続陽圧呼吸療法	240	
経皮的心肺補助法	192,328	
経皮的心房中隔欠損閉鎖術	298	
経皮的僧帽弁形成術	300	
経皮的大動脈弁形成術	118,302	
経皮的中隔心筋焼灼術	297	
血圧	55	
血液凝固能亢進	228	
血液浄化治療	192	
血管新生	44	
血管性高血圧	65	
血管内イメージング	288	
血管内障害	228	
血管内超音波検査	288	
血管吻合	47	
血行動態モニタリング	265	
血栓症	213	
血栓塞栓除去術	365	
血栓溶解療法	233	
結滞	39	
血糖異常	345	
血流停滞	228	
検脈指導	314	

こ

降圧目標	61	
降圧薬治療	63	
交感神経	43,57	
抗凝固療法	233	
高血圧	50,52,59,185,203,239	
高血圧緊急症	65	
高血圧症	54	
高血圧の基準	59	
抗血小板薬	79	
抗血栓薬	79,356	
交互脈	244	
後室間溝	32	
高速回転アテレクトミー	293	
拘束型心筋症	147	
行動変容ステージモデル	9	
高度房室ブロック	94	
抗頻拍ペーシング	318	
後負荷	40	
抗不整脈薬の分類	104	
抗利尿ホルモン	58	
呼吸音の聴診	246	
呼吸音の聴診部位	246	
呼吸機能障害	345	
呼吸性アシドーシス	276	
呼吸性アルカローシス	276	
固有心筋	33	
混合静脈血酸素飽和度	270	
コンプライアンス	14	

さ

最高血圧	56	
再構築	169	
最低血圧	56	
細動脈	46	
細動脈硬化	202	
サイトカイン	338	
再分極	36	
左脚	33,250	
左脚ブロック	103	
作業心筋	33	
左室圧	39	
左室駆出率	181	
左室造影検査	286	
左室内短縮率	181	
左室壁運動の評価	286	
左室壁のAHA分類	286	
左心カテーテル	282	
左心カテーテルの検査	285	
左心室	29	
左心不全	173	
左心房	28	
左房圧	39	
三尖弁	30,108	
三尖弁狭窄症	123	
三尖弁疾患	123	
三尖弁置換術	124	
三尖弁閉鎖不全症	123	
三尖弁輪縫縮術	124	

し

ジェーンウェー斑	138	
刺激伝導系	33	
自己拡張型人工弁	304	
自己調節	44	
脂質異常症	50,53,203	
脂質異常症治療薬	80	
四肢誘導	252	
シース	291	
シストリック アンローディング	323	
自動能	33,90	
尺側皮静脈	266	
収縮期血圧	56	
収縮期雑音	249	
収縮不全	172	
重症下肢虚血	216	
重炭酸イオン	275	
終動脈	47	
終末期ケア	17	
充満期	38	
絨腫	201	
粥状動脈硬化	201	
術後出血	341	
術後の意識障害	349	
術後の呼吸管理	348	
術後の循環動態の管理	346	
術後のドレーン管理	348	
術前の情報収集のポイント	336	
出力	310	
受容器	42	
循環器疾患の看護の経過	4	
循環調節機構と作用発現時間	44	
順行性アプローチ	302	

漿液性心膜	129	神経性調節	42	心不全	17,81,166,184,198,239	
上限レート	310	腎血管性高血圧	65	心不全急性期	193	
上行大動脈	29,204	心原性ショック	81,171	心不全の症状	174	
上行大動脈置換	357	人工心肺	334	心不全の病期	177	
上行大動脈置換術	358	人工心肺使用心拍動下冠動脈		心不全慢性期	196	
硝酸薬	78	バイパス術	350	深部リンパ節	236	
上室性頻拍	97	人工心肺非使用心拍動下冠動脈		心房細動	99,185	
小出血斑	138	バイパス術	350	心房粗動	99	
小循環	24	心雑音	249	心房中隔欠損症	160	
小心静脈	31	診察室血圧	59	心房ナトリウム利尿ペプチド	58	
上大静脈	29	心事故	355	心房頻拍	97	
漿膜	27	心室期外収縮	96	心膜	27,129	
静脈	45	心室細動	102	心膜炎	128	
静脈エコー	229	腎実質性高血圧	65	心膜腔	27,129	
静脈角	48	心室中隔欠損症	162	心膜剥離術	134	
静脈還流	41	心室中隔穿孔	81	**す**		
静脈血栓塞栓症	228	心室ナトリウム利尿ペプチド	58,179	垂直長軸断面	261	
静脈疾患	226	心室頻拍	101	水分制限	13	
静脈弁	46	心室瘤	81	水平長軸断面	261	
上葉	246	侵襲	337	水泡音	247	
食事療法	12	心周期	38	睡眠呼吸障害	185	
触診	244	心収縮力	40	睡眠時無呼吸症候群	238	
食道	28	真性	206	スモールステップ法	10	
除細動	318	腎性全身性線維症	264	スワンガンツカテーテル	265,284	
ショックの5P	171	心尖拍動	245	スワンガンツカテーテルの合併症		
徐脈	244	心尖部肥大型心筋症	149		267	
徐脈性不整脈	92	心臓骨格	27	スワンガンツカテーテルの適応		
徐脈頻脈症候群	93	心臓再同期療法	319		265	
心エコー検査	257	心臓サルコイドーシス	261	**せ**		
心音の聴取部位	248	心臓手術	334,337	静止電位	35	
心外膜	27,129	心臓手術の合併症	340	成人の先天性心疾患	158	
心外膜リード	310	心臓弁膜症	108,125,126,185	生体吸収ステント	292	
心拡大	167	心臓リハビリテーション	19	生体反応	337	
腎機能障害	343	心臓リモデリング	167,169	生体弁	353	
心胸比	180	身体障害者手帳	317	セラーズ分類	286	
心筋	27	心タンポナーデ	135	ゼロ点校正	272	
心筋血流予備量比	287	心電図	91	線維性心膜	27,129	
心筋梗塞	66,68,73,82,86,	心電図モニターの管理	254	前室間溝	32	
	185,201,285,341	心内腔	27	センシング	311	
心筋梗塞の心電図変化	75	心内膜	27,129	全身性炎症反応症候群	338	
心筋細胞	34	心内膜炎	128	全身性浮腫	243	
心筋疾患	146,155,156	心内膜リード	310	全身の血液分布	25	
心筋疾患の分類	147	心囊	27	全身のリンパ系	48	
心筋シンチグラフィ	261	心囊ドレナージ	136	先天性心疾患の看護の経過	164	
心筋生検	289	心拍出量	269,273	前負荷	40	
シングルチャンバ型	310	心破裂	81	せん妄	195,349	
シングルプレーン	279	心肥大	167	せん妄発症の因子	349	
心係数	269,274	深部静脈	227			
神経性因子	57	深部静脈血栓症	228,234,267			

そ

双極肢誘導	251
爪状出血斑	138
臓側心膜	27, 129
僧帽弁	30, 108
僧帽弁狭窄症	110, 354
僧帽弁狭窄症の重症度分類	111
僧帽弁形成術	354
僧帽弁置換術	354
僧帽弁閉鎖不全症	114, 354
僧帽弁閉鎖不全症の重症度分類	115
僧帽弁閉鎖不全症の評価	286
塞栓症	213
側副血行路	47
鼠径リンパ節	48
組織ドプラ法	259

た

ダイアストリックオーグメンテーション	323
退院支援	85, 125
体液性因子	57
体外式膜型人工肺	332
体血管抵抗係数	274
代謝性アシドーシス	276
代謝性アルカローシス	276
体循環	24
大循環	24
代償機転	40, 167
代償性抗炎症反応症候群	338
代償性心不全	167
大心静脈	31
大腿静脈	266
大動脈	204
大動脈圧	39
大動脈弓	204
大動脈造影検査	289
大動脈内バルーンパンピング	192, 322
大動脈弁	30, 108
大動脈弁狭窄症	117
大動脈弁狭窄症の重症度分類	118
大動脈弁置換術	119
大動脈弁閉鎖不全症	120
大動脈瘤	205, 218
大伏在静脈	351
ダイヤフラム面	246
たこつぼ心筋症	154

多段階負荷	256
脱分極	36
単一段階負荷	256
単極肢誘導	251
単光子放出型コンピュータ断層撮影	261
短軸断面	261
弾性動脈	46
断層心エコー法	259
断続性ラ音	247
短絡	159

ち

チアノーゼの分類	243
中心静脈	31
中心静脈圧	268
中心静脈圧の異常	268
中心性チアノーゼ	243
中枢神経系高血圧	65
中枢性睡眠時無呼吸症候群	238
中膜	46
中膜石灰化動脈硬化	202
中葉	246
聴診器のしくみ	246
直視下僧帽弁交連切開術	112, 354
陳旧性心筋梗塞	73

て

抵抗血管	46
低侵襲冠動脈バイパス術	350
低心拍出量症候群	340
ディマンド型	311
デフレーション	322
テベシウス静脈	31
デュアルチャンバ型	310
デルタ波	97
電解質異常	346
電気生理学的検査	284
電気的交互脈	135

と

洞（房）結節	33, 250
橈骨動脈	351
等尺性負荷	194
洞性徐脈	93
洞停止	93
糖尿病	50, 53, 185, 239
洞不全症候群	93
洞房ブロック	93
動脈	45

動脈圧波形	271
動脈管開存症	159
動脈血ガス分析	275
動脈血酸素分圧	275
動脈血酸素飽和度	275
動脈血二酸化炭素分圧	275
動脈硬化	201
動脈硬化の危険因子	203
動脈硬化のメカニズム	201
動脈弁	30
動脈ラインによる観血的血圧測定	271
等容性弛緩期	38
等容性収縮期	38
特殊心筋	33
特定医療機器登録制度	317
特定心筋症の分類	147
特発性心筋症	147
ドプラ法	259
トリガー	311
トレッドミル法	256
トロポニンT	76

な

内頸静脈	266
内分泌性高血圧	65
内膜	46

に

二次性高血圧	54, 65
二段脈	244
ニトログリセリン	78
入院時の基本的な情報収集項目	6
乳酸	275
乳び槽	48

ね

捻髪音	247

の

脳合併症	360
脳梗塞	360
嚢状動脈瘤	206
脳性ナトリウム利尿ペプチド	179
ノーリアスティーブンソン分類	187

は

肺うっ血	180
肺炎	345
肺血栓塞栓症	228, 231, 234, 267
肺高血圧症	110

肺循環	24			房室結節回帰性頻拍	97
肺静脈	29			房室束	250
肺水腫	180			房室中隔欠損症	159
肺動脈	29			房室弁	30
肺動脈圧	267			房室弁雑音	249
肺動脈楔入圧	267			房室弁のはたらき	31
肺動脈楔入圧の異常	268			房室弁閉鎖Ⅰ音	248
肺動脈破裂	267			紡錘状瘤	206
肺動脈弁	30,108			ポジトロン放出型断層撮影	261
肺動脈弁狭窄症	159			発作性上室性頻拍	97
バイプレーン	279			発作性夜間呼吸困難	174
肺胞音	247			ホーマンズ徴候	230
白衣高血圧	59			ホルター心電図	255
バソプレシン	58			ボーンウィリアムズ分類	104
ばち状指	243			本態性高血圧	54,60,64

ふ

ファロー四徴症	159
不安定狭心症	66,68,72
フィジカルアセスメント	242
フォガティカテーテル	365
フォレスター分類	187
フォンタン分類	215
負荷心筋シンチグラフィ	262
副交感神経	43,57
腹部大動脈	204
腹部大動脈ステントグラフト内挿術	362
腹部大動脈置換	357
腹部大動脈瘤	205
服薬アドヒアランス	14
浮腫の分類	243
不整脈	81,90,105,106,239,267,342
不整脈原性右室心筋症	147
フットケア	216
プラーク	201
フランク-スターリングの法則	41,167
プルキンエ線維	33,250
フロートラックセンサー	273

ま

膜電位	35
膜面	246
マスター2段階法	256
末期心不全	197
末梢血管抵抗	274
末梢性チアノーゼ	243
マルファン症候群	51
慢性完全閉塞病変	293
慢性冠動脈疾患	66,68
慢性収縮性心膜炎	133,142
慢性心不全	16,167,171
慢性心不全の予後	18
慢性閉塞性肺疾患	185

み

ミキシングゾーン	328
脈圧	56
脈拍測定	244

ひ

非ST上昇型急性冠症候群	68
皮下植込み型除細動器	321
光干渉断層法	288
非貫壁性梗塞	73
ビジレオモニター	273
ヒス束	33,250
肥大型心筋症	148
非代償性心不全	169
左回旋枝	31,67
左冠動脈	31,67
左後室静脈	31
左前下行枝	31,67
非閉塞性肥大型心筋症	149
肥満	50,53
肥満の定義	53
表在静脈	227
表在リンパ節	236
標準12誘導	251
標準肢誘導	251
貧血	185
頻脈	244
頻脈性不整脈	92

へ

ベアメタルステント	292
平均圧	56
閉塞性血栓血管炎	215
閉塞性睡眠時無呼吸症候群	238
閉塞性動脈硬化症	215,224
閉塞性肥大型心筋症	149
壁側心膜	27,129
ペーシング	311
ベースエクセス	275
ペースメーカ植込み術後の合併症	312
ペースメーカ治療	309
ペースメーカ手帳	315
ペースメーカの設定	310
ベル面	246
ベントール手術	355

む

無呼吸	238
無呼吸低呼吸指数	238
無症候性心筋虚血	69

め

メイズ手術	100
メタボリックシンドローム	53
メンケベルグ型硬化	202

ほ

方向性冠動脈粥腫切除術	293
放散痛	69
房室回帰性頻拍	97
房室結節	33,250

も

毛細血管	47
モード	310
モニター心電図	251
モビッツⅡ型	94

や
薬剤誘発性高血圧	65
薬剤溶出ステント	292

ゆ
疣腫	137

よ
容量血管	46
抑制	311
ヨード造影剤	263,281

ら
ラウン分類	96
ラクテート	275
ラプラスの法則	167

り
リエントリー	90
リスク因子	50,53
リードレスペースメーカ	320
利尿薬	63
リハビリテーション	86
リモデリング	169
瘤の形による分類	206
両心室ペーシング機能付き植込み型除細動器	319
両心室ペースメーカ	319
両心不全	173
リンパ管	48
リンパ系	48,236
リンパ系疾患	226
リンパ節	48
リンパ組織	48
リンパ浮腫	237
リンパ浮腫の症状	237
リンパ浮腫の分類	237

れ
レートコントロール	14
レニン-アンジオテンシン-アルドステロン系	44,58
レニン-アンジオテンシン系	44
レバイン分類	249
連続性副雑音	247
連続波ドプラ法	259

ろ
労作性（安定）狭心症	66,68,70
ロス斑	138

わ
ワゴトニー	294

索引（略語・欧文）

A
AAA	205
AAI	311
ACE	58
ACP	18
ACS	68
ADH	58
AF	99
AFL	99
AG	275
AHI	238
ANP	179
AOG	289
AP	39
APH	149
AR	120
ARB	63
ARVC	147
AS	117
ASD	160
ASH	148
ASO	215,298
AV delay	310
AV interval	310
AVNRT	97
AVR	119
AVRT	97
AVSD	159
A波	182

B
BE	275
BIPAP療法	240
BMI	12
BMS	292
BNP	179
Braunwald分類	72
BVS	292
Bモード	259

C
CABG	350
CAG	285
CAM-ICU	349
CARS	338
CI	274
CK	76
CK-MB	76
CLI	216
CO	274
COPD	185
CPAP	240
CRT	191,319
CRT-D	319
CRT-P	319
CSA	71
CSAS	238
CTO病変	293
CTR	180
CT検査	263
CVP	268

D
DAA	209
DCA	293
DCM	152
DDDペースメーカ心電図	311
DeBakey分類	209
DES	292
D-HCM	149
DT	182
DVT	228,267
Dモード	259

E
EPS	284
ESC	147
EVAR	362
E波	182

F
FFR	287
Fick法	269

H
HCM	148
HCO_3^-	275
HNCM	149
HOCM	149

I
IABP	192,322,331
IABPの禁忌とその理由	322
IABPの適応	322
ICD	318

ICDSC	349	
IE	137,144	
IHD	68	
IVUS	288	

L

Lac	275
LAD	31,67
LAP	39
LCA	31,67
LCX	31,67
LDLコレステロール	53
LITA	351
LMT	67
LOS	340
LVEFによる心不全分類	181
LVG	286
LVP	39

M

MIDCAB	350
mode	310
MR	114
MRI検査	264
MS	110
MVP	354
MVR	354
Mモード	259

N

NPPV	191
NSF	264
NSTE-ACS	68
NYHA心機能分類	178

O

OCT	288
OMC	354
OSAS	238
over damping波形	271
over shoot波形	271

P

$PaCO_2$	275
PAI-1	51
PaO_2	275
PAWP	267,268
PCI	290
PCIとCABGの適応	350
PCIのおもな合併症	294
PCPS	192,328
PCPSの禁忌	328
PCPSの適応	328
PDA	159
PET	261
pH	275
PS	159
PSVT	97
PTA	296
PTAV	118,302
PTE	228,231,267
PTMC	112
PTSMA	297
PVC	96
P波	250

Q

QRS波	250

R

RAP	268
RCA	31,67
RCM	147
RGEA	351
RITA	351
RVP	267

S

SaO_2	275
SAS	238
sensitivity	310
SGC	265
S-ICD	321
SIRS	338
SPECT	261
SSS	93
Stanford分類	209
SV	181,274
SVG	351
SVI	274
SvO_2	270
SVR	274
SVRI	274
SVT	97
SVV	274

T

TAA	205
TAAA	205
TAO	215
TAP	124
TAVI	118,304
TBI	283
TEE	257
TEVAR	362
TFI	283
TIMI リスクスコア	7
t-PA	233
TR（三尖弁閉鎖不全症）	123
TRI	283
TS	123
TTE	257
TVR	124
T波	250

U

under damping波形	271

V

V-A ECMO	328
VDD	311
VF	102
VOO	311
VSD	162
VT	101
VTE	228
V-V ECMO	332
VVIペースメーカ心電図	311

W

WPW症候群	97

索引（数字ほか）

I音	248
I度房室ブロック	94
II音	248
II度房室ブロック	94
III音	248
III度房室ブロック	95
1回拍出量	181,274
1回拍出量係数	274
1回拍出量変化	274
3点誘導	251
5つのP	213
12誘導心電図	252
β遮断薬	63,80

本書は、『本当に大切なことが1冊でわかる循環器』（2019年4月8日第1版第1刷発行）の一部を修正し、「第2版」としたものです。

本当に大切なことが1冊でわかる
循環器［第2版］

2019年4月8日　第1版第1刷発行	編　著	新東京病院 看護部
2020年3月4日　第2版第1刷発行	発行者	鈴木　由佳子
2025年3月10日　第2版第7刷発行	発行所	株式会社 照林社
		〒112-0002
		東京都文京区小石川2丁目3-23
		電話　03-3815-4921（編集）
		03-5689-7377（営業）
		https://www.shorinsha.co.jp/
	印刷所	大日本印刷株式会社

● 本書に掲載された著作物（記事・写真・イラスト等）の翻訳・複写・転載・データベースへの取り込み、および送信に関する許諾権は、照林社が保有します。
● 本書の無断複写は、著作権法上での例外を除き禁じられています。本書を複写される場合は、事前に許諾を受けてください。また、本書をスキャンしてPDF化するなどの電子化は、私的使用に限り著作権法上認められていますが、代行業者等の第三者による電子データ化および書籍化は、いかなる場合も認められていません。
● 万一、落丁・乱丁などの不良品がございましたら、「制作部」あてにお送りください。送料小社負担にて良品とお取り替えいたします（制作部　0120-87-1174）。

検印省略（定価はケースに表示してあります）
ISBN978-4-7965-2481-0
©Shintokyobyoinkangobu/2020/Printed in Japan

第1章

循環器でよくみる症状

循環器疾患でよくみる
症状と対応のポイントを
まとめました。

胸痛

- 胸痛とは、胸部の不快感・圧迫感・絞扼感・激痛などの総称である。緊急を要することが多く、**ショック症状がみられた場合はすみやかに救命処置**を行う。

表 緊急対応が必要な胸痛をきたす代表的な疾患

急性心筋梗塞	●**激しい胸痛が20分以上持続し、硝酸薬でも改善しない** ●放散痛(顎、腕、左肩)、冷汗、嘔吐、呼吸困難がある ●肺野での湿性ラ音(急性左心不全)、過剰心音(Ⅲ・Ⅳ音) ●心電図変化(T波増高、ST上昇、異常Q波)
急性大動脈解離	●**突然の胸背部の激痛**(心電図の変化はない) ●解離の進行で**痛みの部位が移動**する ●著明な高血圧、血圧の左右差がある ●心タンポナーデ、喀血、出血性ショックを呈する場合がある ●偽腔の部位で周辺臓器に症状がある(頭痛、腹痛、肝不全、腎不全)
急性肺塞栓症	●突然の呼吸困難、胸痛、低酸素血症 ●手術後、長期臥床後の起立や歩行開始時に発症しやすい ●重症では失神、心停止をきたす ●DVT徴候(下肢の腫脹、疼痛、ホーマンズ徴候)がある

表 対応のポイント

ショック症状がある	●すみやかに救命処置を行う(ショック症状はP.10参照)
急性心筋梗塞	●検査(血液検査、心電図、X線撮影) ●すみやかに再灌流治療(PCI、血栓溶解療法、CABG)
急性大動脈解離	●検査(血液検査、X線撮影、造影CT) ●Stanford A型解離→緊急手術 ●Stanford B型解離→保存的治療(血圧コントロール、安静)
急性肺塞栓症	●検査(血液検査、X線撮影、造影CT、肺動脈造影、CAG) ●循環虚脱、心停止時はPCPS ●抗凝固療法、下大静脈フィルターの留置

図 ホーマンズ徴候

背屈

膝を伸展させる、または下肢を伸展させた状態で足関節を背屈すると、腓腹部に痛みが生じる

動悸

- 動悸とは、患者自身が心臓の拍動やその乱れを自覚した症状である。
- **不整脈**で生じることが多いが、動悸だけで心疾患の判断をすることは困難である。

表 自覚症状と疑うべき不整脈

症状		疑うべき不整脈
脈拍の結滞(規則正しい脈拍が途切れる、不規則になる) 心臓が一瞬つまづく ドキッとする感じがする		●期外収縮(心房性、心室性)の散発
〈頻脈性〉 脈が速い、ドキドキする 急にドキドキして急に治まることがある 脈拍の間隔・強さが規則的または不規則である	規則的	●発作性上室性頻拍(PSVT) ●心房粗動(AFL) 　＊不規則の場合もある ●心室頻拍(VT) ●洞性頻脈
	不規則	●心房細動(AF)
〈徐脈性〉 脈が遅い(50回/分以下) ふらつき、失神症状		●洞不全症候群(SSS) ●房室ブロック ●心房細動(AF)

表 対応のポイント

- 12誘導心電図による不整脈の解析
- 原因の検索(既往歴、血液検査、X線撮影、心電図)
- 合併している症状(循環不全、呼吸不全)への対応→救命処置、酸素投与、補液

※不整脈以外で動悸を自覚する代表的な疾患:心不全、高血圧、貧血、発熱、甲状腺機能亢進症、交感神経興奮(低血糖)、過換気症候群など

呼吸困難

- 呼吸困難とは、不快感、努力感を伴う呼吸が必要と自覚することである。原因疾患の頻度は心疾患が10%、呼吸器疾患が75%といわれている。

表 緊急対応が必要な疾患

急性左心不全 (心筋梗塞、心不全急性増悪)	●起座呼吸、夜間発作性呼吸困難 ●心臓喘息(喘鳴) ●急性肺水腫(ピンク泡沫痰)
急性肺塞栓症	●突然の胸痛と呼吸困難 ●咳嗽、血痰、喘鳴 ●多呼吸、頻脈、発熱

※循環器疾患以外では、緊張性気胸、上気道閉塞(気道異物、喉頭浮腫)、下気道閉塞(肺気腫、COPD、気管支喘息)などがある。

表 対応のポイント

- 意識障害、生命の危機にある場合は救命処置
- 気道確保、酸素投与、陽圧換気サポート(バッグバルブマスクまたはジャクソンリースによる用手換気、NPPV含む人工呼吸器)
- 安楽な体位にする(ギャッチアップ)
- 各種検査(血液検査、X線撮影、心エコー、CTなど)から原因検索

チアノーゼ

- チアノーゼとは、酸素と結合していないヘモグロビン(還元ヘモグロビン)が **5g/dL以上に増加した場合に、皮膚、口唇、爪床、耳朶、口腔粘膜などが青紫色〜暗赤色になる状態**をいう。
- チアノーゼの出現は還元ヘモグロビン量によるため、貧血や大量出血患者ではチアノーゼは出現しにくい。

表 おもなチアノーゼの種類

	病態	出現部位
中心性チアノーゼ 肺の異常(呼吸不全)でみられる	血液が心臓から大動脈に送り出される時点で、還元ヘモグロビン量が多い(動脈血酸素飽和度は低下している)	全身の皮膚・粘膜、口腔粘膜
末梢性チアノーゼ 心臓の異常(心不全)による心拍出量低下の場合にみられる	血液が心臓から出た時点では酸素を十分含んでいるが、末梢循環障害(閉塞・狭窄)により、血液が末梢にいくまでに酸素が消費され、末梢組織酸素不足が生じる	四肢末端、顔面、口腔粘膜には生じない

循環器疾患でチアノーゼが出現した場合、まず心原性ショックではないか確認しましょう

緊急対応が必要な状態(心原性ショック)

- SpO_2 ↓
- 尿量↓(20mL/時間以下)
- 脈が弱くて速い
- 意識障害(JCS 2桁以上またはGCS10点以下)
- 四肢冷感
- 血圧低下(収縮期圧90mmHg以下または基礎値より30mmHg以下)

対応のポイント

心原性ショックが考えられる場合は、すみやかにショックに対する治療を行う

処置・治療	●点滴ルートを確保して補液(循環血液量を増やす) ●酸素投与、人工呼吸器の管理(酸素飽和度の改善) ●安静・安楽な姿勢をとる(酸素消費と呼吸仕事量の抑制)
検査	●血液検査 ●X線撮影、CT、心エコー ●動脈血ガス分析

めまい、失神

- めまいには、自分や周囲がグルグル回るように感じる回転性めまいと、体がグラグラ揺れる・フワフワ感じる非回転性めまいがある。
- 失神は一過性の意識消失のことである。
- 循環器疾患のめまいや失神は、非回転性めまいの中の失神性めまいが多い。不整脈や心臓弁膜症による心拍出量の低下、起立性低血圧が原因で心拍出量の低下、脳虚血が起こり失神や失神前暗黒感を自覚する。
- β遮断薬投与によって徐脈になり、めまいや失神を起こす場合もある。

表 めまい、失神を起こすおもな循環器系疾患

- 洞不全症候群(SSS)
- 心房細動(AF)
- 心室細動(VF)
- 起立性低血圧
- アダムス-ストークス症候群*
- 房室ブロック
- 心室頻拍(VT)
- 本態性高血圧症
- 心臓弁膜症

*一過性の不整脈により、心拍出量が激減して脳への血流不足となり、そのために出現する一過性の失神発作をいう(SSS、完全房室ブロック)

表 対応のポイント

めまいがある	●随伴症状（動悸、頭重感、悪心、不安など）の観察
意識障害がある	●すみやかに救命処置
嘔吐やけいれんがある	●気道確保 ●誤嚥、窒息に注意
致死性不整脈	●救急蘇生 ●除細動

表 検査・治療・看護のポイント

検査	●12誘導心電図や心電図モニター装着（不整脈の解析を行う） ●血液検査、X線撮影、心エコー
治療	●一時的ペーシング（徐脈） ●除細動（AF、VT、VF） ●血圧コントロール ●薬剤調整（β遮断薬、降圧薬など）
看護	●安全・安楽な姿勢（ベッドでの臥床、必要時下肢挙上） ●原因となる背景疾患（既往歴の有無）を確認する ●何をきっかけにめまい、失神発作を起こしたかを患者さんまたは家族から聞く

ショック

- ショックとは、**生命の危機的状態にある急性の循環障害**である。生体に対する侵襲あるいは侵襲に対する生体反応の結果、重要臓器の血流が維持できなくなり、細胞の代謝障害や臓器障害が起こる。
- 症状からショックの原因を予測し、対応する。
- warm shockとは**敗血症ショックの初期症状**で、心拍出量は多く、動静脈血管が拡張し、皮膚が温かい状態である。
- cold shockとは、**敗血症が進行して心拍出量が減少**し、末梢血管が収縮した状態である。

図 ショックの5P（ショックにみられる症状）

①蒼白（pallor）
交感神経の緊張により、末梢血管が収縮して起こる

④冷汗（perspiration）
⑤呼吸障害
（pulmonary insufficiency）

②虚脱（prostration）
ぐったりしている

③脈が触れない（pulselessness）
脈が微弱で速い

表 ショックの種類

種類		おもな原因	所見		
			心拍出量	中心静脈圧（CVP）	末梢血管抵抗
循環血液量減少性ショック		●大量出血 ●脱水 ●熱傷	↓	↓	↑
心原性ショック		●心筋梗塞 ●心臓弁膜症 ●心筋炎など	↓	↑	↑
心外閉塞・拘束性ショック		●緊張性気胸 ●心タンポナーデ ●肺血栓塞栓症	↓	↑	↑
血液分布異常性ショック	敗血症性ショック	●敗血症	↑ (hyperdynamic)	↓	↓
	神経原性ショック	●激痛 ●麻酔 ●迷走神経反射	↓	↓	↓
	アナフィラキシーショック	●アレルギー（薬剤、食物、昆虫毒など）に伴う血管拡張	↓ ※起こり方は一定ではない	↓	↓

浮腫

- 浮腫とは、**体液量のバランスが崩れ、細胞外液量(特に組織間液)が過剰に増加した状態**である。
- 循環器疾患では静脈圧の上昇により、血漿成分が間質に過剰に押し出され、浮腫を生じていることが多い。
- 浮腫は**全身性浮腫**と**局所性浮腫**に分けられ、全身性浮腫で心疾患が原因のものを**心臓性浮腫**という。

表 循環器領域でみられる浮腫のおもな原因

心疾患	●心不全の増悪(右心不全)　●心筋梗塞　●心臓弁膜症　●心筋炎　●心膜炎　●先天性心疾患
肺血流障害	●肺塞栓症　●慢性閉塞性肺疾患(肺高血圧を伴う)

表 対応のポイント

観察・問診	●浮腫の部位・程度　●体重増加量　●尿量 ●入院までの生活状況(食事、内服状況)
検査	●血液検査(BUN、Cr、AST、ALT、BNP) ●X線撮影、CT、心エコー　●CAG
治療	●薬物療法(利尿薬、心不全治療薬) ●手術(開心術、経カテーテル治療)

第2章
循環器の疾患

循環器でよく出合う
疾患のポイントを
まとめました。

虚血性心疾患（IHD）

表 虚血性心疾患の分類（IHD分類）

	慢性冠動脈疾患	
	労作性（安定）狭心症	冠攣縮性狭心症（CSA）
病態	動脈硬化などが原因で一過性に心筋虚血に陥る（アテローム）	冠動脈の攣縮によって一過性に心筋虚血に陥る（ST上昇を伴うものを異型狭心症という）
症状の持続時間	3〜5分程度	数分〜15分程度
特徴	●ニトログリセリンが有効 ●労作で誘発され、安静にすることで症状が消失する	●ニトログリセリンが有効 ●夜間から早朝に多い ●喫煙者や常習飲酒者に多い ●カルシウム拮抗薬が有効
心筋マーカー	上昇なし	上昇なし（重度なスパズムでは上昇することあり）
心電図変化	●発作時にST↓	●発作時にST↑またはST↓
検査	●心臓核医学検査（心筋血流シンチグラフィ） ●運動負荷心電図 ●心臓・冠動脈CT検査 ●心臓カテーテル検査	●ホルター心電図 ●冠攣縮薬物誘発試験

●虚血性心疾患は発症時期や原因によって4つに分けられる。

	急性冠症候群（ACS）	
	不安定狭心症（UAP）	心筋梗塞（MI）
	アテロームが破綻し、血栓が形成され狭窄が生じる 注意 心筋梗塞に移行しやすい	アテロームが破綻し、血栓による内腔の完全閉塞が生じる
	数分〜20分程度	20分以上〜数時間
	●ニトログリセリンが有効（高リスクの場合は無効） ●安静や労作時に関係なく症状が起こる	●ニトログリセリンは無効 ●激しい胸の痛み
	上昇なし、または軽微な上昇（心筋梗塞に移行していたら上昇あり）	上昇あり
	●ST↓（非ST上昇型急性冠症候群）	●ST・T波↑ ●異常Q波 ●冠性T波
	●血液検査 ●心臓カテーテル検査 ●心臓・冠動脈CT検査	●血液検査 ●心臓カテーテル検査

表 虚血性心疾患（急性心筋梗塞）の看護の経過

	発症から入院・診断	入院直後
患者さんの症状	●胸痛（絞扼感、重苦しさ） ●放散痛（左肩～左上肢、歯、顎） ●心窩部痛 ●呼吸困難感 ●悪心・嘔吐 ●胃部不快感 ●動悸 ●意識混濁、冷汗	
検査	●血液検査 ●胸部X線 ●12誘導心電図、ホルター心電図 ●心音の聴診 ●心エコー ●心臓カテーテル検査 ●心臓核医学検査 ●冠動脈造影CT	●血液検査 ●胸部X線 ●12誘導心電図 ●心エコー
治療	●酸素投与 ●薬剤投与（硝酸薬、抗血小板薬など）	●緊急カテーテル治療（PCI） ●大動脈内バルーンパンピング（IABP） ●経皮的心肺補助装置（PCPS）
看護	**観察** ●意識レベルの確認 ●胸痛の程度（CP＝○/10） ●バイタルサイン（体温、血圧、SpO₂など） ●呼吸の状態（音、左右差、患者さんの体位） ●ポンプ失調に伴う心不全・心原性ショックの症状 ●頸静脈怒張の有無 ●尿量（利尿薬に対する反応） **ケア** ●安楽な体位の工夫 ●症状軽減に努める ●患者さん・家族の不安軽減 ●食事摂取・飲水制限についての説明 ●治療により安静が必要な場合、食事がとれないことがあります。また、心不全を合併している場合、医師より飲水制限の指示を受けることがあります。	**観察** ●心不全症状の有無（体重増加、浮腫、呼吸困難など） ●不整脈症状の有無 ●デバイス挿入した際はデバイス挿入時の看護に準ずる **ケア** ●入院前の生活について聴取する ▷職業 ▷家族背景 ▷食生活 ▷病気に対する思い ▷治療中の苦痛、不安の受容、傾聴

急性期	一般病棟	自宅療養(外来)に向けて
	退院後まで症状は続きます	
	●内服コントロール ●安静度の拡大(リハビリテーション)	●内服、食事療法の調整
	観察 ●リハビリテーションや食事などの心負荷時の症状 ●心電図変化の有無 **ケア** ●病気に対する受け入れ状況の確認 ●退院指導 ▷病識の確認 ▷セルフモニタリング(血圧、体重)のため心不全(血圧)手帳配布 ▷バイタルサイン・体重の記録を本人に記載してもらう ▷食事療法(塩分・カロリー制限) ▷内服薬の必要性 ●症状増悪時の対処行動について説明(このとき病院の電話番号も患者さんへ知らせておく)	**観察** ●バイタルサイン ●浮腫 ●尿量 ●体重(目標体重を医師へ確認) **ケア** ●セルフモニタリングが退院後継続してできるか確認(必要時は家族へ協力依頼) ●バイタルサイン・体重の数値を解釈できているか確認 ●身体状況、ADLに合わせた退院支援開始(介護サービスの利用) **外来** ●患者さんの身体所見の評価 ●入院中に指導介入した点ができているか確認し、必要時、再度指導介入

本編 ➡ P.90

不整脈の分類

- 不整脈とは、正常な刺激伝導系とは別の部位で刺激が発生し、心臓での電気的興奮の発生や伝播に異常が生じている状態である。
- 不整脈には、徐脈性不整脈(心拍数が60回/分未満)と頻脈性不整脈(心拍数が100回/分以上)がある。ほかに、必ずしも心拍異常を伴わない不整脈として、早期興奮症候群(WPW症候群、P.21)と脚ブロックがある。

表 おもな頻脈性不整脈の鑑別

	P波	QRS波	RR間隔
発作性上室性頻拍(PSVT)	心房由来	幅は狭い	整
心房細動(AF)	f波(不規則な基線の揺れ、P波がはっきりしない)	幅は狭い	不整
心房粗動(AFL)	F波(鋸歯状)	幅は狭い	整 or 不整
心室頻拍(VT)	不明瞭(QRS波に重なるときがある)	幅は広い	整
心室細動(VF)	幅・形ともまったく不定		

洞不全症候群(SSS)

本編 → P.93

- 洞結節における自動能の低下または洞房伝導の障害によって生じる徐脈性不整脈である。
- 一般的に、心停止時間が3～5秒前後であればめまいの症状が、5～10秒前後になると失神、けいれんが現れる。
- 徐脈性不整脈の治療の要・不要は、自覚症状の有無によって決定されるため、症状の確認が重要である。

図 洞不全症候群(SSS)の心電図波形

Ⅰ型　洞性徐脈(心拍数<50回/分)　　　Ⅱ型　洞停止

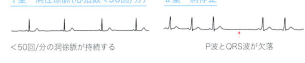

<50回/分の洞徐脈が持続する　　　　　P波とQRS波が欠落

Ⅱ型　洞房ブロック

PP間隔が基本調律の整数倍となる

Ⅲ型　徐脈頻脈症候群

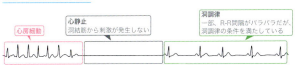

心房細動

心静止
洞結筋から刺激が発生しない

洞調律
一部、R-R間隔がバラバラだが、洞調律の条件を満たしている

房室ブロック

本編 →P.94

- 心房−心室間の興奮伝導障害で生じる。
- **アダムス-ストークス症候群**に注意が必要である。

表 房室ブロックの種類

Ⅰ度房室ブロック		●PQ時間が0.20秒以上延長するもの **図 Ⅰ度房室ブロックの心電図波形** 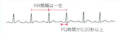 RR間隔は一定／PQ時間が0.20秒以上
Ⅱ度房室ブロック	ウェンケバッハ型	●心房から心室までの伝導時間が徐々に延長したあと、伝導が途絶える **図 ウェンケバッハ型の心電図波形** PQ間隔が徐々に延長
	モビッツⅡ型	●伝導時間は一定のまま突然伝導が消失する ●ペースメーカ適応となる **図 モビッツⅡ型の心電図波形** 突然QRS波が欠落（PP間隔、PQ間隔は一定）
高度房室ブロック		●心房の興奮が2回以上連続で心室に伝導しない状態。ヒス束以下に伝導能障害があり、完全房室ブロックの一歩手前で、ペースメーカ適応となる
Ⅲ度房室ブロック（完全房室ブロック）		●PP間隔一定、RR間隔一定だが、PR間隔は不規則 ●ペースメーカ適応となる **図 Ⅲ度房室ブロックの心電図波形** 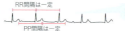 RR間隔は一定／PP間隔は一定／PR間隔は不規則

本編 →P.97

発作性上室性頻拍（PSVT）

- 心房ないし房室結合部に興奮発生部位を有する頻拍である（100回/分以上）。
- 房室回帰性頻拍（AVRT）と房室結節回帰性頻拍（AVNRT）の２つがあり、これらで発作性上室性頻拍の約90％を占める。

図 房室回帰性頻拍（AVRT）の心電図波形

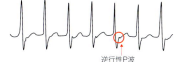

逆行性P波

▷ 逆行性P波が特徴。

図 房室結節回帰性頻拍（AVNRT）の心電図波形

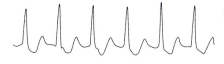

▷ RR間隔は規則ただしく、QRS波は幅が狭くなるのが特徴。

【WPW症候群】

- AVRTの原因となるのがWPW（ウォルフ・パーキンソン・ホワイト）症候群である。

図 WPW症候群の心電図波形

デルタ（Δ）波

▷ PQ間隔が短く、QRS幅が長くなり、QRS波の起始部がゆっくり斜めに上昇する三角形状のデルタ波を認める。

心房細動(AF)／心房粗動(AFL)

【心房細動(AF)】
- 心房の各部分の無秩序な電気的興奮により、心房の細かな興奮が心室へ不規則に伝導するため、心室のリズムも不規則になる不整脈である。
- 心房細動があると、心房内に血栓を形成しやすく、脳などに塞栓症を起こす場合もある。

【心房粗動(AFL)】
- 心房細動と同様、心房の運動が活発になっている状態だが、心房粗動では心房と心室は規則的に活動している。

【対応】
- 頻拍のため血行動態が悪化している場合は、電気的除細動を行って洞調律に回復させる。

図 心房細動(AF)の心電図波形

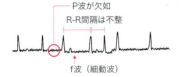

▷ RR間隔の不整、P波の欠如、基線の細かい動揺が特徴。

図 心房粗動(AFL)の心電図波形

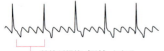

▷ 規則正しいRR間隔、規則正しいF波、幅の狭いQRS波が特徴。

本編 →P.101

心室頻拍(VT)

● 心室頻拍(VT)では、心室で連続かつ速いレートで刺激が発生し、心室のみの空打ちとなるため、有効な血液の駆出ができなくなる。

図 心室頻拍(VT)の心電図波形

▷ 心室起源の興奮が100回/分以上のレートで3つ以上連続して出現する。幅の広いQRS波がほぼ規則的に出現する。

本編 →P.102

心室細動(VF)

● 心室の各所が無秩序に興奮し、心臓がポンプとしての機能を失ってしまった状態である。心室細動は心停止の1つで、細動開始直後に意識は失われ、5分以上持続すると脳に不可逆的変化を生じるため、迅速な対応が必要である。

図 心室細動(VF)の心電図波形

▷ P-QRS-T波は区別できなくなり、基線が不規則に揺れるのみとなる。

表 不整脈の看護の経過

	発症から入院・診断	入院直後
患者さんの症状	●動悸→不安 ●頻脈による心不全症状 【特に注意が必要な症状】 ●アダムス・ストークス症候群 　▷めまい 　▷眼前暗黒感 　▷失神 　▷けいれん ●心停止時間のめやす：3〜5秒前後でめまい、5〜10秒前後で失神、けいれんが現れるといわれている	徐脈で一時的ペースメーカが挿入されていない場合、頻脈停止直後
検査	●血液検査 ●心電図 ●ホルター心電図 ●胸部X線 ●心エコー など	●致死性不整脈、高度の徐脈の場合は蘇生後、原因検索として冠動脈造影（CAG）の実施
治療	●致死性不整脈に対してはCPR ●高度な徐脈に対しては一時的ペースメーカを挿入 ●発作性心房細動（PAF）にはDCを使用する場合もある ●薬剤投与	●薬物療法 ●ペースメーカ挿入術 ●アブレーション治療 ●CAGの結果、虚血性心疾患が原因の場合は経皮的冠動脈インターベンション（PCI）など など
看護	観察 ●意識レベル ●脈拍触知の有無 ●呼吸の有無 ●バイタルサイン ●症状 ●精神状態 など ケア ●致死性不整脈に対してはCPR ●患者さん・家族への精神的援助	観察 ●バイタルサイン ●心電図モニターの確認 など ケア ●検査・治療に対するオリエンテーションを行い、患者さんの不安軽減に努める

急性期	一般病棟	自宅療養(外来)に向けて
	心房細動や心房粗動の場合は、脳梗塞などの全身性塞栓症の二次的なリスクが高くなるので退院指導が大切です	
【ペースメーカ挿入術】 ● 術後、定期的に採血、胸部X線撮影、心電図検査を行う 【カテーテルアブレーション】 ● 心電図モニターの装着 ● 経食道エコーを行う場合もある	退院までモニター管理	
観察 ● バイタルサイン ● 心電図モニターの確認など ● 創部・刺入部の観察 **ケア** ● ペースメーカを挿入した場合は本編P.312参照 ● カテーテルアブレーションの場合は本編P.307参照。アブレーション治療は鎮静をかける場合もあるため、術後の鎮静状態の確認が必要	**ケア** ● ペースメーカ挿入側の腕は、肩より上に挙上させないように伝える	**ケア** ● 定期的に外来受診が必要となる ● 退院指導 　検脈を習慣づけるように指導する 　バランスのとれた食生活を送るように指導する 　服薬指導 　ペースメーカを挿入した場合は本編P.313参照 　心不全は本編P.196参照 　虚血性心疾患は本編P.85

2 不整脈の看護の経過

心臓弁膜症

本編 →P.108

	僧帽弁狭窄症(MS)	僧帽弁閉鎖不全症(MR)
病態	●僧帽弁の狭窄により左心房から左心室に血液が流れにくいため、左心房内に血液がうっ滞し、圧が上昇、左心房が拡大する ●左房圧の上昇により、肺静脈圧が上昇して肺高血圧症が起こる	●僧帽弁が完全に閉じなくなるため、左心室から左心房への血液が逆流する ●そのため左心房、左心室ともに容量負荷となり、左心房が拡大する ●収縮期には左房圧が上昇することで肺うっ血、肺高血圧、肺水腫が生じることがある ●拡張期には、左心室の容量負荷がかかり、左心室が拡大する
症状	●労作時の呼吸困難、動悸、不整脈 ●心不全症状や血栓塞栓症を起こすことがある	●MRによる逆流が軽症から中等度の場合、無症状で経過することが多い ●高度では心房細動の出現、肺うっ血が生じた場合、労作時の息切れや呼吸困難、左室機能低下による易疲労感が出現する
検査	●聴診 ▷Ⅰ音の僧帽弁の開放音の亢進 ▷心尖部拡張期ランブル音や心尖部前収縮雑音 ●心エコー ▷僧帽弁の狭窄など ●胸部X線 ▷肺うっ血など ●心電図 ▷心房細動など	●心エコー ●理学的所見 ●心音聴取 ●X線撮影 ●心電図検査 ●心臓カテーテル検査 ●感染性心内膜炎予防のため、口腔内の清潔を保つため歯科受診も大切
治療	●心不全と心房細動に対する薬物療法 ●カテーテル治療(PTMC) ●外科的治療(OMC、MVR)	●薬物療法 ●僧帽弁形成術、弁輪形成術 ●僧帽弁置換術 ●経皮的僧帽弁接合不全修復術

- 心臓弁膜症は、心臓の弁のはたらきが悪くなった状態をいい、弁が開きにくいことで血液が流れにくくなる狭窄症と、閉じ切らないことで血液が逆流する閉鎖不全症、その両方が合併する狭窄症兼閉鎖不全症がある。

大動脈弁狭窄症（AS）	大動脈弁閉鎖不全症（AR）
●大動脈弁が開きにくく血液が通過しにくい状態で、左心室に圧負荷がかかるため、左心室の心筋壁が厚く、内腔も狭くなり、求心性に肥大する ●左心室の求心性肥大により、1回拍出量が低下。肥大したぶん、収縮力も弱まる	●急性大動脈弁閉鎖不全症：感染性心内膜炎や大動脈解離がおもな原因で、急激な容量負荷によって左心室の圧も急激に高まるため、急性左心不全や肺水腫、心原性ショックなどに移行 ●慢性大動脈弁閉鎖不全症：長期間の容量負荷によって心筋が外側に引き伸ばされ、遠心性に肥大するため、心機能は低下、心拍出量が低下する
●病状が進行するまで自覚症状が乏しい ●症状が進行すると、狭心痛、失神、心不全症状が生じる→突然死のリスクが高く、予後不良	●慢性→長期間無症状で進行。進行すると労作時の呼吸困難や胸痛が生じる ●急性→左心不全症状、肺水腫症状、心筋虚血症状がみられる
●心音の聴診 ▷駆出性収縮期雑音 ●心エコー ●胸部X線 ▷左室肥大に伴う第4号の拡大 ●心電図 ▷左室肥大	●心音の聴診 ▷拡張期の心雑音 ●胸部X線 ▷左室左側下方への拡大 ●心電図 ▷左軸偏位 ●心エコー
●薬物療法 ●PTAV、TAVI ●大動脈弁置換術、低侵襲心臓外科手術	●薬物療法 ●大動脈弁置換術 ●大動脈基部置換術 ●低侵襲心臓外科手術

表 心臓弁膜症の看護の経過

	発症から入院・診断	入院直後
患者さんの症状	●疲労 ●息切れ・呼吸困難 ●動悸・不整脈 ●胸痛 ●下肢の浮腫 ●めまい・失神	→
検査	●聴診 ●胸部X線 ●心電図 ●心エコー、経食道心エコー ●血液検査	●冠動脈CT ●冠動脈造影 ●負荷心筋シンチグラフィ ●呼吸機能 ●CT
治療	●酸素療法 ●薬物療法 　(利尿薬、強心薬、β遮断薬) ●食事・水分制限	●酸素療法 ●薬物療法 ●手術(抗血小板薬を中止しヘパリン化) ●自己血採血 ●カテーテル治療
看護	**観察** ●バイタルサイン(血圧、体温、脈拍数・リズム、SpO$_2$、意識レベル) ●息切れ、呼吸状態 　(呼吸音、左右差の聴診) ●胸部症状の有無 ●浮腫の有無 ●身長・体重 ●水分摂取量、尿量 ●頸静脈怒張の有無 **ケア** ●安楽な体位の工夫 ●患者さん・家族の不安への援助 ●意思決定支援	**観察** ●手術リスクの有無 ●既往歴、喫煙歴 ●皮膚状態 ●手術への不安・言動 ●生活背景の情報収集 ●バーセルインデックスなどの総合機能評価 **ケア** ●術前オリエンテーション ●シャワー浴、全身の清潔 ●下剤の服用 ●不安への援助(睡眠薬の服用)

急性期	一般病棟	自宅療養(外来)に向けて
●悪寒 ●悪心・嘔吐 ●疼痛(労作時、咳嗽時) ●不整脈	●疼痛 ●呼吸困難(肺うっ血や無気肺による) ●倦怠感、食欲不振(LOSによる) ●動悸、不整脈 ●不眠	
●胸部X線 ●血液検査 ●動脈血液ガス分析 ●心電図 ●血行動態モニタリング	●胸部X線 ●心電図 ●血液検査 ●心エコー	●胸部X線 ●心電図 ●血液検査
●輸液・輸血 ●血行動態補助薬 ●末梢血管拡張薬 ●人工呼吸器管理、酸素療法 ●一時ペーシング ●ドレナージ ●電解質補正、血糖管理 ●創部処置	●酸素療法 ●薬物療法、服薬移行 ●心臓リハビリテーション ●食事療法 ●創部処置	●栄養指導 ●薬物指導
観察 ●バイタルサイン(血圧、体温、脈拍数・リズム、SpO₂、意識レベル) ●出血量、性状 ●尿量 ●呼吸状態 ●覚醒状態、神経学的所見 ●疼痛スケール ●その他、苦痛の有無 ●創部の感染徴候の有無 **ケア** ●体位変換 ●皮膚保護 ●疼痛管理、安楽な体位 ●気管挿管下でのコミュニケーション ●喀痰排出の援助 ●早期離床、活動、休息 ●せん妄へのケア ●家族の不安への援助	**観察** ●バイタルサイン(血圧、体温、脈拍数・リズム、SpO₂、意識レベル) ●尿量、体重(術前体重と比較) ●食事・水分摂取量 ●浮腫 ●疼痛スケール ●創部の感染徴候の有無 ●リハビリテーションの進行状況 ●睡眠状態 **ケア** ●疼痛管理とADL拡大 ●喀痰排出の援助 ●食事形態の工夫 ●活動と休息 ●内服の自己管理の一包化	**ケア** ●医師から退院前の説明 ●治療に対するアドヒアランスの評価 ●退院指導(本編P.125参照) ▷セルフモニタリングの内容 ▷増悪時の対応 ▷どの程度運動してよいかなど運動の内容 ●退院前カンファレンス ●在宅チームとの連携

「体重が〇日で△kg増加したら受診しましょう」など、患者個人に合わせた数値を伝えることが大事です

心膜炎・心内膜炎

	急性心膜炎	慢性収縮性心膜炎
病態	●心膜に急に炎症を起こしている状態 ●90%は原因不明で、特発性心膜炎とよばれる（ウイルスによるものが多い）	●壁側心膜・臓壁心膜に線維性肥厚や石灰化が起こり、心膜が硬化・収縮することで心臓の拡張障害を起こしている状態 ●通常は、急性心膜炎発症の数か月〜数年後に発症する
症状	●風邪に似た症状に胸痛を伴う	●クスマウル徴候 ●浮腫、腹水 ●奇脈 ●血圧低下
検査	●12誘導心電図 　▷ST変化（ST上昇） ●血液検査 　▷炎症所見の上昇（WBC、CRP） 　▷心筋逸脱酵素は上昇しない（CPK、CK-MB） ●心エコー	●心音の聴診 　▷心膜ノック音 ●胸部X線撮影 ●CT、MRI ●心エコー ●心電図 ●心臓カテーテル検査
治療	●安静 ●原因に対する治療 ●鎮痛薬、解熱薬の投与	●心膜剥離術
看護	●安静の保持 ●安楽な体位の工夫 ●発熱時は冷罨法や解熱薬の投与 ●心タンポナーデ症状（血圧低下、頻脈）の観察	●術前の血圧、脈拍、不整脈の有無、呼吸症状などの観察 ●呼吸困難や胸部不快感がある場合は、その対応

●心膜炎とは、心膜に炎症が生じる疾患で、急性心膜炎、慢性収縮性心膜炎、心タンポナーデが代表である。心内膜炎の代表は感染性心内膜炎である。

心タンポナーデ	感染性心内膜炎(IE)
●何らかの原因で心膜腔に心嚢液や血液がたまり、心膜腔内圧が上昇して心室の拡張が妨げられている状態	●弁膜や心内膜、大血管内膜に細菌集落を含む疣腫(ゆうしゅ)(vegetation)を形成し、菌血症、血管閉塞、心障害などの多彩な臨床症状を呈する全身性敗血症性疾患
●血圧低下 ●頻脈	●発熱(38℃以上)、それに伴う悪寒、シバリングや倦怠感、食欲不振 ●眼瞼結膜、峽部粘膜、四肢に点状出血
●心エコー ▷心嚢液の貯留 ●胸部X線 ▷心陰影が左右対称に拡大 ●心電図 ▷低電位 ▷電気的交互脈	●血液培養検査 ●心エコー、経食道エコー ●心音の聴診 ▷心雑音 ●血液検査 ▷炎症反応の上昇
●血圧低下やショック症状がある場合→心嚢穿刺、心嚢ドレナージ	●抗菌薬の投与
●バイタルサインの変動に注意 ●心嚢ドレーンの排液量や性状の観察	●P.32参照

表 感染性心内膜炎(IE)の看護の経過

	発症から入院・診断	入院直後
患者さんの症状	●発熱(38℃以上) ●悪寒 ●シバリング ●点状出血 ●倦怠感 ●食欲不振	症状が悪化すると、敗血症となり、血圧低下や頻脈、意識レベルの低下などがみられるため、注意しましょう
検査	●血液検査 　▷炎症反応の上昇 ●血液培養 ●心エコー ●CT ●X線	●血液検査 ●経食道エコー
治療		●抗菌薬の投与
看護	**観察** ●バイタルサイン ●脳梗塞や虚血性腸炎症状の有無 **ケア** ●スムーズに検査が行えるよう説明 ●苦痛の緩和 ●入院の説明	**観察** ●バイタルサイン ●脳梗塞症状の有無 ●虚血性腸炎の症状の有無 **ケア** ●解熱薬の投与 ●食事内容の調整 ●環境調整

心不全や敗血症の症状に注意しましょう

急性期	一般病棟	自宅療養(外来)に向けて
●血液検査 ●血液培養 ●心エコー ●CT		
●抗菌薬の投与 ●必要に応じて手術		
観察 ●バイタルサイン **ケア** ●解熱薬の投与 ●食事内容の調整 ●環境調整 ●術後の場合は術後の看護		**ケア** ●退院指導 　▷再発の可能性の説明 　▷発熱がある場合は、安易に抗菌薬を投与せず、受診するように伝える 　▷感染予防の指導:皮膚や口腔内を清潔に保つ

再発の頻度は2〜6％とされています。自己弁IEに対して人工置換術を施行した患者さんの再発率は、術後15年で約20％とされています

肥大型心筋症(HCM)

【病態】
- 高血圧や大動脈弁狭窄症といった原因がなく、心筋に異常な肥大をきたす疾患である。通常、心室中隔の非対称性肥大(ASH)であることが多く、それによって二次的にもたらされた循環動態の異常が基本的な病態となる。

表 肥大型心筋症(HCM)の分類と特徴

閉塞性肥大型心筋症(HOCM)	胸部症状・脳症状を自覚することがある
非閉塞性肥大型心筋症(HNCM)	自覚症状を伴わないことが多い
心尖部肥大型心筋症(APH)	自覚症状を伴わないことが多い
拡張相肥大型心筋症(D-HCM)	胸部症状・脳症状を自覚することがある

【症状】
- 胸部症状:胸痛、息切れ・呼吸困難、動悸
- 脳症状:たちくらみ、失神発作

【検査・診断】
- 心エコーなどの画像診断による所見が最も有用である。

【治療】
- 心不全や不整脈、血栓塞栓症予防に対する薬物療法、外科的治療、DDDペースメーカ、PTSMAなどがある。

本編 →P.152

拡張型心筋症(DCM)

【病態】
- 左心室あるいは両心室のびまん性の収縮機能低下、心室の拡大を呈する疾患であり、さまざまな原因による心筋細胞障害の終末像である。

【症状】
- おもに、心臓のポンプ機能の低下による心不全症状が出現する。

表 拡張型心筋症(DCM)のおもな症状

うっ血による症状	●呼吸困難 ●咳嗽 ●浮腫 ●消化器症状(食欲不振、下痢、嘔吐)
心拍出量低下による症状	●全身倦怠感 ●易疲労感
不整脈	●心房細動 ●心室性不整脈

【検査・診断】
- 心エコー、心臓カテーテル検査、心筋生検などを行う。

【治療】
- 根本的治療は心臓移植のみである。
- 心不全や不整脈などに対する対症療法を行う。

表 心筋疾患（肥大型心筋症、拡張型心筋症）の看護の経過

	発症から入院・診断	入院直後
患者さんの症状	●呼吸困難 ●易疲労感 ●食欲不振 ●動悸 ●めまい ●失神	
検査	●胸部X線 ▷HCM：心拡大、左房拡大、肺うっ血 ▷DCM：心拡大 ●心電図 ▷HCM：STの異常、左室肥大、異常Q波、中隔Q波の消失 ●心音 ●心エコー ▷HCM：心室壁の非対称性肥厚、閉塞性の場合は大動脈弁の収縮中期閉鎖、僧帽弁エコーの収縮期前方運動（SAM） ▷DCM：左室拡張末期径の拡大、びまん性壁運動低下 ●心筋生検	
治療	●酸素投与 ●薬剤投与 ▷利尿薬	●酸素投与 ●薬剤投与 ▷利尿薬 ●心不全がある場合は心不全治療薬 ▷カルペリチド
看護	**観察** ●意識レベルの確認 ●脳梗塞などの塞栓症の合併症状 ●バイタルサイン（体温、血圧、SpO_2） ●胸部症状の有無 ●呼吸の状態（音、左右差、患者さんの体位） ●浮腫の有無 ●頸静脈怒張の有無 ●尿量（利尿薬に対する反応） ●体重 **ケア** ●安楽な体位の工夫 ●症状軽減に努める ●患者さん・家族の不安軽減 ●食事摂取、飲水制限についての説明	

急性期	一般病棟	自宅療養(外来)に向けて
●心臓カテーテル検査 　▷左室拡張末期圧 　　(LVEDP) 　▷肺動脈楔入圧 　　(PAWP) 　▷収縮能の低下 　▷冠動脈狭窄の有無	●胸部X線 ●12誘導心電図 ●血液検査	●胸部X線 ●血液検査 ●心エコー
●ICD植込み術 ●ペースメーカ植込み術	●内服コントロール ●安静度の拡大(リハビリテーション)	●内服、食事療法調整
観察 ●心不全症状の有無 ●不整脈症状の有無 ●デバイス挿入した際はデバイス挿入時の看護に準ずる **ケア** ●入院前の生活について聴取 　▷職業 　▷家族背景 　▷食生活 　▷病気に対する思い 　▷治療中の苦痛の緩和　不安の傾聴	**観察** ●リハビリテーションや食事などの心負荷時の症状 **ケア** ●病気に対する受け入れ状況の確認 ●心不全手帳を配布し、バイタルサイン、体重の記録を本人に記載してもらう ●症状増悪時の対処行動について説明	**観察** ●バイタルサイン ●浮腫 ●尿量 ●体重(目標体重を医師へ確認) **ケア** ●バイタイルサイン、体重の数値を解釈できているか確認 ●身体状況、ADLに合わせた退院支援の開始 ●必要時は家族も一緒に退院に向けた指導介入を実施 **外来** ●患者さんの身体所見評価 ●入院中に指導した点ができているか確認。必要時、再度指導

2 心筋疾患(肥大型心筋症・拡張型心筋症)の看護の経過

心房中隔欠損症（ASD）

【病態】
- 心房中隔に欠損（あな）ができている状態である。
- 正常では、出生後に心房中隔が閉鎖する。心房中隔欠損症は、中隔の発達が不十分な場合に生じるもので、欠損部位により、卵円孔開存型、一次孔型、二次孔型、静脈洞型、冠静脈洞型がある。

【症状】
- 多くは、幼児期・小児期は無症状で経過する。思春期以降になり、労作時呼吸困難・易疲労性などの症状が出てくる場合がある。

【検査・診断】
- 心エコーなどを行う。

表　心房中隔欠損症に特徴的な検査所見

聴診	●左第2・3肋間に駆出性の収縮期雑音 ●第Ⅱ音の固定分裂（左心房→右心房の血液が肺動脈弁を通過するときに発生する音）
心電図	●不完全右脚ブロック　●右軸変位
胸部X線	●右心房・右心室の拡大
心エコー	●欠損部の位置・大きさ、左心房→右心房へのシャント

【治療】
- 外科的治療、心臓カテーテルによるASD閉鎖栓を用いた治療なども行う。

本編 ➡ P.162

心室中隔欠損症(VSD)

【病態】
- 心室中隔に欠損(あな)ができている状態である。
- 心室中隔は胎児の発達段階で、心室を左右の2つの部屋に分ける壁としてできるが、不十分だと欠損として残る。

【症状】
- 欠損孔によって症状が異なる。

表 欠損孔による症状

小欠損	●自覚症状なし
中欠損	●自覚症状に乏しい ●中等度の肺高血圧を合併する場合は、大欠損と同様の心不全症状を呈する
大欠損	●乳児期早期から心不全症状を呈する ●乳児の心不全では多呼吸、呼吸障害、体重増加不良がみられる

【検査・診断】
- 心電図、胸部X線撮影、心エコー、心臓カテーテル検査などを行う。

【治療】
- 肺高血圧を伴う心室中隔欠損の場合は、乳児期早期の外科治療が原則となる。

表 成人の先天性心疾患（心房中隔欠損症、心室中隔欠

	発症から入院・診断
患者さんの症状	【ASD】 ●労作時呼吸困難 ●易疲労性 【VSD】 ●中欠損 　▷中等度の肺高血圧を合併する場合は、大欠損と同様の心不全症状を呈する ●大欠損 　▷乳児期早期から心不全症状を呈する 　▷乳児の心不全では多呼吸、呼吸障害、体重増加不良がみられる
検査	【ASD】 ●聴診 　▷左第2・3肋間に駆出性の収縮期雑音 　▷第Ⅱ音の固定分裂 ●心電図 　▷不完全右脚ブロック、右軸変位 ●胸部X線 　▷右心房・右心室の拡大 ●心エコー 　▷欠損部の位置・大きさ、左心房→右心房へのシャント 【VSD】 ●胸部X線 ●心電図 ●心エコー
治療	
看護	**観察** ●心不全徴候の有無 　▷浮腫、頸静脈怒張、呼吸困難など ●体重 ●苦痛の有無

2 疾患

損症)の看護の経過

入院直後	急性期	一般病棟	自宅療養(外来)に向けて
	●胸部X線 ●12誘導心電図 ●心エコー		
【ASD】 ●心房中隔欠損閉鎖術(アイゼンメンジャー症候群となると手術は禁忌) ●経カテーテル的閉鎖術 ●右心不全に対する治療 ●不整脈の合併に対する治療 　▷抗不整脈薬の投与 ●血栓症予防 　▷抗凝固薬の投与 【VSD】 ●肺高血圧を伴う心室中隔欠損の場合は、乳児期早期の外科治療が原則	●内服コントロール		
【ASD】 観察 ●気泡混入のない確実なルート管理 ●抗凝固療法を行う場合、出血傾向 ●咳・痰・喘鳴、労作時の呼吸困難感 ケア ●精神的ケア ●食事は塩分制限とする 【VSD】 観察 ●不整脈症状の有無 ケア ●感染予防	観察 ●手術をした場合は術後の観察 ●VSD:不整脈症状の有無 ケア ●手術をした場合は術後のケア	観察 ●VSD:不整脈症状の有無	ケア ●退院指導 　▷活用できる社会資源の説明

2 成人の先天性心疾患(心房中隔欠損症、心室中隔欠損症)の看護の経過

本編 ➡ P.166

心不全

【病態】
- 心不全とは、なんらかの心臓機能障害、すなわち、心臓に器質的および/あるいは機能的異常が生じて心ポンプ機能の代償機転が破綻した結果、呼吸困難・倦怠感や浮腫が出現し、それに伴い運動耐容能が低下する臨床症候群をいう。

【症状】
- 息切れ、呼吸困難、むくみが生じる。

表 心不全のおもな症状

左心不全症状	おもに心拍出量低下と肺うっ血の症状がみられる	●初期には労作時の息切れや動悸、易疲労感のみで安静時には無症状 ●重症化すると発作性夜間呼吸困難や起座呼吸を生じ、安静時でも呼吸困難や動悸がある
右心不全症状	おもに静脈圧上昇による症状がみられる	●下腿浮腫、体重増加、腹部膨満感、食欲不振、悪心・嘔吐、便秘など
心拍出量低下の症状		●易疲労感、四肢冷感、集中力低下、睡眠障害、傾眠傾向、チアノーゼ、腎血流量変化に伴う乏尿・夜間多尿など

【検査・診断・治療】
- 急性心不全の初期対応にはクリニカルシナリオ分類を用いる。
- 病態把握には、Nohria-Stevenson（ノーリア スティーブンソン）分類を用いて、病期に合わせた治療を行う。

表 急性心不全に対する初期対応におけるクリニカルシナリオ(CS)分類

分類	CS1	CS2	CS3	CS4	CS5
主病態	肺水腫	●全身浮腫 ●肺水腫は軽度(全身的体液貯留)	●低灌流(低心拍出) ●心原性ショック	急性冠症候群	右心機能不全
収縮期圧	>140mmHg	100〜140mmHg	<100mmHg	—	—
治療	●血管拡張薬 ●利尿薬(体液過剰の時のみ) ●NPPV	●血管拡張薬 ●利尿薬、カルペリチド(ハンプ)	●体液貯留のない場合は容量負荷(補液) ●強心薬で改善しない→血行動態評価 ●低血圧・低灌流が持続→血管収縮薬 ●心原性ショック→薬物治療+補助循環	●ACS(急性冠症候群)管理を行う	●原因疾患(肺梗塞、右室梗塞)の治療

Mebazaa A, Gheorghiade M, Piña IL, et al. Practical recommendations for prehospital and early inhospital management of patients presenting with acute heart failure syndromes. *Crit Care Med* 2008; 36: S129-S139.

図 Nohria-Stevenson分類と治療方針

		うっ血所見	
		なし(dry)	あり(wet)
低灌流所見	なし(warm)	dry-warm うっ血なし 低灌流所見なし 経口心不全薬の調整	wet-warm うっ血あり血圧上昇型 血管拡張薬±利尿薬 うっ血あり血圧維持型 利尿薬+血管拡張薬 利尿薬抵抗性は限外濾過
	あり(cold)	dry-cold うっ血なし 低灌流所見あり 輸液 循環不全が遷延すれば強心薬	wet-cold うっ血あり低灌流所見あり 血管拡張薬±強心薬 血圧低下あり 強心薬(血管収縮薬) 血圧維持後に利尿薬 補助循環

※赤字は標準治療。

低灌流所見	●小さい脈圧 ●四肢冷感 ●傾眠傾向 ●低ナトリウム血症 ●腎機能の悪化	うっ血所見	●起座呼吸 ●頸静脈圧の上昇 ●浮腫 ●腹水 ●肝頸静脈の逆流

表 心不全の看護の経過

	発症から入院・診断	入院直後
患者さんの症状	●呼吸困難 ●泡沫状の痰 ●チアノーゼ ●尿量減少 ●喘鳴 ●胸水・腹水 ●意識混濁 ●体重増加 ●浮腫 ●呼吸困難 ●胸の苦しさ ●不安	入院時の症状は、治療が進むにつれて落ちつく
検査	●胸部X線 ●12誘導心電図 ●血液検査(BNP) ●血液ガス分析 ●心エコー	●心臓カテーテル検査
治療	●利尿薬投与 ●酸素投与 ●人工呼吸管理	**左記治療に加えて** ●心不全治療薬・カテコラミン投与 ●IABP/PCPS
看護	**観察** ●バイタルサイン(心拍数、血圧、SpO_2) ●フィジカルイグザミネーション ⇒アセスメント **注意** 特に呼吸状態に注意する(音、左右差、パターン、患者さんの姿勢) ●浮腫の有無、部位、程度 ●利尿薬の反応 ●意識レベル ●皮膚所見(冷汗、チアノーゼ) ●入院時の体重(前回入院時との比較) ●自覚症状(呼吸困難、胸の苦しさ)の有無・程度	**ケア** ●安楽な体位の施行 ●薬剤投与・管理 ●酸素投与・人工呼吸器管理 ●IABP/PCPS管理

急性期	一般病棟	自宅療養(外来)に向けて
●安静度制限による苦痛 ●リハビリテーション負荷時の息切れ	●呼吸困難・胸の苦しさの改善 ●体重減少(目標体重に近づく) ●浮腫の改善	
●胸部X線 ●12誘導心電図 ●血液検査(BNP) ●血液ガス分析 ●心エコー ●心臓カテーテル検査 ●心核医学検査	●胸部X線 ●12誘導心電図 ●血液検査	(外来にて) ●胸部X線 ●血液検査 ●心エコー など
●点滴の薬剤を内服へ変更 ●リハビリテーションの開始	●内服投与量の調節 ●リハビリテーションの拡大 ●食事療法 ●服薬指導	●内服調整・管理・指導 ●外来リハビリテーション
左記の看護に加えて 観察 ●リハビリテーションや食事など心負荷時の症状・バイタルサインの変化の有無 ●ADLの拡大状況 ●尿量・体重の変化 ケア ●ADL低下の予防 ●皮膚損傷の予防 ●栄養管理 ●入院前の生活の振り返り	観察 ●バイタルサイン ●体重 (退院後の目標体重のめやすを決める) ケア ●栄養指導、服薬指導 ●入院前の生活を振り返り、退院後の生活を患者さんと考える ●心不全手帳の配布 (血圧、症状の観察について説明) ●外来通院の必要性の説明 ●症状増悪時の対処行動の説明	観察 ●心不全症状の有無 ケア ●日常生活で心不全症状がないか ●服薬状況、栄養摂取状況、体重の変化の確認 ●心不全手帳の確認 ●自宅療養中困っていることはないか確認

2 心不全の看護の経過

大動脈瘤(TAA、TAAA、AAA)

【病態】
- 大動脈瘤とは、大動脈の一部の壁が、全周性または局所性に拡大または突出した状態である。瘤ができる位置により、**胸部大動脈瘤(TAA)**、**胸腹部大動脈瘤(TAAA)**、**腹部大動脈瘤(AAA)** と呼び名が変わる。

【症状】
- 大半は自覚症状がない。腹部瘤の場合は、瘤の大きさによっては呼吸困難、胸部違和感、血痰、嗄声(かすれ声)が生じる。

【検査・診断】
- 胸部CT、胸腹部単純X線検査、MRI、心・腹部エコー検査などを行う。

【治療】
- 胸部大動脈瘤の場合、開胸手術の選択が多くなる。
- 開胸・開腹など外科的治療のリスクが高い場合は、ステントグラフトが選択される(解剖学的な制約がある)。
- 破裂の危険性が高くないと判断される場合(直径5〜6cmまで)には、内科的(保存的)治療で経過観察となる。

【看護】
- 血圧・水分・疼痛・安静の管理、精神面への配慮を行う。
- 外科的治療を行った場合は、合併症の出現に注意する。

解離性大動脈瘤（DAA）

【病態】
- 血管壁が裂けてしまうと大動脈解離となる。
- 分類には、Stanford分類とDeBakey分類の2種類がある。

【症状】

図 解離性大動脈瘤の閉塞（狭窄）部位別の症状

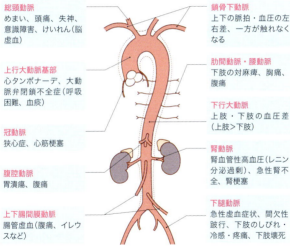

総頸動脈
めまい、頭痛、失神、意識障害、けいれん（脳虚血）

上行大動脈基部
心タンポナーデ、大動脈弁閉鎖不全症（呼吸困難、血痰）

冠動脈
狭心症、心筋梗塞

腹腔動脈
胃潰瘍、腹痛

上下腸間膜動脈
腸管虚血（腹痛、イレウスなど）

鎖骨下動脈
上下の脈拍・血圧の左右差、一方が触れなくなる

肋間動脈・腰動脈
下肢の対麻痺、胸痛、腹痛

下行大動脈
上肢・下肢の血圧差（上肢＞下肢）

腎動脈
腎血管性高血圧（レニン分泌過剰）、急性腎不全、腎梗塞

下腿動脈
急性虚血症状、間欠性跛行、下肢のしびれ・冷感・疼痛、下肢壊死

【検査・診断】
- CT検査、胸腹部X線撮影、心電図、心エコーなどを行う。

【治療】
- Stanford A型は緊急手術となる。
- Stanford B型は血圧コントロールや疼痛緩和を行う。

表 解離性大動脈瘤（DAA）の看護の経過

	発症から入院・診断	入院直後
患者さんの症状	●突然の胸背部の激痛 ●意識消失 ●ショック状態 ●下肢虚血症状 ●呼吸困難	
検査	●胸部X線 　▷上縦隔陰影の拡大 ●造影CT ●心エコー ●血液検査	
治療	●薬剤投与（降圧薬、鎮痛薬） ●酸素投与	●降圧 ●安静 ●鎮痛
看護	**観察** ●バイタルサイン（血圧、心拍数、呼吸、SpO$_2$） ●既往歴（高血圧） ●生活習慣 ●疼痛の部位・程度 ●鎮痛の効果 ●意識レベル **ケア** ●血圧測定 ●疼痛コントロール	**観察** ●バイタルサイン ●血圧の左右差、上下肢差 ●対麻痺の有無 ●血流不全（冷汗、チアノーゼ、動脈触知） ●呼吸状態 ●血痰の有無 ●疼痛の有無・程度 ●意識レベルの変化（対光反射） ●排便コントロール **ケア** ●頻回なバイタルサイン測定 ●排便コントロール ●安楽な体位での苦痛の緩和 ●不安の緩和 ●手術の準備 ●室温調整（寒暖差に注意） ●家族ケア（不安の軽減など）

急性期	一般病棟	自宅療養(外来)に向けて
【Stanford A型】 ●人工血管置換術 ●ステントグラフト 【Stanford B型】 ●血圧コントロール	●薬剤投与(鎮痛・降圧) ●酸素投与	●内服薬の調整
観察 ●血圧 ●尿量 ●IN/OUTバランス ●出血 ●ドレーンの排液の性状・量 ●疼痛の有無・程度 ●腹囲、腹部緊満の有無 【術後】 ●創部の状態 ●覚醒状態 ●麻痺の有無 **ケア** 【術後】 ●血圧管理(おもに点滴) ●循環血液量の維持 ●脳血流の維持 ●不整脈の有無の確認 ●ドレーン管理 ●安静の説明 ●看護師による清潔ケア	**観察** ●バイタルサイン(血圧、心拍数、呼吸、SpO₂) ●尿量 **ケア** ●安静度の拡大(リハビリテーション) ●血圧管理(おもに服薬) ●排便コントロール	**ケア** ●定期受診の必要性の説明 ●服薬指導 ●栄養指導 ●生活指導 　▷食事 　▷運動 　本編P.11〜15参照 　▷禁煙

2 解離性大動脈瘤(DAA)の看護の経過

本編 →P.213

急性動脈閉塞症

【病態】
- 不整脈（心房細動[AF]）、心臓粘液腫、血液凝固能の亢進、動脈硬化などにより、動脈が急に詰まってしまう疾患である。

【症状】
- 5つのPが代表的な症状である。

図 5つのPで代表される症状

①Pain（疼痛）
②Pulselessness（脈拍消失）
③Paleness（蒼白）
④Paresis（運動障害）
⑤Paresthesia（知覚障害）

※⑥としてProstration（虚脱）を加えるみかたもある。

【検査・診断】
- 閉塞の位置を確認し、側副血行路を同定し、治療方針を決定するために、早めに血管造影検査を行う必要がある。

【治療】
- 薬物療法：抗凝固療法、血栓溶解療法
- 外科的治療：バイパス術、ステント留置術、血栓塞栓除去術
- 心臓カテーテル治療：経カテーテル血栓溶解療法

【看護】
- 発症後からの治療が予後を左右するため、細かな観察が必要である。

閉塞性動脈硬化症（ASO）

【病態】
● 慢性動脈閉塞症の1つで、動脈硬化や炎症によって四肢の動脈が狭窄・閉塞する疾患である。

【症状】
● 間欠性跛行（かんけつせいはこう）、四肢冷感、しびれなどが代表的である。

【検査・診断】
● 血管造影、MRA、MDCTで確定診断を行う。

表 Fontaine分類（病期分類）

Ⅰ度	Ⅱ度	Ⅲ度	Ⅳ度
● 無症状 ● しびれ ● 冷え	● 間欠性跛行	● 安静時疼痛	● 潰瘍 ● 壊疽

【治療】
● 運動療法、薬物療法（抗血小板薬、血管拡張薬）、血行再建術（経皮的血管形成術[PTA]、バイパス術、血栓内膜摘除術）を行う。

【看護】
● 下肢の状態を観察する。
● セルフケアが可能な場合は、フットケアの指導を行う。
● 足浴を行う。

本編 →P.228

深部静脈血栓症（DVT）

【病態】
- 深部静脈の中の血液が凝固して血栓ができ、深部静脈の内腔を塞いでしまった状態である。血栓は、9割以上が足の静脈内にできる。
- 血栓形成の要因には、長期臥床などによる血流停滞、手術や外傷などによる血管内障害、脱水などによる血液凝固能の亢進がある。
- 血栓が血液の流れにのって右心房、右心室を経由して肺静脈まで運ばれて肺血栓塞栓症（PTE）の原因となる。
- DVTとPTEの2つを合わせて静脈血栓塞栓症（VTE）と呼ぶ。

【症状】
- 多くの場合、片側のふくらはぎに起こる。
- 疼痛、浮腫、発赤、熱感、腫脹などが生じる。

【検査・診断】
- 下肢静脈エコー、血液検査、胸部X線検査などを行う。

【治療】
- 抗凝固療法、血栓塞栓除去術を行う。抗凝固療法ができない場合は、下大静脈フィルター留置術などを行う。

肺血栓塞栓症（PTE）

【病態】
- おもに、下肢静脈にできた塞栓子が血流にのって肺動脈を閉塞し、その結果、肺循環障害をきたすことによって発症する。それにより、さまざまな症状が起こる。

【症状】
- 息苦しさ、突然の呼吸困難、吸気時の胸痛、頻脈、過呼吸などが生じる。重症化すると、失神、ショック、心停止に至る。

【検査・診断】
- 造影CT、血液検査、心エコーなどを行う。

【治療】
- 酸素投与、抗凝固療法、血栓溶解療法などを行う。

図 肺血栓塞栓症の治療の決定

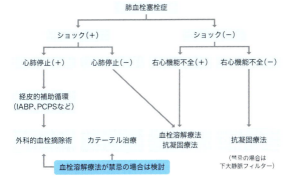

表 深部静脈血栓症（DVT）の看護の経過

	発症から入院・診断	入院直後
患者さんの症状	●下肢の腫脹・疼痛・熱感 ●チアノーゼ、浮腫 ●ホーマンズ徴候	●下肢の腫脹・疼痛・熱感 ●チアノーゼ
検査	●下肢エコー ●造影CT	●採血を行い、Dダイマーの数値を追視する ●定期的に下肢エコーを実施する
治療		●抗凝固療法 ▷ヘパリン ▷ワルファリンカリウム
看護	**救急外来での対応** ●本人へ状況を説明する ●現在の状況や症状について聴取する ●安静の必要性を説明する	**観察** ●下肢の状態 ●血栓が飛んでいないか呼吸状態・意識レベルを観察する **ケア** ●疼痛緩和

急性期	一般病棟	自宅療養(外来)に向けて
●下肢の腫脹・疼痛	●下肢の腫脹・疼痛の残存	
●定期的に下肢エコー ●造影CT ●血液検査		
●抗凝固療法 ●血栓溶解療法の併用	●血栓溶解療法 ●抗凝固療法が禁忌の場合などは下大静脈フィルター	●食生活や習慣の見直し
観察 ●下肢の状態 ●抗凝固療法を行っているため、出血傾向になりやいので、全身を観察する **ケア** ●疼痛緩和 ●安静の確保	**観察** ●PTEの早期発見のため呼吸状態(呼吸回数・リズム、SpO$_2$、呼吸音)をみる **ケア** ●安静の確保	**ケア** ●少しずつ安静度を拡大していく ●抗凝固薬を飲み続けなくてはいけないため、注意点を患者さんに説明する ▷転倒やケガには気をつける ▷強く鼻をかまない(鼻出血のリスクがあるため) ▷強く歯みがきをしない(歯ぐきより出血しやすいため)

2 深部静脈血栓症(DVT)／肺血栓塞栓症(PTE)の看護の経過

本編 →P.237

リンパ浮腫

【病態】
- リンパ浮腫は、一次性（先天性、原因不明）と二次性（術後、感染）に分かれる。
- 大部分のリンパ浮腫は二次性に分類される。
- リンパ浮腫は、片側性の浮腫であることがほとんどで、重症化すると両側性となる。

表 リンパ浮腫の分類

一次性	●原因不明 ●先天性疾患
二次性	●子宮がん、乳がん根治術リンパ節郭清 ●外傷、感染、蜂窩織炎 ●悪性腫瘍 ●放射線照射

【治療】
- 基本的な治療は、弾性着衣（弾性ストッキング）などの保存療法となる。保存療法はほかに、リンパドレナージ、運動療法、スキンケアなどがある。

【看護】
- 夜間は下肢を挙上し、弾性ストッキングや圧迫療法を行う際は、皮膚トラブルに気をつける。
- 保湿や特に負荷がかかる部分の圧痕の観察などが必要である。

第3章

循環器でよく使うくすり

循環器領域でよく使われるくすりを中心に、
簡潔にポイントをまとめました。

抗凝固薬

- おもな作用：凝固因子の作用を阻害して血栓形成を抑制する。
- おもな禁忌：出血、ヘパリン類のみヘパリン起因性血小板減少症（HIT）

表 おもなヘパリン類

一般名	おもな商品名	おもな適応	おもな副作用
①ヘパリンナトリウム	ヘパリンナトリウム注	●血栓塞栓症（①③） ●DIC（①②③） ●体外循環・血管カテーテル挿入時の血液凝固の防止	出血、血小板減少（HITに伴うものも含む）、ショック、アナフィラキシー
②ダルテパリンナトリウム	フラグミン注		
③ヘパリンカルシウム	ヘパリンCa注		
④エノキサパリンナトリウム	クレキサン注	●下肢整形外科手術、腹部外科手術の静脈血栓塞栓症予防	

表 クマリン系薬

一般名	おもな商品名	おもな適応	おもな副作用
ワルファリンカリウム	ワーファリン内	●血栓塞栓症	出血、皮膚壊死、肝機能障害、腎障害 注意 ビタミンKを多く含む食品の摂取を控える

表 おもな直接経口抗凝固薬（DOAC）

一般名	おもな商品名	おもな適応	おもな副作用
①エドキサバントシル酸塩水和物	リクシアナ 内	●非弁膜症性心房細動 ●静脈血栓塞栓症（①②③） ●下肢の整形外科手術施行患者（①）	出血、肝機能障害、間質性肺炎、アナフィラキシー（④）
②リバーロキサバン	イグザレルト 内		
③アピキサバン	エリキュース 内		
④ダビガトランエテキシラートメタンスルホン酸塩	プラザキサ 内		

参考 プラザキサは拮抗薬（イダルシズマブ［商品名：プリズバインド］）がある。

表 おもな抗トロンビン薬

一般名	おもな商品名	おもな適応	おもな副作用
アルガトロバン水和物	ノバスタンHI 注	●発症後48時間以内の脳血栓症急性期の神経症候	出血性脳梗塞、脳出血、消化管出血、肝機能障害、出血、血尿
	スロンノンHI 注	●HITⅡ型の血栓症の発症抑制	

凡例
注 注射薬　内 内服薬　貼 貼付薬　ス スプレー　吸 吸入薬　＊ 後発品

抗血小板薬

- おもな作用：血小板の凝集を抑制する。
- おもな禁忌：出血

表 おもな抗血小板薬

一般名	おもな商品名	おもな適応	おもな副作用
①アスピリン	バイアスピリン* 内	●虚血性心疾患 ●虚血性脳血管障害 ●PTCAまたはCABG施行後	出血、消化性潰瘍 注意 消化性潰瘍の副作用があるため、胃酸分泌抑制薬（PPIなど）と併用する
②チクロピジン塩酸塩	パナルジン 内	●慢性動脈閉塞症 ●虚血性脳血管障害 ●PTCAが適応される虚血性心疾患(③)	出血、血栓性血小板減少性紫斑病（TTP）、肝機能障害 注意 投与後数か月は血液検査が必要
③クロピドグレル硫酸塩	プラビックス 内		
④プラスグレル塩酸塩	エフィエント 内	●PCIが適応される虚血性心疾患	
⑤チカグレロル	ブリリンタ 内	●急性冠症候群 ●陳旧性心筋梗塞	出血

一般名	おもな商品名	おもな適応	おもな副作用
⑥シロスタゾール	プレタール 内	●慢性動脈閉塞症 ●脳梗塞発症後	出血、動悸、頭痛、うっ血性心不全 注意 内服開始時には脈拍測定を行い、動悸の有無を確認する
⑦イコサペント酸エチル	エパデール 内 エパデールS 内	●閉塞性動脈硬化症 ●高脂血症	肝機能障害
⑧ベラプロストナトリウム	ドルナー 内 プロサイリン 内	●慢性動脈閉塞症 ●原発性肺高血圧症	出血
⑨サルポグレラート塩酸塩	アンプラーグ 内	●慢性動脈閉塞症	

表 おもな抗血小板薬(合剤)

一般名	おもな商品名	おもな適応	おもな副作用
クロピドグレル硫酸塩・アスピリン配合	コンプラビン 内	●PCIが適用される急性冠症候群、安定狭心症、陳旧性心筋梗塞	アスピリンおよびクロピドグレル硫酸塩(P.60)参照
アスピリン・ランソプラゾール配合	タケルダ 内	●狭心症、心筋梗塞、虚血性脳血管障害、CABGまたはPTCA施行後の血栓・塞栓形成抑制	アスピリン(P.60)参照 ランソプラゾールでは下痢、肝機能障害、アナフィラキシー

3 抗血小板薬

血栓溶解薬

- おもな作用：フィブリンの分解を促進し血栓を溶解する。
- おもな禁忌：出血、重篤な高血圧

表 血栓溶解薬

	一般名	おもな商品名	おもな適応	おもな副作用
ウロキナーゼ製剤	ウロキナーゼ	ウロナーゼ注	●急性心筋梗塞（発症後6時間以内） ●脳血栓症（発症後5日以内） ●末梢の動脈・静脈閉塞症（発症後10日以内）	出血、ショック、心破裂
t-PA製剤	アルテプラーゼ	グルトパ注 アクチバシン注	●急性心筋梗塞（発症後6時間以内） ●虚血性脳血管障害急性期（発症後4.5時間以内）	出血性脳梗塞（アルテプラーゼ）、脳出血、出血、ショック、心破裂
t-PA製剤	モンテプラーゼ	クリアクター注	●急性心筋梗塞（発症後6時間以内） ●急性肺塞栓症	

参考：トロンボモデュリン製剤

- おもな作用：凝固阻害因子のプロテインCを活性化する。

一般名	おもな商品名	おもな適応	おもな副作用
トロンボモデュリン アルファ	リコモジュリン注	●DIC	出血、肝機能障害

カルシウム(Ca)拮抗薬

- おもな作用：細胞内のカルシウムの流入を阻害し、血管平滑筋を弛緩させ、末梢血管抵抗を減らす。
- おもな禁忌：妊婦、2度以上の房室ブロック・心不全(⑧⑨)

表 おもなCa拮抗薬

一般名	おもな商品名	おもな適応	おもな副作用
①ニフェジピン	アダラート 内	●高血圧(①〜⑧) ●狭心症(①②⑤⑧⑨) ●手術時の異常高血圧(③⑧ 注) ●急性心不全(③ 注) ●高血圧性緊急症(③⑧ 注) ●頻脈性不整脈(⑧ 注、⑨) ●不安定狭心症(⑧)	血圧低下、頻脈、動悸、めまい 注意 グレープフルーツジュースの飲用による作用増強 注意 ニカルジピン塩酸塩 注 は酸性が高いため静脈炎を起こしやすい
②アムロジピンベシル酸塩	ノルバスク 内		
	アムロジン 内		
③ニカルジピン塩酸塩	ペルジピン 注		
④シルニジピン	アテレック 内		
⑤ベニジピン塩酸塩	コニール 内		
⑥マニジピン塩酸塩	カルスロット 内		
⑦アゼルニジピン	カルブロック 内		
⑧ジルチアゼム塩酸塩	ヘルベッサー 注 内		徐脈、房室ブロック、心不全
⑨ベラパミル塩酸塩	ワソラン 注 内		

アンジオテンシン変換酵素(ACE)阻害薬

- ●おもな作用：ACEを阻害してアンジオテンシンⅡの産生を抑制する。❶血管拡張(血圧低下)、❷アルドステロン分泌低下によるNa・水の排泄増加に伴う体液量の減少、❸心保護作用、腎保護作用がある。
- ●おもな禁忌：妊婦、妊娠している可能性のある人、AN69膜を用いた血液透析施行中の患者、血管浮腫の既往歴

表 おもなACE阻害薬

一般名	おもな商品名	おもな適応	おもな副作用
①カプトプリル	カプトリル 内	●高血圧 ●慢性心不全(②③) ●1型糖尿病に伴う糖尿病性腎症(④)	●空咳 ●血管浮腫 ●高カリウム血症 ●急性腎不全
②エナラプリルマレイン酸塩	レニベース 内		
③リシノプリル水和物	ロンゲス 内		
	ゼストリル 内		
④イミダプリル塩酸塩	タナトリル 内		
⑤テモカプリル塩酸塩	エースコール 内		
⑥ペリンドプリルエルブミン	コバシル 内		

アンジオテンシンⅡ受容体拮抗薬(ARB)

- おもな作用:アンジオテンシンⅡ(AⅡ)受容体と結合し、AⅡを抑制する。❶血管拡張(血圧低下)、❷アルドステロン分泌低下によるNa・水の排泄増加に伴う体液量の減少、❸心保護作用、腎保護作用がある。
- おもな禁忌:妊婦、妊娠している可能性のある人、アリスキレンフマル酸塩を投与中の糖尿病患者、重篤な肝障害(①④)

表 アンジオテンシンⅡ受容体拮抗薬(ARB)

一般名	おもな商品名	おもな適応	おもな副作用
①ロサルタンカリウム	ニューロタン 内	●高血圧 ●高血圧およびタンパク尿を伴う2型糖尿病の糖尿病性腎症(①) ●慢性心不全(②)	血管浮腫、高カリウム血症、ショック、失神、意識消失、腎不全、肝機能障害
②カンデサルタン シレキセチル	ブロプレス 内		
③バルサルタン	ディオバン 内		
④テルミサルタン	ミカルディス 内		
⑤オルメサルタン メドキソミル	オルメテック 内		
⑥イルベサルタン	イルベタン 内		
	アバプロ 内		
⑦アジルサルタン	アジルバ 内		

参考 ブラジキニンの分解を阻害しないため空咳の副作用はない。

利尿薬

図 利尿薬の作用部位

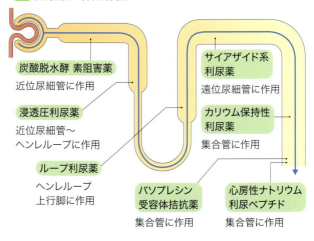

- **炭酸脱水酵素阻害薬** 近位尿細管に作用
- **浸透圧利尿薬** 近位尿細管〜ヘンレループに作用
- **ループ利尿薬** ヘンレループ上行脚に作用
- **サイアザイド系利尿薬** 遠位尿細管に作用
- **カリウム保持性利尿薬** 集合管に作用
- **バソプレシン受容体拮抗薬** 集合管に作用
- **心房性ナトリウム利尿ペプチド** 集合管に作用

表 おもなループ利尿薬

● おもな禁忌:無尿、体液中のNa、Kが低下している患者、肝性昏睡

一般名	おもな商品名	おもな適応	おもな副作用
①フロセミド	ラシックス 注内	● 浮腫(心・腎・肝疾患などによる) ● 高血圧(①) ● 尿路結石(①)	電解質異常、高尿酸血症、BUN上昇、クレアチニン上昇、ショック(①)、難聴(①)
②アゾセミド	ダイアート 内		
③トラセミド	ルプラック 内		

表 おもなサイアザイド系利尿薬

● おもな禁忌：無尿、急性腎不全

一般名	おもな商品名	おもな適応	おもな副作用
①ヒドロクロロチアジド	ヒドロクロロチアジド*内	●高血圧 ●心・腎・肝疾患などによる浮腫（①②）	低カリウム血症、低ナトリウム血症、高尿酸血症、高血糖症、再生不良性貧血（①②）
②トリクロルメチアジド	フルイトラン内		
③インダパミド※	ナトリックス内		
	テナキシル内		

※サイアザイド類似薬

表 おもなカリウム保持性利尿薬

● おもな禁忌：高カリウム血症、無尿（①②）、腎不全（①②）

一般名	おもな商品名	おもな適応	おもな副作用
①カンレノ酸カリウム	ソルダクトン注	●心・腎・肝疾患などによる浮腫 ●原発性アルドステロン症（①②） ●高血圧（②③） ●慢性心不全（③）	高カリウム血症、女性化乳房
②スピロノラクトン	アルダクトンA内		
③エプレレノン	セララ内		

表 炭酸脱水酵素阻害薬

● おもな禁忌：無尿、急性腎不全、高クロール血症性アシドーシス

一般名	おもな商品名	おもな適応	おもな副作用
アセタゾラミド	ダイアモックス注内	●緑内障 ●メニエール病 ●肺気腫における呼吸性アシドーシス	代謝性アシドーシス、電解質異常

表 おもな浸透圧利尿薬

- おもな禁忌:急性頭蓋内血腫(①③)、先天性グリセリン・果糖代謝異常(②)

一般名	おもな商品名	おもな適応	おもな副作用
①D-マンニトール	マンニットール注 マンニットールS注	●脳圧亢進 ●眼内圧亢進 ●尿路結石(③) ●メニエール病(③)	急性腎不全(①)、乳酸アシドーシス(②)、ショック(③)
②濃グリセリン・果糖	グリセオール注		
③イソソルビド	イソバイド内		

表 バソプレシン受容体拮抗薬

- おもな禁忌:無尿、口渇を感じない水分摂取が困難な患者

一般名	おもな商品名	おもな適応	おもな副作用
トルバプタン	サムスカ内	●ほかの利尿薬で効果不十分な心不全・肝硬変における体液貯留 ●常染色体優性多発性嚢胞腎	口渇、頻尿、高ナトリウム血症、血栓塞栓症、腎不全、肝機能障害

注意 脱水・高ナトリウム血症などが発現することがあるため、入院下で投与を開始する。投与開始日、再開日には血清ナトリウム値を頻回に測定する。

表 心房性ナトリウム利尿ペプチド

- おもな禁忌:重篤な低血圧、心原性ショック、脱水

一般名	おもな商品名	おもな適応	おもな副作用
カルペリチド	ハンプ注	急性心不全	血圧低下、低血圧性ショック、徐脈、心室性不整脈、電解質異常

参考 注射用水で溶解後、生食や5%糖液で希釈する。

β遮断薬

- おもな作用：β受容体を遮断することで、心拍数や心収縮力の低下、レニン産生の抑制、中枢での交換神経の抑制をもたらす。
- おもな禁忌：徐脈、房室ブロック、うっ血性心不全、末梢循環障害、糖尿病ケトアシドーシス

表 おもなβ遮断薬

	一般名	おもな商品名	おもな適応	おもな副作用
β₁選択性	①アテノロール	テノーミン 内	●高血圧 ●頻脈性不整脈 ●狭心症 ●慢性心不全(②⑦)	徐脈、房室ブロック、喘息様症状、呼吸困難、心不全の誘発・増悪 注意 β受容体にはβ₁〜β₃があり、β₂受容体遮断による気管支収縮・末梢動脈収縮には注意が必要 注意 心不全の治療は少量から開始する
β₁選択性	②ビソプロロール	メインテート 内		
β₁選択性	②ビソプロロール	ビソノテープ 貼		
β₁選択性	③ベタキソロール塩酸塩	ケルロング 内		
β₁選択性	④メトプロロール酒石酸塩	ロプレソール 内		
β₁選択性	④メトプロロール酒石酸塩	セロケン 内		
β₁非選択性	⑤プロプラノロール塩酸塩	インデラル 注 内		
β₁非選択性	⑥カルテオロール塩酸塩	ミケラン 内		
αβ遮断	⑦カルベジロール	アーチスト 内		

※ランジオロール塩酸塩、エスモロール塩酸塩は抗不整脈薬(P.75)参照。

α遮断薬

- おもな作用：α受容体を遮断することで、血管を拡張し血圧を低下させる。
- おもな禁忌：本剤の成分に対し過敏症の既往歴のある患者

表 おもなα遮断薬

一般名	おもな商品名	おもな適応	おもな副作用
①ドキサゾシンメシル酸塩	カルデナリン 内	●高血圧 ●前立腺肥大症に伴う排尿障害（②④） ●神経因性膀胱に伴う排尿障害（②）	起立性低血圧、意識喪失、めまい、動悸
②ウラピジル	エブランチル 内		
③ブナゾシン塩酸塩	デタントール 内		
④プラゾシン塩酸塩	ミニプレス 内		

中枢性交感神経抑制薬（α₂受容体刺激薬）

- おもな作用：血管運動中枢のα₂受容体を刺激し、交感神経活動を抑制し、末梢血管の収縮を抑制する。
- おもな禁忌：肝炎・肝硬変の活動期（②）

表 おもな中枢性交感神経抑制薬

一般名	おもな商品名	おもな適応	おもな副作用
①クロニジン塩酸塩	カタプレス 内	●高血圧	起立性低血圧、眠気、口渇、溶血性貧血（②）
②メチルドパ水和物	アルドメット 内		

硝酸薬

- おもな作用：NOを遊離して冠血管や末梢血管を拡張させ、前負荷・後負荷を軽減させることで心仕事量を減らす。
- おもな禁忌：閉塞隅角緑内障、高度な貧血、ホスホジエステラーゼ5（PDE-5）阻害薬・グアニル酸シクラーゼ刺激作用を有する薬剤を投与中の患者

表 おもな硝酸薬

一般名	おもな商品名	おもな適応	おもな副作用
ニトログリセリン	ミリスロール 注	●手術時の低血圧維持 ●手術時の異常高血圧の救急処置 ●急性心不全 ●不安定狭心症	急激な血圧低下、心拍出量低下（注）、頭痛、動悸 注意 注射は塩化ビニル製の輸液セットに吸着されるので材質に注意
	ニトログリセリン* 注		
	ミオコール ス	●狭心症発作の寛解	
	ニトロペン舌下錠* 内	●狭心症、心筋梗塞、心臓喘息の一時緩解	

(硝酸薬のつづき)

一般名	おもな商品名	おもな適応	おもな副作用
ニトログリセリン	ミリステープ 貼	●狭心症 ●急性心不全	動悸、血圧低下、頭痛、発赤、掻痒感
	ニトロダームTTS 貼	●狭心症	
	ミニトロテープ 貼		
	メディトランステープ 貼		
	バソレーターテープ 貼		
硝酸イソソルビド	ニトロール 注 内 ス	●狭心症(内) ●心筋梗塞(内) ●急性心不全(注) ●不安定狭心症(注) ●狭心症発作の寛解(ス)	頭痛、血圧低下、めまい、ショック(注)、心室細動(注)、心室頻拍(注)、発赤(貼)、掻痒感(貼) 注意 注射は塩化ビニル製の輸液セットに吸着されるので材質に注意
	フランドル 内 貼		
一硝酸イソソルビド	アイトロール 内	●狭心症	頭痛、めまい、血圧低下

表 その他の冠拡張薬

一般名	おもな商品名	おもな適応	おもな副作用
ジピリダモール	ペルサンチン 注 内	●狭心症 ●心筋梗塞 ●ネフローゼ症候群のタンパク尿減少(内)	頭痛、心悸亢進、狭心症の悪化、出血傾向
ニコランジル	シグマート 注 内	●狭心症(内) ●不安定狭心症(注) ●急性心不全(注)	頭痛、動悸、血小板減少、血圧低下(注)

抗不整脈薬

表 抗不整脈薬のおもな作用と適応(頻脈性)

クラス		おもな作用	おもな適応
Ⅰa	ナトリウムチャネル遮断薬	活動電位持続時間(APD)の延長	上室性・心室性不整脈[※1]
Ⅰb		APDの短縮	心室性不整脈[※2]
Ⅰc		APDは不変	上室性・心室性不整脈
Ⅱ		β遮断薬	上室性・心室性不整脈
Ⅲ		カリウムチャネル遮断薬	他剤無効の重篤な不整脈(心室頻拍、心室細動)
Ⅳ		カルシウム拮抗薬	上室性不整脈

※1 ピルメノール塩酸塩水和物は心室性のみ
※2 アプリンジン塩酸塩は上室性にも有効

表 おもな抗不整脈薬(頻脈性)

クラス	一般名	おもな商品名	おもな副作用
Ⅰa	プロカインアミド塩酸塩	アミサリン注内	催不整脈作用(心室頻拍、心室細動、洞停止)、心不全、低血糖(リスモダン、シベノール)
	ジソピラミド	リスモダン内	
	ジソピラミドリン酸塩	リスモダンR内	
		リスモダンP注	
	キニジン硫酸塩水和物	キニジン硫酸塩内	
	シベンゾリンコハク酸塩	シベノール注内	
	ピルメノール塩酸塩水和物	ピメノール内	

クラス	一般名	おもな商品名	おもな副作用
Ib	リドカイン塩酸塩	キシロカイン注 / リドカイン*注	催不整脈作用（心室頻拍）、意識障害、けいれん、振戦
	メキシレチン塩酸塩	メキシチール注内	
	アプリンジン塩酸塩	アスペノン注内	
Ic	フレカイニド酢酸塩	タンボコール注内	催不整脈作用（心室頻拍、心室細動、洞停止）、肝障害
	ピルシカイニド塩酸塩水和物	サンリズム注内	
	プロパフェノン塩酸塩	プロノン内	
II※1	ランジオロール塩酸塩	オノアクト注 / コアベータ注※2	心停止、房室ブロック、徐脈、心不全、血圧低下
	エスモロール塩酸塩	ブレビブロック注※3	
III	アミオダロン塩酸塩	アンカロン注内	間質性肺炎、肝障害、甲状腺機能亢進症、催不整脈作用
	ニフェカラント塩酸塩	シンビット注	催不整脈作用
	ソタロール塩酸塩	ソタコール内	催不整脈作用
IV	ベラパミル塩酸塩	ワソラン注内	洞停止、房室ブロック
	ベプリジル塩酸塩水和物	ベプリコール内	QT延長、心室頻拍、間質性肺炎

※1 II群はβ遮断薬（P.69）も参照。
※2 冠動脈CT検査時に使用。
※3 手術時の適応のみ。

3 抗不整脈薬

表 徐脈性不整脈の治療薬

一般名	おもな商品名	おもな適応	おもな副作用
アトロピン硫酸塩水和物	アトロピン硫酸塩 注 内	●徐脈・房室伝導障害	口渇、頻脈、排尿障害、ショック 注意 緑内障、前立腺肥大には禁忌
イソプレナリン塩酸塩	プロタノール 注 内	P.77参照	

強心薬

表 おもなジギタリス製剤

- おもな作用:心筋収縮力を増強し、刺激伝導系を抑制して心拍数を減少させる。
- おもな禁忌:房室ブロック、洞房ブロック、ジギタリス中毒、閉塞性心筋疾患

一般名	おもな商品名	おもな適応	おもな副作用
ジゴキシン	ジゴキシン 注 内	●うっ血性心不全 ●心房細動・粗動による頻脈 ●発作性上室性頻拍	ジギタリス中毒(不整脈、悪心・嘔吐、視覚異常)
	ハーフジゴキシンKY 注 内		
	ジゴシン 注 内		
メチルジゴキシン	ラニラピッド 内		

表 おもなカテコラミン

● おもな作用：心収縮力増強、昇圧、頻拍、腎血流増加

一般名	おもな商品名	おもな適応	おもな副作用
①ドパミン塩酸塩	イノバン 注	●急性循環不全 ●ドパミン・ドブタミン注射液からの早期離脱（②）	麻痺性イレウス、四肢冷感、不整脈
②ドカルパミン	タナドーパ 内		
③ドブタミン塩酸塩	ドブトレックス 注	●急性循環不全における心収縮力増強	心停止、心室頻拍
④イソプレナリン塩酸塩	プロタノール 注 内	●高度徐脈（内） ●アダムス・ストークス症候群（徐脈型）の発作時	血清カリウム低下、頻脈、心筋虚血（注）
⑤アドレナリン	ボスミン 注	●急性低血圧・ショック・心停止時の補助治療 ●気管支けいれんの緩解 ●手術時の局所出血	肺水腫、呼吸困難、不整脈、心停止、血圧上昇 参考 アナフィラキシー・重症気管支喘息発作時などの緊急薬
⑥ノルアドレナリン	ノルアドリナリン 注	●急性低血圧・ショック時の補助治療	徐脈、血圧異常上昇

表 その他のカテコラミン系

一般名	おもな商品名	おもな適応	おもな副作用
フェニレフリン塩酸塩	ネオシネジン 注	●急性低血圧 ●ショック ●発作性上室性頻拍	頭痛、血圧異常上昇
ミドドリン塩酸塩	メトリジン 内	●本態性低血圧 ●起立性低血圧	頭痛、悪心、高血圧、動悸
アメジニウムメチル硫酸塩	リズミック 内	●透析時低血圧（リズミック）	

表 おもなPDEⅢ阻害薬

- おもな作用：強心作用、血管拡張作用
- おもな禁忌：肥大型閉塞性心筋症（①②）

一般名	おもな商品名	おもな適応	おもな副作用
①オルプリノン塩酸塩水和物	コアテック 注	●急性心不全 ●慢性心不全（③）	心室細動、心室頻拍、血圧低下、腎機能障害
②ミルリノン	ミルリーラ 注		
③ピモベンダン	ピモベンダン＊ 内		

表 心房性ナトリウム利尿ペプチド

- おもな禁忌：重篤な低血圧、心原性ショック、脱水

一般名	おもな商品名	おもな適応	おもな副作用
カルペリチド	ハンプ 注	P.68参照	

血管拡張薬

● おもな作用：末梢血管を拡張し、血行を改善する。

表 プロスタグランジンE_1製剤

一般名	おもな商品名	おもな適応	おもな副作用
アルプロスタジル アルファデクス	プロスタンディン 注	● 慢性動脈閉塞症 ● 末梢血行障害の改善 ● 皮膚潰瘍の改善（パルクス、リプル） ● 動脈管依存性先天性心疾患	ショック、アナフィラキシー、心不全、肺水腫、脳出血、消化管出血、肝機能障害、黄疸、心筋梗塞、無顆粒球症、白血球減少
アルプロスタジル	パルクス 注		
	リプル 注		
リマプロスト アルファデクス	オパルモン 内	● 閉塞性血栓血管炎 ● 後天性の腰部脊柱管狭窄症	肝機能障害、黄疸、下痢
	プロレナール 内		

表 プロスタサイクリン（PGI_2）系薬※

一般名	おもな商品名	おもな適応	おもな副作用
エポプロステノールナトリウム	フローラン 注	肺動脈性肺高血圧症	過度の血圧低下、出血、失神、甲状腺機能異常
トレプロスチニル	トレプロスト 注		
イロプロスト	ベンテイビス 吸		
セレキシパグ	ウプトラビ 内		

※PGI_2誘導体製剤のベラプロストナトリウムは抗血小板薬（P.61）参照。

表 エンドセリン受容体拮抗薬

一般名	おもな商品名	おもな適応	おもな副作用
ボセンタン水和物	トラクリア 内	肺動脈性肺高血圧症	肝機能障害、貧血、頭痛、浮腫
アンブリセンタン	ヴォリブリス 内		
マシテンタン	オプスミット 内		

注意 肝機能検査を定期的に実施する。

表 PDE-5阻害薬

一般名	おもな商品名	おもな適応	おもな副作用
シルデナフィルクエン酸塩	レバチオ 内	肺動脈性肺高血圧症	過敏症、頭痛、潮紅
タダラフィル	アドシルカ 内		

注意 過度に血圧を下降させることがあるので、硝酸薬またはNO供与薬との併用は禁忌。

表 可溶性グアニル酸シクラーゼ刺激薬

一般名	おもな商品名	おもな適応	おもな副作用
リオシグアト	アデムパス 内	●外科的治療不適応または術後に残存・再発した慢性血栓塞栓性肺高血圧症 ●肺動脈性肺高血圧症	頭痛、浮動性めまい、消化不良、喀血、肺出血

注意 硝酸薬、NO供与薬、PDE-5阻害薬との併用は禁忌。

本書に記載している薬剤の選択・使用方法などの情報は、2020年1月現在のものです。薬剤等の使用にあたっては、個々の添付文書を参照し、適応・用量等は常にご確認ください。

第4章
循環器で よく聞く略語

循環器でよく聞く略語を
まとめました。

心臓の略語

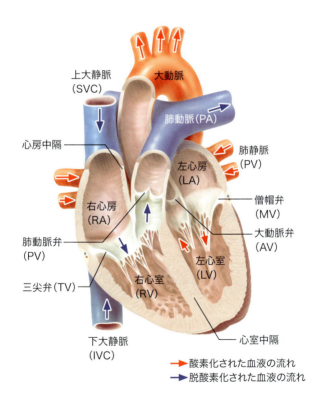

冠動脈の区域分類（AHA分類）

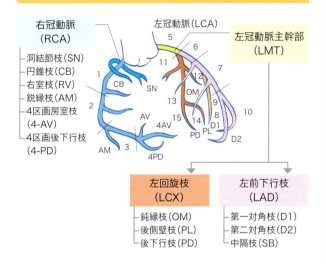

表 冠動脈の灌流領域

右冠動脈（RCA）	右心室、左心室下壁、中隔の一部
左前下行枝（LAD）	左心室前壁、中隔の一部、側壁、心尖部
左回旋枝（LCX）	左心室後壁、高位側壁

循環器でよく使う略語

略語		英文／日本語訳
A	AAA	abdominal aortic aneurysm 腹部大動脈瘤
	ABI	ankle brachial index 足関節上腕血圧比
	ABL	ablative therapy アブレーション治療
	ACE	angiotensin converting enzyme アンジオテンシン変換酵素
	ACS	acute coronary syndrome 急性冠症候群
	ACT	activated coagulation time 活性凝固時間
	ADH	antidiuretic hormone 抗利尿ホルモン
	AF	atrial fibrillation 心房細動
	AFL	atrial flutter 心房粗動
	AHI	apnea hypopnea index 無呼吸低呼吸指数
	AMI	acute myocardial infarction 急性心筋梗塞
	ANP	atrial natriuretic peptide 心房性ナトリウム利尿ペプチド
	Ao	aorta 大動脈
	AOG	aortography 大動脈造影検査

略語		英文／日本語訳
A	AP	angina pectoris 狭心症
	APC	atrial premature contraction 心房期外収縮
	APH	apical hypertrophic cardiomyopathy 心尖部肥大型心筋症
	APTT	activated partial thromboplastin time 活性化部分トロンボプラスチン時間
	AR	aortic [valve] regurgitation 大動脈弁逆流症、大動脈弁閉鎖不全症
	ARB	angiotensin Ⅱ receptor blocker (antagonist, inhibitor) アンジオテンシンⅡ受容体拮抗薬（遮断薬、抑制薬）
	ARDS	acute respiratory distress syndrome 急性呼吸促窮迫症候群
	AS	aortic [valve] stenosis 大動脈弁狭窄症
	ASD	atrial septal defect 心房中隔欠損症
	ASH	asymmetric septal hypertrophy 非対称性中隔肥大
	ASO	arteriosclerosis obliterans 閉塞性動脈硬化症
	AST	aspartate aminotransferase アスパラギン酸アミノトランスフェラーゼ
	AT	atrial tachycardia 心房頻拍
	ATA	anterior tibial artery 前脛骨動脈
	ATP	adenosine triphosphate アデノシン三リン酸
	AV	①arteriovenous ②atrioventricular ③aortic valve ①動静脈 ②房室 ③大動脈弁

	略語	英文／日本語訳
A	AVN	atrioventricular node 房室結節
	AVP	aortic valvuloplasty 大動脈弁形成術
	AVR	aortic valve replacement 大動脈弁置換術
	AVSD	atrioventricular septal defect 房室中隔欠損症
B	BE	bacterial endocarditis 細菌性心内膜炎
	BMS	bare metal stent ベアメタルステント
	BNP	brain natriuretic peptide 脳性ナトリウム利尿ペプチド
	BVS	bioresorbable vascular scaffold 生体吸収ステント、生体吸収性スキャフォールド
C	CABG	coronary artery bypass grafting 冠動脈バイパス術
	CAG	coronary angiography (arteriography) 冠動脈造影検査
	CAM-ICU	confusion assessment method for the ICU ICUのためのせん妄評価法
	CAVB	complete (third degree) atrioventricular (AV) block 完全房室（[第]3度）ブロック
	CFA	common femoral artery 総大腿動脈
	CHD	coronary heart disease 冠動脈疾患
	CHDF	continuous hemodiafiltration 持続的血液濾過透析
	CHF	①congestive heart failure　②chronic heart failure ①うっ血性心不全　②慢性心不全

略語		英文／日本語訳
C	CI	cardiac index 心係数
	CIA	common iliac artery 総腸骨動脈
	C[P]K	creatine [phospho] kinase クレアチン[フォスフォ]キナーゼ
	CKD	chronic kidney disease 慢性腎臓病
	C[P]K-MB	creatine [phospho] kinase-MB クレアチン[フォスフォ]キナーゼMB分画
	CLBBB	complete left bundle branch block 完全左脚ブロック
	CLI	critical limb ischemia 重症下肢虚血
	CO	cardiac output 心拍出量
	CP	chest pain 胸痛
	CPA	cardiopulmonary arrest 心肺停止
	CPAP	①continuous positive airway pressure ②nasal continuous positive airway pressure ①持続的気道陽圧法、持続的陽圧呼吸　②鼻腔持続的陽圧呼吸
	CPX	cardiopulmonary exercise testing 心肺運動負荷試験
	CRBBB	complete right bundle branch block 完全右脚ブロック
	CRT	cardiac resynchronization therapy 心臓再同期療法
	CRT-D	cardiac resynchronization therapy with defibrillator 植込み型除細動器付き心臓再同期療法

	略語	英文／日本語訳
C	CSA	①coronary spastic angina ②central sleep apnea ①冠攣縮性狭心症 ②中枢性睡眠時無呼吸
	CTO	chronic total occlusion 慢性完全閉塞
	CTR	cardiothoracic ratio 心胸[郭]比
	CV	central vein 中心静脈
	CVP	central venous pressure 中心静脈圧
	CX	circumflex 回旋枝
D	DAA	dissecting aortic aneurysm 解離性大動脈瘤
	DAPT	dual antiplatelet therapy 抗血小板薬2剤併用療法
	DC	direct cardioversion 電気的除細動
	DCA	directional coronary atherectomy 方向性冠動脈粥腫切除術
	DCB	drug-coated balloon 薬剤コーティングバルーン
	DCM	dilated cardiomyopathy 拡張型心筋症
	DES	drug eluting stent 薬剤溶出ステント
	D-HCM	dilated phase hypertrophic cardiomyopathy 拡張相肥大型心筋症
	DIC	disseminated intravascular coagulation syndrome 播種性血管内凝固症候群
	DL	dyslipidemia 脂質異常症

	略語	英文／日本語訳
D	DVT	deep venous vein thrombosis 深部静脈血栓症
E	EF	ejection fraction 左室駆出率
	EIA	external iliac artery 外腸骨動脈
	EPS	electrophysiologic study 電気生理学的検査
	EVAR	endovascular aortic repair 腹部大動脈ステントグラフト内挿術
F	FA	femoral artery 大腿動脈
	FFR	fractional flow reserve 血流予備量比
	FV	femoral vein 大腿静脈
G	GEA	gastroepiploic artery 胃大網動脈
	GSV	great saphenous vein 大伏在静脈
H	HCM	hypertrophic cardiomyopathy 肥大型心筋症
	HF	heart failure 心不全
	HFpEF	heart failure with preserved ejection fraction 駆出率が保持された心不全
	HFrEF	heart failure with reduced ejection fraction 駆出率が低下した心不全
	HOCM	hypertrophic obstructive cardiomyopathy 閉塞性肥大型心筋症
	HR	heart rate 心拍数

	略語	英文／日本語訳
H	HT	hypertension 高血圧[症]
I	IABP	intra-aortic balloon pumping 大動脈内バルーンパンピング
	ICD	implantable cardioverter defibrillator 植込み型除細動器
	ICDSC	intensive care delirium screening checklist 成人患者のせん妄評価スケール
	IE	infectious endocarditis 感染性心内膜炎
	IHD	ischemic heart disease 虚血性心疾患
	ISDN	isosorbide dinitrate イソソルビドジニトレイト、硝酸イソソルビド
	ISMN	isosorbide mononitrate 一硝酸イソソルビド
	IVC	inferior vena cava 下大静脈
	IVR	interventional radiology 放射線診断技術を用いた検査・治療
	IVST	interventricular septal thickness 心室中隔厚
	IVUS	intravascular ultrasound 血管内超音波[法]、血管内エコー法
J	JV	jugular vein 頸静脈
L	LAD	①left anterior descending coronary artery　②left axis deviation ①左冠動脈前下行枝　②左軸偏位
	LAO	left anterior oblique position 左前斜位
	LAP	left atrial pressure 左房圧

略語	英文／日本語訳
L LBBB	left bundle branch block 左脚ブロック
LCA	left coronary artery 左冠動脈
LCX	left circumflex coronary artery branch 左冠動脈回旋枝
LITA	left internal thoracic artery 左内胸動脈
LMT	left main coronary trunk artery 左冠動脈主幹部
LOS	low output syndrome 低心拍出量症候群
LV	left ventricle 左心室
LVA	lymphaticovenous anastomosis リンパ管細静脈吻合術
LVDd	left ventricular end-diastolic diameter dimension 左室拡張終末期径
LVDs	left ventricular end-systolic diameter dimension 左室収縮終末期径
LVEDP	left ventricular end-diastolic pressure 左室拡張終末期圧
LVEF	left ventricular ejection fraction 左室駆出分画率
LVG	left ventriculography 左室造影
LVH	left ventricular hypertrophy 左室肥大
LVP	left ventricular pressure 左室圧
LVPW	left ventricular posterior wall 左室後壁厚

	略語	英文／日本語訳
M	MAP	①mitral annuloplasty ②monophasic action potential ①僧帽弁輪形成術 ②単相性活動電位
	MI	myocardial infarction 心筋梗塞
	MIDCAB	minimally invasive direct coronary artery bypass 低侵襲冠動脈バイパス術
	MR	mitral [valve] regurgitation 僧帽弁逆流症、僧帽弁閉鎖不全症
	MS	mitral [valve] stenosis 僧帽弁狭窄症
	MV	mitral valve 僧帽弁
	MVP	①mitral valve prolapse ②mitral valve plasty ①僧帽弁逸脱症 ②僧帽弁形成術
	MVR	mitral valve replacement 僧帽弁置換術
N	NIHSS	National Institutes of Health Stroke Scale 脳卒中重症度評価スケール
	NSR	normal sinus rhythm 正常洞調律
	NSTEMI	non-ST (-segment) elevation myocardial infarction 非ST上昇[型]心筋梗塞
	NSVT	nonsustained ventricular tachycardia 非持続性心室頻拍
O	OCT	optical coherence tomography 光干渉断層法
	OMC	open mitral commissurotomy 直視下僧帽弁交連切開術
	OMI	old myocardial infarction 陳旧性心筋梗塞

	略語	英文／日本語訳
O	OPCAB	off-pump coronary artery bypass 体外循環非使用冠動脈バイパス術、オフポンプ冠動脈バイパス術、人工心肺非使用心拍動下冠動脈バイパス術
	OSA	obstructive sleep apnea 閉塞性睡眠時無呼吸
P	PA	pulmonary artery 肺動脈
	PAC	premature atrial contraction 心房期外収縮
	$PaCO_2$	arterial partial pressure of carbon dioxide 動脈血二酸化炭素分圧
	PAD	peripheral arterial disease 末梢動脈疾患
	PAF	paroxysmal atrial fibrillation 発作性心房細動
	PAFL	paroxysmal atrial flutter 発作性心房粗動
	PaO_2	arterial partial pressure of oxygen 動脈血酸素分圧
	PAP	pulmonary artery pressure 肺動脈圧
	PAT	paroxysmal atrial tachycardia 発作性心房頻拍
	PAWP	pulmonary artery wedge pressure 肺動脈楔入圧
	PCI	percutaneous coronary intervention 経皮的冠動脈インターベンション、経皮的冠動脈形成術
	PCPS	percutaneous cardiopulmonary support 経皮的心肺補助（法、装置）
	PDA	patent ductus arteriosus 動脈管開存症

略語		英文／日本語訳
P	PE	pulmonary embolism 肺血栓症
	PEEP	positive end-expiratory pressure 呼気終末陽圧［呼吸］
	Pero.A	peroneal artery 腓骨動脈
	PH	pulmonary hypertension 肺高血圧［症］
	POAF	postoperative atrial fibrillation 術後心房細動
	POBA	percutaneous old balloon angioplasty 経皮的古典的バルーン血管形成術
	PS	pulmonary valve stenosis 肺動脈弁狭窄症
	PSVT	paroxysmal supraventricular tachycardia 発作性上室性頻拍
	PTA	percutaneous transluminal angioplasty 経皮的血管形成術
	PTAC	percutaneous transluminal aortic commissurotomy 経皮的大動脈弁交連切開術
	PTAV	percutaneous balloon aortic valvuloplasty 経皮的大動脈弁形成術
	PTCA	percutaneous transluminal coronary angioplasty 経皮的冠動脈形成術
	PTCR	percutaneous transluminal coronary recanalization (revascularization) 経皮［経管］的冠動脈血栓溶解療法
	PTE	pulmonary thromboembolism 肺血栓塞栓症
	PT-INR	prothrombin time-international normalized ratio プロトロンビン時間国際標準比

	略語	英文／日本語訳
P	PTMC	percutaneous transluminal transvenous mitral commissurotomy 経皮的経静脈的僧帽弁交連切開術
	PTRA	percutaneous transluminal renal angioplasty 経皮的腎動脈形成術
	PTSMA	percutaneous transluminal septal myocardial ablation 経皮的中隔心筋焼灼
	PV	①pulmonary [pulmonic] vein　②pulmonary valve ①肺静脈　②肺動脈弁
	PVC	premature ventricular contraction 心室期外収縮
Q	Qp/Qs	pulmonary blood flow ratio/systemic blood flow ratio 肺体血流比
R	RA	①radial artery　②right atrium ①橈骨動脈　②右心房
	RAO	right anterior oblique position 右前斜位
	RAP	right atrial pressure 右房圧
	RASS	Richmond agitation sedation scale リッチモンド鎮静興奮スケール
	RBBB	right bundle branch block 右脚ブロック
	RCA	right coronary artery 右冠動脈
	RCM	restrictive cardiomyopathy 拘束型心筋症
	RFCA	radiofrequency catheter ablation 高周波カテーテルアブレーション
	RHC	right heart catheterization 右心カテーテル法
	RITA	right internal thoracic artery 右内胸動脈

	略語	英文／日本語訳
R	RMI	recent myocardial infarction 亜急性心筋梗塞
	RR	respiration rate 呼吸数
	RVP	right ventricular pressure 右室圧
S	SAM	systolic anterior motion 収縮期前方運動
	SAPT	single anti-platelet therapy 単剤の抗血小板療法
	SAS	sleep apnea syndrome 睡眠時無呼吸症候群
	SBP	systolic blood pressure 収縮期血圧
	SFA	superficial femoral artery 浅大腿動脈
	SGC	Swan-Ganz catheter スワンガンツカテーテル
	SIRS	systemic inflammatory response syndrome 全身性炎症反応症候群
	SSI	surgical site infection 手術部位感染
	SSS	sick sinus syndrome 洞不全症候群
	STEMI	ST [-segment] elevation myocardial infarction ST上昇[型]心筋梗塞
	SV	stroke volume 1回拍出量
	SVC	superior vena cava 上大静脈
	SVI	stroke volume index 1回拍出量係数

	略語	英文／日本語訳
S	SvO$_2$	mixed venous oxygen saturation 混合静脈血酸素飽和度
	SVR	systemic vascular resistance 体血管抵抗
	SVRI	systemic vascular resistance index 体血管抵抗係数、全身血管抵抗係数
	SVV	stroke volume variation 1回拍出量の呼吸性変化
T	TA	①transapical approach ②tricuspid atresia ①経心尖アプローチ ②三尖弁閉鎖症
	TAA	thoracic aortic aneurysm 胸部大動脈瘤
	TAAA	thoracoabdominal aortic aneurysm 胸腹部大動脈瘤
	TAO	thromboangiitis obliterans 閉塞性血栓血管炎
	TAP	tricuspid annuloplasty 三尖弁輪縫縮術
	TAVI	transcatheter aortic valve implantation 経カテーテル大動脈弁植込み術
	TEE	transesophageal echocardiography 経食道心エコー法
	TEVAR	thoracic endovascular aortic repair 胸部大動脈ステントグラフト内挿術
	TF	transfemoral approach 経大腿アプローチ
	TOF	tetralogy of Fallot ファロー四徴症
	t-PA	tissue-plasminogen activator 組織プラスミノーゲンアクチベータ
	TPR	total peripheral resistance 全末梢血管抵抗

	略語	英文／日本語訳
T	TR	tricuspid [valve] regurgitation 三尖弁逆流症
	TRI	transradial coronary intervention 経橈骨冠動脈インターベンション
	TS	tricuspid [valve] stenosis 三尖弁狭窄症
	TTE	transthoracic echocardiography 経胸壁エコー法
	TV	tricuspid valve 三尖弁
	TVR	tricuspid valve replacement 三尖弁置換術
U	UAP	unstable angina pectoris 不安定狭心症
V	VAS	ventricular assist system 心室補助人工心臓、心室補助装置
	VF	ventricular fibrillation 心室細動
	Vf	ventricular flutter 心室粗動
	VO_2max	maximal oxygen uptake 最大酸素摂取量
	VSD	ventricular septal defect 心室中隔欠損症
	VT	①ventricular tachycardia ②tidal volume ①心室頻拍 ②1回換気量
	VTE	venous thromboembolism 静脈血栓塞栓症
W	WPW	Wolff-Parkinson-White syndrome ウォルフ・パーキンソン・ホワイト症候群、WPW症候群

第5章

循環器の
アセスメント

循環器のアセスメントに必要な
スケール・検査値などを
まとめました。

バイタルサインのめやす

	最高血圧 (mmHg)	最低血圧 (mmHg)	呼吸数 (回/分)	脈拍数 (回/分)	腋窩温(℃)
乳児	80〜90	60	30〜40	110〜130	36.5〜37.5
幼児	90〜100	60〜65	20〜30	90〜110	
学童	100〜110	60〜70	18〜20	80〜100	
成人	110〜130	60〜80	16〜18	60〜90	36〜37

●体温→脈拍・呼吸→血圧の順番で測定する。

体温のアセスメント

低熱	36.0℃未満
軽熱(微熱)	37.0〜38.0℃未満
中等熱	38.0〜39.0℃未満
高熱	39.0℃以上
測定部位の温度差	直腸温>口腔温・鼓膜温>腋窩温

●平熱(普段の体温)との差が1℃以上ある場合、有熱状態であるといえる。

脈拍のアセスメント

	分類	特徴	おもな原因
脈拍の速さ	頻脈	●脈拍数が100回/分を超える	●発熱、貧血、低酸素状態、低心拍出量など ●頻脈性心房細動、心房粗動、上室性頻拍、心室性頻拍など
	徐脈	●脈拍数が50回/分未満	●刺激伝導系に問題がある。徐脈性心房細動、房室ブロック、洞性徐脈、洞不全症候群など ●高カリウム血症、ジギタリス中毒など ●副交感神経が優位な状態
不整脈	交互脈	●リズムは規則的だが、脈拍の大きさが1拍ごとに大小交代する	●左心不全など
	二段脈	●通常の強い脈拍の後に早期収縮の小さい脈拍が続く	●心房性期外収縮、心室性期外収縮など
	奇脈	●吸気時に脈拍が弱くなり、呼気時に脈拍が強くなる	●心タンポナーデ、心膜炎、肺塞栓症など

呼吸のアセスメント

図 呼吸音の聴診部位と順番

前胸部

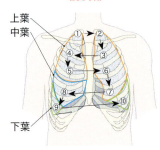

背部

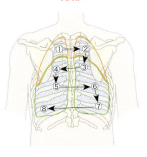

上葉
中葉
下葉

表 正常な呼吸音

種類	吸気：呼気	特徴
気管音	1：2	高調な粗い呼気がよく聴取される
気管支肺胞音	1：1	肺胞音よりやや高い音質が聴取される
肺胞音	2：1	やわらかく低調な吸気がよく聴取される

表 呼吸音の異常

種類	おもな原因
呼吸音の減弱・消失	●胸水貯留　●無気肺　●COPD　●呼吸筋麻痺　●気道の狭窄・閉塞
呼気の延長	●気管支喘息　●COPD
肺胞領域での気管音の聴取	●胸水貯留　●肺うっ血　●肺炎

表 呼吸回数・深さの異常

	回数	深さ	パターン	おもな原因
頻呼吸	↑ 24回/分以上	→		ARDS、ALI、肺炎、喘息、発熱
徐呼吸	↓ 12回/分以下	→		麻酔・鎮静時、睡眠時、投与時
多呼吸	↑	↑		低酸素血症、運動時過換気症候群
少呼吸	↓	↓		心肺停止直前、前麻痺
過呼吸	原則的に変化なし	↑		過換気症候群、神経症、もやもや病
低呼吸	原則的に変化なし	↓		呼吸筋麻痺
無呼吸	呼吸が一度停止した状態			睡眠時無呼吸症候群

表 呼吸リズムの異常

	状態	パターン	おもな原因
クスマウル呼吸	ゆっくりとした深く粗い規則的な呼吸		糖尿病ケトアシドーシス、尿毒症、昏睡時
チェーン・ストークス呼吸	無呼吸→過呼吸→減呼吸→無呼吸を繰り返す		中枢神経系の異常、心不全、中毒、麻酔時
ビオー呼吸	急速かつ短い促迫呼吸と無呼吸期間が不規則に繰り返される		脳腫瘍、脳外傷、髄膜炎

表 副雑音の種類

種類		音	おもな原因
連続性副雑音	高音性 ウィーズ wheeze	ヒューヒュー	●気管支喘息 ●気道狭窄 ●心不全
	低音性 ロンカイ rhonchi	グーグー	●痰などの貯留 ●肺炎 ●気道狭窄など
断続性副雑音	捻髪音 ファイン クラックル fine crackles	パチパチ	●心不全 ●肺水腫 ●肺炎 ●肺線維症 ●間質性肺炎
	水泡音 コース クラックル coarse crackles	ブツブツ	●気管支拡張症 ●肺炎 ●肺水腫 ●慢性気管支炎
その他	胸膜摩擦音	ギューギュー バリバリ	●皮下気腫 ●胸膜炎

血圧のアセスメント

表 成人における血圧値の分類

分類	診察室血圧(mmHg)		家庭血圧(mmHg)	
	収縮期血圧	拡張期血圧	収縮期血圧	拡張期血圧
正常血圧	<120 かつ	<80	<115 かつ	<75
正常高値血圧	120-129 かつ	<80	115-124 かつ	<75
高値血圧	130-139 かつ/または	80-89	125-134 かつ/または	75-84
Ⅰ度高血圧	140-159 かつ/または	90-99	135-144 かつ/または	85-89
Ⅱ度高血圧	160-179 かつ/または	100-109	145-159 かつ/または	90-99
Ⅲ度高血圧	≧180 かつ/または	≧110	≧160 かつ/または	≧100
(孤立性)収縮期高血圧	≧140 かつ	<90	≧135 かつ	<85

日本高血圧学会高血圧治療ガイドライン作成委員会編:高血圧治療ガイドライン2019,日本高血圧学会,東京,2019:18,より転載

心音のアセスメント

図 心音の聴診部位

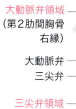
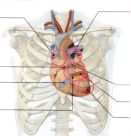

- 大動脈弁領域（第2肋間胸骨右縁）
- 大動脈弁
- 三尖弁
- 三尖弁領域（第4肋間胸骨左縁）
- 肺動脈弁領域（第2肋間胸骨左縁）

胸骨角の横が第2肋間。第1肋間は皮膚から触れられない

- 肺動脈弁
- 僧帽弁
- 僧帽弁領域（第5肋間胸骨中央線上）

表 異常心音の種類

心音		おもな原因
Ⅰ音	亢進	●僧帽弁狭窄 ●三尖弁狭窄 ●発熱
	減弱	●僧帽弁逆流 ●僧帽弁・三尖弁閉鎖不全 ●心ブロック
Ⅱ音	亢進	●肺高血圧
	減弱	●大動脈狭窄・肺動脈狭窄
ギャロップ音	Ⅲ音	●心室不全 ●僧帽弁閉鎖不全
	Ⅳ音	●肺動脈・大動脈狭窄 ●冠動脈疾患 ●左室肥大

表 Levine分類

	聴診器での聴取	振戦
Ⅰ度	かろうじて聴こえる	振戦に触れない
Ⅱ度	普通に聴こえる	
Ⅲ度	大きく聴こえる	
Ⅳ度	大きく聴こえる、聴診器を一部離しても聴こえる	振戦に触れる
Ⅴ度	聴診器で聴こえる最も大きい音。聴診器を離すと聴こえない	
Ⅵ度	聴診器を胸壁から離しても聴こえる	

表 心雑音の種類

分類		おもな原因疾患
収縮期雑音 Ⅰ音からⅡ音の間に聴こえる	駆出性雑音	●大動脈弁狭窄症 ●肺動脈弁狭窄症 ●心房中隔欠損症 ●肥大型心筋症　など
	逆流性雑音	●僧帽弁閉鎖不全症 ●三尖弁閉鎖不全症 ●心室中隔欠損症
拡張期雑音 Ⅱ音からⅠ音の間に聴こえる	房室弁雑音	●僧帽弁狭窄症（拡張期ランブル） ●三尖弁狭窄症 ●僧帽弁閉鎖不全症　など
	逆流性雑音	●大動脈弁閉鎖不全症 ●肺動脈弁閉鎖不全症　など

意識のアセスメント

表 ジャパンコーマスケール(JCS、3-3-9度)

Ⅰ	覚醒している (1桁の点数で表現)	1(Ⅰ-1)	見当識は保たれているが意識清明ではない
		2(Ⅰ-2)	見当識障害がある
		3(Ⅰ-3)	自分の名前、生年月日がいえない
Ⅱ	刺激に応じて一時的に覚醒する (2桁の点数で表現)	10(Ⅱ-1)	普通の呼びかけで開眼する
		20(Ⅱ-2)	大声で呼びかけたり、強く揺すると開眼する
		30(Ⅱ-3)	痛み刺激を加えつつ、呼びかけを続けるとかろうじて開眼する
Ⅲ	刺激しても覚醒しない (3桁の点数で表現)	100(Ⅲ-1)	痛みに対して払いのけるなどの動作をする
		200(Ⅲ-2)	痛み刺激で手足を動かしたり、顔をしかめたりする
		300(Ⅲ-3)	痛み刺激に対し全く反応しない

〔注〕R(restlessness):不穏状態、I(incontinence):失禁、A(akinetic mutism, apallic state):無動性無言・自発性喪失

● 記載例:JCS=20、JCS=300、JCS=100-Iなど

表 グラスゴーコーマスケール（GCS）

E	開眼機能 Eye opening	4	自発的に、または普通の呼びかけで開眼する
		3	強く呼びかけると開眼する
		2	痛み刺激で開眼する
		1	痛み刺激でも開眼しない
V	言語機能 Verbal response	5	見当識が保たれている
		4	会話は成立するが見当識が混乱
		3	発語はみられるが会話は成立しない
		2	意味のない音声
		1	発語みられず
M	運動機能 Motor response	6	命令に従って四肢を動かす
		5	痛み刺激に対し手で払いのける
		4	指への痛み刺激に対して四肢を引っ込める
		3	痛み刺激に対して緩徐な屈曲運動
		2	痛み刺激に対して緩徐な伸展運動
		1	運動みられず

● 各項目の点数を合計（E＋V＋M）し、意識障害の重症度とする（記載例：E3V2M2）。

【判定基準】

15点	14点	9〜13点	3〜8点
正常	軽症	中等症	重症

＊最重症は3点、正常は15点

表 脳卒中重症度評価スケール（NIHSS）

評価項目	評価分類
1a. 意識水準	□0：完全覚醒 □1：簡単な刺激で覚醒 □2：繰り返し刺激、強い刺激で覚醒 □3：完全に無反応
1b. 意識障害−質問 （今月の月名および年齢）	□0：両方正解 □1：片方正解 □2：両方不正解
1c. 意識障害−従命 （開閉眼、「手を握る・開く」）	□0：両方可能 □1：片方可能 □2：両方不可能
2. 最良の注視	□0：正常 □1：部分的注視視野 □2：完全注視麻痺
3. 視野	□0：視野欠損なし □1：部分的半盲 □2：完全半盲 □3：両側性半盲
4. 顔面麻痺	□0：正常 □1：軽度の麻痺 □2：部分的麻痺 □3：完全麻痺
5. 上肢の運動（右） ＊仰臥位のときは45度右上肢 N：切断、関節癒合	□0：90度＊を10秒保持可能（下垂なし） □1：90度＊を保持できるが、10秒以内に下垂 □2：90度＊の挙上または保持ができない □3：重力に抗して動かない □4：まったく動きが見られない

(NIHSSつづき)

評価項目	評価分類
上肢の運動(左) ＊仰臥位のときは45度左上肢 N：切断、関節癒合	□0：90度＊を10秒保持可能(下垂なし) □1：90度＊を保持できるが、10秒以内に下垂 □2：90度＊の挙上または保持ができない □3：重力に抗して動かない □4：まったく動きが見られない
6．下肢の運動(右) N：切断、関節癒合	□0：30度を5秒間保持できる(下垂なし) □1：30度を保持できるが、5秒以内に下垂 □2：重力に抗して動きが見られる □3：重力に抗して動かない □4：まったく動きが見られない
下肢の運動(左) N：切断、関節癒合	□0：30度を5秒間保持できる(下垂なし) □1：30度を保持できるが、5秒以内に下垂 □2：重力に抗して動きが見られる □3：重力に抗して動かない □4：まったく動きが見られない
7．運動失調 N：切断、関節癒合	□0：なし □1：1肢 □2：2肢
8．感覚	□0：障害なし □1：軽度から中等度 □2：重度から完全
9．最良の言語	□0：失語なし □1：軽度から中等度 □2：重度の失語 □3：無言、全失語
10．構音障害 N：挿管または身体的障壁	□0：正常 □1：軽度から中等度 □2：重度

(NIHSSつづき)

評価項目	評価分類
11. 消去現象と注意障害	□0：異常なし □1：視覚、触覚、聴覚、視空間、または自己身体に対する不注意、あるいは1つの感覚様式で2点同時刺激に対する消去現象 □2：重度の半側不注意あるいは2つ以上の感覚様式に対する半側不注意

Lyden P, Lu M, Jackson C, et al. Underlying structure of the National Institutes of Health Stroke Scale：results of a factor analysis. NINDS tPA Stroke Trial Investigators. *Stroke* 1999；30：2347-2354. より引用

●脳卒中重症度評価スケールの1つ。各項目とも点数が高いほど重症度も高くなり、合計点は最高で42点。

表 RASS（鎮静・興奮評価スケール）

スコア	用語	説明	
+4	好戦的な	明らかに好戦的な、暴力的な、スタッフに対する差し迫った危険	
+3	非常に興奮した	チューブ類またはカテーテル類を自己抜去；攻撃的な	
+2	興奮した	頻繁な非意図的な運動、人工呼吸器ファイティング	
+1	落ち着きのない	不安で絶えずそわそわしている、しかし動きは攻撃的でも活発でもない	
0	意識清明な 落ち着いている		
-1	傾眠状態	完全に清明ではないが、呼びかけに10秒以上の開眼およびアイ・コンタクトで応答する	呼びかけ刺激

(RASSつづき)

スコア	用語	説明	
－2	軽い鎮静状態	呼びかけに10秒未満のアイ・コンタクトで応答	呼びかけ刺激
－3	中等度鎮静	状態呼びかけに動きまたは開眼で応答するがアイ・コンタクトなし	呼びかけ刺激
－4	深い鎮静状態	呼びかけに無反応、しかし、身体刺激で動きまたは開眼	身体刺激
－5	昏睡	呼びかけにも身体刺激にも無反応	身体刺激

評価法

ステップ1	30秒間、患者を観察する。これ（視診のみ）によりスコア0～＋4を判定する
ステップ2	1）大声で名前を呼ぶか、開眼するように言う 2）10秒以上アイ・コンタクトができなければ繰り返す。 　以上2項目（呼びかけ刺激）によりスコア－1～－3を判定する 3）動きが見られなければ、肩を揺するか、胸骨を摩擦する。これ（身体刺激）によりスコア－4、－5を判定する

＊多くの場合0～－2が鎮静の目標になる。
日本呼吸療法医学会：人工呼吸中の鎮静のためのガイドライン.
http://square.umin.ac.jp/jrcm/contents/guide/page03.html(2020.01.10アクセス)より引用

図 BLSアルゴリズム（医療者用）

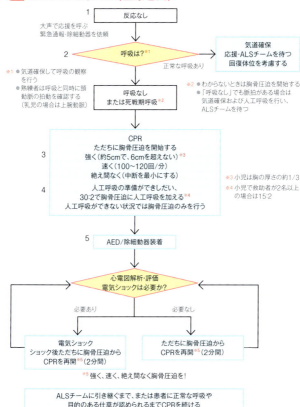

日本蘇生協議会監修：JRC蘇生ガイドライン2015．医学書院，東京，2016：49．より転載

おもな検査基準値

表 血液検査:血球数算定、血液像

項目	略語	基準値	おもな原因
赤血球数	RBC	●男性:430〜570×10^4/μL ●女性:380〜500×10^4/μL	↑真性多血症、二次性多血症、ストレス、脱水 ↓貧血、肝障害、出血
ヘモグロビン量	Hb	●男性:13.5〜17.5g/dL ●女性:11.5〜15.0g/dL	
ヘマトクリット値	Ht	●男性:39〜52% ●女性:34〜44%	
網状赤血球数	Ret	●0.8〜2.2%	↑出血、溶血性貧血 ↓再生不良性貧血
血小板数	PLT	15〜34×10^4/μL	↑本態性血小板血症、出血、外傷 ↓再生不良性貧血、急性白血病、DIC
白血球数	WBC	●成人:4,000〜8,000/μL ●小児:5,000〜13,000/μL	↑心筋梗塞、感染症 ↓重症敗血症、SLE、抗がん薬投与

表 血液検査:凝固・線溶系

項目	略語	基準値	おもな原因
プロトロンビン時間	PT	●9〜15秒 ●活性:70〜100%	↓ビタミンK欠乏症、DIC、ワルファリン投与

項目	略語	基準値	おもな原因
PT-国際標準化比	PT-INR	疾患の治療域によって異なる	↑抗凝固薬の過剰投与 ↓抗凝固薬の投与量不足
活性化部分トロンボプラスチン時間	APTT	25〜45秒	延長：ビタミンK欠乏症、血友病A・B、肝障害、DIC、ヘパリン投与
トロンボテスト	TT	70〜130%	↓ビタミンK欠乏症、DIC、ワルファリン投与
フィブリン・フィブリノゲン分解産物	FDP	5μg/mL未満	↑1次線溶亢進、2次線溶亢進、DIC、大動脈解離、血栓症、梗塞
Dダイマー	D-dimer	●1.0μg/mL（LPIA法） ●0.5μg/mL（ELISA法）	↑DIC、大動脈解離、血栓症、梗塞、腹水・胸水の貯留

表 生化学検査：電解質・金属

項目	略語	基準値	おもな原因
血清ナトリウム	Na	137〜145 mEq/L	↑高ナトリウム血症 ↓低ナトリウム血症
血清カリウム	K	3.5〜5.0 mEq/L	↑高カリウム血症 ↓低カリウム血症
血清カルシウム	Ca	8.4〜10.4 mg/dL	↑高カルシウム血症 ↓低カルシウム血症

(生化学検査:電解質・金属つづき)

項目	略語	基準値	おもな原因
血清クロール	Cl	98〜108 mEq/L	↑下痢、嘔吐、呼吸性アルカローシス ↓下痢、嘔吐、呼吸性アシドーシス
血清マグネシウム	Mg	1.7〜2.6 mg/dL	↑高度脱水症 ↓飢餓、タンパク栄養不良症、下痢

表 生化学検査:タンパク関連・含窒素成分

項目	略語	基準値	おもな原因
総タンパク	TP	6.7〜8.3 g/dL	↑高タンパク血症 ↓低タンパク血症
血清アルブミン	Alb	3.8〜5.3 g/dL	↑脱水症 ↓重症肝障害、栄養障害
血清尿素窒素	BUN、UN	8〜20 mg/dL	↑腎機能障害、脱水症、心不全 ↓重症肝障害、低タンパク血症、多尿
血清クレアチニン	Cr	●男性:0.61〜1.04 mg/dL ●女性:0.47〜0.79 mg/dL	↑腎前性:心不全、血圧低下、脱水 ↑腎性:糸球体腎炎 ↑腎後性:尿路閉塞 ↓長期臥床、多尿
推定糸球体濾過量	eGFR	血清Cr値、年齢、性別、推算式(日本腎臓病学会が定める)によって算出する。60がめやす	↓妊娠中、長期臥床 ↓末端肥大症

項目	略語	基準値	おもな原因
血清ビリルビン	BIL	●総ビリルビン(T-Bil)：0.2～1.0 mg/dL ●直接ビリルビン(D-Bil)：0.0～0.3 mg/dL ●間接ビリルビン(I-Bil)：0.1～0.8 mg/dL	↑直接ビリルビン：閉塞性黄疸、重症肝障害 ↑間接ビリルビン：溶血性貧血、体質性黄疸
心臓型脂肪酸結合タンパク質	H-FABP	6.2 ng/mL未満	↑急性冠症候群

表 生化学検査：糖代謝、脂質

項目	略語	基準値	おもな原因
血糖	BS GLU	70～109 mg/dL	↑糖尿病 ↓下垂体機能低下症、激しい運動
総コレステロール	TC	120～219 mg/dL	↑原発性：家族性高コレステロール血症 ↑続発性：糖尿病、甲状腺機能低下症 ↓原発性：無・低βリポタンパク血症 ↓続発性：甲状腺機能亢進症、肝炎
LDLコレステロール	LDL-C	65～139 mg/dL	↑虚血性心疾患のリスクファクター ↓肝硬変、甲状腺機能亢進症

(生化学検査:糖代謝、脂質つづき)

項目	略語	基準値	おもな原因
HDLコレステロール	HDL-C	40〜65 mg/dL	↑アルコール多飲 ↓糖尿病、肝障害、虚血性心疾患
中性脂肪(トリグリセリド)	TG	30〜149 mg/dL	↑家族性脂質異常症、糖尿病、高尿酸血症 ↓甲状腺機能亢進症
リポタンパク(a)	Lp(a)	30 mg/dL未満	↑虚血性心疾患、閉塞性動脈硬化症 ↓閉塞性黄疸

表 生化学検査:酵素

項目	略語	基準値	おもな原因
アスパラギン酸アミノトランスフェラーゼ	AST(GOT)	10〜40 IU/L	↑心筋梗塞、心筋炎、肝硬変、胆石・胆道炎、多発性筋炎、筋ジストロフィー
アラニンアミノトランスフェラーゼ	ALT(GPT)	5〜45 IU/L	
乳酸脱水素酵素	LDH	120〜245 IU/L	↑LDH1・2:急性心筋梗塞 ↑LDH2・3:白血病 ↑LDH5:急性肝炎
アルカリフォスファターゼ	ALP	80〜260 IU/L	↑ALP3:骨代謝系疾患 ↑ALP5:肝障害 ↓甲状腺機能低下症

項目	略語	基準値	おもな原因
クレアチンキナーゼ	CK	●男性：57〜197 IU/L ●女性：32〜180 IU/L	↑CK-MB：急性心筋梗塞、心筋炎、心膜炎、心臓外傷 ↓CK：甲状腺機能亢進症
クレアチンキナーゼ-MB	CK-MB	●定性：1〜4% ●定量：15〜25 IU/L	
アミラーゼ	AMY	66〜200 U/L	↑急性膵炎
γグルタミルトランスペプチダーゼ	γ-GTP	●男性：10〜50 IU/L以下 ●女性：9〜32 IU/L以下	↑アルコール性肝炎、急性・慢性肝炎、肝硬変
コリンエステラーゼ	ChE	214〜466 IU/L	↑ネフローゼ症候群、肝がん、甲状腺機能亢進症 ↓肝障害、栄養失調

表 免疫血清検査

項目	略語	基準値	おもな原因
C反応性タンパク	CRP	0.30 mg/dL未満	↑急性心筋梗塞、細菌・ウイルス感染、術後、悪性リンパ腫
脳性ナトリウム利尿ペプチド	BNP	18.4 pg/mL以下	↑急性心筋梗塞、急性・慢性心不全、慢性腎不全、本態性高血圧

表 動脈血ガス分析

項目	基準値	おもな原因
PaO_2	80〜100 Torr	↓低酸素、酸素投与必要
SaO_2	95〜97 %	PaO_2と相関している
$PaCO_2$	40±5(35〜45) Torr	↑低換気、呼吸性アシドーシス ↓過換気、呼吸性アルカローシス
pH	7.4±0.05	7.35以下：酸血症 7.45以上：アルカリ血症
HCO_3^-	24±2(22〜26) mEq/L	↑代謝性アルカローシス ↓代謝性アシドーシス
BE	0±2(−2〜+2) mmol/L	↑代謝性アルカローシス ↓代謝性アシドーシス
ラクテート	5〜12 mg/dL (0.56〜1.39 mmol/L)	↑アシドーシス

表 炎症マーカー

項目	略語	基準値	おもな原因
プロカルシトニン	PCT	0.05 ng/mL	↑細菌性敗血症

※p.114〜120の検査基準値は、西﨑祐史，渡邊千登世編著：ケアに生かす検査値ガイド 第2版，照林社，東京，2018．を参考に作成。上記基準値はあくまでも参考値である。測定法や測定試薬によっても異なるため、自施設の基準を確認のこと。

参考文献

1. 道又元裕監修,窪田博,大槻直美,平澤英子編:見てわかる 循環器ケア 看護手順と疾患ガイド.照林社,東京,2013.
2. 浦部晶夫,島田和幸,川合眞一編:今日の治療薬(2018年版).南江堂,東京,2018.
3. 医療情報科学研究所編:薬がみえるvol.1.メディックメディア,東京,2014.
4. 池松裕子編:臨床で役立つ 看護アセスメントスケール&ツール.照林社,東京,2018.
5. 野中廣志:新版 看護に役立つ検査事典.照林社,東京,2015.

索引

あ・う

アナフィラキシーショック	11
アンジオテンシンⅡ受容体拮抗薬	65
アンジオテンシン変換酵素阻害薬	64
ウェンケバッハ型	20

か

解離性大動脈瘤	47,48
拡張型心筋症	35
カルシウム(Ca)拮抗薬	63
感染性心内膜炎	31,32
完全房室ブロック	20
冠動脈の区域分類	83
冠攣縮性狭心症	14

き

急性冠症候群	15
急性左心不全	5
急性心筋梗塞	2,3,16
急性心膜炎	30
急性大動脈解離	2,3
急性動脈閉塞症	50
急性肺塞栓症	2,3,5
強心薬	76
胸痛	2
虚血性心疾患	14

く・け・こ

クリニカルシナリオ分類	43
血圧のアセスメント	104
血液分布異常性ショック	11
血管拡張薬	79
血栓溶解薬	62
抗凝固薬	58
抗血小板薬	60
高度房室ブロック	20
抗不整脈薬	74
呼吸困難	5
呼吸のアセスメント	102

し

失神	8
循環血液量減少性ショック	11
硝酸薬	71
ショック	10
徐脈頻脈症候群	19
心音のアセスメント	105
心外閉塞・拘束性ショック	11
心筋梗塞	15
神経原性ショック	11
心原性ショック	7,11
心雑音の種類	106
心室細動	23
心室中隔欠損症	39,40
心室頻拍	23
心臓性浮腫	12
心臓弁膜症	26,28
心タンポナーデ	31
心内膜炎	30
深部静脈血栓症	52,54
心不全	42,44
心房細動	22
心房粗動	22
心房中隔欠損症	38,40
心膜炎	30

そ

僧帽弁狭窄症	26
僧帽弁閉鎖不全症	26

た・ち・と

大動脈弁狭窄症	27
大動脈弁閉鎖不全症	27
大動脈瘤	46
チアノーゼ	6
中心性チアノーゼ	6

中枢性交感神経抑制薬	70	ARB	65
動悸	4	AS	27
洞性徐脈	19	ASD	38
洞停止	19	ASO	51
洞不全症候群	19	AVNRT	21
洞房ブロック	19	AVRT	21

は・ひ・ふ・へ・ほ

敗血症性ショック	11	BLSアルゴリズム	113
肺血栓塞栓症	53,54	CSA	14
肥大型心筋症	34	DAA	47
不安定狭心症	15	DCM	35
浮腫	12	DVT	52,54
不整脈	4,18,24	Fontaine分類	51
閉塞性動脈硬化症	51	GCS	108
房室回帰性頻拍	21	HCM	34
房室結節回帰性頻拍	21	IE	31,32
房室ブロック	20	IHD	14
発作性上室性頻拍	21	JCS	107
ホーマンズ徴候	3	Levine分類	106
		MI	15

ま・み・め・も

末梢性チアノーゼ	6	MR	26
慢性冠動脈疾患	14	MS	26
慢性収縮性心膜炎	30	NIHSS	109
脈拍のアセスメント	101	Nohria-Stevenson分類	43
めまい	8	PSVT	21
モビッツⅡ型	20	PTE	53
		RASS	111

り・ろ

利尿薬	66	SSS	19
リンパ浮腫	56	TAA	46
労作性(安定)狭心症	14	TAAA	46
		UAP	15

略語など

AAA	46	VF	23
ACS	15	VSD	39
AF	22	VT	23
AFL	22	Ⅰ度房室ブロック	20
AHA分類	83	Ⅱ度房室ブロック	20
AR	27	Ⅲ度房室ブロック	20
		5つのP	50
		α遮断薬	70
		α_2受容体刺激薬	70
		β遮断薬	69

本書は、『病棟で必要なことが1冊でわかる循環器ミニBOOK』（2019年4月8日第1版第1刷発行）の一部を修正し、「第2版」としたものです。

病棟で必要なことが1冊でわかる
循環器（じゅんかんき）ミニBOOK　第2版

2019年4月8日	第1版第1刷発行	編　著	新東京病院　看護部
2020年3月4日	第2版第1刷発行	発行者	鈴木　由佳子
2025年3月10日	第2版第7刷発行	発行所	株式会社　照林社

〒112-0002
東京都文京区小石川2丁目3-23
電話　03-3815-4921（編集）
　　　03-5689-7377（営業）
https://www.shorinsha.co.jp/
印刷所　大日本印刷株式会社

- 本書に掲載された著作物（記事・写真・イラスト等）の翻訳・複写・転載・データベースへの取り込み、および送信に関する許諾権は、照林社が保有します。
- 本書の無断複写は、著作権法上での例外を除き禁じられています。本書を複写される場合は、事前に許諾を受けてください。また、本書をスキャンしてPDF化するなどの電子化は、私的使用に限り著作権法上認められていますが、代行業者等の第三者による電子データ化および書籍化は、いかなる場合も認められていません。
- 万一、落丁・乱丁などの不良品がございましたら、「制作部」あてにお送りください。送料小社負担にて良品とお取り替えいたします（制作部☎0120-87-1174）。

©Shintokyobyoinkangobu/2020/Printed in Japan

分売不可

本当に大切なことが1冊でわかる循環器　第2版　別冊

カテーテルから得られる情報

表 右心カテーテル

	正常値	内容
中心静脈圧 (CVP)	平均5〜10mmHg	● CVP＝右房圧(RAP)＝胸腔内大動脈圧 ● ↑：循環血液量の増加(右心不全、心タンポナーデ) ● ↓：循環血液量の低下(脱水、大量出血など)＝循環血液量減少性ショック
右房圧 (RAP)	平均0〜7mmHg	● a波(心房充満波)↑：三尖弁狭窄 ● v波(心室充満波)↑：三尖弁逆流、右心不全
右室圧 (RVP)	収縮期15〜25mmHg 拡張期0〜8mmHg	● 収縮期↑：肺高血圧、肺動脈弁狭窄 ● 拡張期↑：右心不全、心タンポナーデなど
肺動脈圧 (PAP)	収縮期15〜25mmHg 拡張期8〜15mmHg	● 肺動脈圧の拡張期圧で肺動脈楔入圧の代用が可能
肺動脈楔入圧(PAWP)	平均6〜13mmHg	● PAWP＝左房圧(LAP)＝左室拡張終末期期圧(LVEDP) ● ↑：左心房への流入血液量の増加(僧帽弁狭窄症、大動脈弁閉鎖不全症、心室中隔欠損症など)、左室の収縮力低下(左心不全、虚血性心疾患など) ● ↓：循環血液量の低下(出血、熱傷、脱水など)
心拍出量 (CO)	4〜8L/分	● 1分間に心臓が拍出する血液量

※上記値はめやすです。